DE RATTENOORLOG

DAVID L. ROBBINS

DE RATTEN-
OORLOG

THRILLER

Eerste druk augustus 2000

Vertaling Gerard Grasman
Omslagontwerp Zeno
Omslagillustratie Archive Photo's, Londen

Copyright © 1999 David L. Robbins
Copyright Nederlandse vertaling © 2000 J.M. Meulenhoff bv, Amsterdam
Meulenhoff-*M is een imprint van J.M. Meulenhoff bv, Amsterdam
Oorspronkelijk verschenen onder de titel *War of the Rats*

ISBN 90 290 6730 6 / CIP / NUGI 331

Dit boek is opgedragen aan mijn vader, Sam, en mijn moeder, Carol, beiden veteraan van de Tweede Wereldoorlog; aan mijn broer, Barry, die dienst heeft gedaan in Vietnam; en aan al die dappere mannen en vrouwen in alle rangen en functies die zich in de strijd eervol hebben gedragen en alleen maar anoniem de geschiedenis in zijn gegaan omdat hun aantallen zo groot waren.

Ik ben de weg naar de treurende stad,
ik ben de weg naar eeuwige rouw,
ik ben de weg naar een verlaten volk.

Gerechtigheid was wat mijn grote Schepper dreef;
goddelijke almacht die mij schiep, en die de hoogste
wijsheid verenigt met onvoorwaardelijke liefde.

Vóór mij is er niets geschapen dan eeuwige dingen
en zelf zal ik in eeuwigheid niet sterven.
Gij die hier binnentreedt, laat alle hoop varen.

Dante Alighieri: *La divina commedia*, Canzone III
(De inscriptie boven de poorten van de hel)

Next to a battle lost, the greatest misery is a battle gained.
(De grootste rampspoed na een verloren slag, is een gewonnen slag.)

De hertog van Wellington, na de Slag bij Waterloo

INLEIDING

Zelfs Napoleon was niet zo diep Rusland binnengedrongen als de Wehrmacht deed in augustus 1942.

Adolf Hitlers strijdkrachten stootten over een afstand van ruim 1600 kilometer over de immense, vijandige vlakten van Rusland door tot aan de oevers van de Wolga. Dit was verreweg de diepste dolkstoot, ooit door een buitenlands leger dit immense land toegebracht.

Het Duitse aanvalsplan was eenvoudig: sla een beleg rondom Moskou om de kostbare Russische defensieve strijdkrachten te binden, en stoot dan meteen door naar de Kaukasus en de Koeban in het zuiden om de strategische aardolievelden daar te veroveren. Eenmaal heer en meester over de Kaukasus zou Hitler Rusland op zijn eigen voorwaarden een vrede kunnen dicteren; hij zou het land in tweeën delen en het westelijke deel van deze grote natie degraderen tot de status van een slavenvolk – dat alles ten behoeve van zijn droom een duizendjarig wereldrijk van Ariërs te vestigen.

Eind juli 1942 kondigde Hitler een tijdelijke *Schwerpunktverschiebung* in zijn invasie van Rusland aan: in plaats van zijn grootste kracht te bundelen in de doorstoot naar de zuidelijke olievelden, wilde hij het accent verleggen naar de doorstoot naar het oosten, met het doel een potentieel gevaar langs zijn linkerflank te neutraliseren. De stad Stalingrad, een industriecentrum dat goed was voor bijna de helft van de totale staal- en tractorenproductie van de Sovjet-Unie, een metropool met meer dan een half miljoen inwoners, lag aan de oevers van een halvemaanvormige bocht in de Wolga. Hitler had het gevoel dat hij daar een belangrijke én gemakkelijke overwinning kon behalen.

Dit besluit heeft geleid tot een orgie van bloed en vernietiging op grotere schaal dan ooit eerder tijdens een veldslag in de menselijke geschiedenis. Het Rode Leger had van Josif Stalin – naar wie de voormalige stad Tsaritsyn in 1925 was genoemd, uit dankbaarheid voor zijn rol in de verdediging van de stad tegen de 'Witten' gedurende de Russische Revolutie – de strengst mogelijke instructie gekregen dat het 'geen stap terug' mocht doen, en de Russische soldaten verweerden zich onverwacht grimmig en onverzettelijk.

De zware vuurproef van Stalingrad, die vijf maanden zou duren, begon op 23 augustus 1942, toen de eerste pantsercolonnes van het Duitse Zesde Leger de noordelijke buitenwijken van de stad aan de oevers van de Wolga hadden bereikt. De Duitse strijdkrachten stonden onder bevel van generaal Friedrich Paulus. Hij en zijn Russische tegenspeler, maarschalk Georgi Konstantinovitsj Zjoekov, commandant van het Tweeënzestigste Leger van de Sovjet-Russische strijdkrachten, regeerden over een gruwelijk strijdtoneel. De stad werd eind augustus bestookt met massa's brandbommen en veranderde in een rokend knekelhuis. De soldaten vochten en stierven in kelders, gangen en stegen, en in de uitgestrekte doolhoven van in puin geschoten en nog smeulende fabrieken langs de rivier. Dit gevecht van huis tot huis en van man tegen man duurde maanden en maanden, en de frontlinies verschoven bij iedere nieuwe botsing, waarbij de 'terreinwinst' in meters per dag werd gerekend. Duitse infanteristen noemden de Slag om Stalingrad *Der Rattenkrieg* – de Rattenoorlog.

Hitlers Zesde Leger binnen de stad werd op een sterkte van honderdduizend officieren en manschappen gehouden door een constante stroom van nieuwe aanvullingen, onttrokken aan Duitse, Italiaanse, Hongaarse en Roemeense divisies die in de uitgestrekte steppen rond Stalingrad waren gepositioneerd. De defensiemacht van het Rode Leger binnen Stalingrad telde nooit meer dan zestigduizend man en soms daalde dat aantal tot slechts twintigduizend mannen die wanhopig hun best deden om te overleven totdat er versterkingen over de Wolga konden worden aangevoerd. De beide legers wisten met ongelooflijke wilskracht van geen wijken, en duizenden en nog eens duizenden soldaten werden gedood of voor het leven verminkt.

Tegen midden oktober stonden de sovjetverdedigers bijna letterlijk met hun rug tegen de muur, in dit geval de Wolga. Op sommige plaatsen scheidden hen slechts honderd meter van de kliffen van de Wolga. Op de een of andere manier hielden zij het vol tot 19 november 1942, toen het Rode Leger zijn 'november-verrassing' uitspeelde. De Russen voerden plotseling vanuit zowel het noorden als het zuiden onder bevel van generaal Watoetin een immense omtrekkende beweging uit en slaagden er in om de Duitsers en hun bondgenoten te omsingelen met anderhalf miljoen op wraak beluste Russen. Hitler noemde zijn omsingelde Zesde Leger 'Fort Stalingrad' en bezwoer de wereld dat deze mannen niet van hun plaats zouden wijken en tot aan hun laatste snik zouden doorvechten. Zijn in het nauw gedreven soldaten, gekweld door honger, bevriezende ledematen en een folterende luizenplaag, noemden hun positie *Der Kessel*. Van het kwart miljoen soldaten dat rond half november in de steppe werd ingesloten, zijn minder dan honderdduizend man lang genoeg in leven gebleven om zich tweeëneenhalve maand later over te geven.

De hel van Stalingrad eindigde op 31 januari 1943 toen een uitgemergelde generaal Paulus, met nerveuze spiertrekkingen in zijn gezicht en weinig meer dan een geest die het bevel voerde over een leger van wandelende doden, het zwaargehavende Univermag-warenhuis in het zwartgeblakerde centrum van de stad verliet en capituleerde.

De Slag om Stalingrad heeft uiteindelijk naar schatting 1.109.000 doden gekost, een absoluut record in het vernietigen van mensenlevens in de annalen van alle oorlogen uit de menselijke geschiedenis. Het Rode Leger maakte melding van 750.000 doden, gewonden en vermisten. De Duitsers meldden een getal van 400.000; de Italianen hadden van hun oorspronkelijke sterkte van 200.000 maar liefst 130.000 man verloren. De Hongaren meldden 120.000 gesneuvelden; de Roemenen 200.000. Van de totale vooroorlogse bevolking van Stalingrad van ruim 500.000 personen waren er na de slag nog maar 1500 in leven.

Voor de Tweede Wereldoorlog betekende de afloop van de Slag om Stalingrad een keerpunt, vooral voor beide partijen. Nooit eerder was een compleet Duits leger in de strijd verdwenen. De mythe van de onoverwinnelijkheid van de nazi's was letterlijk in rook opgegaan. De Roden hadden een grote overwinning behaald; Rusland had Hitlers mokerslag niet alleen gepareerd, maar hem tevens een dodelijke slag toegebracht. De nazi's kwamen nooit verder dan Stalingrad; gedurende de rest van de oorlog moesten de Duitsers een verdedigingsoorlog voeren. Twee jaar later vierde het Rode Leger de eindoverwinning in de straten van Berlijn.

Te midden van deze gruwelijke slachting op dit beslissende strijdtoneel hebben twee mannen ieder een belangrijke rol gespeeld: de Sovjet-Russische sergeant-majoor Wasilji Zaitsev en de *Obersturmbannführer der ss* Heinz Thorvald.

Beide militairen hadden binnen hun eigen strijdkrachten de reputatie van een onverslaanbare *killer*, een sluipschutter van onovertroffen kwaliteiten. Beiden hadden opdracht hun tegenspeler op te sporen en te doden. En ze wisten allebei dat hun wrekende Nemesis naar hen op zoek was in het immense doolhof van ruïnes, dood en verderf waarin Stalingrad was veranderd.

Drie van de vier hoofdpersonages in *De rattenoorlog* – Zaitsev, Thorvald en de vrouwelijke sluipschutter Tanja Tsjernova – hebben werkelijk meegevochten in de Slag om Stalingrad. Hun escapades en die van verscheidene van hun strijdmakkers zijn uitvoerig gedocumenteerd in een aantal historische werken, en deze documentatie vormt de basis van dit boek (zie de bibliografie achterin). Waar Zaitsevs persoonlijke geschiedenis en familieachtergrond getrouw zijn weergegeven, heb ik met het oog op de dramatiek enkele bijzonderheden aan de achtergronden van Thorvald en Tanja toegevoegd of veranderd; aan de avonturen en lotgevallen van de Duitse sluipschutter en de Russische partizane heb ik niets veranderd. Het vierde personage, korporaal Nikki Mond, is een niet-historische doorsnee-soldaat wiens lotgevallen in Stalingrad zo authentiek mogelijk zijn als ik ze heb kunnen bedenken.

De data, troepenbewegingen en belangrijke krijgskundige details in *De rattenoorlog* stemmen overeen met de historische feiten. Bovendien is het merendeel van de minder belangrijke scènes – de persoonlijke strijd om het bestaan en de wisselwerking tussen mensen – eveneens geschetst naar de feiten, ontleend aan zowel vraaggesprekken met overlevenden als schriftelijke verslagen. Maar net als in iedere historische roman – met name in de kleinere, intieme episodes – moest ik mij ten aanzien van de accuratesse en legitimiteit hier en daar wat

10

vrijheden veroorloven. Het is uiteraard onmogelijk om de gedachten en onge-
ziene gedragingen van iemand anders nauwkeurig weer te geven. Het is echter
wel mogelijk om op basis van grondig onderzoek en inzicht te herscheppen wat
een man of vrouw misschien zal hebben gedaan en hóé hij of zij wellicht daarbij te werk is gegaan, op een manier die weliswaar fictief, maar niettemin plau-
sibel is.

DLR
Richmond, Virginia

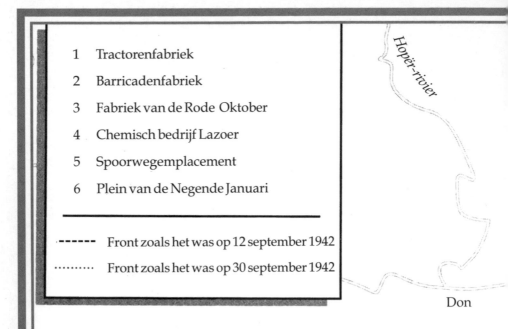

1   Tractorenfabriek

2   Barricadenfabriek

3   Fabriek van de Rode Oktober

4   Chemisch bedrijf Lazoer

5   Spoorwegemplacement

6   Plein van de Negende Januari

------- Front zoals het was op 12 september 1942

·········· Front zoals het was op 30 september 1942

Hopër-rivier

Don

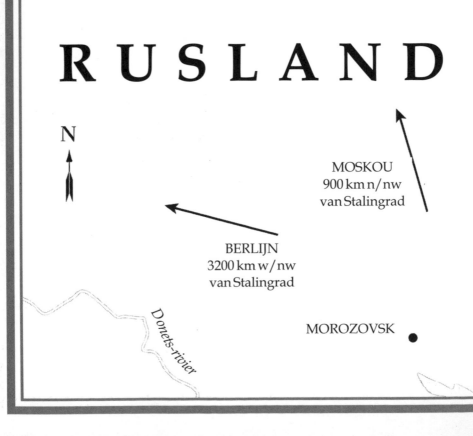

R U S L A N D

N

MOSKOU
900 km n/nw
van Stalingrad

BERLIJN
3200 km w/nw
van Stalingrad

Donets-rivier

MOROZOVSK

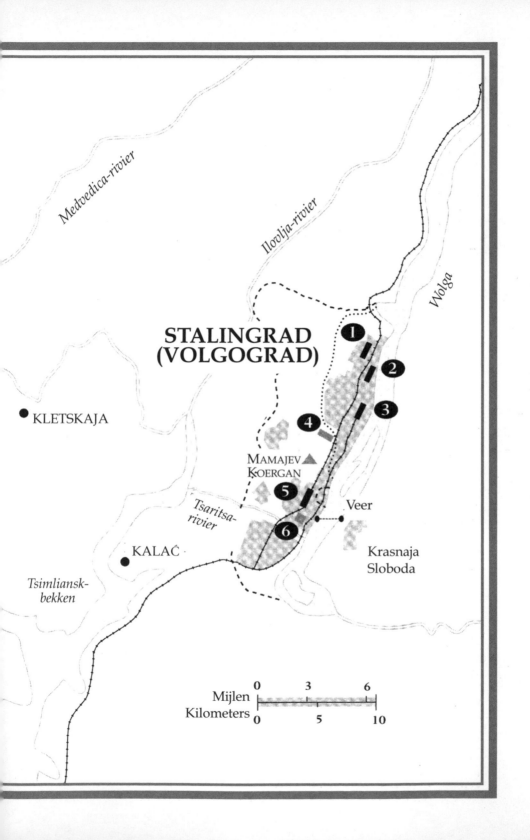

STALINGRAD
(VOLGOGRAD)

Medvedica-rivier

Ilovlja-rivier

Wolga

KLETSKAJA

MAMAJEV
KOERGAN

Tsaritsa-
rivier

Veer

Krasnaja
Sloboda

KALAĆ

Tsimliansk-
bekken

0   3   6
Mijlen
Kilometers
0   5   10

EEN

DE KORPORAAL, DE HAAS,
DE PARTIZANE EN DE BOVENMEESTER

1

Nikki Mond gluurde over de rand van de loopgraaf en ontwaarde een grauw-grijze ochtendschemering.

Het eerste licht van de hemel, eind oktober, leek een gebalde vuist van rook en stof te onthullen. De branden die resteerden van het nachtelijke bombardement knetterden en kraakten tussen de puinhopen. Uitgebrande legertrucks en tanks smeulden na aan de frontlinie, op vierhonderd meter afstand, en braakten een vettige oliewalm uit. Het stof van bakstenen en beton gaf aan iedere ademtocht de droge, bittere smaak van gruis.

Nikki legde zijn geweer neer om zijn rug en benen te strekken. Hij schroefde de dop van zijn veldfles. Hij slikte de eerste teug niet in, maar spoelde alleen het stof uit zijn mond en keel. Hij had de veldfles de afgelopen nacht geen moment aangeraakt. De dorst hielp hem wakker te blijven als hij wacht had.

'Geef mij ook wat.' Soldaat Pfizer was naar hem toe gekomen om de wacht van hem over te nemen. 'Ik voel me alsof ik de hele nacht gedroogde stront heb ingeademd.'

Nikki reikte hem de veldfles aan.

Vijftig meter verder kwam luitenant Hofstetter uit de officiersbunker, terwijl hij zijn grijze winterjas aanschoot. Hij knoopte hem nonchalant dicht en liep intussen naar de beide soldaten toe. Nikki en Pfizer klommen in de houding, maar hij wuifde het gebaar weg en geeuwde. 'Daar is het nog te vroeg voor.'

'Jawel, luitenant,' antwoordde Nikki.

'Iets te melden, korporaal?'

'Nee, luit.'

'Nou ja, de Roden gunnen je nooit lang rust. Eens kijken hoe de vlag ervoor staat. Hofstetter nam Nikki's kijker en stapte op een aarden verhoginkje. Langzaam stak hij zijn hoofd boven de borstwering uit, en bracht de kijker voor zijn ogen. Hij zorgde ervoor dat zijn hoofd zo laag mogelijk bleef en zocht langzaam de ruïnes van de Tractorenfabriek af. 'Niets te zien,' zei hij. 'Mooi. Volgens mij hebben de Iwans een snippernacht genomen.'

Pfizer hield de officier de veldfles voor. 'Neem er een slokje op, luit.'

Hofstetter liet de kijker zakken. Hij draaide zich een kwartslag om, zette de veldfles aan zijn mond en nam een lange teug.

Plotseling schokte de luitenant krampachtig en gooide Pfizer de veldfles in het gezicht. Water gulpte uit zijn mond en hij stiet een door proesten gesmoorde kreet uit. Zijn hoofd was opzij geslagen toen de veldfles en de kijker uit zijn omhoog maaiende armen schoten. Hij viel.

De knal van een enkel geweer, ergens ver weg, vloog over de loopgraaf. Het geluid leek even als een gier rond te cirkelen in de ochtendlucht, voordat alles weer stil werd.

De luitenant zakte tegen Pfizers benen ineen. Het gezicht van de soldaat verstarde. Hij gooide het lichaam van zich af en kroop razendsnel op handen en voeten naar de andere wand van de loopgraaf, waar hij zijn rug in het zand drukte.

Nikki kwam met een ruk tot zijn positieven. Hij gooide zich tegen de wand, en hurkte naast Pfizer neer. Hij boog zich voorover en legde zijn hand op de rug van de officier. Geen ademhaling.

Nikki keek naar de helm van de officier, nog vastgegespt onder zijn kin. Voor de zwarte adelaar op een goudkleurige fond, het embleem van het Derde Rijk, gaapte een roodgerand gat. Bloed droop onder de helm vandaan en doordrenkte het haar, alvorens langs het oor te sijpelen en een zwart plasje te vormen in de Russische aarde. De linkervoet van de luitenant sidderde even in de kleine plas water uit de veldfles.

'Vervloekte sluipschutters,' kankerde Pfizer. 'We zitten een halve kilometer bij de frontlinie vandaan. Hoe kunnen ze ons hier raken?'

Nikki ontfermde zich over zijn veldkijker en veldfles. Hij keek omlaag naar de luitenant. Nikki had de afgelopen paar maanden lijken bij de vleet gezien. De dood maakte deel uit van het landschap rondom Stalingrad en leek versmolten met de afbrokkelende bakstenen en de gehavende contouren van de bebouwing. Hij voelde voortdurend de dood in zijn rug, als de striemen van een geseling.

Nikki legde een hand op de arm van de soldaat. 'Ga ze maar halen om het lijk te bergen.'

Pfizer hees zich overeind. Zonder om te kijken naar het lijk haastte hij zich gebukt door de loopgraaf. Straks zou hij terugkomen met de strafcorveeërs – soldaten die tijdens hun wacht betrapt waren op drinken, vechten of slapen: voor straf moesten ze de gesneuvelden weghalen.

Nikki maakte de afstand tussen hemzelf en Hofstetter wat groter en ging weer zitten. De ochtendschemering won intussen terrein. Groene en rode lichtkogels explodeerden hoog in de lucht: ze markeerden de Duitse posities, om te voorkomen dat de Luftwaffe-piloten bij de eerste aanvalsgolven van de dag hun eigen landgenoten zouden bombarderen. Russische lichtspoormunitie flikkerde boven hun hoofden, tastend naar krijsende duikbommenwerpers. Vuurtongen dansten in de gedecimeerde gebouwen, terwijl de ene na de andere lichtkogel explodeerde, opvlamde, aan zijn parachuutje daalde en langzaam doofde.

Tijdens het wachten op de terugkeer van Pfizer schreef Nikki in gedachten een paar brieven aan zijn familie. Aan zijn vader, daarginds op de melkboerderij in Westfalen, schreef hij een leugen: hij hield de oude man voor dat hij zich geen zorgen hoefde te maken; de oorlog in het oosten naderde het einde, want het was bijna gedaan met het verzet van de Russen. Aan zijn oudere zus in Berlijn, een verpleegster, schreef hij de waarheid, in de wetenschap dat zij de verminkte resten van deze veldtocht met eigen ogen voor zich had in de bedden van haar afdeling. Tot slot schreef hij nog een brief aan zichzelf – een twintigjarige korporaal van de Wehrmacht, hurkend in een loopgraaf aan het *Ostfront*, op luttele meters afstand van een zojuist gesneuvelde officier. In de brief aan zichzelf kon hij niet overtuigend liegen, noch de volledige waarheid schrijven.

Wasilji Zaitsev trok razendsnel de grendel naar achteren. De rokende huls viel geluidloos in het zand naast hem.

Vlak naast hem tuurde de grote Viktor Medvedev door zijn telescoopvizier. Het eerste schot was afgevuurd door Zaitsev; als er zich een tweede doelwit boven de Duitse loopgraaf vertoonde, zou Viktor schieten.

Zaitsev telde langzaam in gedachten tot zestig. Na die minuut zou hij maken dat hij wegkwam, ongeacht of Viktor wel of niet de trekker had overgehaald. Dat was de eerste overlevingsregel van iedere sluipschutter: trekker overhalen en wegwezen. Elk schot kan jouw positie verraden aan ogen die jij niet kunt zien, maar die overal op het slagveld waakzaam blijven. Blijf nooit zolang in een 'vuurcel' dat die jouw graf kan worden.

Zaitsev was ervan overtuigd dat hij raak had geschoten. De veldfles was het eerste geweest wat hij had gezien, een ronde vorm die boven de loopgraaf even in beweging was. Bijna zou hij toen hebben gevuurd: op een afstand van 450 meter kon je een veldfles nauwelijks onderscheiden van een mensenhoofd. Hij had echter alleen de druk van zijn vinger op de trekker vergroot en was blijven wachten. Vijf seconden later was het hoofd precies in de kruisdraden van zijn telescoopvizier opgedoken. Zorgeloze, stompzinnige, dooie mof.

Nu wachtte Viktor totdat hij een ander doelwit in zijn vizier kreeg. Soms kon het gebeuren dat de kogel die het achterhoofd van iemand wegsloeg, de soldaat naast hem verleidde om zijn geweer of kijker te pakken en vol wraaklust op zoek te gaan naar de Russische sluipschutter die zijn makker of commandant had geveld, en die op dat moment hém in stilte op de korrel nam en zijn leven uitdoofde met één enkele kogel, afgevuurd van ergens tussen de ruïnes. De door shock verbijsterde overlevende volbracht soms nog één dappere daad van trouw aan het nog stuiptrekkende lijk naast hem. Zaitsev en Viktor joegen niet alleen op heldenmoed, maar ook op stompzinnigheid.

De minuut was om. Zaitsev stootte Viktor Medvedev aan. 'Tijd, Beer.'

Medvedev liet zijn geweer zakken. Zaitsev en hij tijgerden achterwaarts bij de hoop stenen vandaan waarachter ze zich al sinds zonsopgang verborgen hadden gehouden, slechts vijftig meter van de frontlinie in niemandsland. In een ondiepe kuil trokken de twee mannen ieder een smerige zak van neteldoek uit hun rugzak, lieten hun telescoopgeweer in de zak glijden, haakten er een touw aan vast en glipten zonder hun wapen weg tussen de rommel. Zo dicht bij het front zou het dansende wapen op hun rug ongewenste aandacht kunnen trekken.

Ze hadden vijf minuten nodig om dertig meter af te leggen over een open boulevard, op weg naar het kale, geblakerde casco van een gebouw. Ze trokken de zakken langzaam naar zich toe, om te voorkomen dat hun bewegingen in het toenemende daglicht zouden worden opgemerkt.

Ze bleven een uur lang in het gebouw, voor het geval een nazi-sluipschutter hen naar binnen had zien gaan en nu op hun vertrek wachtte. Wachten zou het geduld van de vijand op de proef stellen, zodat hij zich zou gaan afvragen of hij hen misschien had gemist. Bovendien zou een uur lang door het telescoopvizier turen een aanslag vormen op zijn fysieke uithoudingsvermogen.

Zaitsev tastte in zijn rugzak naar zijn sluipschuttersdagboek. Hij noteerde iets en reikte Medvedev het versleten notitieboekje aan. 'Hier tekenen, Viktor.'

Medvedev las de aantekening over de voltreffer van vandaag: *17-12-42. NO-kwadrant, sector Tractorenfabriek. Duitse bunker. Vooruitgeschoven waarnemer; 450 meter. Schot in het hoofd*. Hij ondertekende met: *Ooggetuige – Medvedev, V.A. (serg.)*. Met enkele vlugge handbewegingen schetste Viktor een stel ronde oren, een grauwende snuit en boosaardige oogspleten. Eronder schreef hij: *'De Beer'*.

Sergeant-één Viktor Medvedev was afkomstig uit Siberië, een oersterke, breedgeschouderde man met een donker uiterlijk. Zijn naam was afgeleid van het woord *medved*, dat 'Beer' betekent. Zijn strijdmakker, sergeant-majoor Wasilji Zaitsev, kwam eveneens uit Siberië. Zaitsev had het vollemaansgezicht van een Mongool. Hij was kleiner dan Viktor, had sluik blond haar en zijn vlugge bewegingen deden aan een knaagdier denken. Zijn naam was afgeleid van het woord *zajats* – 'haas'.

Zaitsev en Medvedev waren de enige leden van de sluipschutterseenheid van hun regiment die aan het front zelf opereerden. De andere twaalf sluipschutters hielden zich schuil tussen de puinhopen op enkele honderden meters van de frontlinie. Om zo dicht bij de Duitsers te kunnen opereren moesten ze al hun slimheid en al hun vaardigheden als jager aanwenden. Ook stelde het hun zenuwgestel zwaar op de proef, maar op deze manier konden de twee Siberiërs doelwitten raken die zich enkele honderden meters achter de Duitse frontlinie bevonden. De haaks op elkaar staande kruisdraden in hun telescoopvizier vonden niet alleen infanteristen, mitrailleurschutters en artilleriewaarnemers, allemaal kanonnenvlees, maar ook hun nietsvermoedende officieren.

Viktor diepte een halfvolle wodkafles uit zijn rugzak op. Hij liet de hals even naar Zaitsev wijzen. 'Knap schot, Haas.' Hij nam een slok en duwde de fles in Zaitsevs uitgestoken hand. Zaitsev zette de fles aan zijn mond.

Lachend zei Viktor: 'Jij hebt meer geduld dan ik.'

Zaitsev veegde zijn mond af. 'Hoezo?'

De Beer lachte harder. '*Ik* zou op die verdomde veldfles hebben geschoten.'

Obersturmbannführer der ss Heinz von Krupp Thorvald draaide zich om naar het applaus. Zijn leerlingen klapten voor hem – vijftien man die zich op de schietbaan hadden verzameld om er getuige van te zijn hoe hun leermeester, hoofd van de elitaire *Heckenschützeschule der ss*, een weddenschap won.

Obersturmführer Brechner beende naar voren, een briefje van tien *Reichsmark* in de hand. De eerste luitenant legde het bankbiljet in de uitgestoken hand van overste Thorvald en maakte een theatrale buiging.

Thorvald stak het geld in zijn zak en beantwoordde de buiging. Hij stak zijn hand uit naar de hijgende *Stürmer* die in looppas was teruggekomen van de kogelvanger op duizend meter afstand, het opgerolde vel papier in de hand.

Overste Thorvald ontrolde het papier, hield het omhoog voor Brechner en stak zijn wijsvinger in het gaatje, exact in het hart van de roos. Hij liet zijn vinger kronkelende bewegingen maken. 'Dit is een worm,' zei hij, 'die uit de kop van een Rus kruipt.'

De mannen om hem heen lachten. De opmerkelijke scherpschuttersvaardigheid van hun leermeester, die raak kon schieten over spectaculaire afstanden, was voor tactische militaire doeleinden in feite nutteloos, want op die afstanden was onmogelijk te zien of een doelwit de moeite van een schot waard was. Niettemin was het zo'n indrukwekkend staaltje dat eerste luitenant Brechner er tien mark voor over had gehad om er getuige van te zijn.

'Zo raakte ik ze in Polen ook,' zei Thorvald, terwijl hij zijn Mauser Kar 98k met Zeiss-telescoopvizier 6X overhandigde aan zijn oppasser. 'Tweehonderd man. Dat was in negenendertig.'

Het was een onderdeel van Thorvalds pedagogische filosofie dat zijn leerlingen de ambitie moesten hebben om te worden zoals hij: zelfverzekerd en doodkalm als de trekker werd overgehaald. Ze hoefden zijn pafferigheid en pedanterie niet te imiteren, maar hij wenste dat ze naast hun scherpschutterskwaliteiten ook blijk gaven van intellect. Hij wilde dat ze elk schot beredeneerden en dat ze het lichaam van hun doelwit – met al zijn afleidende kenmerken en onrustige bewegingen de vijand van iedere scherpschutter – in gedachten vervingen door de roerloze, scherpe focus van het verstand. Hij verlangde van hen dat ze zich gedroegen en vuurden als Duitsers.

Elke dag trakteerde Thorvald hen op verhalen over zijn eigen avonturen op het slagveld, als onderdeel van hun opleiding hier in Gnössen, even buiten Berlijn. Die ochtend – na de vroege ochtendoefening op de schietbaan en de weddenschap met Brechner – verzamelde hij zijn pupillen onder een eik en liet koffie serveren. Toen ze zich op het gazon hadden geïnstalleerd en teugjes van hun koffie namen, vertelde Thorvald deze jonge, gretige aspirant-sluipschutters het verhaal van de aanval van de Poolse cavalerie.

Binnen achtenveertig uur na de Duitse invasie in Polen, ingezet op 1 september 1939, was Thorvald als aanvoerder van een sluipschutterspeloton overgeplaatst naar het Veertiende Leger onder generaal Heinz Guderian. Samen met

21

zijn staf had generaal Guderian de bliksemsnelle aanvalsmethoden van de *Blitzkrieg* ontwikkeld, die aanvalsgolven van jachtbommenwerpers combineerden met stormaanvallen van uiterst wendbare en snelle tanks en pantservoertuigen. In de eerste dagen van de invasie had Thorvald, toen nog *Hauptsturmführer*, het equivalent van een kapitein bij de Wehrmacht, voor het eerst van zijn leven kennisgemaakt met een slagveld. Zelf had hij echter weinig om handen gehad, terwijl de Duitse strijdkrachten de Poolse troepen vermorzelden. Boven de frontlinies sloegen de krijsende Stuka-duikbommenwerpers van het type Junkers Ju-87 met hun steile duikvluchten, en uitgevoerd met ijselijke precisie, gaten in de vijandelijke linies. Hierop volgde onmiddellijk een stortvloed van pantserwagens, motoren en tanks, gevolgd door de ronkende legertrucks van infanterie en artillerie. Overal waar zwakke plekken werden gevonden, sneed de Duitse infanterie als een mes door de boter en waaierde achter de linies meteen uit om communicatie- en aanvoerlijnen te verbreken en opslagdepots te overvallen.

Op de ochtend van de derde invasiedag verkeerden de Poolse strijdkrachten al in grote wanorde. Geïsoleerde eenheden in Thorvalds sector nabij Krakau verzetten zich taai tegen de frontale Duitse aanvallen. Eindelijk was het hoofdkwartier met Thorvalds operatiebevel afgekomen: zijn sluipschutterspeloton van acht man moest gedurende pauzes in de bombardementen zover mogelijk naar voren sluipen om op of in de Poolse loopgraven en versterkingen te vuren. Het hoofdkwartier wilde dat de sluipschutters de vechtlust van de vijand zouden verlammen.

Vier dagen achtereen waren Thorvald en zijn mannen naar de vijand getijgerd, tot ze op minder dan vijfhonderd meter van de frontlinie verwijderd waren. Thorvald had in zijn eentje eenenzeventig man uitgeschakeld, stuk voor stuk bevestigd door een van zijn mannen – meer dan de rest van zijn peloton bij elkaar.

Terwijl de andere sluipschutters onder het avondeten hoog opgaven van hun wapenfeiten en hun journaals met elkaar vergeleken, had Heinz Thorvald altijd boeken zitten lezen. De divisiecommandant was langsgekomen om blikken fiches uit te reiken – een voor iedere gedode Pool. Ze zouden aan het eind van de oorlog inwisselbaar zijn voor honderd *Reichsmark* per stuk, een kapitaal voor militaire begrippen. Thorvald had al zijn fiches weggegeven.

In de tweede week van de invasie had Thorvalds compagnie een grote Poolse eenheid omsingeld. Op een ochtend, bij het krieken van de dag, had hij bij het horen van trompetten en daverende paardenhoeven vanuit zijn schuilplaats naar de Poolse linies gegluurd. Vol ongeloof had hij toegezien hoe de ruiters van een Poolse cavaleriebrigade hun paarden over de borstweringen lieten springen en in volle galop niemandsland begonnen over te steken. Door zijn telescoop had hij naar de cavaleristen in hun kleurrijke uniform getuurd, een wapperende vaan of een lans in de hand, terwijl ze hun strijdmakkers aanvuurden.

Hij had zijn eerste doelwit op een afstand van zeshonderd meter op de korrel genomen en gevuurd. De ruiter was gevallen. Voordat hij echter een tweede keer kon aanleggen, barstte achter hem het gedaver van de kanonnen los en had hij vóór zich vurige explosies en stofwolken uit de grond zien opschieten. Hij was door zijn telescoopvizier blijven toekijken. Binnen enkele minuten was er van de indrukwekkende stormaanval van de Poolse cavalerie weinig meer over dan een over een breed terrein verspreide verzameling verminkte mannen en paarden.

'En wat,' vroeg hij zijn verzamelde pupillen aan het slot van het verhaal van die dag, 'is volgens de heren de moraal?'

Hij keek glimlachend naar de jongemannen. Niemand stak een hand op. Ze wisten dat ze maar beter niets konden zeggen als hij zo'n verhaal afstak, zelfs niet om een vraag te beantwoorden.

Ze zijn door en door getraind, dacht Thorvald, kijkend naar hun gezichten. Hun gedrag straalt vertrouwen uit, in hun aderen stroomt het vurige bloed van de jeugd; ze trekken ongeduldig aan de teugels om er zelf op uit te gaan en een reputatie te verwerven door hun kruisdraden te richten op het hart van levende vijanden. Ik weet hoe een soldaat kan doden. Alleen vraag ik me af hoe een soldaat er zó op gebrand kan zijn dat hij daarvoor zijn leven riskeert.

'De les is, jonge onbenullen,' zei hij, terwijl hij zijn handpalmen naar hen toe keerde alsof hij de omvang van zijn diepzinnige wijsheid wilde aangeven, 'hang nooit de held uit – niet op de rug van een paard, noch in andere situaties. Zorg altijd dat je dekking hebt.'

2

Enkele minuten nadat Hofstetters lijk naar achteren was gebracht, kreeg de compagnie van Nikki bevel haar positie ten westen van de Tractorenfabriek te ontruimen. De laatste aanval op de volgende fabriek, de Barricaden, was begonnen. Dit offensief moest de genadeslag voor de Russen worden; ze zouden nog maar een of twee weken nodig hebben om de Roden uit het Barricaden-complex te verdrijven, regelrecht de Wolga in.

Hauptmann Mercker splitste de compagnie van tachtig man op in acht pelotons van tien man elk. Mercker was op zijn hoede voor sluipschutters en de zich telkens verplaatsende, zware mitrailleurs die zijn compagnie konden decimeren en klemzetten als zijn mannen in gesloten gelederen oprukten. Hij telde de eerste tien man af.

'*Gefreiter.*' Hij wees naar Nikki. 'Je kent je doel?'

Nikki knikte ijverig. 'Ja, kap'tein.'

'Jij voert het eerste peloton aan. Zorg dat je tot op vijftienhonderd meter van de Barricaden komt. Zoek daar een plek waar de compagnie zich veilig kan verzamelen.'

'Ja, kap'tein.'

Nikki keek naar de negen mannen die achter hem aan zouden moeten rennen en het zwaar te verduren zouden krijgen. Jonge, bleke en smerige gezichten allemaal, net als het zijne. Allemaal inwisselbaar, dacht hij, stuk voor stuk vervangbaar, zoals je een weggegooide dweil vervangt. Vlug zond hij in stilte een schietgebedje omhoog, biddend dat het er nog steeds negen zouden zijn als hij ze de volgende keer telde. 'Ga alleen waar ik ga,' zei hij. 'Doe precies wat ik doe en niets anders.'

Nikki zakte door zijn knieën en boog zich vanuit zijn middel naar voren. Het geweer in zijn hand raakte bijna de grond. Hij stak zijn nek naar voren als een schildpad en tilde zijn hoofd op. In deze houding – die een ware marteling was, maar waarin je een zo klein mogelijk doelwit was als je rende – verliet hij zijn dekking en waagde zich de straat op.

Hij rende in korte sprints en volgde de omtrek van de ruïnes en puinhopen. Zijn negen volgelingen imiteerden iedere stap die hij zette. Ze wachtten een voor een ineengedoken achter de puinhopen die hij had gekozen. Ze lagen languit te snakken naar adem in de kraters en greppels waarin hij zich had laten vallen. Nikki koos iedere positie uiterst zorgvuldig, in het besef dat iedere stap die hij zette nog negen keer moest worden gezet. Hij zorgde ervoor dat hij nooit over een afstand van meer dan tien meter zonder dekking was. Over die korte afstand zou een sluipschutter wel ontzettend goed en fortuinlijk moeten zijn om hem op de korrel te kunnen nemen en nog te raken ook. Als een Russische mitrailleurschutter hem in het vizier kreeg, had hij altijd nog tijd om naar de grond te duiken en achter iets weg te kruipen, het maakte niet uit wát. Zijn grootste zorg was zijn eigen zenuwgestel: als hij een fout maakte, wist hij, zou dat misschien hemzelf niet fataal worden, maar mogelijk de vijfde of de laatste soldaat achter hem.

Twee keer knalde er een geweerschot. Nikki verstarde. De kogels vonden zijn mannen niet en werden niet door nieuwe actie gevolgd. Het waren alleen maar wat lukrake stuiptrekkingen van de tegenpartij in Stalingrad, alsof een te lange stilte in strijd was met het een of andere voorschrift. Hij kwam weer op adem en rende toen verder.

Nikki had het doel heel lang in zicht. De drie reusachtige fabriekscomplexen lagen keurig op rij met hun rug naar de rivier de Wolga – de Tractorenfabriek, de Barricadenfabriek en de Fabriek van de Rode Oktober. In een gebied met een straal van een kilometer rond de fabrieken lag open slagveld, omgeploegd door bommen en granaten. Verspreid over dit terrein lag of stond kapot of uitgebrand oorlogsmaterieel, als de resten van een uitgeblust kolenvuur. Op vijftienhonderd meter van het middelste fabriekscomplex, de Barricaden, stak Nikki sprintend de resten van een brede boulevard over en liet zich in een verlaten loopgraaf vallen. Hij beduidde zijn mannen met een handgebaar dat ze zich bij hem moesten verzamelen, om daar te wachten op de rest van de compagnie.

Na de loodzware doorsteek van de stad, een afstand van zes kilometer waar ze drie uur over hadden gedaan, werd Nikki beloond met de aanblik van zes bezwete gezichten, die met rollende ogen leken te zeggen: korporaal, dwing ons niet nóg eens zoiets te doen.

Net als de beide andere fabrieken was de Barricadenfabriek door de strijd zozeer ontleed en ontmanteld dat het complex in elkaar was gestort. Een rij geknakte schoorstenen verhief zich boven de immense hopen van verwrongen staal. Op deze afstand leek het complex verlaten. Nikki wist wel beter.

Aan zijn linkerhand bevonden zich de spookachtige resten van verscheidene bakstenen gebouwen. De hoekstructuur was het hoogst. Het bovenste deel ontbrak en lag verkreukeld aan de voet, als een afgedankte rok. Dat lijkt me een prima versterking, bedacht Nikki. We kunnen ons op verschillende verdiepingen installeren en de toegangswegen van alle kanten bewaken.

Het peloton wachtte in de loopgraaf op de komst van de rest van de compagnie. Nikki vroeg zich af hoe het verder zou gaan met het lijk van luitenant Hofstetter.

Waar zal hij nu zijn, zes uur nadat hij nog springlevend was, kort voor zijn laatste ogenblikken? Maken ze zijn lichaam klaar om naar huis te worden overgevlogen, keurig gekist in vurenhout, voor een militaire begrafenis met de vlag en al dat andere eerbetoon dat ze ons hebben beloofd? Of hebben ze het in de drassige Russische grond gedumpt, in een ongemerkt massagraf, samen met pakweg honderd andere lijken? Zouden de armen en benen zijn opgezwaaid toen hij boven op die andere doden belandde, waarna hij ondersteboven langs de hoop omlaag was gegleden om daar tot in eeuwigheid op de Dag des Oordeels te wachten?

Ik wil niet aan m'n eind komen zoals Hofstetter – een kogel, afgevuurd op een afstand van een halve kilometer, die je in je hoofd raakt en je hele achterhoofd wegslaat. Hij nam alleen maar een slok uit die veldfles, hij vócht niet eens; hij kreeg niet eens de kans om te schreeuwen of te trappelen en zo zijn leven af te sluiten. Een slok water uit een veldfles: hij had er geen flauw idee van dat een sluipschutter hem op de korrel had genomen, een verdomde moordenaar die is weggeslopen en niet eens bloed aan zijn handen heeft.

Zo wil ik niet sterven, gemerkt met een onzichtbaar zwart kruis, net als die tien miljoen anderen die in deze oorlog worden afgeslacht. Dat is geen behoorlijke dood voor een soldaat, het is een abrupt einde. Het is zelfs een vernederend, stompzinnig, aan flarden rukkend, afschuwelijk einde.

Ik wil niet dat ze me in Rusland begraven, dacht Nikki. Ik wil naar huis.

Na een minuut of tien dook de eerste soldaat van het tweede peloton in de ruïnes achter hen op. Nikki's mannen in de loopgraaf wenkten hem. Twee uur lang keek de namiddagzon een andere kant op, zodat de rest van de compagnie zich in de loopgraaf kon verzamelen. Kapitein Mercker kwam tegen de schemering aan, met het laatste peloton van tien man. Ze waren niet op tegenstand gestuit. Nikki vermoedde dat de Russen zich hadden teruggetrokken en zich in de drie fabrieken hadden verschanst om zich voor te bereiden op de naderende Duitse mokerslag.

Mercker vergaderde kort met zijn luitenant en vijf sergeants en korporaals. 'We gaan dat grote gebouw daar op de hoek innemen, heren. Dat doen we opnieuw pelotonsgewijs. Korporaal...' Mercker keek Nikki aan. 'Jij gaat voorop – je schijnt er goed in te zijn.'

Nikki knikte. Klote, dacht hij. Was ik maar ergens anders goed in.

'Zodra dat gebouw veilig is, laat je me dat weten. Als we horen schieten, stormen we eropaf.'

'Ja, kap'tein.'

Nikki ging zijn mannen weer voor, zigzaggend en wegduikend. Ze stormden door de voordeur naar binnen en de mannen renden door een lange, duistere gang, de pistoolmitrailleurs, machinegeweren en handgranaten in hun vuisten. Ze drukten zich plat tegen muren voordat ze met een sprong andere ruimten binnendrongen. Trillend van nervositeit tuurden ze naar de schaduwen, op zoek naar Russen. Nikki wierp zich met zijn schouder tegen de laatste deur. De deur gaf toegang tot een grote ruimte – een vergader- of balzaal. Hij stuurde een soldaat terug om Mercker te melden dat hij kon komen en liet weten dat de compagnie zich in de grote ruimte aan het eind van de gang kon verzamelen; van daaruit konden ze zich verspreiden om het gebouw te versterken.

Zodra de tachtig mannen van de compagnie binnen waren, begon de kapitein orders uit te delen. Waarnemers, zware mitrailleurs en mortieren werden naar de bovenste verdieping gestuurd. De soldaten met antitankwapens moesten zich op de tussenverdiepingen installeren, waar ze raketten konden afvuren op eventuele Russische tanks. De begane grond van het gebouw, waar de rest van de compagnie zou blijven, moest worden verdedigd met lichte mitrailleurs. De verbindingsapparatuur werd in de grote zaal geïnstalleerd; deze zou tevens als mess fungeren.

Nikki stond naast de deur die uitkwam op de gang. Op Merckers teken zou iedere man van zijn peloton naar de hem toegewezen positie rennen. Nikki stond klaar om de deur open te smijten, zijn voeten iets te spreiden en zijn mitrailleur op het eind van de gang te richten om zijn mannen dekking te geven als ze de trap op stormden.

'Klaar?' vroeg Mercker. 'Nu!'

Nikki smeet de deur open.

Er zeilde een handgranaat langs zijn gezicht. Aan de andere kant van de gang werd een deur dichtgesmeten. 'Dekken!' schreeuwde Nikki en dook naar de grond. De granaat rolde de groep mannen in en explodeerde op tien meter afstand van Nikki. De explosie klonk gedempt. Toen Nikki zijn hoofd optilde, zag hij het schokkende lichaam van een soldaat die zich op de granaat had laten vallen.

De mannen weken terug van de deur. Elk wapen dat ze konden vasthouden was naar voren gericht terwijl ze achteruit schuifelden. Overal werden geweren doorgegrendeld om een patroon in de kamer te rammen. Tachtig vingers kromden zich om de trekker. De dreun van de explosie stierf weg. Bij de deur, helemaal alleen, lag het rokende lichaam van de heldhaftige dode soldaat.

'Hoe zijn die hier binnengekomen?' snauwde Mercker. Hij was razend. 'Hoe, verdomme? Ik dacht dat we de hele begane grond hadden uitgekamd!'

Hij maakte priemende bewegingen met zijn wijsvinger. Zes man – Nikki was de zesde. Mercker posteerde hen naast de deur en maakte toen een vuist, het teken dat hij gebruikte om te beduiden dat ze de wacht moesten houden.

Nikki haastte zich samen met de anderen naar voren. Vlug liet hij zich zakken en drukte de kolf van zijn pistoolmitrailleur tegen zijn schouder. Hij richtte de loop op de knop van de deur aan de overkant van de gang. Zodra hij beweegt schiet ik hem aan flarden, dacht hij. Een andere soldaat schoof ruggelings langs de muur naar de deur van de zaal en smeet hem dicht.

Kapitein Mercker stelde tegenover de deur twee mitrailleurs op, voor het geval de Russen zouden proberen binnen te stormen. Bij de drie vensters in de zaal werden schildwachten geposteerd. De Roden konden proberen langs de buitenmuren te sluipen om handgranaten door de ramen te gooien. Voorlopig waren ze veilig. De kapitein liep naar het midden van de zaal.

'Wij hebben bevel dit gebouw te verdedigen,' zei hij, 'en dat is precies wat we gaan doen. Ik weet niet hoe sterk die gevechtsgroep aan de overkant van de gang is, dus blijven we hier totdat we meer weten. Of totdat we een manier hebben gevonden om de Iwans te verdrijven.'

Een soldaat zei: 'Waarom stormen we er niet gewoon op af, kap'tein? Het kunnen er nooit meer zijn dan een paar.'

'Hoe weet je dat, soldaat? We zijn hier met tachtig man. Zou jij het in je hoofd hebben gehaald om ons hier te houden met niet meer dan een paar man? De Russen ook niet, zou ik denken. Ik heb het gevoel dat ze met aanzienlijk meer mensen zijn gekomen.'

Nikki keek naar de vuile gezichten van de mannen die licht voorovergebogen naar de woorden van de officier luisterden.

'Nee,' zei Mercker. 'Ik peins er niet over om hier een slachthuis van te maken. We wachten af. Eens kijken wie het eerst bang wordt. Waarschijnlijk klimmen ze vannacht in alle stilte door een raam naar buiten om te gaan melden dat *das Reich* dit gebouw nu in handen heeft.'

Nikki liep naar het midden van de zaal en ging zitten. Hij zag dat twee mannen de soldaat-martelaar uit de nog warme plas bloed tilden en hem naar een raam droegen. Soldaat Kronenberg. Een jongen van zijn eigen leeftijd – negentien, hooguit twintig. Ze hadden elkaar maar enkele keren gesproken. Kronenberg was een nieuweling, net opgekomen. Hij was nog vervuld van hoop geweest, ervan overtuigd dat Duitsland Russisch territorium nodig had. Een jonge patriot. Nu is hij niet langer jong, dacht Nikki. Nu is Kronenberg dood. Hij mocht niet ouder worden dan hij nu was. Ze lieten hem voorzichtig door het raam naar de grond zakken.

Nikki's ogen bleven strak op de deur gericht. De Russen zitten in hetzelfde schuitje als wij, dacht hij. Die zijn natuurlijk met honderd man en zitten ook in het midden van een grote ruimte. Ze zullen ook wel van plan zijn hier vannacht te blijven, in de veronderstelling dat wij door de ramen zullen wegsluipen als we er eindelijk zeker van zijn dat we niet genoeg naar de dood snakken om dit pestgebouw te blijven bezetten.

Nikki was bang. Het verwonderde hem dat hij nog altijd voor zijn leven kon vrezen. Wanneer zou de angst volledig van hem af vallen? Wanneer zou hij voldoende hebben gezien, gerend en getijgerd? Na alle gevechten in deze gebouwen stond hij niet meer te trillen op zijn benen. Niet langer maakte hij zich klein in een hoekje terwijl de kruitdamp optrok, ademloos kijkend naar de dood van beide legers. Nu niet meer. Het was een slecht teken. Hij wilde hier niet aan wennen, maar toch overkwam het hem.

3

'Kom binnen, kameraad sergeant-majoor. Ga zitten.' Zaitsev daalde af naar de aarden vloer van de bunker. Kolonel Nikolai Batjoek stond op en gebaarde naar een vaatje dat als kruk fungeerde.

De commandant van het Tweehonderdvierentachtigste Infanterieregiment van het Rode Leger was groter dan Zaitsev, maar even slank als hij. Zijn achterovergekamde zwarte haar liet zijn hoge, bleke voorhoofd vrij.

Batjoeks 'bureau' bestond uit twee tonnen, waarover houten planken waren gelegd. Anders dan de bunker die Zaitsev met Viktor Medvedev deelde, was deze bunker geen krater van een Duitse bom, maar een grot die geniesoldaten hadden uitgehakt in een van de kalksteenkliffen langs de oever van de Wolga, even ten zuidoosten van de Barricadenfabriek. De wanden en het dak waren versterkt met houten balken, zodat het interieur aan een Siberische sauna deed denken. Achter Batjoek bedienden twee vrouwen veldtelefoons. Ze waren in razend tempo in de weer met eenpolige stekkers, die ze in stekkerbussen staken of er weer uit trokken, en ze spraken zacht in microfoons. Drie stafofficieren stonden over een andere provisorische tafel gebogen om op een stafkaart lijnen in te tekenen.

Zaitsev liet zich op de kruk zakken. Hij plantte zijn voeten stevig op de grond en legde zijn sluipschuttersgeweer over zijn knieën.

'U wilde mij spreken, kameraad-kolonel?'

'Inderdaad, Wasilji. Jij was gestationeerd in Wladivostok voordat je naar hier werd overgeplaatst. Je was eigenlijk een marineman. Administrateur, meen ik?'

'Ja, kameraad-kolonel.' Maar nu niet meer, dacht Zaitsev, nu niet meer.

Batjoek wees naar Zaitsevs hals. 'Ik zie dat je onder je gevechtspak nog steeds dat matrozenhemd draagt.'

Zaitsev trok even aan het blauw-wit gestreepte hemd onder zijn gevechtsjas.

'Ja, kolonel. Wij van de marine zeggen dat het blauw staat voor het water van de oceaan, en het wit voor het schuim op de golven.'

Batjoek glimlachte. 'Ik heb de Grote Oceaan nog nooit gezien. Moet heel mooi zijn, hoor ik. Misschien komt er nog een dag.'

Ze zaten zwijgend tegenover elkaar, allebei met een wat peinzende, afwezige glimlach op hun gezicht. Batjoek knipperde met zijn ogen en schraapte zijn keel. 'Laat me je sluipschuttersboekje eens zien.'

Zaitsev legde het notitieboekje met de omslag van zwart leer op het bureau. De kolonel begon te bladeren. Zonder op te kijken zei hij: 'Zoals je weet hebben de moffen ons bijna de hele Tractorenfabriek uitgewerkt, op de noordoostelijke hoek na. Nu bedreigen ze bovendien onze posities in de Barricadenfabriek en de Fabriek van de Rode Oktober.' Hij legde het boekje op het bureau en keek op. 'Ons bruggenhoofd wordt steeds zwakker. Ik vertel je nu een paar dingen die je misschien nog niet weet. Hoewel jij, als een van de mannen die er oorzaak van zijn dat de lijnen op die landkaart daar komen en gaan – ' hij gebaarde naar de stafofficieren die nog bezig waren lijnen in te tekenen of weg te gummen ' – aardig wat zult weten.'

Zaitsev keek zijn kolonel afwachtend aan. Batjoek stak zijn hand onder zijn bureau en zette een fles wodka en twee glazen bekers op tafel. Hij schonk in. Ze hieven het glas om te toasten. Ze ademden uit en vervolgens snel en diep in – het Russische ritueel dat ervoor zorgde dat de wodka nog iets langer in hun keel bleef branden.

'Eeehhh,' zei Batjoek. 'Tot m'n spijt kan ik je geen kool aanbieden.'

Zaitsev glimlachte. 'Een andere keer, kameraad-kolonel.'

Batjoek boog zich over het bureau naar voren. 'Er hangt iets in de lucht. Je hebt natuurlijk allang gemerkt dat we al een week lang minder munitie aangevoerd krijgen dan normaal. Dat betekent zeker dat ze die munitie ergens anders heen sturen.' De kolonel nam een pennenmesje en tikte ermee in zijn handpalm. 'We zullen het uit moeten zingen, Wasilji. We moeten de moffen het vuur aan de schenen leggen. Waarom het zo moet kan ik je niet zeggen, want ik weet het zelf niet. Er staat iets te gebeuren. Iets groots.'

Batjoek beduidde Zaitsev hem te volgen naar de tafel met de grote stafkaart. Hij wees naar de drie immense fabrieken, omgeven door rode en zwarte lijnen die elkaar op tal van plaatsen kruisten en de wisselvalligheden van de strijd tot uiting brachten. Zaitsev wist hoe weinig deze lijnen onthulden van de verschrikkingen en verwoestingen in die fabriekscomplexen.

'We hebben nu veertigduizend man hier in stelling gebracht,' begon Batjoek. 'En we kunnen dat niveau handhaven zolang we versterkingen aangevoerd krijgen. Telkens als de Duitsers ons bruggenhoofd versmallen, trekken wij onze mensen nog wat meer samen. Onze posities worden dus kleiner, maar zeker niet zwakker. Dat schijnt nog steeds niet tot de Duitsers te zijn doorgedrongen. In feite hebben maarschalk Zjoekov en de generaals die weten wat er gaande is, niet de minste belangstelling voor de grootte van het oppervlak dat we in handen hebben. Zolang wij dit aantal officieren en manschappen ergens in de stad aan het vechten kunnen houden, kunnen de nazi's er niet uit. Hitler zal het hun niet toestaan. Hij heeft de hele wereld verkondigd dat hij Stalingrad in handen heeft. Volgens mij is Hitler alleen maar woest omdat de stad naar Stalin is genoemd,' grinnikte Batjoek. 'Wie weet. Hoe het ook zij, zolang zij er niet uit kunnen, blijven jij en ik ons werk doen.'

De kolonel verplaatste zijn hand naar een open terrein tussen het centrum van de stad en de fabrieksterreinen. Zijn wijsvinger hield stil bij een zwarte cirkel. 'Dit is Heuvel 102,8,' zei hij. Het getal stond voor de hoogte van de heuvel boven de zeespiegel. De echte naam van de heuvel was Mamajev Koergan, de grafheuvel van Mamaj, een Tatarenvorst uit de vroege Middeleeuwen. 'De Duitsers hebben deze heuvel in handen. Van daaruit kunnen ze verdomme alles zien wat er gaande is... in dit gebied.' Zijn wijsvinger trok een cirkel rondom het stadscentrum. 'En hier ook...' Hij wees naar een breed gebied van vijf kilometer lengte waarin de ruïnes van de drie enorme fabriekscomplexen waren gelegen: aan de vooravond van de oorlog hadden deze fabrieken veertig procent van alle in de Sovjet-Unie gefabriceerde tractoren geproduceerd en dertig procent van al het hoogwaardige staal, totdat ze door de bombardementen van augustus en september waren gereduceerd tot gigantische doolhoven van verwrongen staal, kromgetrokken spoorstaven en afbrokkelende fabrieksmuren.

'En het ergste van alles... zelfs hier.' Batjoeks vinger wees naar drie plaatsen langs de Wolga-oevers waar zich aanlegsteigers bevonden: het Skoedri-veer achter de Tractorenfabriek, Steiger nummer 62 achter de Barricadenfabriek en de kade ten zuiden van de Banni-kloof, recht tegenover Krasnaja Sloboda, het voornaamste Russische landingspunt op de oostelijke oever.

'Vanaf Heuvel 102,8 dirigeren de waarnemers van de moffen hun artillerievuur en luchtaanvallen naar onze aanvoer en versterkingen op de rivier.' Batjoek liep terug naar zijn bureau. 'Nu onze aanvoer wordt beperkt, zouden we in grote moeilijkheden kunnen komen als we de weinige spullen die we via de oostelijke oever aangevoerd krijgen niet optimaal benutten.'

Zaitsev ging weer op de kruk zitten. 'U wilt dat ik op jacht ga op de Mamajev Koergan? Ik ken dat terrein tamelijk goed.'

Batjoek maakte een handgebaar. 'Nog niet.' Hij opende Zaitsevs boekje op de eerste bladzijde. 'Vertel me eens hoe jij sluipschutter bent geworden.'

Zaitsev had pas achttien dagen geleden tijdens de slag om de Tractorenfabriek zijn eerste sluipschutters gezien, twee kleine mannen die in de richting van de kogels waren getijgerd, terwijl alle anderen zich ingroeven om gedekt te zijn. Zaitsev had hun moed bewonderd, en de manier waarop ze zelfstandig de vijand te lijf gingen.

'Jij werkt graag in je eentje?' informeerde Batjoek.

'Ik ben het gewend, kolonel. Zo jaag ik altijd.'

'Wie heeft jou tot sluipschutter gebombardeerd? Wanneer is dat gebeurd?'

'Op de achtste oktober. We zaten in een werkplaats van de Tractorenfabriek en konden daar niet weg vanwege een mitrailleur. Ik weet het niet – ik ben gewoon naar een geschikte plek gekropen, richtte mijn geweer en schoot.'

'Afstand?'

'Honderdvijfenzeventig meter, kolonel.'

'En je schakelde die mitrailleurschutter uit?'

'Inderdaad.'

'En ook de twee nazi's die na hem dat machinegeweer wilden bedienen.'

'Klopt, kolonel.' Zaitsev verbaasde zich erover dat Batjoek dit wist.

'Toen ben je benaderd door luitenant Derjabin, die jou opdracht gaf je te gaan melden bij de sluipschutterseenheid van ons regiment, nietwaar? Samen met je Siberische maatje Viktor Medvedev – ook al zo'n scherpschutter, hoorde ik – heb je de volgende dag een telescoopvizier gekregen om als sluipschutter te gaan werken.'

Zaitsev knikte alleen. Batjoek leek geen antwoord te verwachten.

'Wat voor opleiding hebben ze jullie gegeven?'

Zaitsev zweeg.

'Hmm?' Batjoek nam het pennenmesje en tikte ermee op zijn bureau, alsof hij wilde zeggen: 'Geef antwoord, sergeant-majoor.'

Zaitsevs eerste dagen als aankomend sluipschutter waren gekenmerkt geweest door stilzwijgen. De negen andere sluipschutters in het peloton waren karig met woorden. Ze wisten geen van allen hoe lang ze nog zouden leven. Tussen hen bestond geen kameraadschap. Het waren vogels van allerlei pluimage, deze sluipschutters – jonge kerels met blozende gezichten, door de wol geverfde veteranen, stoere sportlieden en gedrongen vechtersbazen. Vrijwilligers, allemaal. Ze waren door hun pelotonscommandant aanbevolen als geschikt voor het sluipschutterspeloton, allemaal vanwege hun vermogen om een doel op grote afstand met één schot feilloos te raken. Het scheen dat ze zich stuk voor stuk hadden voorgenomen om op dezelfde manier te overleven, één schot per keer, helemaal alleen en op ruime afstand.

Het peloton huisde in een bunker onder de grond, een door een artilleriegranaat geslagen krater die ze hadden vergroot tot een bunker, afgedekt met dakspanten en puinresten om hem te camoufleren voor de duikbommenwerpers van de nazi's. 's Nachts, als Zaitsev en Medvedev terugkeerden naar de bunker, waren zij de enigen die bij het licht van een walmende petroleumlamp over tactieken en strategieën praatten, en over hun jeugdjaren in de Oeral. Ze hadden ontdekt dat ze veel met elkaar gemeen hadden. Ze praatten over 'jagen op de vijand' in Stalingrad alsof de nazi's wilde dieren waren die meer op hun instincten dan op hun verstand vertrouwden. De oorlog, daarover waren ze het eens, beroofde een man van zijn menselijkheid en onthulde het beest dat in hem huisde. En dat was het beest waarop Zaitsev en Medvedev jacht maakten om het te doden.

Van een officiële, gestructureerde sluipschuttersopleiding was geen sprake; de ervaring was hun leermeester en de strijd zelf hun commandant. Sommigen in het peloton deden met tegenzin wat hun gezegd werd, anderen waren gretig en wilden graag hun waarde bewijzen. De meesten waren fysiek sterk, sommigen hadden geduld en anderen waren intelligent. Er waren er maar weinig die deze drie eigenschappen in zich verenigden en Wasilji Zaitsev en Viktor Medvedev zagen de gezichten komen en gaan. Ze verdwenen in de immense gehaktmolen van de oorlog, in dit doolhof van platgebombardeerde straten, klamme kelders, roestend metaal en half weggeslagen muren vol kogelgaten.

'Geen enkele opleiding, kolonel,' antwoordde Zaitsev. 'Helemaal niets.'

Batjoek richtte zijn blik op de eerste bladzijde van het sluipschuttersdagboek. 'Vertel me eens wat meer over je eerste officiële sluipschutterssucces.' Zijn wijsvinger vond een regel op de bladzijde. 'Acht oktober. Je doodde twee man bij de spoorlijn achter de chemische fabriek.'

Op Zaitsevs eerste dag als sluipschutter had hij gezien dat een vijandelijke eenheid bezig was een sleuf te graven, tussen twee spoorwagons. Die avond had hij de leider van het sluipschutterspeloton, een korporaal, gevraagd of hij terug mocht gaan om jacht op hen te maken. Aangezien hij sergeant-majoor was en bovendien jaren als administrateur had gediend, was hij de hoogste in rang in de pelotonsbunker, zodat de korporaal hem had gezegd dat hij moest doen wat hij zelf wilde. Kort voor de ochtendschemering waren Wasilji en Viktor naar een positie op driehonderd meter afstand van de nieuwe loopgraaf geslopen.

Via hun veldkijkers hadden ze de Duitsers onder de opkomende zon bespied. De beide sluipschutters hadden de Duitsers eerst een paar keer ongemoeid gelaten wanneer ze zich boven de loopgraaf vertoonden, om hun het idee te geven dat de kust veilig was. Ze wilden wachten totdat de gravende soldaten klaar waren met hun werk en hun spa in de grond zouden steken om erop te leunen. Dat zou het ideale moment zijn voor een schot in de borst.

'Waarom in de borst?' viel Batjoek hem in de rede.

Met een schot in de borst, legde Zaitsev uit, had je meer kans dat het doel de spa liet vallen, zodat die op de rand van de loopgraaf bleef liggen als hij zelf achteroverviel. Een schot in het hoofd verhoogde de kans dat hij de spa mee zou nemen in zijn val. Precies zoals gepland liet de eerste Duitser die stierf – met Medvedevs kogel in zijn hart – de spa uit zijn handen vallen voordat hij ruggelings in de loopgraaf terugviel. Zaitsev en Medvedev hadden hun vizier op de spa gericht, die in het volle zicht op de rand van de loopgraaf lag. Na enkele minuten waren er een hoofd en een arm boven de rand verschenen om de spa te bergen.

'Nou jij,' had Medvedev hem toegefluisterd.

Zaitsevs kogel had de wang van de Duitse soldaat doorboord.

'Waar hebben jullie deze tactiek opgestoken?' Batjoek zat voorovergebogen en zijn vingers streken over zijn kin.

'In het Oeralgebergte, het is een eenvoudig jagersfoefje, kolonel. Wolven en enkele andere dieren die de taiga bewonen, kiezen hun partner voor het leven. Je gebruikt het lichaam van het ene dier als lokaas voor het andere.'

Batjoek spreidde zijn handen. 'Ach ja, natuurlijk. In Siberië. Ik ben bang dat de wolven in mijn geboorteland, de Oekraïne, allang zijn uitgestorven.' Hij sloeg een paar bladzijden van het sluipschuttersdagboek om. 'En deze hier? Je was vorige week op de zuidhelling van de Mamajev Koergan om jacht te maken op vijandelijke sluipschutters.' Batjoek bracht het boekje wat dichter bij zijn ogen. 'Wat is de "truc met de granaathuls"?'

Opnieuw gaf Zaitsev zijn kolonel uitleg. Deze truc had hij afgekeken van een Duitse sluipschutter die een slachting had aangericht onder Russische gewonden die door een ravijn bij de Mamajev Koergan werden geëvacueerd. Zaitsev was naar een positie hoog boven het ravijn geslopen. Daar had hij urenlang in dekking gelegen, turend door zijn artillerieperiscoop. De periscoop was een uitstekend stuk gereedschap; het stelde hem in staat uit het zicht te blijven en toch een breed en diep gebied in het oog te houden, viervoudig vergroot, gelijk aan dat van zijn telescoopvizier. De periscoop gaf tot op een afstand van tweehonderdvijftig meter een haarscherp beeld. Toen Zaitsev naar de top van de heuvel keek, ontdekte hij daar een stapel lege hulzen van artilleriegranaten. Hij had er drieëntwintig geteld. En hij had gezien dat één huls in de stapel geen bodem had.

'Je hebt die hulzen getéld?' Batjoek liet het pennenmesje tegen zijn handpalm kletsen. 'Ongelooflijk, zoveel aandacht voor details. Dit is fantastisch.'

'Niet echt, kolonel. Aandacht schenken aan details is een vaardigheid die veel belangrijker is dan raak schieten op afstand. Kleine bewegingen in het terrein, zelfs de kleinste verplaatsing van een steen of een nieuw gat in een muur – zoiets kan de enige aanwijzing zijn voor de positie van een sluipschutter. Dat is het soort sporen dat wij lezen, net als een voetspoor in de sneeuw, of een keutel op de grond in het bos.'

Batjoek knikte. Zaitsev wist dat hij zijn kolonel dingen vertelde die de man niet wist; dingen die hij niet kón weten. Nou ja, dacht hij, Batjoek vraagt me ernaar. Wat kan ik anders doen dan het hem vertellen? Zaitsev herinnerde zichzelf eraan dat hij niet moest snoeven. Je bent gewoon maar een jager, meer niet. En je bent er goed in. Laat dat voor zichzelf spreken.

'Toen ik die bodemloze granaathuls zag begreep ik dat het een ideale schietbuis kon zijn. Je kon hem in een aardhoop begraven, of verbergen tussen een stapel andere hulzen, zoals deze sluipschutter had gedaan. Op die manier was hij nagenoeg onzichtbaar.'

Zaitsev had zijn periscoop op de granaathuls gericht en met zijn vrije hand op de punt van zijn bajonet zijn helm opgetild. Meteen blikkerde er iets in de huls. Zaitsevs helm was van de bajonet gesprongen, aan de voorkant ingedeukt. Hij had respect voor de sluwheid en het geduld van de sluipschutter. Die had het eerste schot kunnen lossen. Het volgende was echter voor de Haas.

De volgende dag was Zaitsev in de ochtendschemering naar dezelfde plek geslopen en had de stapel hulzen geteld. Deze keer zag hij maar tweeëntwintig hulzen. De schietbuis was verdwenen. Deze sluipschutter was geen groentje; hij kon raak schieten en wist dat hij zich steeds moest verplaatsen. Hij had de open huls meegenomen. Waarheen? Via de periscoop had Zaitsev iedere kuil in de grond en iedere aardhoop bestudeerd. Na drie slopende uren ontdekte hij de geelkoperen huls in de bovenrand van een loopgraaf, op honderd meter ten oosten van de stapel granaathulzen. De camouflage was onzorgvuldig; een deel van de huls stak buiten de aarde en glansde in het licht van de opkomende zon – genoeg voor Zaitsev om zijn wapen te kunnen richten.

Hij was naar een nieuwe plek getijgerd, zo gekozen dat de zon zich recht achter hem bevond en in de ogen van de Duitser scheen. Hij had zijn wapen tussen twee stukken rots gelegd en zijn periscoop op de monding van de schietbuis gericht. Weer had hij zijn helm op zijn bajonet opgeheven, en opnieuw had een kogel van de nazi zijn helm ingedeukt. Zaitsev was razendsnel terug getijgerd naar zijn wapen. Via de telescoop had hij naar de open granaathuls getuurd, tweehonderd meter van hem vandaan. Aan de andere kant van de koperen buis had de sluipschutter zich even gebukt om de lege patroonhuls uit zijn geweer van de bodem van de loopgraaf op te rapen. Die houdt zich stipt aan de regels, had Zaitsev gedacht, zoals iedere goeie sluipschutter. Laat geen sporen na.

Zaitsev had gewacht totdat hij zich weer zou oprichten. En toen de man dat deed, had hij zijn kruisdraden voor het voorhoofd van de Duitser gebracht, zodat het erdoor in twee helften werd verdeeld. Zaitsevs kogel, zijn enige bijdrage in dit gevecht van man tegen man, had hem tussen de ogen geraakt. Hij had het wapen, dat nu geen eigenaar meer had, in de glanzende granaathuls zien liggen.

'Tussen de ogen?' herhaalde Batjoek. Het klonk alsof hij twijfelde.

'Ja, kolonel.'

Zaitsev doorstond de blik van de kolonel. Dit was zíjn schot, zíjn succes. Eén kogel, één dooie Duitser. Dit was Zaitsevs motto, zijn bijzondere gave. Hij kende geen twijfel. Hij bracht een hand naar zijn voorhoofd en legde zijn wijsvinger tussen zijn wenkbrauwen. 'Precies hier,' zei hij.

Batjoek wijdde zijn aandacht weer aan Zaitsevs dagboek. Hij las de laatste aantekeningen door en legde het boekje weer op zijn bureau. 'Vanmorgen heb je een Duitse officier te pakken genomen, bij de Tractorenfabriek.'

Zaitsev rechtte zijn rug. Hij had al bijna een uur op de 'kruk' gezeten. 'De moffen lossen elkaar 's morgen vroeg af. Degenen die opkomen, steken vaak een saffie op of doen zoiets stoms als zich uitrekken. En degenen die slaap hebben, worden zorgeloos.'

'Wat deed deze?'

'Hij nam een slok uit een veldfles. Zijn hoofd kwam plotseling boven de grond, als een kurk die boven water komt.'

Batjoek wachtte.

Schouderophalend zei Zaitsev: 'Toen heb ik het er maar afgeschoten, kolonel.'

Batjoek klopte op het boekje. 'Hier staat dat jij tweeënveertig Duitsers hebt gedood, in twaalf dagen. Hoeveel kogels heb je in die twaalf dagen gebruikt?'

'Drieënveertig, kameraad-kolonel.'

Batjoek vroeg glimlachend: 'Wat ging er mis?'

'Ik maakte jacht op een stel officieren, op de Mamajev Koergan. Ik zat wat hoger op de helling toen zij een bad namen in een regenwaterpoel, in een bomkrater. Ik verzuimde alleen er rekening mee te houden dat ik van boven naar beneden schoot.'

'En?'

'En ik was moe en liet na een achtste deel van de afstand bij de feitelijke afstand op te tellen. Mijn kogel sloeg in vóór de bomkrater. Die officieren sprongen eruit.'

Batjoek bleef glimlachen. 'Wat heb je toen gedaan, Wasilji?'

'Ik zag dat ik een blunder had begaan en vertrok.'

Batjoek boog zich naar voren, zijn vingertoppen rustten tegen elkaar. 'Je hebt daarna niet meer op die officieren geschoten? Ik mag toch aannemen dat ze lang genoeg zichtbaar bleven om je de kans te geven voor een volgend schot.'

'Zeker, kolonel, ik hád kunnen vuren. Alleen is dat niet de juiste manier. Een sluipschutter behoort niet meer te schieten als hij eenmaal zijn positie heeft verraden. Een of twee officieren voor een sluipschutter is geen goeie ruil.'

Batjoek stond op, maakte wat kleine hoofdknikjes en klapte in zijn handen. Toen zei hij: 'Wasilji, ik heb een klus voor jou.'

Viktor Medvedev vouwde zijn krant, de *Rode Ster*, netjes in het midden op. 'Wát wil hij je laten doen?'

Het duo zat in de late namiddag alleen in de bunker. Viktor had de gewoonte om van zonsondergang tot aan het middaguur rond te sluipen; de rest van de dag gebruikte hij om te rusten.

Zaitsev antwoordde: 'Hij wil dat ik een sluipschuttersschool begin.'

'Jij?' Viktor liet de *Rode Ster* tegen Zaitsevs borst kletsen.

Zaitsev verkreukelde de krantenpagina en wierp hem tegen het voorhoofd van zijn mede-Siberiër. 'Batjoek zegt dat hij helden nodig heeft.'

'Hier word ik kotsmisselijk van.' Viktor pakte zijn koppelriem van de grond, stond op en gooide met gespeelde ergernis zijn armen in de lucht. 'Hij wil *helden*? Wat heeft-ie nou, dan? Makke schapen? Kinderen?'

Hij bukte zich om de verkreukelde krantenpagina op te rapen. 'Dit moet je niet doen met mijn krant. Ik lees hem altijd. Jij denkt misschien dat wat erin staat er niets toe doet,' zei hij, de bal papier omhooghoudend, 'maar ik denk van wél.'

Zaitsev vond de kribbigheid van de grote man wel geinig. Viktor peuterde de bal uiteen en streek het papier op tafel glad. Hij lijkt wel een reuzin die met haar strijkgoed bezig is, dacht hij.

'Je zult uiteraard mijn hulp nodig hebben,' zei Viktor.

'Allicht. Er is te veel wat ik niet weet.'

Viktor vouwde de gekreukelde krantenpagina zorgvuldig op. 'Ze sturen ons die verrekte rekruten veel te snel; ze zijn nog niet eens droog achter de oren. Ze houden het hooguit een week vol voordat de nazi's de ballen van hun kont schieten.'

'Stadsjochies,' beaamde Zaitsev. 'En boerenzoons. *Koelakken*.'

Hij grijnsde Viktor toe. De man was een even goede jager als hij zelf, en in sommige opzichten zelfs een betere. De Beer kende geen vrees en hij was een meester in het onopgemerkt rondsluipen door de duisternis. Hij maakte er verbazingwekkend weinig geluid bij – ondanks dat zware lijf – en was geduldig en slim óók. Hij kon binnen vijf seconden twee schoten lossen en evenzoveel doelen op driehonderdvijftig meter afstand raken. Zaitsev had er zes seconden voor nodig. Maar geef me genoeg tijd om me voor te bereiden, dacht hij, en ik raak zo'n mof op vijfhonderd meter afstand tien van de tien keer in zijn kop. Dat moet ik de Beer nog zien doen.

We zullen een sluipschutterseenheid opzetten en precies doen wat Batjoek wil. En we zullen ze zo grondig trainen dat iedere nazi in Stalingrad vierentwintig uur per dag voor zijn leven moet vrezen – niet alleen aan het front, maar ook diep in de achterhoede. De Duitsers zullen hun kop niet meer durven optillen, uit angst dat wij hem eraf blazen. Wij worden de gesel van de nazi's. We zullen overal tegelijk zijn.

Hij nam zijn sluipschuttersdagboek uit zijn rugzak. Hij voelde het gewicht van het boekje en vereenzelvigde zich met de inhoud. *Ik* zal overal tegelijk zijn.

'Neem me niet kwalijk, kameraad, kan ik binnenkomen?' Zaitsev opende zijn ogen en keek op zijn horloge: vier uur 's nachts. Een hand schoof de deken die voor de ingang van de bunker hing opzij. Er verscheen een lantaarn, gevolgd door een massief hoofd met donkere ogen. Het hoofd was bedekt met een bontmuts waarop een rode ster prijkte – het embleem van een commissaris.

Zaitsev probeerde zo snel mogelijk klaarwakker te worden. Hij stond op.

'Heb ik u gewekt?' De commissaris stapte omlaag, de bunker in. Hij was klein en dik. Zijn militaire overjas reikte bijna tot de grond en bedekte net niet de glimmende neuzen van zijn laarzen. De eerste glimmende laarzen die ik in maanden heb gezien, dacht Zaitsev.

'Kom binnen, kameraad.'

'U bent Wasilji Grigorevitsj Zaitsev?'

De commissaris wachtte niet op een reactie. Hij reikte Zaitsev de hand. 'Ik ben kapitein Igor Semjonovitsj Danilov, verslaggever bij de *Rode Ster*. Kolonel Batjoek heeft me gevraagd eens met u te praten.'

Zaitsev drukte de commissaris de hand en gebaarde naar de kale aarden vloer.

Danilov liet zich zakken tot hij met zijn rug tegen de bunkerwand zat. Hij diepte een notitieboek en een potlood op uit zijn zak. Zaitsev ging op zijn slaapmat zitten.

'Kolonel Batjoek heeft ons beiden geen geringe taak opgedragen. U moet in

het Tweehonderdvierentachtigste Regiment een sluipschuttersopleiding opzetten. De kolonel heeft mij verzocht als uw politieke liaisonofficier te fungeren. Hij heeft me al veel over u verteld, Wasilji Grigorevitsj.' De commissaris
maakte een aantekening en vervolgde: 'Ik weet dat u de leiding zult krijgen van
de nieuwe sluipschuttersschool, kameraad. Ik denk dat u gemakkelijker rekruten voor uw sluipschuttersschool zult vinden als er in de *Rode Ster* wat aandacht
aan wordt besteed.'

Zaitsev zei schouderophalend: 'Geen idee. Ik lees hem niet.'

Danilov stak zijn hand uit en raakte die van Zaitsev aan. Zaitsev deinsde
enigszins terug voor dit al te vertrouwelijke gebaar.

'Dat zou u toch moeten doen. Er is in de *Rode Ster* veel nuttige informatie te
vinden. Verhalen over heldenmoed. Suggesties, instructies, aankondigingen,
tips. Partijnieuws. Zelfs het programma van de theaters in Moskou.'

Zaitsev zei niets.

'Wasilji. U hebt meer dan veertig Duitsers gedood, in slechts tien dagen! U
bent een held!'

Zaitsev bespeurde een drukkend, bijna verstikkend gevoel in zijn borst. Hij
wist niet of het een goede dan wel ongunstige gewaarwording was. Hij stelde
zich een zwellende ballon voor. Te groot, en hij knapt. Genoeg, en hij is zo licht
dat hij bijna zweeft.

Ook nu wachtte Danilov niet. 'U hebt in uw werk als sluipschutter methoden
ontwikkeld die veel verder gaan dan wat andere sluipschutters doen. Uiterma-
te effectieve methoden. U zult ook de andere verdedigers van de stad erin moeten laten delen. U hebt bewezen wat één enkele man met slechts één kogel kan
doen. Uw verhaal is een verhaal dat verteld moet worden. En het moet worden
verteld omdat het overal in Stalingrad moet worden nagevolgd.'

De commissaris keek Zaitsev recht in de ogen. 'Laat me openhartig zijn, kameraad. Het kan mij geen barst schelen of u een held bent of niet. Dat is niet
míjn zorg. Míjn zorg is dat de rest van Rusland weet dat wij het hier niet opgeven. Dat we standhouden. Een andere zorg van mij is dat de soldaten in de ruïnes en loopgraven geloven dat er helden tussen hen in geknield liggen. Want u
begrijpt wel dat niet iedere rode soldaat een superman is. Het minste wat wij
kunnen doen, is hem laten zien dat hij zij aan zij vecht met een held.'

Zaitsev staarde naar Danilovs grauwe grijns, diep onder het zwart van een
zware stoppelbaard. Het zou een blunder zijn, bedacht hij, als ik dit praatje ga
uitleggen als een verzoek om mijn medewerking. Deze rode commissaris heeft
me geen keuze voorgelegd. Gisteren was ik nog gewoon een sluipschutter die
zijn werk deed. En wat ben ik nu... een held?

Toch kan ik dit waarmaken. Ik kan dat zijn, ja. Deze held.

Danilov tikte met zijn potlood op zijn notitieblok. Hij begon. 'U komt uit het
Oeralgebergte, heb ik begrepen.'

Zaitsev knikte. 'Klopt. Ik ben jager.'

4

In 1937, terwijl Japan en Duitsland dreigend tegenover de rest van de wereld met hun wapens kletterden, had de tweeëntwintigjarige Wasilji Zaitsev zich gemeld voor militaire dienst bij de Rode Marine. Hij was in Siberië geboren en getogen en had nog nooit een oceaan gezien. Het leek hem wel een romantisch idee. Hij werd in Wladivostok gelegerd, aan de kust van de Grote Oceaan. Vijf jaar lang had hij als administrateur gediend en gewacht op de onvermijdelijke aanval van Japan, op slechts zevenhonderd kilometer afstand.

Zaitsev las verslagen over de Duitse belegering van Leningrad, de bezetting van de Oekraïne en de Slag om Moskou. Hij luisterde naar partijtoespraken en las artikelen over het onvoorstelbare plan van de nazi's om het westelijke derde deel van de Sovjet-Unie in te lijven. Dit immense territorium moest een agrarische slavenkolonie worden, en een bron van goedkope arbeidskrachten voor het snel groeiende *Dritte Reich*.

Als hij geen dienst had, ging Zaitsev jagen in de bossen ten noorden van de marinebasis. Dan strekte hij zich uit op een laag van afgevallen bladeren en vruchtbare humus om zijn geweer op konijnen en herten te richten, en deed dan alsof het nazi's waren. Hij was thuis in de bossen. Een groot deel van zijn jongensjaren had hij doorgebracht met jagen in de *taiga*, de uitgestrekte bossen van zilverberken rondom zijn ouderlijk huis in Ellininski, in de uitlopers van de Oeral in West-Siberië. Zijn grootvader, Andrej, was de zoveelste in een lange rij woudlopers. De oude man, slank en bijna even bleek als de zilverberken zelf, had Wasja wegwijs gemaakt in de taiga, vanaf het moment dat de jongen nauwelijks oud genoeg was om het vlees te kunnen kauwen van de dieren die ze schoten. Toen Wasja acht jaar was, had zijn grootvader hem een boog gegeven. Omdat hij zelf achter de pijlen aan moest die hij verschoot, of anders genoodzaakt was nieuwe te maken, had hij voortdurend gezocht naar manieren om zo zuinig mogelijk met zijn projectielen om te gaan en alléén te schieten als hij zeker was van zijn zaak. Wasja had geleerd sporen te lezen en roerloos in hinderlaag te liggen, waarbij hij oppervlakkig ademde en zich tot het uiterste concentreerde.

In de zomer van 1927 had de oude Andrej Wasja meegenomen om jacht te maken op een wolf die het op hun koeien had voorzien. Op enkele kilometers van hun huis, in een dichte groep bomen, had de wolf hen opeens aangevallen. Andrej had zich met een ruk omgedraaid en het dier gedood met het gepunte uiteinde van zijn bergstok. Dit, zei Andrej, terwijl hij de speer nog eens in het sidderende hart van de wolf stak, was voor de jongen een lesje in persoonlijke moed. Vergeet nooit hoe gemakkelijk doden is. Wees nooit bang om te doden als het nodig is. Andrej had met een vlugge beweging warm bloed over de wang van de jongen gestreken. Hij had toegezien hoe Wasja de wolf vilde. Toen had hij zijn kleinzoon het oude geweer dat hij bij zich droeg cadeau gedaan. Op de terugweg naar het dorp had Wasja twee hazen en een wilde geit geschoten. Nu was hij een echte jager, met een eigen geweer en drie huiden die hij op de stapel in de jachthut kon gooien.

Wasja had vaak meer tijd in de bossen doorgebracht dan met mensen. Soms had hij wat vet van een zwijn over zijn lichaam en geweer gesmeerd om zijn geur te camoufleren. Meestal weigerde zijn moeder hem dan binnen te laten, vanwege de stank. Op zulke avonden had hij graag bij de honden geslapen.

Grootmoeder Doenja had hem lezen en schrijven bijgebracht. Zaitsev geloofde dat het aan de scherpe geest en wilskracht van zijn breedheupige *baboesjka* te danken was dat het gezin bijeen was gebleven. Zijn zusters, ouders, neven en zelfs de honden gehoorzaamden meestal zonder morren aan haar uiterst vaardig gehanteerde berkentwijg.

Doenja was een gelovige oude vrouw. Ze bekvechtte met Andrej over God en was vastbesloten in haar huis de kerkelijke hoogtijdagen in ere te houden. Hoewel Andrej niets van Doenja's heiligen moest hebben, zei hij nooit iets beledigends over hen – uit respect voor Doenja's God, wellicht, of uit respect voor haar berkentwijg, wat waarschijnlijker was.

Eens had Zaitsev zijn grootvader gevraagd waarin hij geloofde. 'Grootmoeder zegt dat nadat we dood zijn gegaan de ziel het lichaam verlaat en naar de hemel gaat, grootvader. Geldt dat ook voor dieren?'

Andrej had hem een oorvijg gegeven. 'Geen mens en geen dier leeft twee keer,' had hij gegromd. 'Kom hier.'

De oude man had Wasja meegetroond naar een hertenbout in het rookhuis. 'Je hebt dit dier vanmorgen gedood.' Hij had ernaar gewezen met zijn hand alsof het een speer was. 'En als ik zie dat jij het nog eens doodt, schiet ik *jou* dood!'

Toen had de oude man naar de hertenvacht gewezen, die ze gestrekt aan de wand van het rookhuis hadden gespijkerd. 'Die vacht hangt te drogen; het vlees komt straks op tafel; en de ingewanden krijgen de honden. Onthou dit, Wasja, dat gedoe over de ziel is geleuter. God is een middel om je bang te maken, zodat je gehoorzaamt. Een woudloper kent geen angst.'

Langzamerhand was de belangstelling voor Wasja's jachtavonturen verflauwd. Op zijn veertiende verjaardag was hij 's morgens thuisgekomen met diverse wolfs- en lynxhuiden, vastgeriemd op zijn rug. Niemand had ervan opgekeken. Die avond had Andrej hem op het hart gebonden altijd vóór zonsopgang of 's nachts thuis te komen, zodat niemand kon zien hoeveel huiden hij meebracht, of van welke kwaliteit ze waren. Trots is goed voor een jager, had Andrej hem uitgelegd, maar snoeven is verkeerd. Wasilji wist toen dat hij vanaf dat moment als een volwassene werd beschouwd. Er werd van hem verwacht dat hij zich zou gedragen als een taigabewoner. Zijn beloning bestond nu uit een glas wodka, wat rust of zelfs respect van zijn zussen, en een zitplaats in de jachthut, de plaats van de mannen.

Op zijn zestiende was Wasilji naar Magnitogorsk gestuurd, driehonderd kilometer ver, naar de technische school van de grootste hoogovens van heel Rusland. Hier werd ijzer uit ijzererts gesmolten. In de nederzetting voor de arbeiders had hij de lagere school afgemaakt en was begonnen aan een cursus boekhouden. Cijferen ging hem gemakkelijk af. En in zijn vrije tijd ging hij in de heuvels rondom de nederzetting jagen.

Toen hij in zes jaar het vak van boekhouder had geleerd en nog eens vijf jaar bij de Rode Marine administratief werk had gedaan, vond de zevenentwintigjarige sergeant Wasilji Zaitsev het tijd worden om tegen de nazi's te gaan vechten. Ze waren Rusland binnengevallen. Japan kon wachten.

Met een bloedige veldtocht in juni had Hitler zich van de stad Rostov meester gemaakt om zijn rechterflank te beveiligen tijdens de doorstoot naar de Koeban en de Kaukasus. Voordat de Duitsers verder konden oprukken naar het zuiden, zouden ze ook hun linkerflank moeten beveiligen. Halverwege die flank bevond zich het industriële centrum van Stalingrad, gelegen in een bocht van de Wolga.

Op de steppe ten westen van de stad was een felle strijd ontbrand. De hele zomer had het Rode Leger zich daar samengebald om de Duitsers in vernietigende tankslagen op uitgestrekte velden en in steile ravijnen het hoofd te bieden. In het begin waren de Russen geen partij geweest voor de voortdenderende Blitzkrieg. Ze hadden zich op de oostelijke oever van de Don teruggetrokken om hun wonden te likken. Op de landbrug tussen Don en Wolga had het Rode Leger zich echter opnieuw gegroepeerd.

In de eerste week van september 1942 waren Zaitsev en nog tweehonderd andere Siberische marinemensen vanuit Wladivostok overgeplaatst naar het Tweehonderdvierentachtigste Infanterieregiment van het Tweeënzestigste Leger. Ze waren naar het westelijke front gestuurd, voor de slag die Winston Churchill het 'draaipunt van het lot' had genoemd.

Ze waren naar Stalingrad gestuurd.

De trein ratelde maar door, dag en nacht, en was alleen 's middags gestopt om brandstof en proviand in te nemen. De dorpen waar ze stopten leken in diepe slaap te zijn; het leven hier werd gekenmerkt door de slepende tred van ouderdom en uitputting. Kinderen renden door de straten en stegen en speelden oorlogje, tikkertje of de Oktoberrevolutie, maar zelfs hun gelach en gejoel kon de somberheid over de leien daken en grauwe fabrieken niet verlevendigen. Er waren geen jonge kerels meer in de dorpen. Ze waren allemaal weg, de oorlog in.

De achtergebleven stadsbewoners kwamen met ogen die nat waren van tra-

41

nen naar de tot stilstand gekomen troepentransporttrein en reikten de soldaten brood en groenten aan, of wodka, kleren en foto's van Stalin of Lenin. De mollige meisjes deelden brieven uit aan de handen die de soldaten door de ramen naar buiten staken; op de enveloppen stond vaak: Onze Dappere Jongemannen.

Op de vijfde dag stopte de trein in een uitgestrekt veld vol golvende tarwe waarin geen boom te bekennen was. De matrozen zetten tenten op. Ze werden toegesproken door kolonel Batjoek en hoorden dat ze nog drie dagen op de steppe moesten blijven om zich voor te bereiden op de strijd, wachtend op de legertrucks die hen verder zouden brengen.

De avondschemering daalde neer over het vlakke, eentonige landschap; boven de westelijke horizon hing een zinderende oranjerode vuurbal. Er zweefde een stilte door de gelederen van de mannen, als een kille mist. Ze stonden naast de trein en naast hun tenten en staken een voor een hun hand op naar elkaar om scherp te kunnen luisteren. In de donkerte kwam een nauwelijks hoorbare doffe dreun op hen af, gevolgd door een naargeestig gehuil. De geluiden waren afkomstig uit de flikkerende koepel van licht in het westen, waarvan de bron zich nog ver achter de horizon bevond. Zaitsev had de marinemannen om zich heen én zichzelf dat ene woord horen fluisteren: *Stalingrad*.

Drie dagen en nachten lang had de compagnie zich geoefend in de technieken en strijdmethoden van oorlogvoering in de straten. Ze hadden geleerd te rennen en te tijgeren, en te doden met hun bajonet, geweer, mes, pioniersschop of zelfs hun blote vuisten. Ze hadden de pen uit handgranaten moeten trekken om ze op scherp te zetten, hadden ermee gegooid of hadden ze opgevangen om ze vervolgens in een loopgraaf te gooien, vlak voordat ze explodeerden. De stropoppen daar werden aan flarden gerukt of opgeblazen, en menige echte neus had moeten bloeden.

Op de ochtend van de 20ste september was er een stofwolk boven de onverharde landweg opgewerveld. Het was een stafauto, die naast de trein tot stilstand was gekomen. Uit die stafauto was legercommandant Gregori Konstantinovitsj Zjoekov tevoorschijn gekomen. Hij was uit Stalingrad gekomen om te zien hoe de matrozen van het Tweehonderdvierentachtigste Infanterieregiment zich gereedmaakten voor de strijd.

De mannen wierpen zich nog verwoeder op hun training en voerden voor de man die het bevel voerde over de verdediging van Stalingrad hun meest krijgshaftige show op. Tijdens een oefening waarbij de mannen met elkaar worstelden, struikelde een van hen over de wijd uitlopende pijp van zijn matrozenbroek. Maarschalk Zjoekov liet zijn officiersbaton tegen zijn dij kletsen om de oefening te onderbreken.

'Waarom zijn deze mannen niet in legeruniform?' wilde hij weten.

Een jonge officier repte zich naar voren en sprong in de houding. 'Luitenant Bolsjosjapov, commandant. Commandant, wij zijn van de marine, en daar zijn we trots op. Zo willen wij vechten.' De luitenant leek de woorden over Zjoekovs hoofd heen te brullen.

'Heeft de foerier aan jullie landmachtuniformen uitgedeeld, luitenant?'

'Jawel, commandant.'

'Ga jullie dan onmiddellijk omkleden. Deze verdomde pijpen,' zei Zjoekov, terwijl hij naar de wijde broekspijpen van de luitenant wees, 'worden jullie dood. Waar blijft jullie marinediscipline?'

Met een ruk draaide Zjoekov zich om, al op weg naar zijn stafauto. Luitenant Bolsjosjapov riep uit: 'Kameraad-commandant. Als u het goedvindt, zouden we graag ons marinehemd onder ons landmachtuniform blijven dragen.'

Zjoekov draaide zich om en salueerde voor Bolsjosjapov. 'Namens de Partij en het Rode Leger geef ik daar graag toestemming voor, luitenant. Zorg dat jullie dapper vechten in jullie matrozenhemd.'

De Siberiërs juichten en begonnen zich uit te kleden, op hun ondergoed en gestreepte matrozenhemd na. Soldaten renden naar de trein om de grauwgroene uniformen van het Sovjet-leger te halen.

Die avond arriveerden er tientallen legertrucks van het Amerikaanse merk Studebaker om de nieuwelingen naar de Wolga over te brengen. Twee uur lang werden de mannen in de open laadbak van de hotsende en botsende trucks door elkaar geschud. Iedere soldaat staarde naar de zich uitbreidende gloed in het westen. Het verre gedreun van zware explosies klonk hen steeds duidelijker in de oren terwijl ze op weg bleven naar de horizon.

De trucks stopten aan de rand van een bos en de meer dan duizend mannen van het Tweehonderdvierentachtigste Infanterieregiment stelden zich op langs een breed voetpad dat in een dichte groep populieren verdween. In rotten van twee zette het regiment zich in beweging, gebogen onder het gewicht van de bepakking en het geweer. Zaitsev had zich verzet tegen de neiging om door het bladerdak van de bomen omhoog te kijken naar het flikkerende lichtschijnsel aan de hemel. In plaats daarvan hield hij zijn ogen strak op de rugzak van zijn voorganger gericht. Onder het bladerdak klonken de geluiden zachter en werd het licht aan de hemel gedempt, alsof het bos, zijn aloude vriend, hem en de rest van het regiment wilde geruststellen door de geluiden van de strijd voor hun gevoelige oren af te zwakken.

Langs het voetpad waren aan de stam van de populieren aanplakbiljetten met oorlogsleuzen gespijkerd. ALS JE DE VIJAND NIET TEGENHOUDT BIJ STALINGRAD, ZAL HIJ JE HUIS BINNENDRINGEN EN JE DORP VERWOESTEN! verkondigde een van die biljetten. Een ander biljet zei: DE VIJAND MOET BIJ STALINGRAD WORDEN VERMORZELD EN VERNIETIGD! OF: SOLDAAT, JE VADERLAND ZAL JOUW MOED NIET VERGETEN!

Drie kilometer diep in het bos kwam de colonne tot staan. Batjoek gaf zijn mannen bevel hun gezicht met vet en aarde zwart te maken. Terwijl ze elkaar de vetpotten doorgaven, schuifelden zo'n honderd gewonde soldaten in tegengestelde richting over het voetpad, weg van de strijd.

Deze gewonden met hun bebloede zwachtels ondersteunden elkaar; degenen die konden lopen, hielpen degenen die alleen nog konden hinken; degenen die konden zien, hielpen degenen die blind waren geworden. Wie twee gezonde handen had en lopen kon, hielp een brancard dragen. Het was alsof de verzengende hitte van de strijd deze mannen met elkaar had versmolten, zodat ze zich als één groot, verminkt en bloedend schepsel voortbewogen.

De Siberiërs staarden met open mond naar de ellende van deze strompelende soldaten. Ze ontdekten een matroos onder de gewonden, herkenbaar aan de matrozenbroek die hij nog droeg. Ze wenkten hem naar de kant, en toen pas ontdekte hij het matrozenhemd onder het uniform van het Rode Leger dat ze droegen.

'Kameraad-matroos, kom en ga zitten!' riepen ze hem toe.

De matroos, het gezicht vertrokken van pijn, verliet het voetpad en liet zich op een rugzak zakken. Verscheidene handen boden hem een sigaret aan, en vuur. De uitgeputte man accepteerde gretig een sigaret. Hij vroeg of ze die voor hem wilden aansteken en stak zijn rechterarm op. Een stomp was het. De hand ontbrak.

Uit de drom mannen kwam een fles wodka tevoorschijn. De vreemdeling nam een lange haal van de sigaret. Hij keek op naar de gecamoufleerde gezichten om hem heen. '*Na zdorovje,*' zei hij, en nam een grote slok uit de fles. Toen hield hij zijn armstomp weer omhoog. 'Zit hier maar niet over in,' zei hij. 'Ik heb hem voor een hoge prijs verkocht.' Hij keek de gezichten langs. 'Waar komen jullie vandaan?'

'Wij komen uit Siberië. We zijn dat hele eind hierheen gereisd om te vechten.'

De man knipperde met zijn ogen. 'Net als de Duitsers.'

Zijn hoofd zakte omlaag. Handen schoten toe om hem op te vangen als hij ineen mocht zakken.

De matroos hees zich overeind en draaide zich om, klaar om zich weer bij de colonne van voortstrompelende gewonden te voegen. De mannen weken uiteen om hem door te laten. Ze boden hem méér sigaretten aan.

Toen de matroos bij Zaitsev kwam, bleef hij staan en keek naar het brede gezicht van de Siberiër. Hij tikte met de vingers die de sigaret omklemden tegen zijn borst. Gloeiende as dwarrelde over zijn gescheurde matrozenhemd. Hij klemde de sigaret in zijn mondhoek en porde met zijn duim in Zaitsevs borst.

'Neem er een paar te grazen, ja?'

De Siberiërs verlieten het bos op de oostelijke oever van de Wolga. Twee kilometer van hen vandaan, aan de overkant van de rivier, zagen ze een stad die meer weg had van een vulkaan. Stalingrad, vroeger de woonplaats van een half miljoen mensen, zag er nu uit alsof daar niemand meer in leven kon zijn.

De stad werd verlicht door duizenden branden. Boven de kalksteenkliffen langs de rivier stonden verkoolde, van hun daken beroofde muren in het gelid langs straten, bezaaid met de nog smeulende resten van gebouwen. Rode zuilen van baksteen en stof schoten als fonteinen op uit de grond. Gebouwen zwaaiden heen en weer en stortten in alsof de kreunende stad niet meer was dan een gekarteld dekkleed waaronder iets gigantisch heftige bewegingen maakte, alsof het vastbesloten was zich naar de oppervlakte te werken.

Zaitsev lag op het zand naar de vuurstorm aan de overzijde van het zwarte, vettige water van de Wolga te kijken en dacht aan *baboesjka* Doenja's beschrijvingen van de hel. Een vlaag warme lucht streek langs zijn wang. De wind voerde de hitte en branderige geur van een kolenfornuis aan. Hoe is het mogelijk dat mensen nog blijven doorvechten in zo'n verdoemd oord, vroeg hij zich af.

Kapitein Ion Lebedev, een politiek commissaris, kwam naast hem in het zand zitten. 'Ben je klaar voor de strijd, kameraad-sergeant-majoor?' vroeg hij.

Zaitsev keek de *tsampolit* aan. In de zwarte ogen van de man lag een rode gloed. Zijn brede grijns onthulde een paar open plekken in zijn gebit.

'Heeft ook maar iemand hier, kameraad Lebedev, werkelijk gezegd: "Nee, kameraad, ik ben er niet klaar voor"?'

'We hebben hier honderden mannen op deze oever. Sommigen hebben een duwtje nodig voordat ze zich daar in wagen.' Lebedev liet zijn neus naar de brandende stad wijzen.

Zaitsev had het niet zo op commissarissen. Hij was al wekenlang blootgesteld geweest aan hun toespraken en andere verbale 'duwtjes'. Hij had hen urenlang niet bepaald verrukt aangehoord – in de trein, op de steppe, en nu hier weer, in het zand, op de drempel van het strijdtoneel. Hij had geen behoefte aan simplistische raadgevingen over moed; hij vond het geen prettig gevoel dat ze er niet op vertrouwden dat hij zich manhaftig zou weren en desnoods bereid was te sterven voor de *Rodina*. Zaitsev was altijd een oppassend lid van de Komsomol – de Sovjet-organisatie voor jongeren – geweest, en hij hoopte eens lid te worden van de Communistische Partij. De Duitsers hadden echter geen invasie gepleegd in de Partij. Ze hadden Rusland aangevallen. Voor Moedertje Rusland zou hij vechten.

Veel mannen knepen hem voor Lebedev en de andere *politroeks*, en daar hadden ze goede redenen voor. Stalin had deze politieke officieren – allemaal trouwe idealisten – carte blanche gegeven om het gezag van de Partij overal in het leger te handhaven, vanaf de hoogste generaal tot de jongste rekruut. Zij ontleenden hun macht aan Stalins Dagorder nr. 227, beter bekend als het 'Decreet van de IJzeren Hand'. Stalin had de commissarissen niet alleen belast met de taak de rode soldaten gedurende de strijd politiek bewust te houden, maar bovendien moesten zij zelfs in het heetst van de strijd de prestaties van iedere man op het slagveld beoordelen. Samen met de andere officieren van het Rode Leger waren de commissarissen ervoor verantwoordelijk dat de soldaten tot aan hun laatste druppel bloed bleven doorvechten. Als een man de indruk wekte niet hard genoeg te willen vechten, diende de politiek commissaris hem aan te moedigen, te ondersteunen, te vermanen of zelfs te dreigen. Als een soldaat echter blijk gaf van lafheid of zich probeerde terug te trekken zonder daartoe bevel te hebben gekregen, diende de *politroek* met ijzeren hand in te grijpen. Zaitsev en alle anderen wisten dat die 'ijzeren hand' maar al te vaak de vorm had van een geladen pistool tegen je nek.

Lebedev reikte Zaitsev een krantenknipsel aan. 'Dit stond vorige week in de *Pravda*. Ik laat het jou zien, *tovaritsj*, omdat de mannen tegen jou opzien. Zij zullen jou volgen.'

'Wij zijn Siberiërs, kameraad-commissaris. Wij vechten ook zonder artikelen in de *Pravda*.'

Lebedev legde zijn handpalm op Zaitsevs schouder, schudde even en toonde hem zijn grijns met de ontbrekende tanden. 'Lees nou maar. We hebben nog wat tijd voordat we oversteken.'

Het artikel droeg als kop: THUIS WETEN ZE HOE JE VECHT! Zaitsev kneep zijn ogen samen om in het onrustige schijnsel van de brandende stad te kunnen lezen.

Het doet er niet toe of je huis dichtbij of ver weg is. Thuis komen ze altijd te weten hoe goed je vecht. Als je het zelf niet schrijft, zullen je kameraden het wel schrijven, of je politieke instructeur. En als jouw brief hen niet bereikt, lezen ze wel over jou in de krant. Je moeder zal het communiqué lezen, haar hoofd schudden en zeggen: 'Lieve jongen, je zou het beter moeten doen dan je nu doet.' *Je zit er volkomen naast als je je verbeeldt dat ze thuis maar één ding willen, namelijk dat jij levend en wel terugkomt.* Wat zij van je willen, is dat je Duitsers doodt. Ze willen niet nóg meer vernederingen en terreur. Als jij mocht komen te sterven terwijl je de Duitsers belet nog verder op te rukken, zullen ze jouw nagedachtenis voor eeuwig in ere houden. Jouw heldhaftige dood zal het leven van je kinderen en kleinkinderen zonniger maken en verwarmen. Als jij de Duitsers laat passeren, zal zelfs je eigen moeder je verwensen.

Zaitsev gaf Lebedev het krantenknipsel terug. 'Dank u, kameraad-commissaris. Er is moed voor nodig om de dingen zo onomwonden te zeggen.'

Lebedev klopte Zaitsev nog eens op de schouder. 'Zeg dat wel. Ik zie je wel aan de overkant, kameraad-sergeant-majoor.'

Tot ver na middernacht lagen de Siberiërs op de zanderige oever, kijkend en luisterend naar de doodskreten van Stalingrad. Er verscheen een heel smaldeel van gehavende vissersboten, rivieraken, stoombootjes en sleepboten. In de ondiepte recht voor hen ging een aak voor anker. Zaitsev zag de gaten in de houten romp. Twee man voor en vier man achter hoosden zo snel ze konden water met emmers tegelijk uit het ruim. Snel werden er voorraden in het ruim van de aak geladen. Houten munitiekisten werden de loopplank op gesjouwd en verdwenen benedendeks. Verscheidene kartonnen dozen werden aan boord gedragen, het uitnodigende, tinkelende geluid van wodkaflessen prijsgevend. Kratten vol ingeblikte ham uit Amerika werden de loopplank op gesleept. De soldaten van het Rode Leger noemden deze ham gekscherend 'het tweede front'. Een jaar lang had Stalin Groot-Brittannië en de Verenigde Staten gesmeekt de Duitsers vanuit het westen aan te vallen, teneinde de druk op Rusland te verlichten. De geallieerden hadden altijd allerlei redenen weten te bedenken voor de trage, weloverwogen manier waarop ze te werk gingen. Voor de Russische infanterist waren deze blikken met vochtig-rode, zoetige ham uit staten als Georgia en Virginia de enige hulp die ze ooit vanuit de Verenigde Staten zouden krijgen. De ham zou moeten volstaan als tweede front, meer zat er niet in.

De boten en bootjes begonnen aan de oversteek van de Wolga. Vuurpijlen doorkliefden de glinsterende nachthemel. De mannen staarden naar boven en probeerden met hun blik de dikke rookwolken te doorboren, op zoek naar het eerste teken van een omlaag scherende duikbommenwerper van de Luftwaffe. Het dansende licht vanuit de stad brandde als een koorts op hun voorhoofd, zodat het zweet hen uitbrak en ze met hun ogen moesten knipperen.

Toen ze halverwege de rivier waren, gierde een Stuka over hen heen. Ze zetten zich schrap, maar er vielen geen bommen. De piloot zwenkte plotseling om en klom naar grotere hoogte om de hoog oplaaiende vlammen van de stad te ontwijken. De mannen wachtten af; zou er nog een ander vliegtuig volgen? Toen de Stuka geen volgers bleek te hebben, klonk hun gemeenschappelijke zucht als het ontsnappen van lucht uit een gigantische blaasbalg.

Het lekkende smaldeel bereikte de kademuur. Er doemden geen vliegtuigen meer op uit de nacht. Zaitsev zag het nalaten van de Luftwaffe om de versterkingen aan te vallen als een slecht voorteken; het getuigde van het enorme vertrouwen dat de nazi's hadden in hun vermogen de stad volledig in te nemen.

Eenmaal aan land zocht de compagnie bescherming tegen de kille kalksteenkliffen. Boven hen wankelde en kraakte de stad. De rivier kabbelde tegen de keien onder hun voeten alsof hij hen in de duisternis zacht een leugen over rust en kalmte influisterde.

De ochtendschemering liet een nieuw elan ontstaan – geen van de mannen hier wilde worden gezien met een van angst vertrokken gezicht. Ze staken hun onderkaak naar voren en rechtten hun rug, klaar voor actie. Het lef in hun stemmen leek met de zon mee te stijgen en de geluiden van de strijd zweefden langs de kliffen omlaag.

Een beroete motorordonnans leverde bevelen af bij luitenant Bolsjosjapov. De Siberiërs dienden zich langs de rivier drie kilometer naar het noorden te verplaatsen, ter versterking van een compagnie die door de nazi's waren klemgezet in de chemische fabriek van Lazoer, te herkennen aan een aantal ingedeukte olietanks.

Nadat ze een halfuur op een sukkeldraf over het zand hadden gelopen, ontdekte Bolsjosjapov de olietanks voor hen uit. Boven, op de klif, ratelden mitrailleurs, af en toe overstemd door de krakende explosie van een granaat. De Siberiërs klauterden tegen de helling op en kozen posities in het puin. Op circa tweehonderd meter afstand werd een Russische compagnie door een continu spervuur van mortieren en mitrailleurs gedwongen in dekking te blijven.

Zaitsevs peloton tijgerde naar de rechterflank van de Duitsers. De nazi's, verrast door de versterkingen, moesten hun mitrailleurs herpositioneren om zich tegen dit nieuwe gevaar te verweren.

De Siberiërs trokken vuur en voor het eerst hoorde Zaitsev het snerpende gejank van kogels die het op hém hadden gemunt. Dit was het moment waarop hij met een mengeling van angst en gretigheid had gewacht. Eindelijk was hij toe aan de zwaarste en gevaarlijkste jacht van allemaal. De langs hem heen fluitende kogels fluisterden hem toe met de omfloerste stem van zijn grootvader, die in het bos naast hem op zijn hurken zat: 'Eropaf, Wasja. Vlug. Voorzichtig. Stil. Nu!'

Zonder op bevelen te wachten tijgerde hij door het puin van de eerste olietank. Hij wilde een onbelemmerd schootsveld, voordat de vijand voor het vuur uit deze hoek in dekking kon gaan.

Op honderdvijftig meter afstand begon Zaitsev te vuren. Met zijn eerste drie kogels schakelde hij drie mitrailleurschutters uit. Zodra deze wapens zwegen, sprong zijn compagnie uit haar dekking en stormde schietend en schreeuwend op de Duitsers af.

Uit de rook boven zijn hoofd kwam een huilende mortiergranaat omlaag. Nog voordat Zaitsev zich had kunnen verroeren, explodeerde het kreng achter hem, midden tussen zijn kameraden. Mannen werden van hun voeten getild en vielen neer op anderen, die naar de grond waren gedoken om dekking te zoeken. Zaitsev keek achterom en realiseerde zich geschrokken dat een van de drie olietanks weliswaar zwaar was ingedeukt, maar op de een of andere manier niet bij voorgaande bombardementen lek was geslagen. Zijn onuitgesproken vraag of de tank nog olie zou bevatten, werd door het eerstvolgende salvo beantwoord.

De tank werd aan flarden gereten door een daverende explosie die een hoge vuurkolom boven en over de Siberiërs liet opschieten. Brandende olie regende neer uit de paddestoelvormige wolk. Zaitsevs kleren waren bezaaid met kleine, hongerige vlammen.

Hij rukte zich het gevechtsjasje van het lijf, gevolgd door zijn marinehemd, uniformbroek en patroongordel. Zijn huid was geschroeid, maar zijn hoofd was kristalhelder. Hij sloeg een paar keer op zijn kruin om er zeker van te zijn dat zijn haar niet in brand stond.

Overal om hem heen lagen zijn dode kameraden. Hun lijken waren gehuld in waden van rook; gele vuurhorzels zwermden boven de verwrongen lichamen. En tussen dat alles door bleven de Duitsers maar vuren.

Zaitsev vocht tegen zijn afschuw. Hij staarde naar het rokende slagveld. De Duitsers waren in actie gekomen en waren alweer bezig hun mitrailleurs te bemannen om ervoor te zorgen dat hun schootsvelden elkaar overlapten. Met ogen die traanden vanwege de rook liet hij zich vallen en bracht zijn geweer iets omhoog om te richten op een nazi die door een veldkijker stond te turen – misschien de officier die over de aanval de leiding had. Zaitsevs beroete handen trilden; hij kon niet wachten tot zijn wild kloppende hart tot rust kwam en hij het geweer weer volledig in de hand had. Dit kon wel eens zijn laatste onbelemmerde schot zijn voordat de Duitsers opnieuw het vuur openden of om meer artilleriesteun vroegen.

Hij volgde het trillende vizier en trok de trekker tegen het drukpunt, klaar voor het schot waarvan hij wist dat het alleen maar zijn positie zou verraden. Opeens hoorde hij de strijdkreet: '*Oerrah! Oerrah! Rodina!*' Luitenant Bolsjosjapov sprong achter een verkoolde stenen muur vandaan, slechts gekleed in zijn witte ondergoed, patroongordel en laarzen. Hij hield zijn geweer boven zijn hoofd en zette de aanval in, gevolgd door golven van halfnaakte, nog rokende Siberiërs. Zaitsev verstarde; hij kon zijn ogen niet geloven. Zonder dat hij erbij nadacht, kwam hij achter zijn dekking vandaan alsof zijn benen uit zichzelf overeind kwamen. Hij haalde diep adem en brulde: '*Oerrah!*' Hij maakte pompende bewegingen met zijn geweer en sloot zich aan bij de volgende aanvalsgolf.

Hij voelde zich een duivel die schietend de muil van het nazi-monster tegemoet rende. Hun aanblik, onverschrokken in hun ondergoed en laarzen, terwijl hun wapens lood uitbraakten, dreven hem en zijn kameraden de nazi-linie in met een strijdlust die Zaitsev niet eerder had ervaren. Hij voelde zich euforisch en rende springend en schietend over en om het puin. Hij verloor zijn evenwicht en struikelde over zijn eigen rennende voeten. Net toen hij tegen de grond smakte, werd de matroos vóór hem in de borst geraakt. De armen van de man zwaaiden opzij, hij zakte voor Zaitsevs ogen door zijn benen en schoof op zijn knieën nog wat door, als een eend die op het water landt.

Zaitsev tuurde over het lijk en zag de luitenant met een groep andere mannen jacht maken op de vluchtende Duitsers. De nazi's stormden een steeg in, zich af en toe omdraaiend om terug te schieten.

Een van de soldaten van de compagnie die door de Duitsers klem was gezet, hielp Zaitsev op de been. 'Jullie zijn stapelgek!' lachte hij. 'Ik heb van mijn leven nog niet zoiets geks gezien. In jullie ondergoed!'

Zaitsev betastte zijn bebloede knie. 'Ik ben gestruikeld,' mompelde hij.

De soldaat keek om zich heen naar de vele lijken op de grond. Hij klopte Zaitsev op de rug. 'Sluit je maar gauw bij je eenheid aan.'

De mannen liepen terug naar de plaatsen waar ze hun brandende uniformen hadden uitgetrokken. Ze trokken de schamele flarden van hun verschroeide marinehemd weer aan, voorzover er nog iets van overwas.

De compagnie installeerde zich voor de nacht. Er werden schone uniformen afgeleverd, samen met voedsel. Ordonnansen maakten melding van een opmerking die maarschalk Zjoekov tegen kolonel Batjoek had gemaakt. De maarschalk verbaasde zich over de enorme hekel die de Siberische matrozen aan hun nieuwe legeruniform leken te hebben. Kennelijk verdacht de commandant hen ervan dat ze hun gevechtspak expres in brand hadden gestoken, nota bene toen ze het nog aanhadden.

Het geweld van de laatste week van september brandde de lessen van de strijd van huis-tot-huis op het netvlies van Zaitsevs ogen. Vóór iedere aanval kroop hij in een loopgraaf of bunker, aandachtig luisterend naar de raadgevingen van veteranen die zich al een verschrikkelijke maand lang in de stad in leven hadden weten te houden.

Vaak kwam het in de strijd om het ene pand na het andere tot een gevecht van man tegen man, waarbij de ploertendoder even dodelijk bleek als de kogel en het bloed, en de adem van een vijand Zaitsev even nabij kwam als zijn eigen bloed en adem. Voor een groot aantal Siberiërs bleek de driedaagse training op de steppe volmaakt nutteloos. Al gedurende de eerste paar dagen van actieve strijd waren tal van zijn kameraden gesneuveld doordat ze onnodig risico's hadden genomen. Niemand was er echter vandoor gegaan, en niemand was gestorven zonder zijn wapen nog in zijn handen. De dagen vlogen voorbij. Onder de met rook bezwangerde hemel groeiden de stapels lijken.

Zaitsev verplaatste zich met de lenigheid en het zelfvertrouwen van een dier door de stenen jungle. Zijn slanke lichaam en gespierde armen droegen en trokken hem door de puinhopen zonder dat hij zichzelf rust gunde; steeds hield hij genoeg kracht over om zijn wapen dodelijk stil te kunnen houden, of een handgranaat bijna even ver weg te slingeren als zijn forse vriend, Viktor Medvedev, dat kon. In het gevecht van man tegen man kon Zaitsev een verschrikking zijn. Zijn soldatenmes maakte, hoewel het groter en lomper was dan de vilmessen die hij in zijn jeugd had gehanteerd, zoevende bewegingen in zijn hand.

De Duitsers pasten zich niet echt goed aan bij de specifieke tactiek die de strijd van huis-tot-huis vereiste. Waar de Roden strategisch gelegen gebouwen innamen met kleine pelotons die zij 'bestormingsgroepen' noemden, stuurden de nazi's domweg méér mankracht de strijd in, alsof ze altijd konden winnen door meer bloed te verspillen. Soms ontstond er tijdens een aanval zo'n hoge stapel lijken in een steeg, dat de opmars van de nazi's alleen door de lijken werd geblokkeerd.

Aan het eind van de eerste paar weken die Zaitsev in Stalingrad had gevochten, waren de Duitsers doorgedrongen tot het hart van de stad aan de Wolga, zodat ze het hele centrum en de voornaamste kade, Krasnaja Sloboda, beheersten – juist de kade die de Roden gebruikten om hun versterkingen aan te voeren en hun troepen te bevoorraden. Tegen half oktober was het Tweeënzestigste Leger in tweeën gesneden: de ene helft in het noorden, de andere helft in het zuiden.

Het sterkste Russische bruggenhoofd bestond uit de puinhopen van het industriegebied met de drie immense fabrieken, vijf kilometer van het centrum. De Siberiërs kregen bevel het Zevenendertigste Garderegiment te versterken ter verdediging van de Tractorenfabriek, die van de drie fabrieken het noordelijkst was gelegen.

Na een artilleriebombardement van zesendertig uur zetten de Duitsers in de vroege ochtend van de vijfde oktober de aanval in op de Tractorenfabriek. Zaitsev, die zich onder een regen van kogels door de puinhopen werkte, kreeg die ochtend zijn eerste sluipschuttersteam te zien. Het waren kleine, magere mannen, op het eerste gezicht geen krijgshaftige kerels om bang van te worden. Een van de twee mannen droeg een veel te grote helm, die zelfs zijn oren bedekte. Hij moest hem af en toe wat achterover schuiven om te kunnen zien waar hij heen tijgerde. Beide sluipschutters droegen een geweer met telescoopvizier.

En terwijl Zaitsevs eenheid zich dieper ingroef tussen de puinhopen, op zoek naar zoveel mogelijk dekking, tijgerden de sluipschutters door de puinhopen juist naar voren, als jagers op zoek naar prooi.

5

Tanja Tsjernova stond samen met de rest van haar compagnie aan de oever – honderdvijftig soldaten van het Tweehonderdvierentachtigste Infanterieregiment. Recht voor haar uit deinde een rivieraak zachtjes in de zwarte schaduwen tegen de kade. Aan de overkant van de Wolga schoten steekvlammen op. Duikbommenwerpers van de Luftwaffe doken plotseling op uit gitzwarte wolken, waarbij hun onderkant rood opgloeide in het schijnsel van de vuurstorm op de grond. De vliegtuigen voerden duikvluchten uit om plotseling, op geringe hoogte, hun bommen af te werpen. Hun motoren krijsten en hun vleugels maakten een fluitend geluid als ze wegzwenkten en weer naar grotere hoogte klommen om hun piloot in een oogwenk van de explosies en de dichte rook weg te voeren.

Tanja staarde naar het hartverscheurende lot dat de stad had getroffen. Dit was dus het heldhaftige strijdtoneel van Stalingrad, de naam die op de lippen lag van iedere Rus. Stalin, de *vozhd*, de hoogste leider, had er geen misverstand over laten bestaan: hou stand daar in die Apocalyps aan de Wolga en vecht door tot je laatste snik.

Tanja's compagnie telde in totaal elf vrouwen, gekleed in soldatenuniformen zonder onderscheidingstekens, compleet met laarzen. Geweren hadden ze niet; als hospitaalsoldaat of verbindingsvrouw hadden ze geen wapen nodig.

Langs de route naar de rivier had Tanja wel honderd door vrouwen bediende kanonnen gezien. Ze had een verzoek kunnen indienen om ook bij de artillerie ingedeeld te worden, om die grote kanonnen te mogen bedienen, of de *Katoesja*-raketten, opgesteld in afvuurrekken op Amerikaanse Ford-trucks. Het afgelopen jaar had Tanja echter als lid van de Russische verzetsbeweging in de bossen van Wit-Rusland en rondom Moskou gevochten. Een maand geleden had ze de partizanen verlaten en was naar Stalingrad gekomen om haar wraakactie tegen de 'nazi-staken' voort te zetten. Zij kon Duitsers onmogelijk als mensen zien. In haar ogen waren het stukken hout – *staken*. Echte mannen waren niet in staat om de dingen te doen die zij de nazi's had zien doen.

In het hart van haar groep maakte een generaal met een kaalgeschoren hoofd een einde aan zijn toespraak. 'De verdedigers van Stalingrad hebben hulp nodig!' brulde hij. 'Alleen dan kunnen ze zich de aanvallende vijand van het lijf houden. De Tractorenfabriek in het noordelijk deel van de stad ligt zwaar onder vuur. De soldaten die daarginds in de fabriek en overal elders in Stalingrad vechten, doen geen stap terug. Hun leven – het leven van Moedertje Rusland zelf – is afhankelijk van de toevoer van verse troepen naar het strijdtoneel.'

De generaal bracht met een ruk zijn vuist boven zijn hoofd en schreeuwde: 'Oerrah!' De ogen van de mannen en vrouwen om haar heen dwaalden van de brullende generaal af naar de brandende stad. Angst, dacht ze, is het eerst zichtbaar in de ogen.

De gammele rivieraak aan de steiger was volgestouwd met voorraden en wachtte alleen nog op het menselijke deel van de vracht. De generaal was klaar met zijn toespraak. De soldaten werden in colonne naar de aak gedirigeerd.

Tanja hing haar rugzak weer om. Hij was volgestouwd met kaas, brood en een fles wodka – geschenken die ze had gekregen van de mensen langs de weg. Een kleine man met een dikke, harde buik beende naar het hoofd van de colonne. Hij rende verbazingwekkend lenig de loopplank op en sprong over de verschansing aan dek. Tanja herkende hem als een politiek commissaris, een zekere kapitein Danilov, die de soldaten aan de oever had toegesproken voordat de kaalgeschoren generaal het woord had gevoerd. Hij riep de soldaten toe dat ze zich bij hem moesten voegen door 'ook de historie binnen te stappen'.

De eerste mannen die aan boord sprongen, gingen aan dek zitten. Twee soldaten die voor Tanja liepen, jongens van hooguit achttien jaar oud, zetten een paar stappen – en verstijfden toen. De andere mannen negeerden hen en sloten zich soepel, alsof zij niet bestonden, bij de colonne aan. Tanja boog zich vlug naar hen toe. 'Loop door!' zei ze. 'Dit moet je niet doen – ze houden je in de gaten.'

Tanja liep om de jongens heen en posteerde zich tegenover hen. Ze zag dat ze strak naar het inferno aan de overzijde van de rivier staarden. Ze schudde een van de twee bij de schouders. 'Vooruit, naar de boot! Lopen!'

De jonge soldaten keken eerst Tanja aan, en toen elkaar. Een van de twee bevochtigde zijn lippen. Een oudere soldaat greep Tanja's arm om haar mee te trekken. 'Zij hebben hun eigen lot, kameraad. Wij hebben het onze. Kom mee.'

Tanja liet zich een paar stappen meetrekken, zonder haar blik af te wenden van de beide jongens. Toen draaide ze zich om en voegde zich weer in de colonne.

Al na een paar stappen hoorde ze Danilov aan het dek van de aak schreeuwen: 'Halt! Ogenblikkelijk halt houden!'

Al de soldaten bleven staan en draaiden zich om naar de overvolle steiger. De jongens hadden de colonne verlaten en renden nu naar de bomen langs de oever terwijl ze hun wapens, patroongordels en rugzakken afwierpen om sneller over kratten en dozen te kunnen springen. Hun roffelende voetstappen, hard en hol op de planken van de steiger, vermengden zich met het gedempte bulderen van de vlammen aan de overzijde van de Wolga. De menigte op de steiger verstomde terwijl de twee lafaards hun leven uit renden.

Tanja hoorde hoe ze elkaar aanmoedigden, hun stemmen verstikt door paniek: 'Rennen! O god! Blijf rennen!'

Bewakers vuurden over het hoofd van de jongens heen en brulden hen toe dat ze moesten blijven staan. Ze renden door.

Uit de bossen langs de zanderige oever doken drie andere bewakers in grijze overjassen op. Ze haastten zich naar de jongens en openden het vuur. Een van de twee zakte ineen, gewond. De andere bleef staan. Hij draaide zich om, keek en stierf ter plekke. Een bewaker liep naar de gewonde jongen, bracht zijn pistool naar diens voorhoofd en haalde de trekker over.

Tanja en de andere soldaten hervatten hun mars naar de rivieraak. De oudere soldaat liep naast haar. 'Pure verspilling,' zei ze tegen hem.

Hij keek haar aan. 'Jongens nog,' zei hij. 'Even oud als mijn eigen kinderen.'

Tanja hees haar rugzak wat hoger op haar schouders. Ze liep door. 'Vergeet je kinderen,' zei ze.

Tanja vond een plaatsje bij de verschansing aan bakboord. Verscheidene mannen raadden haar aan de grotere veiligheid midden aan dek op te zoeken. Tanja schudde haar hoofd met haar tot op de schouders en bleef waar ze was.

De aak voer de rivier op.

Drie Stuka's vonden de aak binnen de kortste keren. De duikbommenwerpers met hun geknikte vleugels zwenkten om, naderden in een driehoeksformatie en doken krijsend omlaag. Waterfonteinen spoten op in het witte licht van fosforfakkels. Tanja moest haar ogen dichtknijpen tegen het felle licht van de geisers die gretig aan de aak likten.

Langs de verschansing stonden bewakers van de binnenlandse veiligheidsdienst – de NKVD. Ze werden 'Groenpetten' genoemd en hielden met over elkaar geslagen armen de compagnie in het oog. Sommigen hadden één hand in de zak van hun overjas. De vinger om de trekker, wist Tanja, voor het geval iemand op het idee mocht komen overboord te springen. Tanja kende ze goed, die Groenpetten; zij vormden de meest meedogenloze arm van het commissariaat. Ze had genoeg gezien van hun werkwijze: ze bestudeerden je papieren en stelden korte vragen. Ze maakten korte metten met iedere soldaat die het waagde zich zonder bevel van het front te verwijderen. De weg naar Stalingrad was bezaaid geweest met honderden lijken, gruwelijke waarschuwingen aan deserteurs -in spe van het Rode Leger om zich over hun angst heen te zetten.

Ze hoorde een nieuwe explosie, diep onder de bakboordverschansing. Scherven boorden zich in de romp. De soldaten aan dek werden overspoeld door ijskoud water. Aan de explosie was geen duikvlucht van een Stuka voorafgegaan. Dat moet een mortiergranaat zijn geweest, dacht Tanja. De mortieren komen de Stuka's hand- en spandiensten verlenen. We zijn door het hele verdomde nazi-leger ontdekt.

Water stroomde weg door de spuigaten in de verschansing. Demonstratief marcheerde commissaris Danilov naar de boeg, waarbij hij zijn vierkante romp en dikke armen bewoog als een bokser. Hij klom op een hoge stapel munitiekisten, zodat iedereen hem kon zien. Hij gooide zijn armen omhoog en wees naar de dodelijke, donkere nacht alsof zijn armen de lopen waren van een stuk luchtafweergeschut.

'Krijg de pest, jullie!' schreeuwde hij naar de hemel. 'Vuile hoerenzonen!' Hij keek dreigend omlaag naar de soldaten, drijfnat op het sidderende dek. 'Vooruit, Russische helden! Geef die moffen op hun lazerij! Kom op, zorg dat ze jullie horen!'

Hier en daar verhief iemand zijn stem. Toen – als een langzaam en sputterend op gang komende vrachtwagenmotor – begon iedere soldaat verwensingen uit te braken, mede om hun angsten over te dragen aan de nacht, de vliegtuigen, de vlammen en de explosies van water en aarde.

Tanja schudde woedend haar gebalde vuist. 'Schoften!' schreeuwde ze. 'Smerige moordenaars!'

Terwijl de soldaten hun woede luchtten, schreeuwde Danilov de soldaat die voor de post zorgde toe dat hij naar voren moest komen. 'De post!' brulde hij.

De postsoldaat overhandigde hem zijn grote tas vol brieven. De commissaris stak een hand in de posttas. Hij zag kans het helse kabaal te overstemmen toen hij de namen op de enveloppen begon af te roepen.

'Tagarin!'

'Hier!'

'Antsiferov!'

'Present!'

De postsoldaat nam de enveloppen in ontvangst en repte zich tussen de mannen door over het dek. Twee keer moest hij worden opgevangen doordat de boot een plotselinge beweging maakte op de kolkende rivier.

Een nieuwe dikke waterzuil spoot op aan bakboord. Een hand tikte Tanja op de schouder. Achter haar zat de oudere soldaat die haar bij de beide deserteurs op de steiger had weggetrokken.

'Wil je misschien wat brood?' vroeg hij.

'Nee, bedankt. Ik heb zelf.'

'Toe nou maar,' drong hij aan. 'Neem maar wat van het mijne.'

Tanja keek naar de kortgeknipte witte baard en het getaande gezicht. De diepliggende blauwe ogen van de soldaat waren omgeven door geprononceerde diepe rimpels, als aquamarijnen in een bedje van stro.

'Goed dan,' zei ze. 'Maar alleen als jij wat van mijn kaas neemt.'

Ze begonnen in hun rugzakken te delven. Een jongere soldaat toverde een halve liter wodka te voorschijn. 'Alsjeblieft,' zei hij. 'Zullen we er een picknick van maken?'

Gedrieën deelden ze hun eten en drinken met elkaar. Een granaat explodeerde aan bakboord, deze keer dichterbij dan de vorige. Tanja hield haar hand beschermend boven het brood, om te voorkomen dat het nat werd.

De jongere soldaat reikte haar de hand. 'Ik ben Fjodor Iwanovitsj Michailov. Uit Moskou.' Zo te zien was hij een jaar of achttien, negentien – een rekruut nog. Zijn gezicht had zelfs in dit flikkerende schijnsel iets opmerkelijks – Tanja herinnerde zich niet dat ze ooit eerder een gezicht had gezien dat zo volledig meedeed met een grijns als het zijne. Zijn voorhoofd, neus, kin en ogen waren dan overdekt met lachrimpeltjes. Hij straalt, dacht Tanja vlug.

'Ik ben schrijver,' zei hij, zich ontfermend over de kaas.

'Waarover schrijf je zoal, Fedja?' vroeg de oudere soldaat.

'Romans. Gedichten...' zei hij schouderophalend. 'Waar kan ik anders over schrijven? Ik ben Rus! Ik kan alleen maar kiezen tussen de liefde, de regering of moord.'

'Schrijf dan maar over Stalin, dan heb je ze alledrie.' De oudere man was de enige die lachte. 'Joeri Georgiovitsj Pankov.' Hij schudde Fjodor de hand. 'Uit Frunze in Kirgizië. Maar oorspronkelijk kom ik uit Taskent in Oezbekistan.'

'Ah, een Oezbeek,' merkte Fjodor knikkend op.

'Een eenvoudig man.' Joeri klopte tegen zijn borst. 'Geen dromer, zoals jij. Ik ben mijn hele leven klaarwakker geweest.'

Tanja keek naar Joeri's hand die de hand van Fedja omklemde. De vingers waren dik en sterk, met stompe nagels. De knokkels waren eeltig van het zware werk. Ze vermoedde dat hij op een van de miljoenen kolchozen in de Sovjet-Unie had gewerkt. Vergeleken met de gladde, witte hand van Fedja deed de eeltige hand van Joeri eerder denken aan een zak met bruine kastanjes dan aan een hand van vlees en bloed.

'Nou,' zei Fedja, terwijl hij zijn gezicht afwendde, richting Stalingrad. 'Ik ben nu zelf ook klaarwakker, dat kan ik je verzekeren.'

Joeri keek Tanja glimlachend aan. 'En jij, klein eigenwijsje, dat zo graag bij de verschansing blijft zitten? Heb jij ook een naam?'

'Ja.' Ze veegde haar handen af aan haar broekspijpen om de restjes kaas te verwijderen. 'Tanja Alexejevna Tsjernova.'

'En waar kom je vandaan?'

Tanja tuitte haar lippen en aarzelde even. 'New York.'

Joeri's blauwe ogen waren plotseling twee keer zo groot. 'New York City?'

'Yes,' antwoordde ze.

Een volgende granaat explodeerde op een tiental meters van bakboord. Koud water stortte zich over hen uit. Het brood en de kaas die Tanja voor zich had liggen werden overboord gespoeld. Bij de boeg zakte een soldaat kreunend ineen.

Even waren Joeri en Fedja afgeleid van hun verbazing over Tanja. Alle mannen aan dek werden stil, behalve de kreunende soldaat. Zijn kameraden maakten plaats, zodat ze hem neer konden leggen en toedekken.

Fedja omklemde de wodkafles. Hij stond op. Nu pas zag Tanja hoe groot hij was, met brede schouders en een bijpassende borstkas.

Een op zijn knieën liggende Groenpet bulderde: 'Zitten, jij!'

Fedja reikte de man de wodkafles aan. 'Hier, laat hem drinken. Vooruit man, pak aan!'

De bewaker griste hem de fles uit handen en werkte zich tussen de soldaten door naar de gewonde soldaat. Op dat moment zonk Tanja het hart in de schoenen: ze hoorde het huilen van een dichterbij komende mortiergranaat, de eerste die ze hoorde naderen. Ze wist waarom.

'Dekken!' schreeuwde ze Joeri en Fedja toe.

Het drietal aan dek maakte zich zo klein mogelijk. De mortiergranaat sloeg midscheeps in. Het dek werd opengereten en versplinterd, zodat het hout in een bal van vuur en splinters uiteenspatte. De explosie verdoofde Tanja. Ze werd opgetild en ruggelings in het kolkende water van de Wolga gesmeten.

6

Nikki hield zijn mitrailleur op de deur gericht. Hij had zich ervan overtuigd dat de patroonband strak zat en betastte met zijn hand de dikke, ronde loop. Hij was kouder dan de Russische herfst.

Hij tuurde langs het vizier op de loop. Het is stom om te wachten totdat de Iwans zich terugtrekken, dacht hij. Die trekken zich niet terug. Die sterven in hun hol. Die verlaten dit gebouw nooit. En wij evenmin.

Hij stelde zich voor hoe hij de trekker zou overhalen – zag al voor zich hoe de Russen door de deur binnenstormden en hoe ze kronkelend van pijn voor zijn mitrailleur ineen zouden zakken. Ze stormden naar binnen en sprongen op hem toe, maar hij hield hen tegen met een regen van kogels totdat hun lijken de ingang barricadeerden. De mitrailleur ratelde en spuwde vuur terwijl hij hen neer bleef maaien. Maar ze bleven de lijken van hun kameraden opzij duwen om bij hem te kunnen komen. Hij liet de trekker los, maar de mitrailleur bleef maar lood uitbraken. Toen stak hij de zaal over, dwars door de puinhopen. Zijn eenheid rende achter hem aan en wurmde zich met twee, drie man tegelijk door de vensters naar buiten, terwijl hier, in deze verlaten zaal, de Roden op de mitrailleur bleven toe rennen, zonder erbij te komen, zodat de stapel doden en gewonden steeds hoger en hoger werd...

'Mond! Korporaal Mond!'

Abrupt rukte de stem Nikki weg uit zijn visioen. Kapitein Mercker hurkte naast hem neer. Hij legde zijn hand op Nikki's vuist, die het wapen krampachtig omklemde. De knokkels waren bijna even wit als het bot zelf.

'Rustig aan, korporaal,' zei de kapitein. 'We zijn allemaal wat gespannen. Probeer je een beetje te ontspannen.'

Nikki ontspande zijn greep en begon zijn vingers los te maken. De kapitein bood hem een sigaret aan en gaf hem vuur. 'Mond, jij voerde dat eerste peloton aan. Heb je de ruimte aan de overkant van de gang ook gecontroleerd?'

'Zeker, kaptein. Er was daar niemand.'

'Hoe groot is die ruimte?'

'Iets kleiner dan deze. Maar wel drie vensters, net als hier.'

Nikki keek de jonge officier in de ogen. Hij zag daar kalmte.

'U bent nieuw, kaptein?'

Mercker glimlachte. 'Het hangt er maar van af wat je nieuw noemt. Vorig jaar vocht ik mee bij Leningrad. En dit voorjaar bij Moskou.'

Nikki drukte zijn sigaret uit om zijn mitrailleur te kunnen blijven vasthouden.

'Stalingrad is nieuw, kaptein. Het is met niets te vergelijken. De frontlinie kan duizend meter ver zijn, of niet verder dan dit plafond.' Hij knikte naar de deur tegenover de loop van zijn wapen. 'Of die gang daar.'

Mercker zei niets. Nikki wist dat het een uitnodiging was om verder te spreken.

'De Russen zijn goed in de strijd van huis tot huis – beter dan wij. Als zij hier eerder waren geweest, hadden we nooit binnen kunnen komen. Dan zouden we genoodzaakt zijn geweest het hele gebouw op te blazen, met hen erbij.' Nikki voegde er hoofdschuddend aan toe: 'Die gaan hier niet meer weg, kaptein.'

Mercker stak nog een sigaret op. 'Wat bedoelde je precies met het hele gebouw opblazen, met hen erbij?'

Drie weken eerder had Nikki's eenheid een huis bezet in de arbeiderskolonie ten westen van de Tractorenfabriek. Daar hadden ze vijf Russen ontdekt die zich in de kelder hadden verschanst. Die kerels hadden zich niet overgegeven. Ze hadden zich ook niet teruggetrokken. Na drie dagen status-quo, waarbij de Russen zich hadden verzet als krankzinnige Iwans, waren ze genoodzaakt geweest om de vloerdelen weg te breken en granaten in de kelder te laten vallen. Vanwege maar vijf Russen had Nikki's eenheid een heel huis moeten opblazen.

Nikki vertelde zijn kapitein erover. Toen hij was uitverteld, hoorden ze op de gang gedempte stemmen. Een lied. De Russen zongen! Binnen enkele seconden ontstond er een machtig mannenkoor. Een schuin lied, dat luidkeels werd gezongen, wist Nikki, die afging op het lachen dat hij hoorde. De Roden wilden de Duitse compagnie in de zaal iets duidelijk maken. We zijn hier met meer dan genoeg mannen, wilden ze zeggen, en wij peinzen er niet over weg te gaan.

In Merckers ogen verscheen een glans, alsof hij een idee had gekregen. 'Jullie hebben een heel huis opgeblazen voor vijf Russen,' zei hij luid, om de herrie op de gang te overstemmen. 'Nou, wij gaan een pand opblazen voor vijftig man.'

Mercker riep om een ordonnans.

Na twee uur onafgebroken te hebben gezongen werden de Russen stil. Twintig minuten later kwam Merckers ordonnans terug door het raam. Hij had drie geniesoldaten bij zich, en ze hadden hun uitrusting meegebracht: twintig kilo dynamiet en zes spaden en pikhouwelen.

In het midden van de zaal hief een van de geniesoldaten zijn pikhouweel hoog op en liet het gereedschap zo hard op de betonnen vloer neerkomen dat het metaal begon te zingen. Brokjes beton schoten over de vloer weg, als vluchtende muizen.

Mercker stak zijn hand op. 'Een ogenblik nog.' Hij wendde zich tot de mannen. 'Die Iwans hebben waardeloze stemmen, vinden jullie niet? We zullen die gasten eens laten horen hoe Duitsers zingen. Luid! Zo luid zelfs, dat ze niets anders meer kunnen horen.'

De kapitein zette het lied van de NSDAP in, het *Horst Wessel-lied*: '*Die Fahne hoch, die Reihen dicht geschlossen...*' De mannen vielen in, zelfs degenen die hun wapens op de deur en de vensters gericht hielden. Mercker stond midden tussen hen in en zwaaide als een dirigent met zijn armen om hun geestdrift aan te wakkeren en meer volume te krijgen. De stemmen van de soldaten zwollen aan tot oorverdovende sterkte. Mercker maakte met zwier een uitnodigend gebaar naar de geniesoldaat. De man liet zijn houweel weer woest op het beton neerkomen en er verscheen een grillig gevormd kuiltje. De lachende mannen applaudisseerden voor hem en het enige wat ze hoorden, waren hun eigen stemmen.

Drie uur achtereen bleven de soldaten zingen. Volksliederen. *Bierzeltballaden*, Schlagers en zelfs operakoren schalden door de ruimte, nog steeds om het hakken te overstemmen. Toen de kapitein de mannen beduidde dat ze konden ophouden – waarbij hij als een volleerd dirigent zijn handen ophief – was er een tunnel ontstaan die al onder de vloer was verdwenen.

Nikki nam een spa over en groef op zijn beurt een half uurlang, waarbij de aarde onder de vloer vandaan werd gespit en op de betonnen vloer belandde. De tunnel die ze groeven was al vijf meter lang, en had een breedte van twee meter en een hoogte van anderhalve meter. In de tunnel was net genoeg ruimte voor twee man die naast elkaar geknield het pikhouweel hanteerden. Het was de bedoeling om de tunnel onder de gang door te graven, naar de ruimte aan de overkant van de gang. Als ze eenmaal tot onder het Russische bolwerk waren gevorderd, tweeëneenhalve meter diep, zou de lont worden aangestoken. 'Twintig kilo dynamiet!' grijnsde een van de geniesoldaten. Hij spuwde op de grond. 'Daarmee blazen we die bolsjewistische hoerenzonen regelrecht de hemel in... of weet ik waarheen.'

Vuil en uitgeput leunde Nikki tegen een muur. In de tunnel waren nu drie man aan het werk om aarde naar boven te scheppen. Ze maakten weinig geluid, zodat er niet hoefde te worden gezongen. Mercker ried zijn mannen aan een paar uur te rusten, want tegen de ochtendschemering zou er opnieuw hard moeten worden gezongen. 'Bedenk maar vast wat nieuwe liederen,' zei hij. 'Maar geen opera, daar heb ik de pest aan. Zing liever over vrouwen.'

Mercker kwam naast Nikki zitten, doodmoe en smerig. Hij bood hem een sigaret aan en sloot zijn ogen. Nikki vond deze jonge kapitein wel geinig – goed voor het moreel. Hij scheen een goede leider te zijn, met een oor dat bereid was tot luisteren, en met meer dan genoeg sigaretten om uit te delen. Nikki hoopte het beste voor hem, zodat hij niet hier in Stalingrad zou hoeven sterven en als oude man kon zeggen dat hij de pest had aan opera.

Aan de overkant van de gang zetten de Russen een nieuw lied in. '*Verdammt noch mal!*' zei Nikki. Merckers ogen bleven dicht. 'Kan er geen vijf minuten voorbijgaan zonder zang?'

De ogen van de kapitein sprongen open. Hij wendde zich van de muur af en bracht zijn gezicht tot dicht bij dat van Nikki. 'Nee,' hijgde hij. 'Dat kan niet.'

Mercker sprong op. Hij greep een pikhouweel en drukte die een soldaat in handen die nog niet vuil was. 'Erin jij! Graven!' Hij beduidde een van de geniesoldaten dat hij de tunnel in moest. Toen wees hij naar een andere soldaat en gaf hem ook een pikhouweel.

'Opschieten nu, er mag niet meer worden gerust,' zei hij dringend. 'We kunnen niet afwachten.'

Mercker droeg de laatste spa naar het midden van de zaal. Hij wees ermee naar de gang, met de zingende Russen erachter. 'Die schoften proberen ons ook op te blazen!'

Nikki liet zijn hoofd tegen de muur bonken. Natuurlijk! Verdomme. De Russen hebben zelfs een voorsprong op ons – zeker een uur of twee.

Alle soldaten waren nu wakker. Ze staarden allemaal naar de grond. Nikki probeerde zich een voorstelling van de wedloop onder de grond te maken. Hij vroeg zich af wie voor zou liggen op wie, en met hoeveel meters – bang dat er twee meter beneden hem een kist vol dynamiet klaar zou staan, verbonden met een sissend lont.

'Als de Iwans ophouden met zingen,' riep Mercker uit, 'zorg dan dat we meteen zelf inzetten. Begrepen?' Iedereen knikte. Mercker verdween in de tunnel.

Nu begon de wedloop in ernst. Ze groeven met de kracht van wanhoop. Ze maakten gebruik van de camouflage van de Russische zang zolang het duurde, en telkens als de Russen ermee ophielden zetten ze hun eigen zang weer in. Als hun stemmen niet meer wilden, barstte de vijand weer los in zang.

In de loop van die nacht zong Nikki's compagnie het langst en het luidst. Ze beoordeelden de wedloop in de tunnels aan de hand van het aantal liederen dat zijzelf en de tegenpartij naar de andere kant van de gang slingerden. Volgens mij beginnen we hen in te halen, dacht Nikki. Wij hebben er zelfs een harmonica bij. De Roden niet.

In de opening van de tunnel was flakkerend lamplicht te zien. Schimmen sprongen de tunnel in; gebogen, zwarte schaduwen klommen uitgeput naar boven en wankelden weg. Het ronde, oplichtende gat in de betonnen vloer deed Nikki denken aan de toegang tot de Schimmenwereld, bevolkt door komende en gaande demonen.

Tegen de ochtendschemering kwam Mercker weer boven, zijn gezicht bedekt met aarde en zweet. Hij ging zitten en wenkte Nikki. De man zag eruit alsof hij niet meer kón. Zelfs zijn stem klonk schor en hij liet het hoofd hangen. 'Volgens de geniesoldaten moeten we nog een uur doorgraven. Zeg de mannen dat ze zich weer tot pelotons van tien man moeten groeperen.'

Nikki knikte. De zwarte hand van de kapitein trok aan Nikki's gevechtsjas. 'Jij voert de eerste groep aan. Duik die loopgraaf in en verdedig hem totdat ik de rest hier buiten heb.'

Nikki's peloton nam de wapens weer op en ze liepen naar de vensters. De schildwacht daar knikte en Nikki leunde naar buiten om de met puin bezaaide weg te verkennen. Hij sprong naar buiten en beduidde de anderen hem te volgen. Een voor een belandden ze op straat. Meteen stuurde hij hen naar de loopgraaf.

De zang van de Russen verstomde. Nikki grijnsde naar de schildwacht bij het raam. 'Trakteer ze maar op wat opera,' zei hij. Toen draaide hij zich om en rende weg.

Hij was nog tien meter van de loopgraaf verwijderd toen hij werd verrast door een bulderende explosie. De grond leek omhoog te komen en zakte meteen onder zijn voeten weg, alsof er een spel met hem werd gespeeld. De schokgolf strekte haar vingers naar hem uit. Hij werd overweldigd door een machtige, woeste kracht die hem neersmeet, optilde en hem met een buiteling bij het exploderende gebouw wegslingerde.

Hij landde op zijn rug en schoof op zijn schouders door. Het gedeelte van het gebouw waarin zijn compagnie zich bevond, leek van zijn fundering op te springen en de muren bolden afzichtelijk naar buiten. Verdoofd, zijn huid vuurrood door de explosie, repte Nikki zich op handen en voeten naar de loopgraaf, waar hij zich in de armen van zijn mannen liet vallen, juist toen een immense kern van vuur zich achter zijn rug samenbalde, oranjerood en blauw, en toen explodeerde. De zijmuur van het gebouw barstte met een vernietigende klap open en viel meteen om, alsof iemand een gigantische valdeur open had gegooid. De muur viel uiteen tot puin totdat de laatste knarsende brokstukken tot rust kwamen. Hoog boven dit centrum van dood en verderf bolde een paddestoelvormige wolk op, kolkend en expanderend tot een grauwe spookachtig rookzuil boven de plaats waar daarnet nog hoge muren hadden gestaan.

Mijn hele compagnie is dood, wist Nikki. Mercker, en alle anderen. Geen schijn van kans.

In de ochtendbries werd een lied aangeheven dat uit alle richtingen tegelijk leek te komen. Het versmolt met de geluiden van de zwaar geteisterde stad, werd aan alle kanten weerkaatst door grotendeels ingestorte muren en weergalmde in verlaten ruïnes.

De woorden waren Russisch.

7

Tanja werkte zich met maaiende armen naar het oppervlak van de ijskoude rivier. Ze keek om naar het brandende wrak van de rivieraak. De boeg en de achtersteven waren uiteengerukt. Ze wezen allebei omhoog naar de nacht en draaiden in de opstijgende rookwolken trage pirouettes.

Ze voelde iets in haar nek en draaide zich met een ruk om. De gestrekte hand van een dode soldaat streek deinend langs haar gezicht. Wild duwde ze het lijk van zich af en begon te watertrappelen. Een andere hand viel op haar schouder. Deze hand greep haar stevig beet en was springlevend – Fedja, de schrijver. Naast hem hield Joeri zich al watertrappelend drijvende.

Wat Fedja tegen haar zei kon ze niet verstaan. Het was alsof haar oren door de explosie waren dichtgedrukt. Ze wist dat ze aan alle kanten omgeven was door geluiden – het gekrijs van de gewonden die met hun armen tegen het water sloegen, de bommen die op zoek waren naar de rest van het smaldeel, verder stroomopwaarts, zelfs de kreten van Fedja en Joeri – maar het klonk allemaal als doffe geluidjes, opgesloten in een fles.

Een balk dreef langs hen heen. Joeri greep hem beet. Nu al waren ze ver ten zuiden van de landingssteiger van de Tractorenfabriek afgedreven. De oever was nog vierhonderd meter van hen vandaan. Tanja schatte dat de stroom hen ongeveer bij het centrum van de stad zou doen aanspoelen, als ze tenminste flink doortrapten. Ze vroeg zich af wie het territorium controleerde waar ze aan land zouden komen.

Tanja klampte zich aan de balk vast en staarde naar Stalingrad. Ze negeerde het nerveuze, zachte praten van de beide mannen die zich net als zij aan de balk vastklemmen; ze kon hen toch niet duidelijk horen en algauw hielden ze hun mond. In dit isolement balde ze haar vuisten en zwoer een dure eed in de richting van de ruïnes, alsof elk woord een staak was die ze in het hart plantte van iedere nazi die zich in de ruïnes verborgen hield. Ze zwoer dat ze haar eigen oorlog tegen de Duitsers met verdubbelde kracht zou voortzetten – een vendetta die een jaar eerder was begonnen toen de bezettingsmacht in Minsk haar grootouders – een arts en zijn vrouw die balletlerares was – had gedood.

Tanja was twee maanden eerder bij haar grootouders gearriveerd om bij hen te logeren, rechtstreeks vanuit het appartement van haar ouders op Manhattan. Ze was gekomen om de twee oudjes bij wie ze diverse zomers had doorgebracht over te halen met haar mee te gaan naar Amerika, om zo het boven Europa woedende onweer te ontlopen. Veel tijd is er niet meer, had ze gewaarschuwd; dat niet-aanvalsverdrag van Hitler met Stalin is een lachertje en ze moesten er geen woord van geloven. Ze had hen geld gebracht van haar vader en hun zoon, Alexander Tsjernov. Ze kon hen best meenemen. Maar de arts en zijn mooie vrouw de danseres – inmiddels allebei grijs, maar niet koud en grauw als as, maar stralend van levenslust – hadden niet weg gewild uit Minsk. Er is hier veel werk te doen, hadden ze haar geantwoord: mensen om te helpen genezen, kinderen om les te geven. Bovendien hadden ze nog andere familieleden, die ze moesten beschermen – twee dochters, en kleinkinderen. Hier in Minsk had de familiegeschiedenis zich afgespeeld, hier waren de graven, de erfstukken, de herinneringen. Stalin was veel te sterk voor Hitler, hadden ze gezegd, Rusland was te machtig, en dat wíst Hitler.

Tanja had een dringende brief naar haar ouders in New York gestuurd, een brief waarin ze hen had gesmeekt zelf over te komen om haar grootouders te overreden. Er was maar één reactie gekomen, een telegram waarin stond dat Tanja ogenblikkelijk naar New York moest terugkeren, en waarin haar ouders haar grootouders veel geluk en sterkte toewensten in de komende zware tijd. Tanja's vader was kwaad geweest toen ze vertrok – veel te gevaarlijk, had hij gezegd. Ze was pas negentien. Tanja had hem gezegd dat hij haar geld moest meegeven, genoeg geld om de oude mensen te kunnen redden; en anders zou ze er zonder geld heen gaan en proberen daar het geld voor hun overtocht te verdienen. Alexander – die als jonge wetenschapper zijn aanstaande bruid in 1912 had meegenomen naar Amerika, in de laatste jaren van het tsarendom, aangelokt door de belofte die Amerika hem leek toe te schreeuwen, als een carnavalsprins die sprak over een nieuw en gerieflijk leven voor het jonge paar en het kind dat ze hoopten te krijgen – die Alexander had gehuild toen dat kind haar bagage de trap af zeulde, op weg naar de wachtende taxi. Tanja zelf had ook gehuild, tranen van woede jegens haar ouders, die haar tweetalig hadden opgevoed, en liefde hadden bijgebracht voor alles wat Russisch was. Ze hadden haar geleerd blij te zijn als er werd gesproken over de omverwerping van de Russische tsarendynastie, zich te verheugen over de toenemende macht van de communistische sovjets die het Russische volk zouden redden, en trots te zijn op haar nationaal erfgoed. Ze had de retoriek van haar ouders altijd serieus genomen. Ze had zich als tiener aangesloten bij de Amerikaanse Communistische Partij en zo vaak als ze kon het geboorteland van haar ouders bezocht. Ze was gaan houden van al die verre steden, het volk en de mythen die haar als het ware in het bloed zaten. Minsk en de Sovjet-Unie waren haar spirituele toevluchtsoord geworden, en haar geest had haar grootouders getransformeerd tot de verpersoonlijking van de Russische eenvoud en moed. Haar eigen vader en moeder had ze leren zien als een stel fantasten met twee gezichten, vertellers van sterke verhalen die alleen op grond van hun geboorte Russen waren, maar niet naar de geest. Zij wentelden zich in rijkdom en geborgenheid, veilig en wel in New York, zelfgenoegzaam in hun intellectuele trouw-op-afstand aan Rusland. Maar toen het moment voor hen was gekomen om op te staan en in de bres te springen voor hun *papoesjka* en *mamoesjka*, hadden ze het laten afweten. Zij hadden zich verschanst in hun bakstenen huis, hun amerikanisering, hun vrijheid. Toen Tanja het portier van de taxi met een klap dichttrok, had ze gezworen dat deze tranen de laatste waren die ze zou plengen voor ze terug zou keren met haar grootouders, of hen althans ergens in veiligheid zou hebben gebracht. Ze had niet kunnen bevroeden hoe spoedig ze al om hun dood zou moeten rouwen. Op de tweeëntwintigste juli, zes weken na haar aankomst in Minsk, waren drie miljoen Duitsers als een zwerm sprinkhanen de Russische grens overgestoken. Twee weken later hadden ze Minsk omsingeld en ingenomen, waarbij ze meer dan 150.000 Russische soldaten tot krijgsgevangenen hadden gemaakt. Duitse tanks hadden in iedere straat een strategische positie ingenomen. Hoewel de water- en elektriciteitsvoorziening niet werden onderbroken en ook de markten 'gewoon' doorgingen, was Minsk veranderd in een neerslachtig oord. In de stad liet iedereen het hoofd hangen. De mensen sleepten zich voort en keken schichtig om zich heen. Waar bleef het Rode Leger, waar bleven hun redders?

In het zwarte geklede groepjes mannen, bekend als de 'Zwarte Kraaien', begonnen deuren in de stad in te trappen. Algauw drongen ze ook de wijk van de Tsjernovs binnen; eerst waren de huizen van joodse gezinnen aan de beurt, daarna ook andere, zelfs die van gerespecteerde burgers. Drie weken na de bezetting van de stad werden dr. Tsjernov en zijn vrouw weggeplukt uit hun kleine appartement toen ze samen met Tanja aan tafel zaten. Tanja moest een klap met een geweerkolf incasseren toen ze zich tegen de ontvoering verzette. Nog voor ze zich van die klap had hersteld en kon opstaan, werden haar grootouders afgemarcheerd naar het marktplein, slechts drie straten verder, en daar zonder pardon doodgeschoten. De oude mensen waren ervan beschuldigd samen te werken met de ondergrondse, een bewering die slechts steunde op het feit dat dr. Tsjernov veel patiënten had behandeld wier verse littekens te danken waren aan de wrede verhoormethoden van de nazi's. Toen Tanja de schoten hoorde, was ze met een ruk opgestaan. Wankelend op haar benen en onder het bloed was ze op het geluid af gerend en op het plein gearriveerd, waar ze alleen nog de kruitdamp kon ruiken. Buren die haar niet herkenden, hadden het gillende meisje tegengehouden. Die avond was Tanja naar het huis van haar tante Vera gegaan om haar te zeggen wat er was gebeurd. Ze had onbedaarlijk gehuild en een regelrechte huilkramp gekregen. Toen de tranenvloed eindelijk ophield, was ze vanbinnen uitgedroogd geraakt, zonder tranen. Vera moest het in de opgezwollen ogen van haar nicht hebben herkend, want ze had gezegd: 'Blijf jij maar hier. Ga niet terug.' Tanja had alleen geantwoord: 'Ik ga de stad uit; ik ga op zoek naar het verzet.'

De oudere vrouw had haar armen om haar heen geslagen. En voordat ze de deur achter haar dichtdeed, had Vera haar toegefluisterd: 'Geef ze ervan langs, mijn Russische nicht.'

Ze had de stad verlaten en was een week lang de geluiden van gevechten in de bossen en dorpen blijven volgen. In het gehucht Vianka, waar ze in een boerenschuur sliep, was ze benaderd door een groepje baardige mannen in donkere kleren, die hun open geknikte jachtgeweren over de arm droegen. Ze hadden haar duchtig aan de tand gevoeld en haar toegestaan zich bij hen aan te sluiten.

Te midden van de verzetsstrijders had Tanja algauw de verfijnde privileges van haar vroegere leven in Manhattan en Minks leren vergeten. Ze was vertrouwd geraakt met de vaardigheden in het doden die de partizanen hadden ontwikkeld. Ze legde mijnen en bevestigde dynamietstaven tegen spoorrails of onder het chassis van vrachtwagens en spoorwagons; ze had leren schieten met het pistool en het geweer, en ze hadden haar vertrouwd gemaakt met allerlei manieren om een stiletto te hanteren of haar blote handen te gebruiken om te doden. Eén ding had ze met de guerrilla's gemeen: smart. Iedere man en iedere vrouw in haar groep had door toedoen van de wrede nazi's een of andere zware klap gekregen. Tanja had haar verdriet om haar grootouders en haar woede tegen haar eigen vader en moeder vervangen door haar intense haat tegen de nazi's; vechten tegen de Duitsers was haar manier van rouwverwerking en tegelijk ook haar verontschuldiging voor wat zij beschouwde als een smet van lafheid op het blazoen van haar familie in Amerika. Na een jaar van kou lijden, moorden, vluchten in de bossen en juichend om ook maar de geringste overwinning was Tanja uit de bossen vertrokken om zich aan te sluiten bij een langskomende colonne van het Russische leger. Haar Amerikaanse papieren had ze allang weggegooid. Ze had gezegd dat ze uit Minsk kwam en het adres van haar grootouders opgegeven. Ze hadden haar een marsbevel gegeven: ze moest zich gaan melden bij het Tweehonderdvierentachtigste Infanterieregiment. Ze was in de laadbak van een truck geklommen en was naar het vijfhonderd kilometer zuidelijker gelegen Stalingrad gebracht.

Nu, in het ijzige water van de Wolga, voelde Tanja's voeten eindelijk een zandbank onder zich. Ze liet de balk los en sleepte zich door het water naar de oever, gevolgd door Fedja en Joeri. Haar gehoor had zich intussen hersteld en de geluiden van de strijd drongen van ver stroomopwaarts tot haar door. Verder was er niets dat de duistere stilte verbrak.

De drietal hurkte druipend en huiverend van de kou op de koele oever neer, die bezaaid was met achtergelaten machines en kratten. Tanja kwam tot de conclusie dat ze het beste niet dieper in de stilte kon doordringen, maar moest omkeren naar het noorden, in de richting van de strijd in het industriecomplex. Daar zouden ze Russen vinden.

Ze waren verscheidene kilometers stroomafwaarts gedreven. We zouden nog vóór de ochtendschemering de fabrieken kunnen bereiken, redeneerde ze, als ze ons niet vóór die tijd te pakken nemen. Als de Duitsers echter het centrum van de stad hebben ingenomen, zullen ze daar langs de oever patrouilleren om infiltranten tegen te houden.

Tanja fluisterde de anderen toe: 'Volg mij. We gaan naar het noorden.'

Fedja maakte aanstalten achter haar aan te lopen. Joeri aarzelde. 'Zeg me nog eens hoe je heet,' vroeg hij.

'Soldaat Tanja Tsjernova.'

'Tanja, dus. Tanja, ik kan als man geen meisje volgen. Zelfs geen Amerikaans meisje. Ik ga voorop.'

Ze keek de oude man neutraal, nietszeggend aan. Ze hoefde Joeri niets te bewijzen. Hij had gezien hoe ze in het water het lijk van zich af had geduwd, maar hij wist niets van de partizane die tientallen kelen had doorgesneden of mijnen onder bevoorradingstreinen had gelegd, waarna ze langs de gewonden was gelopen om hen met het pistool het genadeschot te geven. Hij had niet gezien hoe de kleindochter van een arts een gevangene de buik had opengereten nadat hij zijn geheimen aan haar guerrillagroep had verraden, laat staan dat hij er getuige van was geweest dat ze zich een hele dag had verstopt, alleen voor een kans om één geweerschot af te geven om iemand op driehonderd meter afstand te doden.

De oude boer was echter nu hier, en hij was gekomen om Duitsers te doden. Alleen al daarom zou ze proberen hem in leven te houden. Laat hem op een zinvolle manier sterven, in plaats van tevergeefs, dacht ze.

'Joeri, ik heb het afgelopen jaar meegevochten bij het verzet. Ik heb gevochten in de bossen van Wit-Rusland, in plaats van achter een ploeg te lopen. Ik ken de nazi's en ik weet hoe ik ons in leven kan houden. Ofwel ik heb de leiding, of ik ga alleen.'

Ze wendde zich tot Fedja. 'Jij ook.'

Tanja begon over de oever te lopen. Achter haar hoorde ze zacht maar resoluut praten, gevolgd door de zacht krakende voetstappen van de beide mannen.

Na een uur van lopen en stilhouden bij elk geluidje werd duidelijk dat ze de fabrieken nooit vóór de ochtendschemering zouden bereiken. Tanja ging op zoek naar een plek waar ze het daglicht konden afwachten en uitzitten, zodat ze hun tocht later onder dekking van de duisternis konden voortzetten.

Ze liepen nog een vol uur verder en speurden de kliffen af, op zoek naar een verlaten grot of bunker. Het eerste bleke ochtendlicht verscheen al aarzelend langs de horizon toen hun uit het nachtelijk duister een walgelijke stank tegemoet kwam. Uit de duisternis doemde een grote buis op die uit de voet van de klif tevoorschijn kwam en doorliep naar de rivier. Hij had een doorsnede van een meter of twee. Een doordringende lucht walmde uit de monding, een stank die Tanja bijna tegen haar huid kon voelen.

Fedja hapte naar adem. 'Een rioolbuis.'

Joeri en Tanja keken elkaar even aan. Ze knikten allebei.

Fedja deinsde terug, walgend van het idee. 'God nee, jullie maken een geintje. Daar kunnen we niet in. Het is stront! Een en al stront! Dat kunnen we niet doen, onder geen beding!'

Tanja deed een stap naar hem toe en legde haar wijsvinger tegen haar mond. 'We hebben geen keus. Het wordt zo dadelijk licht.'

Joeri stapte naar voren. 'Het is maar stront, Fedja. Wij bemesten er onze akkers mee. Daar word je groot van.'

'Ik moet ervan kotsen!'

Tanja liep naar de monding van de buis. Ze draaide zich naar Fedja om. 'Als we hier zitten, vindt geen mens ons. Kom nou maar.'

Ze zette haar eerste stappen in de rioolbuis alsof ze tegen een stormwind optornde. Ze bracht haar elleboog omhoog en drukte die tegen haar neus om de smerige lucht te filteren door de stof van haar gevechtspak. Desondanks kroop de stank door haar ogen en oren naar binnen.

Ze keek om naar Joeri en Fedja. Joeri had zijn armen voor zijn borst geslagen en liep met geheven hoofd, alsof hij zijn neus boven de stank uit wilde tillen. Fedja zette grote, trage stappen, waarbij hij zijn armen spreidde en er grote zwaaibewegingen mee maakte, terwijl zijn handen schudden alsof hij een koorddanser was.

'Loop door, Fedja,' fluisterde Tanja, 'we zijn nog maar aan het begin.'

'Grote god,' zei hij met verstikte stem.

Twintig meter van de monding van het riool maakte het vage ochtendlicht plaats voor een duisternis die hen volledig omgaf. Tanja liet haar hand langs de slijmerige buiswand glijden om te weten waar ze liep. Opeens voelde ze een vlaag koele lucht langs haar wang strijken. 'Voor ons uit moet ergens een opening zijn,' zei ze.

Haar hand verloor het contact met de wand van de buis. Hier bevond zich een open ruimte. Het was een andere buis, die uitkwam op het hoofdriool. 'Deze lijkt naar het noorden te lopen. We lopen door totdat de ochtendschemering voorbij is. Dan gaan we op zoek naar een mangat en klimmen eruit. Met een beetje geluk komen we achter onze eigen linies terecht.'

Tanja maakte een schuddende beweging met haar laarzen. Er kleefden uitwerpselen aan haar schoenen en broekspijpen. Ze voelde het klamme vocht waar het tegen haar dijen was opgespat. Achter haar liep Fedja zo voorzichtig mogelijk. Het lijkt wel of hij op zijn tenen loopt, dacht ze, alsof dat een manier zou zijn om te voorkomen dat je in een riool in een hoop stront trapt.

'Tanja,' riep Joeri haar toe. 'Vertel ons over Amerika.'

Tanja likte haar lippen af en proefde zilt zweet op haar tong. Ze wilde niet praten, maar ze begreep dat Joeri alleen maar probeerde hun angst te bedwingen.

'Lees je wel eens, oude boer?'

'Ja, natuurlijk lees ik.'

'Wat heb je zoal over Amerika gelezen?'

'Dat het een land van decadentie is. Rode lichten, hoeren, zogenaamde zakenlui die de armen geld afpersen. Gangsters. Rijkdommen.'

'Geloof je dat ook?'

'Alleen dat van de rijkdommen en de hoeren. Klinkt aanlokkelijk.'

Nu schoot Tanja in de lach, maar ze moest een slot op haar mond doen om te voorkomen dat ze Joeri ging vertellen dat hij het mis had en zoveel meer goede en slechte dingen buiten beschouwing liet. Dat Amerika een immens land was, een land van vrede, kansen en, inderdaad ja, decadentie. Dat Amerika mooi was, vooral voor blanke mannen met een Angelsaksische voornaam. Dat Amerika ook een dwingeland was. Dat Amerika bang was van deze oorlog tegen de Duitsers, net als haar ouders. En dat zij een Russische was; zij wilde vechten voor Rusland en zou de nazi's haten, ook al voelde Amerika daar niets voor.

Tanja wilde de aandacht van haar persoon afleiden. 'Fedja,' zei ze, waarbij haar stem weergalmde door de buis, boven hun plonzende voetstappen uit. 'Vertel ons van je gedichten.'

'Ja, heel goed.' Joeri viel haar dadelijk bij. 'Draag je lievelingsgedicht maar voor.'

'Hier? Nu?' Fedja's stem klonk geschokt. 'Ik bedoel, willen jullie echt dat ik hier een gedicht ga voordragen? Ik kan hier nauwelijks ademen!'

'Ach, toe nou. Waar vind je ooit een betere akoestiek?'

Goed, dacht Tanja. Joeri probeert de doodsbange jongen uit Moskou wat af te leiden.

'Mijn god,' zei Fedja. 'Goed dan, maar ik heb nooit beweerd dat ik goed was.'

Hij bleef staan. Tanja en Joeri deden dat ook. De plonzende echo's stierven weg. 'Het heet "Wassen bij de rivier". Om de een of andere reden lijk ik me dat gedicht momenteel heel goed te herinneren. Waarom weet ik niet. Ik sta in een verdomd riool en ben buiten mezelf van angst. Maar daar komt het.'

Hij begon fluisterend, met een stem waarin een vreemd respect doorklonk voor hun omgeving.

Haar open handen zijn gegroefd,
hard als de rotsen die ze dichtbij volgt.
Ik loop met haar mee en ruik de geur
van haar adem, op weg naar de rivier.
Mist hecht zich aan onze gezichten;
we doen de dikke, vuile kleren uit.
Zeep en rivier kletsen door mijn botten;
haar rode vingers wringen vuil uit,
terugstromend in het stille water.
Licht flitst door haar blozende schaamte.
Ik zie het zeepklodderspoor oplossen in water;
we doen de zware kleren in de manden en
beantwoorden het staren van het blauw.
Haar schone, koele hand rust in mijn nek, en
eventjes is er geen arbeid meer.

Waar ben je, mam, als ik mijn palmen ophoud?
Als ik hun groeven lees en pijn voel steken?
Ik omklem mijn neergehurkte lijf, en
hoor opnieuw dat doffe kletsen.
Je doordringt mijn botten hier, op deze plek.

Fedja schraapte zijn keel. 'Dat was het dan.' Tanja was diep getroffen door het gedicht; ze had het gevoel dat zijn stem recht tot haar ziel was doorgedrongen. Het gedicht, zo ongerijmd in de duisternis van het riool, was voor luttele ogenblikken de eenzame realiteit geworden voor haar zintuigen. De woorden hadden haar meegenomen in een isolement. Nu het gedicht uit was, leek het in haar binnenste te weerklinken, kletsend tegen haar herinneringen, de rotsen in haar hart.

Joeri plonsde naar Fedja en gaf hem een klap op de rug. 'Waarom hebben jullie dichters toch altijd zo'n hekel aan je eigen werk? Het was prachtig. Ik begon mijn eigen moeder te missen.'

'Ik haat het niet. Waarom zeg je dat?'

'Ik moest het domweg uit je trekken, daarom.'

'Joeri, in 's hemelsnaam, we staan in een riool!'

'Echt iets voor onze dichter,' lachte Joeri. 'Hem ontgaat niets!'

Joeri liep naar Tanja en zijn hand vond haar. 'Generaal Tanja, ik kan mijn hand bijna net zo goed langs deze slijmwand laten tasten als jij. Als je het goedvindt, ga ik maar eens een poosje voorop.'

Ze glimlachten, hoewel Joeri dat niet kon zien. 'Ja, natuurlijk. Bedankt.'

Ze luisterde naar het geplons van zijn zich verwijderende voetstappen. Fedja sleepte zich achter haar voort. Tanja wachtte tot hij haar was genaderd. De hand van de grote jongeman raakte haar aan alsof hij haar wilde aansporen om door te lopen. Ze liet zijn vingers stevig contact houden en voelde hoe de aanraking wegzonk in haar ribben. Ze sloot haar ogen en voelde de hand met de zintuigen van haar bijna vergeten vrouwelijkheid. Iets in haar, een kramp, een kronkeling, dwong haar zich tegen Fedja aan te drukken. Ze ving het op, hield het vast, ademde er één keer diep voor in en uit. Toen verborg ze het.

Ze liepen een uur lang verder, in meedogenloze duisternis. De waterige echo's van hun voetstappen buitelden de duisternis in, schraapten langs de wanden. Tanja kreeg het gevoel dat ze bezig was in een bodemloze put te vallen. De stank schroeide haar neusgaten. Ze werd licht in het hoofd; kokhalzende misselijkheid verstikte haar.

Een keer dreigde ze haar evenwicht te verliezen. Ze stak haar hand uit in het duister, alsof ze Fedja de weg wilde versperren. Haar vingers streken langs zijn borst.

'Gaat het nog?' vroeg hij.

'Ja. Alleen uitgeput. Iedere ademtocht – het is alsof je een hoop vuilnis inademt.'

'Waarom hebben we nog geen mangaten gezien? Ik weet zeker dat het allang licht is, buiten.' Misschien geloofde hij dat zij het antwoord kende.

Ze ademde uit en staarde de duisternis in, een duisternis die zo volkomen was dat ze zich leek uit te strekken tot in de eeuwigheid, in plaats van tot een halve meter boven hun hoofden.

'Ze zijn vermoedelijk bedekt met puin vanwege de bombardementen,' zei ze. 'Kom. We vinden er wel een.'

Tanja zette een volgende slopende stap. 'Fedja,' riep ze uit. 'Ga jij maar voor. Ik heb zin om een poosje te volgen, goed?'

Fedja kneep even in haar arm. Tanja sleepte zich verder.

Er verstreken minuten. Plotseling riep Fedja met overslaande stem: 'Joeri!'

Tanja liet haar hand langs de slijmlaag op de buiswand glijden om zichzelf in evenwicht te houden en strekte tastend haar andere hand uit om Fedja en Joeri te vinden. Ze stuitte op Fedja, die gebukt met iets in de bagger worstelde. Ze legde haar beide handen op zijn rug. Hij probeerde Joeri van de bodem van de rioolbuis te tillen.

'Joeri!' schreeuwde hij wanhopig. 'Joeri, sta op! Tanja, hij is bewusteloos! Wat nou?'

'Vlug, til hem op!' Tanja hielp Fedja Joeri uit de bagger te tillen. De kleding en het haar van de oude man waren doordrenkt van vocht en uitwerpselen. Tanja hield hem dicht tegen zich aan om hem omhoog te hijsen en worstelde tegen haar walging terwijl haar eigen kleren onder kwamen te zitten.

'De dampen zijn hem te machtig geworden,' hijgde Tanja. Ze zette Joeri rechtop tegen de buiswand. 'Verdomme, hij leek ertegen bestand.'

'Dat was hij ook,' verzekerde Fedja haar. 'Hij redt het wel. Hij heeft alleen wat tijd nodig om bij te komen.'

Tanja legde haar hand tegen Joeri's natte borst. Zijn ademhaling was oppervlakkig. 'Hou hem vast.' Ze stapte iets achteruit, mat de afstand met haar uitgestrekte hand en sloeg hem kletsend tegen de wang. Niets. Zijn hoofd bleef slap hangen. Ze sloeg hem opnieuw. Vocht sproeide van zijn wang. Ze kreeg het in haar ogen. Joeri maakte geen geluid.

'Je zult hem moeten dragen,' zei Tanja. 'Kun je dat?'

'Ja. Natuurlijk.'

Tanja dacht aan het zware werk dat Fedja in deze rioolbuis op zich zou nemen, met Joeri als een juk op zijn schouders. Het zou niet lang meer duren voordat ook hij onder deze verraderlijke lucht zou bezwijken.

'Nee, wacht. Laten we hem slepen. Leg je arm om zijn nek.'

Fedja en Tanja hesen ieder een arm van Joeri op hun schouders. Zo wankelden ze verder, waarbij Joeri's slappe benen door de stront sleepten. Tanja luisterde naar het minste of geringste teken van leven uit de mond van de oude boer.

Nadat ze zich tien minuten lang hadden afgemat en haar angst voortdurend

71

was toegenomen, had ze nog steeds geen kik van Joeri gehoord. Ze plantte haar elleboog in zijn ribben. Zijn adem werd uitgestoten; zelf was hij er zich niet van bewust.

Tanja vroeg Fedja: 'Hoe voel je je?'

'Ik kan nog verder.'

Tanja liep verder en dacht: ik niet. Ik ben uitgeput en moet overgeven. Als dit nog een paar minuten zo doorgaat, lig ik zelf op mijn knieën – of met mijn gezicht – in de stront. Het spijt me, Joeri. Ze draaide zich om zodat Joeri tegen de wand kwam te rusten en maakte Fedja's handen los om hem in zithouding te brengen. Ze hield Joeri's hoofd omhoog. 'Trek hem zijn hemd uit,' zei ze.

'Waarom? Kan hij dan vrijer ademen? Dat lijkt me niet logisch.'

'Nee. Onder zijn gevechtsjasje draagt hij een borstrok, zoals iedere boer. Doe je gevechtsjasje uit en trek die borstrok aan.'

'Dus we laten hem hier achter?' snauwde Fedja terug. 'Om hier te creperen, in een riool? Nee! Nee! Ik kan hem dragen. Je laat hem niet in de steek!'

Tanja leunde tegen de andere buiswand. Fedja, dacht ze, jij zult hier ook creperen, net als ik.

Ze was afgemat, te moe zelfs om uiting te geven aan haar frustratie over het feit dat ze haar leven hier onder de straten van Stalingrad moest eindigen, in vuil en inktzwarte duisternis, in plaats van in het licht, in de geluiden en de hitte van de strijd. Of misschien had ik als oud mens in mijn bed kunnen sterven, omringd door mijn kinderen. Sterven is duisternis. Sterven stinkt ook. Moet je me nu eens zien. Misschien bén ik al dood. Ze liep langs Fedja heen. Haar zintuigen dreigden haar in de steek te laten. Ze ving zichzelf op tegen de muur. Haar maag trok zich samen en ze braakte tegen de muur. De geluiden van de braakkrampen leken als vleermuizen weg te scheren, de leegte in.

Tanja richtte zich op en voelde een nieuwe slapte opstijgen in haar benen. Ze herkende het als het luiden van haar doodsklok. Zonder het te willen wendde ze zich af van de buiswand en begon weer te lopen; ze kon op zijn minst lopend sterven. Haar slapte dreigde haar te doen struikelen. Achter zich hoorde ze het plonzen van haastige voetstappen. Opeens was er een hand die haar overeind hield, met een kracht in het bestaan waarvan ze in dit helse oord niet meer had geloofd. Ze tastte naar Fedja's arm en voelde dat hij Joeri's borstrok eroverheen droeg.

Tanja sleepte zich voort in stilte, zonder tijdsbesef. Ze vergat alle ideeën over zoveel uur verder trekken om een bepaalde bestemming in de stad boven hen te bereiken. Ze mat haar voetstappen nu af aan haar resterende kracht. Haar enige doel was zuivere lucht, zonlicht en geluid dat geen echo's veroorzaakte. Haar voeten waren loodzwaar; haar adem was traag en moeizaam. Ze liep stijfjes met Fedja vanwege haar kruis; heel haar aandacht was geconcentreerd in haar kuiten en dijen om zich zo te verzetten tegen het naderende einde van haar krachten. Ze sleepte zich voort alsof ze stalen protheses aan haar benen

72

had en klampte zich vast aan de arm om haar middel. De duisternis van de rioolbuis dreigde bezit van haar te nemen, haar bewustzijn te doven, de duisternis te voltooien. Ze strompelde verder en controleerde welke zintuigen nog werkten: ik ruik die stank niet meer; ik voel mijn handen niet meer, en Fedja's arm ook niet; ik kan mijn eigen voetstappen niet meer horen. Ik kan...

In de duisternis voor hen gloorde iets. Mijn dood, dacht ze. Eindelijk zal er dan licht zijn.

Ze rukte zich los van Fedja. Een witte speer glansde tien meter voor hen uit, schuin omlaag. Tanja hield haar gezicht in de lichtstraal alsof het een omhoog spuitende fontein was. Wolkjes stof dansten traag in het licht, minuscule ballerina's, zwevend boven een door schijnwerpers verlicht podium.

Tanja duwde haar borst tegen de wand en tastte hem met haar handen koortsachtig af. Ze sprong naar de andere kant.

'Hier is hij!' riep ze schor. 'Een ladder! Het is een mangat!'

Fedja repte zich naar voren, naar de ladder. 'Laten we gaan.' Ze voelde hoe hij zich voorbereidde op de klim en stak haar hand uit om hem tegen te houden. De aanraking van de ladder, hun redding, had iets van haar oude kracht doen opvlammen.

'Nee. Trek eerst Joeri's borstrok aan,' fluisterde ze. 'Rustig maar. We redden het nu wel. Maar ik...' Ze was zich plotseling weer bewust van de stank van haar omgeving alsof ze die voor het eerst rook. Ze wankelde, maar herstelde zich. 'Ik moet eerst naar boven.'

'Ik word niet geacht met jou over dit soort dingen van mening te verschillen, hè?' vroeg hij, terwijl hij zijn gevechtsjasje van het Rode Leger uittrok.

'Nee. Ik geef je een teken als je omhoog kunt komen. Loop een eind bij het mangat vandaan. Als ik daarboven moffen aantref, zullen ze misschien omlaag komen om te zien of ik iemand bij me heb. Hou je stil. En als je ze aan hoort komen, ga je op je buik liggen. Zodra ze omlaag zijn gesprongen zullen ze schieten. Ze zullen je hier zeker niet achtervolgen. Zoek dan een ander mangat en probeer het opnieuw.'

Tanja legde haar handen op de sporten van de ladder. Ze beklom de eerste twee sporten toen Fedja haar been aanraakte.

'Tanja...'

'Nee. Loop door!'

Ze wachtte totdat hij voorbij de ladder was gelopen. Ze klom naar het deksel van het mangat en schoof het zo zachtjes mogelijk opzij.

Daglicht overweldigde haar. Ze liet ijlings haar hoofd tot straatniveau zakken en knipperde met haar ogen totdat ze kon kijken.

Toen haar ogen zich hadden aangepast, bracht ze haar hoofd langzaam omhoog. Ze hadden geluk. Het mangat was aan alle kanten omgeven door hopen puin. De voorgevels van een rij hoge stenen gebouwen waren voorover gevallen, de straat in, en waren rondom het mangat in puin gevallen, maar op de een of andere manier had het puin het mangat net niet overdekt. Tanja klom het mangat uit en lag op haar buik in het puin. Gretig zoog ze de ochtendlucht in haar longen. Ze hoorde alleen het ver verwijderde ploffen van geweervuur. Ze stak haar hoofd in het mangat en riep zacht de duisternis in: 'Kom maar.'

Fedja klom naar de straat. Hij schepte lucht, met lange halen. Ze zag hoe smerig Fedja was, hoe aanstootgevend de voorkant van Joeri's borstrok. Hij droeg de laarzen en de olijfgroene gevechtsbroek van het Rode Leger, maar ze hoopte dat de borstrok en de totaalindruk van zijn verschijning hem zou beschermen tegen een al te scherp onderzoek. Ze keek langs haar eigen lichaam naar haar voeten. Ze was net als Fedja overdekt met een roestbruine korst. Ze was gewoonweg een jonge meid, overdekt met stront.

Het tweetal klom naar de top van de berg puin. Ten noorden van hen stond een rij Duitsers met etensblikken voor de ingang van een messtent. Fedja verstijfde bij de aanblik van de nazi's en maakte een beweging alsof hij zich met een ruk terug wilde trekken achter het puin. Tanja siste hem toe dat hij moest blijven waar hij was.

'Nooit plotselinge bewegingen maken. We zitten achter de vijandelijke linies. We kunnen er niet uit tijgeren, en rennen gaat evenmin. We zullen gewoon moeten lopen.'

Fedja's blik ontmoette de hare. Ze smakte een keer met haar droge lippen. Hij greep haar hand. 'Nee, Tanja, je maakt een grapje.' Ze schudde zijn hand van zich af. 'Tanja,' smeekte hij, 'niemand is zo gek.'

Ze klauterde van de berg puin af, waarbij ze een stofwolk liet opwervelen. Op de grond riep ze naar Fedja, die als verstijfd was gebleven waar hij was, zijn handen langs zijn lichaam: 'Kom!' Ze wuifde hem met grote gebaren omlaag. 'We moeten eten. Ik ben uitgeput. Ik kom om van de honger. Dit zou de komende vierentwintig uur wel eens onze laatste kans kunnen zijn.'

Fedja bleef waar hij was.

'Ze weten niet dat wij van het Rode Leger zijn,' riep ze hem toe. 'We dragen geen wapens. We lopen openlijk rond. Ze zullen denken dat je gewoon een arme collaborateur bent die vandaag latrinedienst heeft gehad en nu lunchpauze heeft.'

'En jij dan,' vroeg hij vanaf zijn hoge positie.

'Ik?' Tanja haalde haar schouders op. 'Ik veronderstel dat ze zullen denken dat ik de een of andere hoer ben die met jou meewerkt om aan eten te komen. Wie kan het wat schelen? Ze zullen hun eigen verhalen bedenken, zolang we onze monden maar stijf dichthouden.'

Fedja sloeg berustend met zijn handen tegen zijn heupen. Met afgemeten pasjes kwam hij de puinhelling af. Zo'n grote vent, dacht ze, onder de stront, en toch zulke pasjes.

Fedja kwam naast haar zitten. Fronsend zei hij: 'Jij bent de duivel, weet je dat?'

'Dat kan ik zijn. Kom. Denk erom, niets zeggen.'

Ze staken het open terrein over en sloten zich aan bij de rij voor de messtent. Ongeduldige soldaten rammelden met hun mes en vork tegen hun etensblik.

Als deze staken hier zo open en bloot bij een messtent durven te wachten, dacht ze, moeten we ver achter hun linies zitten. Ze gedragen zich alsof ze heel veilig zijn, hier.

De rij schoof een paar plaatsen op. Tanja keek Fedja in het gezicht. Hij staarde naar zijn schoenen, nog even smerig, maar nu ook bedenkt met puinstof. Hij zag eruit als een boer van het platteland, niet als een dichter uit Moskou.

'Was im Himmel...'

Een nazi kneep vol walging zijn neus dicht. Hij beende naar Fedja en duwde hem de rij uit en gebaarde Tanja hetzelfde te doen.

Ze hielden een paar passen afstand. Ze wachtten totdat de laatste soldaat in de tent was verdwenen. Ze schuifelden naar voren, een onderdanige blik op hun gezicht. Binnen schoof de kok hen ieder een bord toe en schepte er haastig zuurkoolstamppot op, met een stuk worst.

Toen ze terugliepen naar de achterzijde van de tent, fluisterde Fedja haar toe: 'Laten we buiten eten.'

'Nee, ik wil geen aandacht trekken.'

'Aandacht?' vroeg hij in stille verbazing. 'Tanja, we stinken als een kameel. Hoeveel aandacht kunnen we nog trekken, denk je?'

Ze siste om hem stil te krijgen en liep door. Om hen heen zaten zo'n honderd Duitsers te eten. Aan iedere tafel die ze passeerden draaiden hoofden zich om. Vingers schoten naar beledigde neuzen, in gezichten die walging uitdrukten.

Ze vonden een vrije tafel en gingen vlug zitten. Ze propten het voedsel in hun mond, bang dat ze eruit zouden worden gegooid voordat ze hun honger hadden kunnen stillen.

Ze hadden hun bord pas halfleeg toen er een officier naar hen toekwam. Hij hield nuffig een zakdoek voor zijn neus en sprak hen door de stof heen toe. Zijn stem begon schril te klinken. Tanja en Fedja stonden langzaam op.

Voor de officier schenen ze niet snel genoeg op te staan. De man liet de zakdoek zakken en trok een leren jachtzweepje van zijn koppelriem. Hij liet het striemend op Fedja's schouders neerkomen. Soldaten aan nabije tafels klapten en lachten.

De Duitse officier, wiens gezicht paars begon aan te lopen, sloeg Fedja opnieuw, voordat hij zich over de tafel heen boog en Tanja boven op haar hoofd raakte.

Fedja sprong op en duwde hem achteruit. 'Laat haar met rust, *prostituta!*'

De officier hervond zijn evenwicht en keek Fedja diep in de ogen. Langzaam stak hij het rijzweepje terug in de daartoe bestemde ring. Hij maakte het holster van zijn pistool open. 'Ah...' Zijn glimlach was wreed.

De officier stapte achteruit en trok met een dramatische, weidse beweging zijn wapen. Hij keek om zich heen in de stilgevallen messtent. Hij bracht het pistool ter hoogte van Fedja's hart en keek nog eens om zich heen. De grijnzende nazi interpreteerde het stilzwijgen van zijn strijdmakkers als hun onuitgesproken toestemming. Hij voelde zich gerechtigd om dit ongelooflijk stinkende stel Russen te executeren.

Tanja kwam naast Fedja staan.

'*Da svidanja, Russ,*' zei de Duitser.

Op dat moment ontstond er hevige commotie in de keuken. Het gerammel van vallende potten en gamellen verscheurde de stilte in de messtent. De officier wendde zich af van Fedja.

Een kleine, corpulente man met een vettige koksschoot voor rende de tent in. '*Halt! Halten Sie, bitte!*' schreeuwde hij. De man werkte zich langs de zittende soldaten en sprong met gespreide handen voor Fedja en Tanja. Hij had een grote houten pollepel in zijn hand.

De kok hief een stamelende smeekbede aan, in moeizaam Duits. Hij wees naar Fedja en Tanja, en vervolgens naar zichzelf, en liet toen het hoofd hangen. De officier liet zijn pistool zakken en begon tegen de kok te bulderen. De kleine dikke man leek ineen te krimpen, waardoor zijn smerige koksschoot rimpelde. Maar opeens richtte hij zich op en mepte Fedja met zijn pollepel tegen de borst. Met zijn andere hand greep hij Tanja bij haar oor en dwong haar zich om te draaien. Hij gaf haar een schop tegen haar billen en porde Fedja nog eens tegen de borst om hen naar de keuken te drijven, terwijl hij in het Russisch tegen hen tekeerging. Hij draaide zich half om een riep op bezwerende toon: '*Danke. Danke schön, mein Herr. Danke.*'

De kok duwde Fedja door de keukendeur en duwde Tanja achter hem aan. Nog altijd schreeuwend en vloekend marcheerde hij hen de keuken uit, naar een kleine binnenplaats, waar vuilnis hoog lag opgetast.

Pas toen ze buiten waren, zweeg hij. Op dringende toon fluisterde hij in het Russisch: 'Wie zijn jullie? Wat doen jullie in mijn messtent?'

Tanja porde de kok in zijn vlezige borst. 'Waarom kook je voor de nazi's? Je bent een verdomde *hiwi*!'

Fedja kwam tussenbeide. 'Tanja, de man heeft je zojuist het leven gered. En het mijne ook. Hou je stil, toon wat dankbaarheid.'

'Dankbaarheid? Dit zwijn kookt voor die schoften. Hij is erger dan zij! De man is een verrader, Fedja. Een collaborateur!'

'Tanja.' Fedja legde zijn handen op haar schouders. 'Ik neem nu de leiding. En jij volgt, begrepen? Ik zorg dat we hier wegkomen. Jij wordt onze dood nog eens. En nu stil zijn.'

Tanja schepte adem om meer te zeggen; ze wilde Fedja vertellen van de *hiwi's* die zij en de andere partizanen hadden gevangengenomen en geëxecuteerd; over de bordjes die ze op hun voorhoofd hadden gespijkerd om anderen te waarschuwen tegen samenwerken met de Duitsers. Fedja schudde haar door elkaar. Hard. Tanja ramde haar vuisten in haar zakken terwijl haar ogen vuur spuwden naar de landverrader.

Fedja stak de kok een hand toe. 'Bedankt. Je hebt ons gered. Wat heb je precies tegen die Duitser gezegd?'

'Dat jullie twee Russische boeren zijn die voor mij werkten. Ik zei dat ik jullie had opgedragen de latrine schoon te maken, en dat jullie er zeker in waren gevallen.'

'Werkelijk? Zomaar?' Fedja wendde zich tot Tanja. 'Een goed verhaal. Snel bedacht, vind je niet?'

Tanja spuwde naar de grond. 'Verdomde *hiwi*.'

Fedja wendde zich weer tot de kok. 'Juist. Laten we dit onder ons houden, ja? Kun je ons wat schone kleren bezorgen?'

'Nee,' zei de kok. 'Wie zijn jullie? Hoe zijn jullie hier gekomen?'

'Wij waren van het Tweehonderdvierentachtigste. Onze aak werd tot zinken gebracht. Toen we eenmaal aan wal waren, heeft dit meisje ons door de rioolbuis geleid.'

'Jij volgde háár?' De kok wees met zijn pollepel.

Tanja boog zich naar voren. Fedja hield haar met zijn grote lijf tegen.

'Ik zou dat niet doen,' waarschuwde hij de man zacht.

De kok liet de pollepel zakken.

Fedja vervolgde, nog steeds op vriendelijke toon: 'Kun je ons nog iets te eten brengen?'

'Allicht.' Hij begon terug te lopen naar de keuken. In de deuropening bleef hij staan. 'Ik breng het je buiten.'

Met een ruk draaide Fedja zich om naar Tanja. 'Wat mankeert je? Hoe kun je iemand die ons het leven heeft gered zo behandelen?'

'Hij helpt de moffen!'

'Hij is maar een kok, een nul. Ken je zijn verhaal soms? Misschien houden ze zijn vrouw en kinderen vast. Hij is misschien gewoon een doodsbange dikke man die door dit alles overvallen is en er levend doorheen hoopt te komen.'

Tanja leunde tegen een metalen vuilnisbak. 'Als hij een lafaard is,' zei ze, 'moet hij worden doodgeschoten.'

Fedja sloeg zijn armen over elkaar. Ze keek in zijn blauwe ogen en nam zijn krachtige gestalte in zich op. Ik wil er ook levend doorheen komen, dacht ze. Ze voelde hoe het verdriet haar overmande, uitgelokt door Fedja's uitbrander. 'O, wat wil ik graag leven. Maar ik ben al dood. De moffen hebben me van mijn leven beroofd; ze hebben zich meester gemaakt van mijn land en mijn lieve grootouders afgemaakt. Het enige wat ik over heb, is dit ontzielde lichaam. En ik heb een bloedige eed gezworen dat ik me op hen zal blijven storten totdat mijn lichaam breekt, of tot de dag waarop mijn leven en mijn tranen terugkeren omdat de staken weg zijn. Maar ik, Fedja, Joeri, deze kok, Rusland – wij allemaal zijn op dit moment dood. En om opnieuw tot leven te komen, kunnen we alleen maar vechten. We mogen, we kunnen niets anders doen dan dat.'

Fedja liet zijn armen zakken. 'We zijn niet allemaal zo dapper als jij.'

Hij stak zijn handen naar haar uit en trok Tanja licht tegen zich aan. Ze legde haar hoofd tegen zijn borst, maar trok zich meteen terug. 'Je stinkt.'

De kok kwam terug met dampende borden zuurkool, met dikke, bruine haché eroverheen. Hij zette ze op het deksel van de vuilnisbak.

'Het schieten komt voornamelijk van die kant,' zei hij, wijzend naar een horizon van verwoestingen. 'De frontlinie is drie kilometer hiervandaan. De andere route is de Wolga. Ga daar maar niet heen. Ze patrouilleren er.'

De kok keek Fedja aan en knikte. Fedja beantwoordde de beleefdheid. De ogen van de kleine man keken schichtig opzij naar Tanja, bang voor wat ze daar zouden kunnen ontmoeten.

Hij stak zijn handen naar voren, de palmen omhoog. Zijn kwabberige borst schudde onder de smerige koksschoot. Hij leek op het punt te staan in huilen uit te barsten. 'Jullie kunnen het niet begrijpen,' zei hij.

Fedja antwoordde in haar plaats. 'Wie wel?'

De kok veegde zijn neus af aan zijn mouw en ging terug naar de keuken. Fedja en Tanja aten hun bord leeg. Ze klommen over de muur van de binnenplaats en slopen de ruïnes in, op zoek naar de Russische linies. In de straten was weinig beweging te ontdekken. Duitse patrouilles volgden de schaduwen; de lopen van machinegeweren, omgeven door zandzakken, staarden dreigend door gapende wonden in de bebouwing naar buiten. Kleine groepen ontheemde, in lompen geklede burgers zwierven als slaapwandelaars door de verkoolde, ingestorte en griezelig stille ruïnes. Ze groeven in het puin, op zoek naar kledingstukken en kookgerei – alles wat hen kon helpen de moord op hun stad te overleven. De Duitsers lieten deze sterfelijke schimmen met rust. Tanja en Fedja hoopten dat zij hen ook tot de verdoolden zouden rekenen en eveneens zouden negeren.

Als ze op een argwanende patrouille mochten stuiten, zo hield ze Fedja voor, moest hij doen of hij een kwijlende idioot was. Ze zou de Duitsers op de een of andere manier met handgebaren duidelijk maken dat het krankzinnigengesticht van de stad was opgeblazen en dat de grote jongen gewoon een ongevaarlijke bewoner was geweest. Ze had hem op straat teruggevonden en wilde hem naar de Russische achterhoede brengen, om te worden geëvacueerd. Dat ze onder de stront zaten, kwam doordat ze in een gebroken rioolbuis of iets dergelijks waren gevallen. Als Fedja kans zag de idioot uit te hangen, zouden de moffen het moeten slikken – op zijn minst totdat ze een beter plan had bedacht.

'Geen zorg,' verzekerde ze Fedja, 'ze houden ons niet tegen. We zijn niet gewapend. We lopen openlijk rond – geen gevaar voor hen. En trouwens, we zijn overdekt met stront, weet je nog?'

'Ach, dat vergeet ik telkens,' zei hij. 'Fantastisch. Ik denk dat ik de rest van de oorlog zo door blijf lopen. De veiligste manier om je te verplaatsen, vind je niet? Een prima pantser.'

Tot in de middag bleven ze door de ruïnes zigzaggen. Een Duitse patrouille marcheerde pal langs hen heen; de gevechtsuitrusting van de soldaten rammelde en rinkelde, en hun zware laarzen maakten knerpende geluiden over het puin. Ze begon met hoge stem in een Wit-Russisch dialect verwensingen te uiten, terwijl Fedja als een idioot oehoe-geluiden maakte. Slechts één soldaat van de patrouille keurde hen een blik waardig. Hij kneep zijn neus dicht. De patrouille marcheerde op een sukkeldraf de ruïne van een gebouw binnen en verdween over een trap.

Vóór hen, driehonderd meter verder, achter een verlaten boulevard, strekte zich een spoorwegemplacement uit, bezaaid met de verwrongen stalen spoorstaven van opgeblazen sporen en uitgebrande rijtuigen. Direct ten oosten van het rangeerterrein verhief zich een groot gebouw van vijf verdiepingen hoog en twee huizenblokken lang. De ramen waren kapotgeschoten en boven elk venster waren brede roetvegen te zien – getuigen van een vernietigende brand. Het terrein was bezaaid met uitgebrande Duitse tanks. Vanaf de plek waar Tanja en Fedja stonden was de voet van het verwoeste gebouw slechts achthonderd meter van hen verwijderd.

Tanja keek om naar het gebouw waarin de Duitse patrouille was verdwenen. Geweerlopen staken uit verscheidene vensters, en ze wezen allemaal naar het westen, achter het spoorwegemplacement.

Dit is dus de frontlinie, wist ze. Niemandsland.

Ze keek op naar de middagzon. Het zou veel te gevaarlijk zijn het rangeerterrein bij daglicht over te steken. Ze zouden gemakkelijk in een spervuur kunnen belanden of door een van beide partijen voor spionnen worden aangezien. Aan de overkant van de boulevard stond een bakstenen schuur van de spoorwegen. Tanja trok aan Fedja's mouw.

'We wachten in die schuur daar. En zodra het donker is tijgeren we de sporen over.' Ze wees naar het grote gebouw van vijf verdiepingen achter de sporen. 'Daar zit het Rode Leger.'

Fedja keek naar het spoorwegemplacement. 'Hoe weet je dat?'

Tanja begon naar de schuur te lopen. Ze wees met haar duim over haar schouder naar de vijand in het gebouw achter hen. Ze hoorde het gekletter van wapens en geschraap van affuiten toen ze hun mortieren en mitrailleurs achter de vensters opstelden.

'Zij weten het.'

Op de lege schappen achter de houten deur van de schuur lagen alleen stof en glasscherven. De vloer was bezaaid met schroeven en vettig gereedschap. Het raam was kapot, maar het dak was nog intact.

Langs de muur stond een ijzeren ledikant met springveren en een katoenen matras. Overdekt met vuil en glassplinters. Tanja keerde de matras om en kreeg een schonere kant boven. Lichtblauw en grijs gestreept, met roestkleurige vlekken. Het rook bedompt in de schuur, een mengeling van olie en leegte. Ze sloeg met haar vlakke hand op de matras. De wolk stof deed haar terugdeinzen.

'Een paar gordijntjes, wat bloemen voor het raam.' Ze wendde zich tot Fedja, die in de deuropening was blijven staan. 'Ik zou zelfs een moestuintje kunnen aanleggen. Dagelijks verse groenten.'

'Comfortabel.' Hij kwam binnen, ging op het bed zitten. 'Een schrijvers*datsja* aan het spoor. Treinen heb ik altijd al een romantisch onderwerp gevonden.'

Tanja posteerde zich voor hem. 'Doe dat ellendige hemd uit. Het stinkt en doet me te veel denken aan die arme Joeri.'

Ze trok aan de met een korst bedekte borstrok. Fedja stak zijn armen omhoog. Ze trok het hemd over zijn hoofd en wierp het meteen het raam uit.

'Kistjes.' Ze wees naar zijn voeten. 'Die kun je zelf uitdoen.'

Fedja maakte de veters los. Tanja knoopte haar jasje los en schopte het een hoek in. Haar bloes was van ruw gesponnen vlas, de kleur van stro. Zweetplekken gaven de oksels en de kraag een donkerder kleur. Haar hand ging omhoog naar de bovenste knoop.

Fedja keek op van zijn veters. Ze volgde zijn blik tot de puntjes van haar borsten.

'Tanja,' zei hij zacht. 'Ik eh...' Zijn ogen bleven rusten op haar handen, voor haar borstbeen. 'Ga je je hemd uitdoen?'

'Reken maar.' Ze maakte de eerste knoop los, en een volgende. 'We kunnen voor het invallen van de duisternis nergens heen. Ik ben bekáf, en ongetwijfeld ben jij dat ook. Ik dacht dat we wel wat slaap konden gebruiken.'

Ze kwam naast hem zitten en probeerde de vering van de matras uit. De veren piepten.

Fedja staarde naar het spoorwegemplacement. 'Zal iemand ons hier lastig komen vallen? Is het niet beter om niet tegelijkertijd te slapen?'

'De enige hier die jou lastig gaat vallen,' zei ze, terwijl ze zich vooroverboog om haar veters los te maken, 'ben ik.'

Ze schopte de laarzen naar dezelfde hoek als haar jas en stak toen haar hand naar achteren om met haar handpalm over zijn brede rug te strijken. Hij boog zich voorover, de kin rustend op de handen, de ellebogen op de knieën. Ze begon de spieren langs zijn schouderbladen te kneden.

'Ah,' fluisterde hij met gesloten ogen, 'dat is heerlijk. Werkelijk. Na de dag die we achter de rug hebben.'

Ze liet haar hand van zijn rug vallen en hij deed zijn ogen weer open. Ze zag de niet-begrijpende, bezorgde blik op zijn gezicht.

'Heb ik iets verkeerds gezegd?' vroeg hij.

Langzaam schudde ze het hoofd. 'Vandaag... Vandaag stelde niets voor.'

Ze schoof haar lange haar opzij, zodat hij haar gezicht kon zien, helemaal. Ze wist niet of hij iets in haar ogen kon zien. Zou het er doorheen komen? Zou ze het hem ooit kunnen laten zien, of het zelfs maar voor hem onder woorden kunnen brengen? Al die maanden van op de vlucht zijn, vechten, doden, overleven. Overleven, en waarvoor? Om nog meer getekende jaren te leven, om de bladzijden om te slaan van nog eens vijftig kalenders en de verjaardagen van onverflauwde haat aan te tekenen, en zo verder tot aan haar eigen dood? Haat zonder mededogen, menselijkheid of moraliteit; haat die van al het overige was ontdaan, als botten in de zon? Dit was háár bruidsschat; dit was wat haar wachtte, zelfs al zou ze Stalingrad overleven. Ze zou het nooit kunnen ontlopen of overleven. Het zou haar zelfs volgen als ze het ooit mee terug zou nemen naar Amerika. Maar kon ze het Fedja tonen, of wie dan ook? Ooit? Of was het alleen háár haat, tot in het graf?

Ze nam zijn hand. 'Vandaag is Joeri overleden. Maar in feite wás hij al dood. Hij is vannacht doodgegaan, toen hij de overkant van de rivier bereikte. Jij bent ook doodgegaan. En ikzelf – ik ben een jaar geleden doodgegaan in Minsk, nadat de nazi's mijn grootouders hadden vermoord. Ik stierf van schaamte toen mijn eigen ouders niet met me mee wilden gaan om hen te redden. Begrijp je?'

Fedja nam haar hand. De randen van zijn ogen werden rood. Hij knipperde met zijn ogen. Er welde een traan in zijn oog op.

'Dit is wat de *politroeks* ons steeds voorhouden,' vervolgde ze. 'De NKVD, de *Rode Ster*, de Partij – waar je je ook wendt of keert, de boodschap is dezelfde: Jij bent dood. Jij hebt geen leven. De Duitsers hebben het je afgenomen. Ze hebben het vertrapt.'

Tanja reikte naar Fedja's gezicht en pinkte de traan weg met haar vinger. 'Fedoesjka, voor het individu is er niets meer. Geen liefde. Geen angst. Geen familie. We leven niet. Niets van wat wij doen maakt enig verschil. We zijn als spoken die niets kunnen vastgrijpen. De enige keren dat we verschijnen, de enige keren dat we écht zijn, zijn de keren dat we Duitsers doden. Als we hen niet doden, bestaan we niet.'

Ze ging iets achteruit om met haar handen over zijn wangen te wrijven. Ze trok zijn gezicht naar zich toe en kuste hem.

Met gesloten ogen luisterde ze naar haar eigen moeizame ademhaling. Ze maakte onder de kracht van hun kus zachte geluidjes. Haar zintuigen strekten zich uit over de volle lengte van haar lichaam, in afwachting van zijn strelingen, over haar borsten, tussen haar benen. Ze proefde het zout van tranen, maar of het die van hem of die van haarzelf waren, wist ze niet.

Ze bracht haar mond iets omhoog en trok zijn lip tussen haar tanden. Hij zuchtte. Ze voelde hevig verlangen.

'We leven niet écht, Fedja,' fluisterde ze. 'We zijn niet hier, niet in deze lijven, ook al voelen we ze.'

Opnieuw zocht Tanja zijn aanraking van haar lichaam. Ze reikte naar zijn schoot en bracht de hand die daar lag omhoog naar haar borst. Ze omklemde de hand om haar borst met haar vingers.

'Neem me, Fedja.'

Zijn handen lagen op haar – een op haar borst, een op haar maagstreek. Ze ademde in. De spanning in haar lendenen leek van buitenaf te komen, of van bovenaf, misschien. Ze hief haar onderlichaam naar hem op.

Hij duwde haar terug. 'Tanja. Nee.'

Ze opende haar ogen, duizelig en gedesoriënteerd. Ze legde haar handen op zijn schouders om zich overeind te duwen. Fedja liet zijn armen zakken terwijl zij probeerde haar evenwicht te hervinden, weg van hem.

'Tanja, nee,' zei hij. 'Het is niet...'

Haar armen vlogen omhoog. 'Wat is het niet? Wat is er mis?'

Fedja stond van het bed op en liep naar de muur ertegenover. Ze ging op zijn plaats zitten, op het piepende bed.

Hij wreef met zijn schoen langs de wand, maar zei niets.

Tanja ging op haar handen zitten. Het bed piepte opnieuw. Nijdig dacht ze aan de geluiden die ze op deze springveren hadden kunnen maken.

'O, best,' zei ze. 'Je hoeft niet met mij te praten. Praat gerust tegen die muur. En als jij op wilt blijven om mij te bewaken, ga dan vooral je gang. Ik ga slapen.'

Fedja leunde nu met zijn rug tegen de muur.

'Het is niet juist,' zei hij toen. 'We horen dit niet te doen.' Hij gebaarde naar de hoek met haar jas en laarzen.

'Wat horen we niet te doen?' Ze rukte haar handen onder zich vandaan en liet ze kletsend op haar dijen vallen. 'Horen we niet te vrijen? Hier? Op een slagveld? Is er soms iets heiligs aan een slagveld?' Ze keek door het kapotte raam naar een verwoeste wereld. 'Wat hebben we anders nog over, Fedja? Dit is het.'

Fedja kwam voor haar staan. 'Ik ben het niet met je eens. Ik heb niet zoals jij het gevoel dat ik al dood ben, dat ik niet besta. Maar jij! Jij gedraagt je of het je niet kan schelen wat er met je gebeurt, alsof er niets van jou over is dat ze nog kunnen doden.'

Hij wees in de richting van de Duitse linies. 'Kijk eens naar de risico's die je vandaag hebt genomen! Ik weet nog hoe het ging op die aak. Jij moest beslist op de gevaarlijkste plek zitten. Je verschoof geen millimeter! En na drie uur in het water en nog eens zes uur in een riool leid je me glashard een messtent van de moffen binnen! Je krijste tegen een Duitse patrouille... in het Oekraïns of zo, ik weet het niet eens. En jouw idee van een voorzorgsmaatregel is dat, wanneer we worden aangehouden, ik als een idioot moet brabbelen. Is iedere Ameri-kaan zo krankzinnig?'

Terwijl Fedja met grote passen en zwaaiende armen heen en weer liep, deed ze haar best om de glimlach die aan haar mondhoeken trok tegen te houden. Hij heeft gelijk, natuurlijk, dacht ze. Maar die lieve Fedja verliest nooit zijn charme. Zelfs niet in dat riool, zo bang als hij was voor de duisternis en de stront. Ook nu niet, hier, bang voor mij.

Met zijn geijsbeer legde hij de korte afstand tussen de muren in drie, vier stappen af. En telkens als hij zich omdraaide, maaiden zijn armen. Tanja keek naar haar schoot om haar glimlach te verbergen. Hij deed haar denken aan een grote, gek geworden gans.

'Ik vind dat jij niet genoeg over dit soort dingen nadenkt,' zei hij. 'Je gedraagt je alsof jij onzichtbaar bent. Dat mag jou misschien lukken, maar bedenk wel dat ik achter je loop en er niets voor voel om in een moffenmess van kant te worden gemaakt! Daar geven ze geen medailles voor!'

Hij keek naar het plafond. 'O, en ik kan bijna niet wachten tot het donker is!' Hij draaide zich om zijn as, hief zijn armen op en hield ze zo. 'Vannacht mag ik eindelijk achter jou aan door een niemandsland tijgeren dat vermoedelijk één groot mijnenveld is – en ik me maar afvragen wie mij het eerst zullen raken, de Duitsers of de Russen! Maar laten we eerst een potje neuken alsof het iets is dat we van een menu hebben besteld. Alsof het allemaal niets uitmaakt. Het is niet goed, Tanja. Het is verkeerd te doen alsof de dingen er niet toe doen, terwijl ze er wél toe doen.'

Fedja liet zijn armen zakken. Hij kwam aan haar voeten zitten en keek haar aan, terwijl hij hoofdschuddend zei: 'Ik geloof niet dat ik hier al aan toe was. Ik heb me gemeld bij het Rode Leger omdat Stalin het zei, want laten we het maar onder ogen zien: het was de enige mogelijkheid. Ik kreeg een opleiding van vier weken en ging op transport. Ik ben bij het oversteken van de Wolga bijna verzopen, maar gelukkig kon ik me vastgrijpen aan een balk. Ik ben niet zoals jij. Ik ben niet uit vrije wil bij dit leger gegaan. Ik heb géén jaar met de partizanen meegevochten. Ik ben bang voor dit alles. En nu Joeri zo in dat riool moest sterven, en later in die moffenmess, met al die nazi's om ons heen... Je hebt het bij het verkeerde eind, Tanja. Dit was een onvoorstelbare dag. En voor mij dééd het ertoe, omdat ik in mijn broek scheet van angst. Niet dat iemand daar ooit iets van zou hebben gemerkt!'

Hij wreef met een vinger achter zijn oor en wendde zijn blik van haar af. 'Ik ben dit niet gewend. Jij misschien wel, maar ik niet.'

Ze haalde Fedja's hand bij zijn oor vandaan en trok hem naast zich op het bed. Ze legde zijn hand hoog op haar dij. Ze legde haar kruin tegen zijn wang en gaf hem kopjes.

'Ben je dit wél gewend?' Ze wreef over zijn hand, betastte de aderen, de nagels. Ze schoof zijn hand nog wat hoger op haar dij.

'Ik kom uit Moskou, Tanja. Dit is het enige dat we daarginds allemáál gewend zijn.'

'Nou,' fluisterde ze, 'ik kom uit New York. Het is daar veel kleiner dan Moskou, je raakt er gemakkelijk de weg kwijt. Wil jij me niet een poosje voorgaan?'

Ze fluisterde in het oor dat zich vlak voor haar mond bevond. 'Ga door, Fedoesjka. Wijs me de weg. Ik neem het wel over als we dat mijnenveld van je oversteken.'

Fedja gaf haar fluisterend antwoord. Ze voelde de warmte van zijn woorden tegen haar keel.

'Welk mijnenveld, Tanjoesjka?' fluisterde hij. 'Te laat. Ik zit er al middenin.'

Fedja had het mis. Het spoorwegemplacement was niet ondermijnd. Tanja tijgerde in de duisternis verder en tastte met haar vingertoppen de grond voor haar af, op zoek naar de detonatiepinnen, zwarte pinnen die slechts een centimeter boven de grond uitstaken. Bij het wrak van een Duitse tank wachtte ze. Een van de rupsbanden was weggeslagen door een antitankraket, voor Tanja een nieuw bewijs dat het Rode Leger zich in het gebouw voor hen moest bevinden. Anders zouden de Duitsers deze tank allang hebben weggesleept om hem te repareren.

Zij en Fedja rustten onder de tank. Ze waren al halverwege het rangeerterrein, op weg naar het grijze gebouw dat zich hoog in de nacht verhief. Nog maar vierhonderd meter te gaan.

Tanja zat niet in over de afstand. Het was een rustige, donkere avond. Geen lichtkogels die de hemel irriteerden. Genoeg rommel om dekking achter te vinden. Ze wist echter dat er zich áchter zich ogen bevonden, en ogen vóór haar, door kijkers over het rangeerterrein naar elkaar turend, gedreven door argwaan en haat, gespitst op de minste of geringste beweging. Haar voornaamste zorg was de ontmoeting met de Russen. Die zouden in de voorste loopgraven zitten om hun bolwerk te verdedigen tegen nachtelijke infiltranten. Zoals Fedja en zij.

Tanja lag stil totdat ze weer wat op krachten was. Fedja's ademhaling was veel eerder weer normaal dan de hare. Hij is oersterk, dacht ze, terugdenkend aan zijn krachtsvertoon in de rioolbuis, en aan zijn latere omhelzing op die smerige matras.

Tanja tijgerde bij de beschuttende tank vandaan. Ze ging Fedja voor over nog méér sporen en onder spoorwagons door, totdat ze nog maar vijfenzeventig meter van het grijze gebouw verwijderd waren. Nu ze de gevel zo vlak voor hen zagen oprijzen, trok Fedja aan haar voet en tijgerde verder tot hij naast haar lag.

'En nu?'

'Geen idee.'

Fedja rolde wanhopig met zijn ogen. Hij liet zijn voorhoofd op de rug van zijn op de grond liggende handen rusten.

Tanja staarde omhoog naar het gebouw. Ze verkende het terrein minutieus, op zoek naar elk bobbeltje en iedere aardheuvel van de verdedigingslinies en de schildwachten van het Rode Leger die daar moesten zijn, zoals ze wist. Als ze die schildwachten onverhoopt verraste, zou dat hen noodlottig worden. Tegen zonsondergang betrapt worden in niemandsland voordat ze ook maar de kans hadden gekregen zich bekend te maken als Russen, betekende een wisse dood.

Ze raakte Fedja's kruin aan. 'Blijf hier liggen.'

'Wat? Waar wil je heen' Met een ruk ging zijn hoofd omhoog. 'Tanja!?'

Tanja stond op en bracht haar armen boven haar hoofd. *'Nicht schiessen!'* riep ze uit terwijl ze naar voren bleef lopen, weg van Fedja. *'Nicht schiessen, bitte!'* De nachtrust werd versplinterd door het grendelen van geweren. Ze wist dat de lopen op haar hart waren gericht.

Russische stemmen verhieven zich van achter het puin, slechts twintig meter vóór haar. 'Wie is daar! Maak je bekend!'

Ze schepte adem voor haar antwoord. Haar mond vormde de eerste Russische klanken. '*Ya Russkaja* – ik ben Russische.' Toen bleef ze staan. Voorzichtig zette ze nog een stap.

'*Nicht schiessen, bitte*,' riep ze naar de stemmen.

Met een kletterend geluid sprong een donkere schim uit de grond omhoog en stormde op haar af. De soldaat greep haar hardhandig bij een van haar opgestoken armen. Tanja liet zich meetrekken en werd over de rand van een loopgraaf gegooid. Ze belandde struikelend op de aarden bodem.

Een schoppende laars dwong haar zich om te rollen. Een geweerloop werd tegen haar keel gedrukt, hard, zodat ze naar adem hapte.

'Wie ben je, verdomme?' vroeg een schim dreigend.

Twee anderen met doorgegrendelde geweren vielen hem bij. 'Zeg op!'

Een andere stem zei nijdig: '*Spreche!*'

Tanja verroerde alleen haar lippen. 'Ik hoor bij het Tweehonderdvierentachtigste. Gisteravond werd mijn rivieraak bij de oversteek van de Wolga aan flarden geschoten. Ik ben stroomafwaarts gedreven, ver van de linies.'

De geweerloop drukte nog harder in haar keel. Handen betastten haar armen en benen, op zoek naar wapens.

'Hoe komt het dat jij Duits spreekt?'

Tanja's stem klonk schor. 'Ik was bij de partizanen in Wit-Rusland. We moesten wel een beetje Duits leren.'

De druk van de loop tegen haar keel werd minder. Ze hapte naar adem en schraapte haar keel. 'Da's andere koek dan jullie, stelletje Iwan-leuters, die alleen maar in slaap sukkelen als ze wacht hebben en vrouwen in het rond slingeren.'

Een van de stemmen begon te lachen. Het geweer verdween.

'Het Tweehonderdvierentachtigste, zeg je?'

'Ja. Onder Batjoek.'

Een soldaat boog zich over haar heen. Ze hoorde hem snuffelen.

'Verdomme, wat is dat voor stank?'

Tanja moest lachen. Fedja's pantser, dacht ze.

'Stront. Ik zit helemaal onder. Een lang verhaal.'

'Ik wil het niet weten.' De soldaat stak zijn hand uit om Tanja te helpen opstaan. 'Neem ons niet kwalijk,' zei hij. 'We wisten niet wie je was. Het enige wat ik zag, was iemand die recht voor me stond en in het Duits stond te roepen. Ik zag je aan voor een infiltrante.'

Tanja keek naar de drie soldaten. De behandeling was inderdaad zo hard als ze had verwacht.

'Als ik een infiltrante was geweest, in welke taal zou ik jullie dan hebben aangeroepen: in het Duits of in het Russisch?'

Twee van de drie in de donkere loopgraaf gaven na even te hebben nagedacht het antwoord: 'Russisch.' De derde knikte instemmend.

Tanja glimlachte om haar goede gok. Alweer een risico dat ik heb genomen. Dit zal ik nog lang van Fedja moeten horen.

Ze vertelde de soldaten dat ze Fedja twintig meter achter zich had gelaten op de grond. Ze riep hem aan. 'Fedja, het is in orde! Kom maar! We zijn terug!'

Hij rende naar de loopgraaf en werd zodra hij omlaag sprong gefouilleerd.

Tanja liep niet naar hem toe. 'Kameraad Michailov,' zei ze.

'Kameraad Tsjernova.' Hij knikte haar toe en schudde de soldaten een voor een lachend de hand, waarbij hij hen bedankte omdat ze niet op hem hadden gevuurd. 'Goed werk,' zei hij. 'Knap staaltje.'

Tanja wendde zich tot de soldaten. 'Zouden jullie ons aan wat schone kleren kunnen helpen. En iets voor de maag?'

Een van de schildwachten stapte naar voren. 'Die schone kleren zullen tot morgen moeten wachten. Wij kunnen onze post niet verlaten. En wat je maag betreft...'

De soldaat liet zijn hand onder zijn overjas verdwijnen en toverde een fles wodka te voorschijn. Hij gaf de fles het eerst aan Fedja.

'Welkom in Stalingrad.'

8

'Iedereen opstaan! We gaan!' Viktor Medvedev liep de enorme kelderruimte in. Dertig soldaten die op verspreid staande vaten, kisten en kratten hadden gezeten sprongen op.

Over de hoge bakstenen muren van de kelderruimte lag het zalmkleurige licht van de zonsopgang. De draai- en schaafbanken van de voormalige werkplaats voor het repareren van de machinerieën van de chemische Lazoer-fabriek waren al vroeg in de zomer naar de overzijde van de Wolga overgebracht, waarmee een uitgestrekte keldervloer was vrijgekomen. Net als alle andere grote gebouwen in Stalingrad was het Lazoer-complex door de Luftwaffe net zolang met bommen bestookt tot er alleen nog kromgetrokken staal en brokken beton van over waren en er niets meer was dat nog kon instorten of uitbranden. Het Rode Leger was onder de ruïnes van het Lazoer-complex en onder de puinhopen op het spoorwegemplacement gaan graven. De kelder bleek, onder de bergen puin van ingestorte bakstenen muren en stalen dakspanten, nog intact te zijn. Die ochtend drong de kilte van eind oktober via de verbrijzelde ramen hoog boven hen tot in de kelder door. De ruimte was zo groot dat alleen al de leegte in staat leek alle geluiden te absorberen.

De dertig soldaten die voor Viktor Medvedev stonden waren de eerste vrijwillige sluipschutterrekruten van het Tweehonderdvierentachtigste Infanterieregiment. Commissaris Danilov had de Haas en de Beer duidelijk gemaakt dat hij zich voor de eerste cursus van de opleidingsschool uitsluitend tot soldaten van hun eigen regiment diende te beperken, dit om andere regimenten aan te moedigen zelf sluipschutters te gaan opleiden.

Het merendeel van de vrijwilligers had het nieuws over de vorming van een eigen scherpschutterspeloton en over de heldendaden van sergeant-majoor Zaitsev gelezen in het schamele nieuwsblaadje *Voor de landsverdediging*, dat twee keer per week door de communisten onder de verdedigers van Stalingrad werd verspreid.

Viktor trapte zijn sigaret uit en begon. 'Jullie zijn hier allemaal voor één doel. Jullie zullen leren hoe sluipschutters te werk gaan om Duitsers te doden.'

De Beer hield een geweer met telescoopvizier op. 'Het maakt niet uit hoeveel gevechtservaring jullie tot nu toe hebben gehad, vechten als sluipschutter wordt ánders. Jullie zullen vaardigheden moeten leren waarvan de infanteriesoldaat nog nooit heeft gehoord. Jullie hebben meer intelligentie en zelfdiscipline nodig. Vanaf nu maken jullie niet langer deel uit van een regiment van duizend man, waarin je alleen mocht doen wat je gezegd werd. Als sluipschutter werk je op ei-

87

gen initiatief. Je moet dus eerst nadenken, je vervolgens verplaatsen en dan handelen. Wie dat niet doet, gaat eraan. Dat kan ik jullie garanderen.'

Viktor deed een stap in de richting van de rekruten.

'Deze eenheid is de eerste in haar soort. Tot nu toe is de Russische sluipschutter een moedig, maar grotendeels ongeorganiseerd en nauwelijks effectief instrument geweest. We hebben goede dingen gedaan, maar we kunnen veel beter. De komende paar dagen leren jullie hoe je jacht moet maken op je tegenstander. Je zult hem in zijn eigen hol doden, met de stilte en afschrikking van doden op afstand. Je zult hem treffen op zijn kwetsbaarste momenten: als hij zijn eerste ochtendsigaretje opsteekt, als hij gaat pissen of als hij zijn bonen en paardenvlees in zijn mond zit te proppen. Jullie doden hem als hij de minste of geringste misstap maakt. De angst zal hem voortdurend achtervolgen: de angst dat iemand hem via de haardunne kruisdraden in een geweertelescoop op de korrel neemt zonder dat hij het merkt. Hij zal niet weten wanneer de kogel komt die voor hém bestemd is, of voor zijn buurman. Hij zal echter weten dat er voor hem geen plekje veilig is in Rusland. Dat is jullie opdracht.'

Viktor hield het wapen omhoog. 'Jullie telescoopvizier brengt je prooi dichtbij. Je zult de vijand besluipen en observeren, misschien uren- of dagenlang. Je zult zijn gezicht zien, zijn gebit, hoe zijn kop explodeert.'

De Beer liet het wapen zakken. 'Deze manier van doden vereist groot geduld en er komt géén hartstocht aan te pas. Het is een kille manier van doden. Jullie zullen de man die door jullie kogel wordt gedood eerst hebben leren kennen.'

Viktor liet zich op een krat zakken. Hij legde het geweer over zijn knieën alsof hij een roeiriem liet rusten.

Door de werkplaatsdeur kwam Zaitsev binnen, wiens voetstappen luid klakten op het beton. Zijn blik gleed langs de rekruten, als een voortzetting van het onderzoek waarmee hij al was begonnen toen hij buiten de deur naar Viktors inleiding had staan luisteren. Zes van de soldaten in de kelder kende hij al: Baoegderis, Sjaikin, Morozov, de reus Griasev, dan Kostikev en de kleine Koelikov. De afgelopen paar dagen had hij ieder van hen persoonlijk gevraagd zich te melden voor de sluipschuttersopleiding, nadat hij hen in actie had gezien. Baoegderis, Sjaikin en Kostikev had hij leren kennen toen hij op de Mamajev Koergan had gejaagd, en hij had gezien hoe zij, deze drie boerenjongens uit Tbilisi in Georgië, in alle rust op tweehonderd meter afstand Duitsers hadden neergehaald, met een geweer met alleen een simpel vizier. Bij de Tractorenfabriek had Viktor Griasev ontdekt, een kolos met armen en handen als mokers die handgranaten met verontrustende nauwkeurigheid vijftig meter ver kon gooien, een ongehoorde prestatie. Kostikev was een Siberiër uit Zaitsevs compagnie in het Tweehonderdvierentachtigste. Hij ging even vaardig om met een stiletto als met een geweer en was de rustigste man die Zaitsev ooit in het gevecht op de korte afstand had gezien. Zaitsev had urenlang de kleine Nikolai Koelikov geobserveerd en gezien hoe hij bij de Barricadenfabriek wel een keer

of tien onder vijandelijk vuur door was getijgerd om een in een loopgraaf klem-
gezette eenheid te bevoorraden.

Deze eersteklas vrijwilligers zag er taai en door de strijd gehard uit. Hun li-
chaamsgrootte liep sterk uiteen, van de boomlange Griasev tot de kleine en
mollige Armeense, een van de twee vrouwen in de groep.

'Ik ben sergeant-majoor Wasilji Zaitsev, jullie instructeur. Ik word terzijde gestaan door sergeant-één Viktor Medvedev.' Viktor liet zijn sigaret naar achteren
wijzen en voegde eraantoe: 'En natuurlijk door commissaris Danilov.' Zaitsev
glimlachte naar de commissaris, maar de man die tegen de muur geleund notities stond te maken, keek niet op.

'Jullie opleiding tot sluipschutter duurt drie dagen. Vandaag bespreken we de
te gebruiken wapens, veldvaardigheden en tactiek. Morgen gaan we jullie leren richten en schieten met een telescoopgeweer. En de derde dag worden jullie weggestuurd met een opdracht. Degenen die de vierde dag nog in leven zijn,
worden als sluipschutter teruggeplaatst bij hun eigen onderdeel.' Zaitsev draaide zich op zijn hakken om. 'Viktor...'

De Beer kwam overeind van het krat en pakte er twee geweren uit waarop
een telescoopvizier was gemonteerd. Hij legde een van de geweren neer voor
een van de kandidaten in de voorste rij.

'Toen jullie vanmorgen hier binnenkwamen, moesten jullie je wapen op de
gang achterlaten. Die wapens worden overgedragen aan de infanterie. Vanavond krijgen jullie allemaal een nieuw wapen.'

Viktor monsterde de gezichten. Niemand keek een andere kant uit. De Beer
dwong de aandacht af. 'Ik heb begrepen dat twee van jullie zelfs zonder wapen
zijn gekomen,' zei Viktor hoofdschuddend, maar met een glimlach. 'Jullie
moeten wel buitengewoon gevaarlijke strijders zijn.'

De groep lachte met Viktor mee. Hij hield een van de geweren op.

'Dit is het wapen van je vijand. De Mauser Kar 98K, uitgerust met een vier
keer vergrotende telescoop. Het kaliber is zeven punt achtennegentig millimeter. Deze karabijn is een stuk stront dat jullie kan doden.'

Viktor drukte opeens de kolf tegen zijn schouder. Met een flitsende beweging
richtte hij de loop op de soldaat recht voor hem, op tien meter afstand. De soldaat deinsde terug, kreeg zichzelf weer in de hand en kwam overeind.

Viktor nestelde zich achter de telescoop en vertrok zijn gezicht toen hij op iets
richtte. 'Het optiek is beroerd, want je gezichtsveld is zeer beperkt. De scope is
voorzien van doorlopende kruisdraden, waardoor naar mijn mening de waar-
neming wordt beperkt als je er het terrein mee afspeurt. De balans van het wapen stelt weinig voor. Het ding loopt vaak vast en het gasdruksysteem laat het
bij koud weer wel eens afweten.'

Hij haalde de trekker over. De hamer klikte. Onmiddellijk, zonder het geweer
van zijn wang te laten zakken, grendelde hij opnieuw door, alsof hij een nieuwe patroon in de kamer deed.

'De grendelknop bevindt zich ruim boven de trekker, om de herladingstijd te bekorten. De gemiddelde nazi-sluipschutter kan met dit geweer twee schoten afvuren in viereneenhalve seconde.'

Viktor liet de Mauser kletterend vallen. Met zijn voet schoof hij het zó hard weg dat het pas tegen een muur tot stilstand kwam.

De Beer nam het tweede geweer in handen. Hij hield het met beide handen boven zijn hoofd. 'Dit,' zei hij, waarbij hij het geweer liet rondtollen als een baton van een harmoniekapel, 'is eveneens het wapen van onze vijand. Het is het Russische Moisin-Nagant scherpschuttersmodel 91/30, uitgerust met een telescoop sterkte vier. Het kaliber is zeven punt tweeënzestig, is onder alle gevechtsomstandigheden betrouwbaar, vooral bij kou, en geniet de voorkeur van zowel Russische als Duitse sluipschutters.'

De rekruten grijnsden Viktor toe. De Beer grijnsde niet terug. 'Jullie taak,' zei hij, 'is zorgen dat jullie niet sneuvelen, zodat deze geweren niet in de klauwen van de vijand vallen. Zorg dat ze hun eigen Duitse troep blijven gebruiken. Dit zijn Rússische wapens, begrepen?'

Opnieuw bracht Viktor met een ruk het geweer onder zijn kin en richtte het op het hoofd van dezelfde rekruut. De soldaat, die voor de tweede keer werd verrast, boog opzij, maar richtte zich meteen weer op, gegeneerd.

'Voortreffelijk optiek, met een doorlopende horizontale, en een halve verticale kruisdraad, zodat de bovenste helft van het gezichtsveld open blijft. De telescoop is uitgerust met instelbare zijwind- en elevatiecompensatie. Die is bovendien voldoende hoog boven de loop gemonteerd om je de kans te geven er onderdoor te kijken en het open vizier te benutten voor doelwitten op honderd meter. Het wapen is keurig uitgebalanceerd, maar weegt een paar grammen meer dan de Mauser.'

Viktor liet het wapen zakken en grijnsde naar de jongeman die hij in het vizier had gehad. 'Wat kan ons dat verdommen,' zei hij. 'Wij zijn Russen. Wij kunnen het dragen.'

Viktor bracht het wapen in afvuurpositie, alweer gericht op dezelfde soldaat, maar die bleef deze keer onverstoorbaar zitten. Viktor haalde de trekker over, grendelde door zonder het geweer te laten zakken, en haalde de trekker opnieuw over. 'Het wapen heeft maar één ontwerpfout,' zei hij, het geweer tegen zijn borst gedrukt. 'De grendelknop zit te ver naar voren om er snel twee keer achter elkaar mee te vuren. De gemiddelde Russische sluipschutter kan er twee schoten binnen vijf tot vijfeneenhalve seconde mee afvuren. Dat betekent dat je moet zorgen dat je eerste schot raak is, aangezien je vijand een seconde sneller zal zijn met de volgende kogel.'

Hij klemde de Moisin-Nagant onder zijn arm. 'Later op de dag krijgt iedereen hier zo'n geweer.' Viktor keerde de rekruten de rug toe. 'Wasja.'

Zaitsev kwam overeind van zijn krat. Hij stond zijn half opgerookte sigaret af in ruil voor het Russische geweer. Zaitsev keek even opzij naar Danilov. Die stond nog altijd over zijn notitieboek gebogen, sloeg om naar een nieuwe blad-zij en schudde de vingers van zijn verkrampte schrijfhand uit.

Zaitsev tilde het geweer op en liep ermee naar de soldaat die twee keer was teruggedeinsd toen Viktor op hem richtte. De soldaat zat met vijf anderen op een metalen buis.

'Hoe heet je?' vroeg hij.

De soldaat wilde opstaan om antwoord te geven. Zaitsev beduidde hem te blijven zitten. 'Hoe heet je?'

'Tsjekov, sergeant-majoor. Anatoli Petrovitsj.'

Zaitsev keek naar de kleine scheurtjes in Tsjekovs uniform, zijn haveloos ogende laarzen. Geen spoor van angst in de ogen. Zijn lippen waren strak, zijn ademhaling gelijkmatig.

'Jij hebt al aardig wat gevechtservaring, soldaat?'

Tsjekovs ogen vernauwden zich. Zijn kaakspieren verstrakten.

'Ja.'

'Heb je als burger gejaagd, Tsjekov?'

'Ja. Ik was een stroper. In de Oekraïne.'

Zaitsev trok zijn wenkbrauwen op. Een stroper? Ja, dat krijg je als je het aan een Danilov overlaat om de toelatingseisen te formuleren. Nou ja, dit is niet het moment om al een oordeel te vellen. Hij knikte en liep naar de volgende man, en de volgende, waarbij hij vroeg naar de naam, soms de geboorteplaats en al-tijd de jachtervaring. Of stroopervaring.

'Wasiltsjenko. Hmm, ja, ik heb wel eens gestroopt, ja.'

'Droejker, uit Estland. Ik viste liever. Maar ik kan met een geweer omgaan, let maar op.'

'Woljiwatek. Bij Kisjinev in Moldavië. Ik ging dagelijks op jacht, tot ze me op-riepen voor dienst. Beste kalkoenschutter van het dorp.'

'Slepkinian, uit Armenië,' antwoordde een donkere vrouw met dikke benen. 'Mijn man is in de fabriek gevallen en kreupel geworden. Ik heb moeten leren jagen om de kinderen in leven te houden.'

Boeren, dacht Zaitsev. Net als ikzelf. We zijn allemaal boer. Des te beter. Wij zijn gewend aan ontberingen.

Zaitsev bleef staan voor een lange, slanke blondine. Hij zag haar terug staren. Behalve deze dan, dacht hij. Dit is geen boerin. 'Tsjernova,' zei ze.

De grote jongeman naast haar riep zijn naam al voordat Zaitsev zich van het meisje had verwijderd. 'Michailov, Fjodor Iwanovitsj. Uit Moskou.'

Zaitsev bestudeerde het tweetal. Ze leken allebei betrekkelijk groen, vergele-ken met de geharde rest van de groep.

'Jullie uniformen zien er nieuw uit. Wanneer zijn jullie in Stalingrad aange-komen?'

De jongeman deed haastig zijn mond open, alsof hij zowel voor zichzelf als voor het meisje sprak. 'Twee dagen terug. Onze aak werd op de Wolga tot zinken gebracht. Wij... eh...' Hij hield in en keek strak voor zich uit. 'Onze uniformen waren eh...'

'Ah,' zei Zaitsev. 'Jullie waren degenen die in de stront zijn gevallen.'

Viktor grinnikte en wreef met zijn hand over zijn voorhoofd.

Zaitsev keek naar Fjodor Iwanovitsj Michailov. De jongen was even groot als Viktor. 'Trek het je niet aan, soldaat,' zei hij. 'Dit soort verhalen doet als een lopend vuurtje de ronde. Je hebt je in feite heel moedig gedragen. Jullie allebei,' voegde hij er glimlachend aan toe.

Zaitsev liep naar het midden van de vloer, de Moisin-Nagant onder zijn arm. Nou, dacht hij, dit lijkt een goed moment om een begin te maken met het spelen van de held. Hij sprak luid en beet de woorden af, zoals Viktor altijd deed.

'Voordat we beginnen, wil ik jullie iets vertellen dat kameraad Danilov nog niet heeft kunnen drukken.'

De commissaris keek op als een dier dat een vreemd geluid heeft gehoord. Vlug sloeg hij om naar een schone bladzij en hield zijn potlood in de aanslag.

Zaitsev vervolgde: 'Ik wil dat ieder van jullie weet waarom ik deze taak – jullie opleiden tot sluipschutter – op me heb genomen. Dat heb ik gedaan omdat ik jullie zie als mijn wrekers. Als ik in de strijd mocht sneuvelen, vuur ik via jullie nog steeds kogels af op de moffen. Ik zal hen dankzij jullie vanuit het graf blijven bestrijden.'

Hij wachtte om de gespannen gezichten van de rekruten te monsteren. 'Ieder van jullie,' herhaalde hij met plechtig klinkende stem. Hij maakte een gebaar met zijn geopende handpalm naar de rekruten, alsof hij hen zegende.

'Iedereen hier behoort zijn eigen reden te kennen om hier te zijn, zoals ik de mijne ken. Dat houdt jullie in leven.'

Zaitsev reikte de stroper Tsjekov het geweer aan. De soldaat nam het aan, maar Zaitsev hield het nog even vast.

'En het zal ervoor zorgen dat jullie je huid duur, heel duur, verkopen,' voegde hij eraantoe. Hij liet het geweer los.

Het was muisstil in de kelder, afgezien van de echo's van Zaitsevs stem en het geritsel van papier toen Danilov met een flitsende beweging een schone bladzij opsloeg.

De rest van de ochtend werd besteed aan wat Zaitsev en Viktor omschreven als 'veldvaardigheid'.

Viktor leidde het onderwerp op eenvoudige manier voor de rekruten in: het was gewoon een ander woord voor jagen, tot en met het moment waarop de trekker werd overgehaald. Vaardigheden als zich stil en ongezien verplaatsen waren de belangrijkste die een sluipschutter kon ontwikkelen. 'Jullie vaardigheid in het raak schieten wordt vanzelf beter door het vaker te doen,' hield hij hen voor, 'maar als je een keer mist op driehonderdvijftig meter wordt het je nooit fataal, zolang je vijand niet weet waar je zit.

Stalingrad is iets anders dan de bossen of tarweakkers van je geboortestreek. Het is een gigantische berg van bakstenen, beton en ijzer. Jacht maken op moffen in Stalingrad is andere koek dan jagen op eekhoorns op de boerderij. Eekhoorns schieten niet terug. Om in deze stad te kunnen overleven en doden, dien je je een nieuwe manier van je verplaatsen en dekking zoeken eigen te maken. Je moet leren gebruik te maken van de ruïnes en bomkraters; je moet leren rennen met je hoofd zo ongeveer op je knieën. We zullen ons ook oefenen in het tijgeren met je wapen in een zak achter je aan. Het vereist een scherp oog en het nodige geduld om de juiste route door al deze puinhopen te zoeken. Het belangrijkste – en dit is wat de echte jagers onder jullie misschien al weten – is dat jullie vaak uren achtereen roerloos moeten blijven liggen totdat die ene kans op een raak schot zich voordoet. Een te vroege beweging kan meteen ook je laatste zijn.'

Medvedev en Zaitsev gingen de rekruten over de trap voor naar de begane grond van het Lazoer-complex. Ingestorte muren en verwrongen delen van de dakconstructie vormden een uitgestrekte en onregelmatige woestenij. Vier uur lang gaven de beide onderofficieren schreeuwend aanwijzingen en keken ze toe terwijl de rekruten over en om het puin kropen, waarbij ze een zak met een namaakgeweer erin achter zich aan sleepten. Steeds als Viktor een hoofd of schouder boven het puin ontdekte, schreeuwde hij: 'Bang! Iwan dood! En nu omláág!'

De kleinere rekruten bleken er het beste in te slagen zich onopgemerkt door de ruïnes te verplaatsen. Degenen die fors van stuk waren, zoals de reus Griasev en de rekruut Michailov, maakten nogal wat lawaai op hun weg door het puin.

Om deze verschillen uit te buiten en bovendien de risico's te verminderen, verdeelde Zaitsev de groep in twee teams. Het ene team, de Hazen, nam hij zelf onder zijn hoede. Dit waren de kleinere, slankere soldaten, zoals Zaitsev zelf, die zich onopgemerkt door puinhopen konden verplaatsen. Viktors groep bestond uit de Beren, de grotere mannen die extra instructie nodig hadden voor de beste manier om het hoofd zo laag mogelijk te houden en te voorkomen dat hun voeten in elkaars touwen verward raakten, maar die over meer lichaamskracht beschikten.

Aan het eind van de ochtend gingen ze lunchen: thee, soep en brood. De Hazen en Beren zaten apart, als echte teams, te praten en te lachen. Leden van beide groepen haalden flessen wodka tevoorschijn.

Danilov liep met een dikke stapel aantekeningen naar Zaitsev.

'Kameraad Zaitsev,' begon Danilov, terwijl hij Zaitsev een sigaret aanbood. 'Zeg me eens, wat denk je van onze nieuwe helden?'

Zaitsev nam de sigaret aan. 'De vrouwen, hè.'

'Je hebt bezwaar tegen de aanwezigheid van vrouwen in onze opleiding tot sluipschutter?'

'Ze veroorzaken moeilijkheden tussen de mannen. Zo is het altijd.'

'Tja, Wasilji, laten we maar eens zien of jij ze niet kunt leren de Duitsers méér moeilijkheden te bezorgen dan ons.' Danilov legde zijn notities terzijde. 'Je begrijpt wel waarom het op déze manier moet. In het Rode Leger dienen tienduizenden vrouwen zij aan zij met de mannen. Ze bedienen de radio's in de commandobunkers, stelpen bloedingen als verpleegster, en soms bedienen ze ook kanonnen. Deze eerste sluipschutterseenheid geeft ons de kans de wereld duidelijk te maken dat de nazi's op het slagveld niet alleen door Russische mannen zijn verslagen, maar door het hele Russische volk – mannen en vrouwen. Wij kunnen zeggen dat wij eendrachtig zijn opgestaan om te vechten. De communistische orde is die van waarachtige eenheid, zonder enig onderscheid naar rang of geslacht. Denk aan het effect onder de burgers thuis, als ze in de *Rode Ster* foto's zien van hun zussen of dochters, gewapend en levensgevaarlijk. Zelfs de Amerikanen kunnen niet zeggen dat hun vrouwen eigenhandig kogels afvuren op de vijand.'

Zaitsev drukte zijn sigaret uit onder zijn hak.

'Ik heb niet zozeer bezwaar tegen jouw beslissing, kameraad, als wel tegen het feit dat ik er niet in ben gekend,' zei hij. 'Wees tegenover Viktor en mij de volgende keer zo beleefd even naar onze mening te vragen. Deze keer zullen we ook jouw vrouwen opleiden tot moordmachines.' Als ze het al niet zijn, dacht Zaitsev toen hij de commissaris liet staan en wegliep. Die Armeense, Slepkinian, mag dan wat dik zijn, maar ze verplaatst zich goed en beweert dat ze een ervaren jaagster is. Viktor had hem ingelicht over de blondine, Tsjernova. De Beer had een fles gedeeld met de schildwachten die haar en de grote jongeman, Michailov, uit de loopgraven langs niemandsland hadden meegebracht. Ze had verteld dat ze meegevochten had met de partizanen in Wit-Rusland. Zodra ze hoorde dat in het Lazoer-complex de nieuwe sluipschuttersschool werd gevestigd, had ze erop gestaan tot de eerste rekruten te behoren.

Wat zal die allemaal hebben gezien? Er komt zo weinig nieuws uit bezet gebied. Ik hoor dat het er zwaar is, verschrikkelijk. Is ze werkelijk een geduchte strijdster, zoals de reputatie van de guerrilla's belooft, of is ze er alleen maar goed in een onverzettelijke trek op dat mooie gezicht te tonen? Nou, we zullen er gauw genoeg achter komen.

Zaitsev keek naar Tsjernova, tussen de mannen. Ze had haar lepel in haar laars gestoken, als een echte infanterist. Ze nam een slok wodka en ademde daarna in via haar mouw. De mannen genoten van haar. De oudere, dikkere vrouw werd genegeerd.

Hij staakte zijn wandeling van de ene man naar de andere en lette alleen nog op haar. Zelfs toen hij in zijn handen klapte ten teken dat de lunchpauze was afgelopen en dat de lessen weer begonnen, trok ze zijn aandacht. Haar stem klonk boven die van de anderen uit. Ze stond achter hem, de handen op de heupen. Negeer haar, dacht hij. Moeilijkheden.

Zaitsev liep naar de voet van de uit sintelblokken opgetrokken muur. Hij keerde de rekruten zijn rug toe. De meesten zaten met gekruiste benen in een halve cirkel op de keldervloer. Het licht van de namiddagzon stroomde door de hooggeplaatste, kapotte ramen naar binnen. Boven hun hoofden glinsterde stof als mica.

'Daarbuiten –' Zaitsev wees naar het raam boven zijn hoofd '– is het soms heel stil. Dit stilte is bedrieglijk. Die kan je verleiden tot zorgeloosheid.'

Hij beende naar het midden van de groep.

'Bedenk – jullie zijn geen infanteristen meer. Jullie zijn sluipschutters. Dat vereist nieuwe gewoonten, nieuwe manieren van denken. De veldslagen van de infanterist worden met veel kabaal en explosies, geschreeuw, gebrul en geren uitgevochten. Jullie gaan in stilte vechten. Denk nooit, alleen omdat het stil is rondom je loopgraaf of schuilplaats, dat je alleen bent. Overal in de ruïnes zijn armen, benen en ogen aanwezig. Elk gebouw, elk verwoest huis, iedere berg puin, wordt constant in het oog gehouden. Tussen de loopgraven verplaatsen zich bevoorradingsteams met munitie, mijnen, granaten en voedsel. Vanaf de hoogste punten van gebouwen of ruïnes speuren artilleriewaarnemers met hun kijkers de hele omgeving stelselmatig af. Geniesoldaten sluipen of tijgeren door het puin, op zoek naar vijandelijke bunkers en tunnels. Ordonnansen uit commandoposten vervoeren boodschappen naar eenheden die zonder radio zijn omsingeld. Vergeet het nooit: het krioelt op het slagveld van activiteiten, ook al hoor of zie je er niets van. En jij, de sluipschutter, ligt roerloos midden tussen dat alles in, ongezien, ongehoord, en je observeert het allemaal en laat het gebeuren totdat het ogenblik komt om toe te slaan.'

Hij zweeg. Alle ogen waren op hem gericht. De soldaten hadden allemaal hun hoofd naar voren gestoken om zijn volgende woorden beter te kunnen horen.

Zaitsev keek naar Danilov. Het potlood van de commissaris bewoog zich in een waanzinnig tempo om vooral de eerste lesuren van de nieuwe opleidingsschool voor sluipschutters van het Rode Leger vast te leggen. *Wasilji Zaitsev, hoofd der sluipschutters*, zou Danilov nu schrijven. *Held.*

'Als Russische sluipschutter hebben jullie na terugkeer bij je eenheid de volgende taken. Je dient te jagen op de belangrijkste doelen die je kunt vinden, en wel in deze volgorde: officieren, artilleriewaarnemers en -vuurleiders, verkenners, mortierschutters, mitrailleurschutters, infanteristen met een antitankwapen en ordonnansen op motoren. Verraad je positie nooit voor een minder belangrijk doel, zeker niet als je denkt dat je met een beetje meer geduld misschien een officier voor de loop zult krijgen.

Jullie compagniescommandant zal je pelotonscommandant het doel van die dag opgeven. Jullie gaan dan naar de frontlinie en bijt de spits af van de aanval door de doelen die ik zojuist heb genoemd te elimineren, en wel in die specifieke volgorde. Nadat de aanval is begonnen, verplaatsen jullie je naar de flanken om die tegen mitrailleurs en mortieren te beschermen.'

Zaitsev nam de tijd om zijn woorden te laten bezinken, maar hij wist dat hij het nog voor de dag om was diverse keren zou moeten herhalen. Handenwrijvend vervolgde hij: 'Net als de wolf op de taiga heeft de sluipschutter van het Rode Leger slechts één natuurlijke vijand.' Hij had het gezegd alsof hij een stel medesamenzweerders liet delen in een geheim. 'Jullie Duitse tegenhanger. Hij is jullie Nemesis, en jullie zijn de zijne. Want ondanks de hiërarchie van doelen die ik je heb genoemd, houdt een vijandelijke sluipschutter altijd de prioriteit.'

Hij grijnsde naar de Beer, die achter de mannen stond te roken en in de verte leek te staren, alsof hij over de boomloze steppe uitkeek.

'Niets,' hernam Zaitsev, met een greep naar het Moisin-Nagant-geweer om het oculair voor zijn oog te brengen, 'absoluut niets zal jullie zo opwinden en in gevaar brengen als een duel op leven en dood met een andere sluipschutter.'

Zaitsev haalde de trekker over. Hij klikte toen de hamer naar voren schoot. 'Hij is jullie waardevolste tegenstander.'

Viktor spuwde op de betonnen vloer en wreef het speeksel weg met zijn laars. Hij liep naar het midden van de groep en kwam naast Zaitsev staan. Het tweetal stond arm in arm.

'En wij gaan jullie laten zien hoe je hem moet doden,' zei Viktor.

Zaitsev gaf zijn grote vriend een klapje op de rug. 'Eén kogel,' zei hij, 'één dooie Duitser.'

Die middag bestudeerden de rekruten wat Zaitsev en Viktor hen hadden geleerd over de tactieken en vaardigheden van de vijandelijke sluipschutters. Ze hadden begrepen dat de Duitse scherpschutters niet waren opgeleid voor de huis-tot-huisgevechten in Stalingrad, maar voor operaties die deel uitmaakten van hun Blitzkrieg-tactiek. Zij waren gewend om zich snel en vernietigend in open terrein te verplaatsen, rondom verlaten, platgebombardeerde steden. Waar leert een mens geduld oefenen, vroeg Viktor zich hardop af, als je domweg achter oprukkende tanks rent en hele naties tegelijk onder de voet loopt, zoals Polen in een maand, of die nutteloze, futloze Fransen in een week?

De Duitsers maken handig gebruik van verduisteringsmiddelen, zoals smeervet of vuil om geen licht te reflecteren en één te worden met de omgeving. Ze omwikkelen hun lopen zelfs met lichte of donkere stof. Een keer waren Viktor en Zaitsev door een Duitse sluipschutter voor het lapje gehouden. De man had een 'valse' positie gecreëerd door een draad aan zijn trekker te binden, zodat hij die op twintig meter afstand kon bedienen. Zaitsev had op de positie gevuurd en was ervan overtuigd dat hij de man had gedood. Zijn beloning was een kogel die langs zijn helm was geschampt, terwijl hij zelf hard op zijn kont was gevallen.

De Duitse sluipschutters waren vaardig genoeg om op vijfhonderd meter nog dodelijk te zijn. Ze konden echter ook nonchalant en overmoedig zijn, en vaak vertikten ze het om zich na een schot te verplaatsen. Ze sprongen niet zuinig om met hun munitie en vuurden soms twee of drie keer vanuit dezelfde positie, waardoor ze een geduldige Russische sluipschutter de kans boden om een misser terug te betalen met een voltreffer. Ook herhaalden de Duitsers dikwijls misleidende trucjes, bijvoorbeeld door een helm op een stok hoog boven een borstwering te laten 'opduiken', soms wel drie of vier keer in een uur, alsof een Russische sluipschutter weinig meer was dan een vis die naar iedere worm hapte. Soms had Viktor zich zelfs beledigd gevoeld door de moffen. Die rookten doodgemoedereerd een sigaret of pijp als het al donker was, of gooiden openlijk scheppen zand in het rond als ze een schuttersput groeven. Soms ook maakten ze onnodige bewegingen of geluiden. 'Ga er nooit van uit dat je tegenstander een fout maakt,' vermaande Zaitsev de rekruten, 'maar geef hem er alle ruimte voor. En straf de fout daarna af.'

Waarschuwend hield hij hen voor: 'Geen enkele fout is onbeduidend als het je de kop kost.'

De Duitse sluipschutter werkte in betrekkelijke veiligheid, in de regel niet meer dan twee- tot driehonderd meter van de frontlinie. Op die manier kon hij met zijn schoten tot slechts ongeveer honderd meter achter de Russische frontlinie komen. Die tactiek vormde nauwelijks gevaar voor officieren van het Rode Leger, die meestal ver achter de frontlinies werkten. De nieuwe Russische sluipschutter met zijn of haar grotere veldvaardigheden zou onder de neus van de vijand langs de Duitse frontlinie opereren om een onoplettende Duitse kolonel of generaal te raken, op een halve kilometer afstand van de frontlinie. 'Alleen al vanwege dat feit,' zei Zaitsev, 'zullen zelfs onze vrouwelijke sluipschutters betere kerels zijn.'

De Duitse sluipschutters opereerden nooit 's nachts, zodat ze de Russen de kans gaven om twaalf uur per etmaal te opereren zonder angst voor ontdekking. 'Zelf jaag ik niet graag 's nachts,' merkte Zaitsev op, en met een lach liet hij erop volgen: 'Maar sergeant-één Medvedev is een echte nachtuil.' Regelmatig eiste Viktor Medvedev zijn tol onder vijandelijke mitrailleurschutters die dom genoeg waren geweest om met lichtspoormunitie te schieten, of onder Duitse artilleriewaarnemers die zo verliefd waren op de groene en rode lichtkogels die ze boven de Russische flottieljes op de Wolga lieten zweven.

Zaitsev geloofde dat de zwaardere omstandigheden waaronder de Russen hun werk moesten doen hen scherper hielden. De concentratie van Hitlers sluipschutters werd echter ondermijnd doordat ze uitsluitend vanuit de achterhoede opereerden, en bovendien alleen bij klaarlichte dag. Een bijkomend voordeel was dat het moreel van de Rode troepen langs de frontlinie werd opgevijzeld wanneer ze een bekwaam sluipschutter in hun midden hadden. De Duitse infanterist kreeg nooit een sluipschutter te zien.

'De nazi-sluipschutters wanen zich veilig, alleen omdat ze in loopgraven achter de linies zitten,' zei Zaitsev. 'Ze zijn er echter niet veilig, zelfs daar niet. En waarom? Omdat ze nog altijd in Rusland zijn.'

Zo, dat is wel voldoende voor vandaag, dacht Zaitsev. Ik zou niet weten wat ik hen nog meer moet vertellen. Ik wist verdomme zelf niet eens dat ik zoveel wist.

Zaitsev keek naar de overkant van de kelder, waar Danilov zat. Ongelooflijk, maar de commissaris had de hele ochtend en de hele middag zitten schrijven. Danilov keek op en ontmoette Zaitsevs blik. Hij sloot zijn notitieboek en knikte instemmend. Met beide handen hield hij het notitieboekje op, alsof het een trofee was die hij had gewonnen. Danilov haastte zich met opgeschopte jaspanden de werkplaats uit, alsof hij achteruit trapte naar honden die hem nazaten.

Zaitsev klapte in zijn handen. 'Iedereen opstaan. Morgen beginnen we met de scherpschutterstechnieken. Nu gaan de Hazen met mij mee. De Beren gaan met sergeant Medvedev mee. We brengen jullie naar je onderkomen. We gaan.'

Iedere onderofficier werd door vijftien rekruten gevolgd naar de begane grond van het Lazoer-complex, en naar een afzonderlijke hoek van het complex. Toen de beslissing viel hen in twee teams te verdelen, hadden Zaitsev en Medvedev besloten om naar een duidelijk herkenbare identiteit van de beide teams te streven, met militaire doelstellingen die het beste bij hun lichamelijke mogelijkheden en persoonlijkheden pasten. Danilov had ermee ingestemd. De Beren zouden nauwer samenwerken met de soldaten in de frontlinie om bij de Duitsers de weerstand voor een komende aanval te ondermijnen en gedurende operaties de flanken van het Tweehonderdvierentachtigste te beschermen. Hun wapenarsenaal zou, naast het telescoopgeweer, ook de pistoolmitrailleur en de handgranaat omvatten. Deze grotere kerels zouden speciaal worden getraind in nachtelijke sluipschutteroperaties, Viktors specialiteit. De Hazen, daarentegen, zouden de sluipmoordenaars van het regiment worden: kleinere, zich gemakkelijker verplaatsende mannen – én vrouwen – met het lef en de veldvaardigheden om, zoals Viktor het uitdrukte, 'in de muil van de vijand te kruipen en hem de tanden uit te rukken'. De Hazen zouden worden ingewijd in de geheimen van Zaitsevs vaardigheid om vlak voor de frontlinie als het ware in het niets op te lossen, om vervolgens met ijzeren geduld en een feilloze hand te doden – één kogel de man.

Zaitsev ging zijn team voor naar een grote, vensterloze ruimte met alleen een deken in de deuropening. In een hoek brandde een lantaarn. Drie emmers water stonden naast een geëmailleerd wasbekken. Verder was de ruimte leeg.

'Over een paar uur brengen ze eten. Maak kennis met elkaar, want binnenkort worden jullie opgedeeld in paren.'

Op weg naar buiten ontmoetten Zaitsev en Medvedev elkaar. 'Wat denk jij ervan?' vroeg de Beer, toen ze in een diepe loopgraaf waren gesprongen die in de beschutting van het immense gebouw lag. De zon was al bijna ondergegaan. De schaduwen waren weg; uit de grond kroop een ijzige kilte omhoog. Zaitsev kende Viktors vaste routine. Hij zou teruggaan naar hun bunker, in allerijl iets eten, een paar artikelen lezen in *Voor de landsverdediging* of de *Rode Ster* van vandaag, een dutje doen, en dan verdwijnen in de nacht.

Zaitsev keek zijn vriend aan. 'Tja,' zei hij, 'voordat het eerste schot is gelost, valt er moeilijk wat over te zeggen. Laat me je echter zeggen dat ik blij ben dat ik geen Duitser ben.'

'Mooi.' Viktor bukte zich om onder de rand van de borstwering te blijven. Zo'n grote kerel, dacht Zaitsev. Niet best gebouwd voor de sluipschutterij. Hoe speelt hij het klaar?

Zaitsev moest lachen. 'Ik ben zelf anders verdomd blij dat ik geen Beer ben.'

Viktor greep een handvol aarde en gooide die Zaitsev tegen de rug. De Haas rende op volle snelheid door de loopgraaf, helemaal terug tot aan hun bunker, met een grommende Beer op de hielen.

9

Enkele minuten voor middernacht liep Zaitsev het slaapverblijf van de Hazen in. 'Hoe is het met mijn Hazen?' Zijn lantaarn veroorzaakte geelbruine schaduwen op hun gezichten. Ze knipperden met hun ogen tegen het licht.

De rekruten kwamen overeind van hun slaapmat. Goed, dacht Zaitsev. Ze kunnen dus slapen. Een belangrijke vaardigheid voor een sluipschutter. Rusten waar en wanneer het maar mogelijk is.

Hij hurkte neer. 'Ik heb een opdracht voor jullie.' Zwarte schaduwtentakels speelden over hun gezichten toen hij de lamp op de vloer zette. 'Nadat de lessen voor vandaag erop zaten, heeft het regimentshoofdkwartier mij bevelen gestuurd. Het schijnt dat een stel nazi-gevangenen een Duitse voorpost heeft aangewezen. Een commandopost. Het hoofdkwartier vraagt of ik een paar sluipschutters beschikbaar heb om bepaalde posities in niemandsland te bezetten en te proberen tegen de ochtend een paar gelukkige schoten lossen. Ik heb gezegd, ja, dat kunnen we, maar liet weten dat ik een beter idee had. Waarom zouden we gaatjes boren in alleen een paar nazi-officieren? Waarom zouden we ze niet allemaal tegelijk te pakken nemen?'

De kleine Tsjekov deed zijn mond open. 'Opblazen, die hap.'

Zaitsev wees naar de soldaat. 'De rekruut Tsjekov verdiende zojuist een ster. Precies. Ik neem vier man mee. We vertrekken meteen. Ik heb de staven al van ontstekingen laten voorzien en ze in rugzakken laten pakken. En ik beschik over een kaart waarop de positie van die commandopost is ingetekend. Zijn er vrijwilligers?'

Alle handen gingen omhoog. Sommigen gingen zelfs op hun knieën zitten om hun hand hoger te kunnen uitsteken. Zaitsev tikte even op de hoofden van de soldaten die hij op zijn missie wilde meenemen: Tsjekov de stroper, een man die voortreffelijk schoot én bij de pinken was; Kostikev, de zwijgzame doder uit Siberië; Koelikov, de stilste en alertste tijgeraar van de groep, die letterlijk met de puinhopen kon versmelten; en de ex-partizane, Tsjernova.

Ze stonden allemaal op en liepen naar de deur. Zaitsev draaide zich om naar de achterblijvers. 'Zorg dat je wat slaap krijgt. Iedereen krijgt zijn kans. We zijn voor zonsopgang terug.'

Het viertal volgde Zaitsev naar buiten, de kille, stille oktoberduisternis in. Het nerveuze geratel van een mitrailleursalvo of geknal van een ver geweer waren de enige geluiden die de ijzige stilte verbraken. Zaitsev liep langs de hoge muur en hield de lantaarn laag. De schaduwen van zijn team volgden op enige afstand langs de muur.

Zaitsev zette de lamp neer. Opgestapeld tegen de muur stonden zes rugzakken en vijf normale standaard-geweren. Zaitsev diepte een pot wagensmeer uit zijn zak op. 'Insmeren,' zei hij kort. Tsjekov stak twee vingers in de pot om er een klieder uit te halen en gaf de pot door.

Ze maakten hun handen en gezichten donker, terwijl Zaitsev zijn kaart naast het sissende vlammetje van de lamp uitspreidde. Hij wees een lokatie aan. 'Dit is Lazoer. En dit hier zijn de bijgebouwen van de Fabriek van de Rode Oktober. Daar...' zei hij, terwijl hij zijn wijsvinger verplaatste, 'ligt de vliegschool van Stalingrad. Ertussenin ligt een rij diepvriesmagazijnen. En in dit magazijn, op de bovenste verdieping, bevindt zich die Duitse commandopost.'

Zijn vinger gleed over de kaart naar het noordelijke deel van het rangeerterrein, dat het Lazoer-complex aan drie zijden omsloot. 'Wij tijgeren in noordelijke richting het niemandsland over. Onze voorposten bevinden zich hier en hier. Ze zijn gewaarschuwd, dus zullen ze ons niet in de rug schieten. We gaan dat gebouw vanuit het zuiden binnen, sluipen naar de derde verdieping, brengen de springladingen aan, steken de ontstekingskoorden aan en maken dat we wegkomen.'

Hij keek op van de kaart, naar de glimmende, zwarte gezichten van de rekruten. Ze keken allemaal aandachtig naar de kaart – behalve Tsjernova. Zij staarde naar hém. Hij lachte haar toe.

'Zo netjes als het maar kan, partizane. Nietwaar?'

'Ja.'

'Dan gaan we eropaf.' Zaitsev vouwde de kaart op. 'Iedereen neemt een geweer en een rugzak. Jullie sjouwen het dynamiet, ik de ontstekingen en lonten. Als mij iets mocht overkomen, vergeet dan niet mijn rugzakken mee te nemen.' Hij doofde de lamp en liet hem achter bij de muur. Toen trok hij Tsjekov naast zich. 'Je kent de weg?'

De soldaat knikte. 'De afgelopen paar maanden heb ik in de Rode Oktober doorgebracht. Ik ken dat fabriekscomplex als mijn broekzak, sergeant-majoor. Ook de diepvriesmagazijnen.'

Zaitsev klopte Tsjekov op de rug. De soldaat was een halve kop kleiner dan hij, en hij had een fijnbesneden gezicht en zwart haar. Tsjekov gedroeg zich op de zelfverzekerde manier van een topatleet. Hij zal een eersteklas sluipschutter worden, dacht Zaitsev. Hij is zo snel als kwikzilver en houdt het hoofd koel. Hij zal moeilijk te voorspellen zijn.

'Mooi. Jij gaat voorop, Tsekov.' Zaitsev raakte Kostikevs arm aan. 'En jij bent de nummer twee. Als we op moeilijkheden stuiten, reken jij ermee af.'

De Siberiër betastte de messen aan zijn koppelriem, een bij iedere hand. Zonder iets te zeggen deed hij de rugzak om en hing het geweer aan zijn schouder. Hij stapte naar voren totdat hij vlak achter Tsjekov stond.

'Nikolai,' zei Zaitsev tegen Koelikov, 'als mij iets overkomt, heb jij de leiding. Ik wil jou in het midden. Toe maar.'

Hij wendde zich tot Tsjernova. Zelfs in de nacht had haar lange, blonde haar een gouden glans. 'Jij loopt voor mij, partizane. Jij controleert het werk door je ervan te overtuigen dat de ontstekingen goed zijn aangebracht. Als we klaar zijn, steek jij de lonten aan. Dat zal Danilov prachtig vinden.'

Terwijl ze haar geweer optilde gingen de wenkbrauwen van het meisje omhoog. 'Is dat de reden waarom ik mee mag? Om te figureren in een van Danilovs artikelen over jou, sergeant-majoor?'

Zaitsev trok even aan haar arm. 'Als je je werk goed doet, zal het misschien een artikel worden over jóú.'

De vijf militairen liepen in ganzenpas honderd meter naar het noorden. Op een teken van Zaitsev lieten ze zich in een loopgraaf vallen die doorliep tot aan de rand van het spoorwegemplacement. Aan het eind van de loopgraaf werden ze opgewacht door zes schildwachten, opgesteld achter machinegeweren waarvan de lopen het niemandsland bestreken. Met een hoofdknik naar Tsjekov stuurde Zaitsev de kleine, lenige man de borstwering over om de driehonderd meter brede vlakte vol bomkraters en verwrongen rails over te tijgeren.

Met tussenpozen van tien seconden beduidde Zaitsev telkens de volgende in de rij om uit de loopgraaf te klimmen. 'Volg Tsjekovs spoor nauwlettend.'

Zodra alle vier de Hazen zich op het rangeerterrein bevonden, deed Zaitsev zijn eigen rugzak om en maakte ook hij zijn gezicht en handen zwart. Hij nam zijn geweer op de armen en klom de loopgraaf uit, waarna hij een vettige zwarte duim opstak naar de schildwachten.

Eenmaal op zijn buik kon hij nauwelijks Tsjernova's schuivende benen, toch maar op tien meter afstand, onderscheiden. Net als de anderen maakte ze geen geluid.

Tien minuten lang tijgerde Zaitsev in een zigzagbeweging voort, zijn blik gefixeerd op Tsjernova's hakken. Hij begon zich te ergeren aan het zigzaggen dat Tsjekov hen liet doen. Naarmate de route zich verder slingerde langs bomkraters, onder spoorwagons door en achter puinhopen langs, sloeg Zaitsevs ergernis echter om in bewondering voor de degelijkheid van Tsjekovs keuzes. Langzaam, stil en geduldig.

Een witte lichtkogel schoot omhoog, recht boven hen. Zaitsev drukte zijn kin in de grond. Voor hem lagen Tsjernova, Koelikov en Kostikev roerloos als rotsen. Hij was er zeker van dat ze tegen het donkere, zwaar geteisterde terrein vrijwel onzichtbaar moesten zijn.

De lichtkogel sputterde even en begon te verbleken, schommelend onder een kleine parachute. Onder de gloed van het wegzwevende licht kon Zaitsev een blik slaan op het kolossale silhouet van de Rode Oktober, nog tweehonderd meter van hen vandaan. Vijftig meter rechts van hem, bijna haaks op hun positie, lag de vliegschool van Stalingrad. Ze zouden deze route nog veertig meter volgen, waarna ze linksaf zouden slaan; vandaar was het nog maar een klein stukje naar het diepvriesmagazijn langs die weg.

De lichtkogel verdween achter een rij spookachtige ruïnes en doofde uit. Zaitsev volgde Tsjernova over de rand van een krater. De Hazen wachtten daar op hem. Hij wees naar een gebouw van vier verdiepingen, dertig meter verder. De zuidmuur van het gebouw ontbrak. De trap naar de bovenste verdieping lag van buitenaf in het volle zicht.

Tsjekov knikte. Het diepvriesmagazijn.

Zaitsev tikte tegen Kostikevs been. 'Ga jij voor, maar laat je geweer en rugzak hier. Op de overloop van de tweede verdieping steek je een sigaret op.'

Kostikev gaf zijn rugzak over aan Tsjekov. Tsjernova nam zijn geweer. Hij trok een van zijn messen uit de schede en klemde het tussen zijn tanden, als het clichébeeld van de Turkse zeerover. Hij grijnsde Zaitsev toe, zijn mede-Siberiër, waarbij zijn gouden tanden blikkerden. De pezige spieren in zijn hals tekenden zich af als steunberen onder zijn kaak. 'Tot zo dan maar,' mompelde hij om het mes heen. Het waren de eerste woorden die Zaitsev hem die dag had horen spreken.

Zaitsev leunde tegen de kraterrand om de man na te kijken die tussen de puinhopen van de ingestorte muur verdween. Er verstreken enkele minuten. Toen maakte een donker silhouet zich los uit de schaduwen op de overloop van de tweede verdieping, liep naar de rand, draaide zich om en schuifelde een hoek om – zónder een sigaret aan te steken.

Een minuut later verscheen een tweede silhouet op de overloop, en deze keer werd er wél een sigaret opgestoken. Het silhouet inhaleerde diep, zodat de punt oranjerood opgloeide, maar daarna werd de sigaret omlaag gegooid, het puin in, waar hij één keer in een regen van vonkjes opstuitte.

Zaitsev fluisterde: 'Laag blijven tot aan dat gebouw. En dan snel de trappen op. Geen lawaai. Nikolai – eropaf!'

Koelikov pakte zijn eigen geweer en dat van Kostikev en gleed de krater uit. Tsjekov greep Kostikevs rugzak en volgde hem. 'Nu, partizane,' siste Zaitsev. Hij wachtte totdat Tsjernova met haar geweer en rugzak wegglipte en volgde haar toen over de kraterrand.

Zaitsev hoorde niets, behalve heel zachte schraapgeluidjes van de kiezelstenen onder de buiken van zijn tijgerende Hazen. Aan de voet van de brede trap zat Koelikov op zijn hurken in de schaduw de omgeving te observeren. Vlug volgde Zaitsev Tsjernova naar de trap, allebei muisstil. Het hart klopte hem in de keel en liet zijn handen schokken, de handen die zijn geweer omklemden. Hij was het niet gewend om tijdens zijn jachtpartijen zo zonder dekking te zijn, zoals in dit open trappenhuis. Geen camouflage, geen loopgraaf, niets om hem te omhullen behalve stilte en de grauwzwarte nacht.

Tsjernova, twee treden boven hem, deinsde opeens terug. Ze had net de tweede trap beklommen en stond op het punt de overloop op de tweede verdieping te betreden. Wankelend viel ze tegen Zaitsev aan en deed verwoede pogingen haar geweer omhoog te brengen.

Hij stak zijn hand uit naar haar middel en trok haar omlaag, naar zijn trede. Snel draaide hij zijn wapen om, de kolf naar voren, en stapte langs haar heen, het geweer opgeheven als een knuppel.

Daar, in de schaduw, stond een Duitse schildwacht tegen de muur. Zijn geweer hing aan zijn schouder. Zijn gehelmde hoofd staarde langs de ingestorte muur naar buiten. Zaitsev begreep wat er was gebeurd. Het was precies wat hij had besteld, maar met een extraatje. Hij gleed met zijn voet langs de laarspunt van de Duitser en voelde de glibberigheid van bloed op de overloop.

Zaitsev stak zijn hand uit en vond het heft van Kostikevs mes onder de kin. De man was met het mes tegen een houten balk in de muur vastgeprikt, waarbij zijn kin op het benen heft rustte. Tsjernova sloop de overloop op. Koelikov arriveerde bij de trap beneden. Hij had zich, bij het horen van de gedempte commotie op de tweede overloop, van zijn positie op de eerste verdieping naar boven gehaast.

Zaitsev hoorde 'Psst!' Het was afkomstig van de hogere trappen. Kostikovs gouden tanden blikkerden in het hart van een brede grijns. 'Ik kon hem nergens kwijt, Wasja. En ik wilde niet dat jullie over hem zouden struikelen,' fluisterde de man die de Duitser had gedood. Toen klom hij weer naar boven.

'Bewaak de achterhoede,' zei Zaitsev tegen Tsjernova. 'Zeg Koelikov dat hij zijn rugzak mee moet brengen. Ik kom je halen zodra de springladingen gelegd zijn.' Hij volgde Kostikev naar boven.

Op de derde overloop ging Tsjekov de anderen voor naar het midden van een grote, open ruimte. Dikke houten zuilen stonden langs de omtrekken van een oude eiken vloer. Dit is een oud gebouw, constateerde Zaitsev. Het zal netjes instorten.

Ze legden de vier rugzakken in de hoeken. Koelikov verbond de springladingen met de ontstekingskoorden en bracht ze in het midden van de ruimte bijeen. Volgens Zaitsevs horloge was het precies tien voor drie. 'Klaar?' fluisterde hij Nikolai toe.

'Nog één ogenblik.'

Zaitsev sloop de trappen af naar de tweede verdieping. Onderweg hoorde hij geen fluisterstem, maar een bars commando: '*Hände hoch!*'

Zijn maag kromp ineen. Adrenalinestoten lieten zijn vuisten versmelten met de kolf van zijn wapen. Zijn lippen krulden tot een onuitgesproken verwensing. Tsjernova was door een mof op de trap verrast, een schildwacht die Kostikov over het hoofd moest hebben gezien. Ze staarde op dit moment ongetwijfeld in de loop van een geweer. Het welslagen van hun missie én hun levens waren in gevaar. De volgende vijf tellen zouden hen ofwel redden, of het leven kosten.

Zaitsev sloop zo zacht mogelijk verder omlaag. Toen hij de draai in de trap had bereikt, keek hij om de hoek naar de overloop. De soldaat stond als verstijfd en het pistool in zijn rechterhand was recht op het hoofd van het meisje gericht. Zaitsev vermoedde dat de Duitser niet goed wist wat hij met de situatie aan moest. Wat moest hij doen met deze gevangene? De man moest hebben begrepen dat er nog meer Russen in het gebouw waren; de Roden zouden heus geen eenzame vrouw tot achter de vijandelijke linies laten penetreren. Het feit dat zijn dode kameraad naast hem zat, vastgepend aan een houten balk, met doorgesneden keel en druipend van bloed, was een angstaanjagend teken. Moest hij proberen zich het vege lijf te redden, of zijn gevangene meenemen naar beneden? Of naar boven? En als hij om hulp begon te schreeuwen, wie zouden dan als eerste reageren?

De Duitser maakte met het pistool dreigende bewegingen naar Tsjernova's gezicht. *'Wo sind die andere Russen? Wo sind sie?'*

Nog verborgen achter de muur fluisterde Zaitsev: 'Partizane...'

Op hetzelfde moment hoorde hij een doffe slag, gevolgd door een gesmoorde kreet van pijn. Zaitsev sprong naar voren, het geweer hoog boven zijn hoofd, klaar om een dreun uit te delen. De Duitse soldaat stond dubbelgevouwen, met Tsjernova's voet hoog tussen zijn dijen geklemd. Zijn pistool kletterde omlaag over de trap en viel toen naar beneden, tussen het puin op de grond.

Voordat Zaitsev naar voren kon stormen om de Duitser de hersens in te slaan, vloog Tsjernova de man als een panter naar de keel en drukte haar vingers diep in zijn luchtpijp. De man kokhalsde en verzette zich verwoed. Zaitsev liet de kolf van zijn geweer langs Tsjernova's schouder suizen en verbrijzelde de neus van de Duitser. Hij viel achterover en staarde met panisch opengesperde, waterige ogen naar boven. Zaitsev hief zijn wapen opnieuw op en liet de kolf als een moker op het gezicht van de man neerkomen. De schedel spleet open tegen het harde beton. Met zijn voet rolde hij de Duitser naar de muur toe.

Tsjernova richtte zich op, de handen nog gebald tot vuisten. Zaitsev bracht zijn gezicht bij het hare. 'Kom mee,' fluisterde hij. 'Snel, nú.'

Het tweetal haastte zich naar boven. De ontstekingen waren aangebracht in de pakken dynamiet. Tsjekov stond al met het centrale ontstekingskoord in zijn handen. Zaitsev en Tsjernova liepen vlug naar hem toe. De anderen trokken zich terug naar de deur. 'Jij,' knikte Zaitsev. Ze nam de lucifersdoos van hem aan en stak de lont aan. Die kwam sissend en vonken sproeiend tot leven. 'Weg!' beval Zaitsev de mannen bij de deur luidkeels. 'Wegwezen!'

De Hazen vergaten nu alle voorzichtigheid en stormden de trap af, waarbij hun laarzen over het beton dreunden. Op de tweede overloop passeerde Zaitsev Kostikev, die bij de vastgenagelde Duitser stond. Kostikev rukte zijn mes uit het hout en het lijk, dat meteen in elkaar zakte.

Ze renden de trap af, de koude openlucht in. Achter hen schreeuwden en brulden stemmen boven hun hoofden. Zware mitrailleurs kwamen ratelend tot leven, terwijl ze over hopen puin sprongen om sneller vooruit te komen. Kogels snerpten door het donker, maar die kwamen geen van alle dicht genoeg bij de Hazen om hen te vertragen. Ze sprintten met armen en benen tegelijk en bereikten een smalle straat.

'Doorlopen, doorlopen!' maande Zaitsev de sprinters om hen heen. Bijna precies op het door hem verwachte moment werd de resterende nachtelijke stilte verscheurd door een immense dreun. Plotseling verplaatsten de ruïnes hun schaduwen en leken hun blozende gevels te knipogen naar Zaitsev en zijn Hazen. Via een weg die naar het rangeerterrein liep bereikten ze regelrecht hun eigen linies. Het gedaver van de explosie en het instortende gebouw rolde als donderslagen door de dode, kale casco's van half ingestorte gebouwen en maskeerde hun sprint dwars door het niemandsland naar de veiligheid van de voorste linies van het Rode Leger.

Het vijftal liet zich in een loopgraaf vallen. Ze hapten naar adem en drukten hun handen tegen hun borst. In euforische stemming keek Zaitsev naar de op en neer gaande hoofden van zijn rekruten. En ondanks het zwoegen van zijn eigen borstkas hervond hij zijn stem. 'Verdomme!' zei hij. 'Verdomme! Wat denken jullie, hebben we wel genoeg dynamiet gebruikt?'

Tsjekov en Koelikov sloegen elkaar op de rug, lachend, maar nog buiten adem. Kostikev grijnsde zijn gouden grijns. Tanja hoestte, happend naar adem. Ze stak haar hand uit naar Kostikevs schouder. Toen ze haar hand terugtrok, zat er bloed aan.

'Niets aan de hand,' verzekerde Kostikev haar stralend, terwijl de anderen tot bedaren kwamen. 'Ik heb iets met een verpleegster. Nu krijg ik haar tenminste te zien.'

Een schildwacht in de loopgraaf kwam twee flessen wodka brengen. Zaitsev gunde Kostikev de eerste slok. De gewonde dronk er ruimschoots van voordat hij de fles teruggaf aan Zaitsev. Het glas was besmeurd met de rode handafdruk van Kostikev.

Zaitsev keek Koelikov aan. 'Nikolai...'

Koelikov hielp Kostikev op de been. Zaitsev gaf het tweetal de wodkafles mee. Arm in arm wandelden de beide mannen door de loopgraaf de duisternis in.

Zaitsev stond op. Hij kon het diepvriesmagazijn niet zien, maar een flakkerend oranjerood schijnsel tegen de hemel vertelde hem waar het gebouw had gestaan.

Tsjekov zei: 'Ik denk dat ik maar eens een uiltje ga knappen, sergeant-majoor.'

'Goedenacht, Tanja.'

De kleine soldaat geeuwde. Bij zijn vertrek gaf hij de andere wodkafles terug aan Zaitsev. Tsjernova stond naast hem. Afgezien van de zwijgende schildwacht achter zijn mitrailleur waren ze alleen. Ze sloegen het onrustige schijnsel van het brandende diepvriesmagazijn gade. 'Een aardige klus voor één nacht, vind je niet, partizane?'

Zonder haar hoofd om te draaien, zei ze: 'Alsjeblieft, sergeant-majoor, ik heet Tanja.'

'Graag,' zei hij zacht. 'Tanja.'

Hij nam een slok en legde de fles op de borstwering. 'Welterusten, Tanja,' zei hij, en liep weg door de loopgraaf.

10

Als verstijfd ontwaakte Tanja op haar slaapmat. In het duister porde Zaitsev haar zacht met een voet en haalde een dampende mok thee onder haar neus door. Ze nam de kop aan en Zaitsev vertelde haar dat Kostikev alleen een schampschot had opgelopen. Een paar hechtingen, een nummertje met zijn verpleegster en hij zou weer zou goed als nieuw zijn.

Bij het krieken van de dag verzamelden de Hazen en Beren zich opnieuw in de immense kelder van het Lazoer-complex. Uit de betonnen vloer en de muren van sintelblokken leek een klamme kilte te sijpelen. Op de verste muur, circa honderd meter van hen vandaan, was één meter boven de grond een rij witte cirkels aangebracht. Het waren groepjes van telkens drie cirkels. De eerste was klein en nauwelijks zichtbaar, misschien ter grootte van een vuist. De cirkel links daarvan was iets groter, en de derde was twee keer zo groot als de eerste. Boven iedere groep cirkels stond een getal van 1 tot en met 30. Voor de dichtstbijzijnde muur lag een rij vaten en kratten.

De onderofficieren Zaitsev en Medvedev gaven de rekruten opdracht ieder een Moisin-Nagant-sluipschuttersgeweer te nemen en zich achter de rij kratten en vaten te posteren. Ze kregen allemaal een nummer en moesten richten op de grootste cirkel. Deze cirkel, zo had Zaitsev uitgelegd, stond voor een schot in de borst op vierhonderd meter.

Nadat de Hazen en Beren in dekking waren gegaan en hun telescoop richtten, kwamen de beide instructeurs achter hen zitten. Tanja rook hun sigaretten. Ze hoorde Medvedev lachen. Misschien vertelde Zaitsev hem van hun missie van de vorige avond.

De rekruten achter de vaten en kratten werden, terwijl ze door hun vizier tuurden, een uur lang met rust gelaten. Als iemand zich omdraaide om iets tegen de onderofficieren te zeggen, of als hij of zij ook maar even niet door de telescoop tuurde, stak Medvedev luidkeels een langdurige boetepreek af over geduld en uithoudingsvermogen.

Via haar kruisdraden zag Tanja het ochtendlicht aan het eind van de werkplaats steeds intenser worden. Na de eerste tien minuten begon de witte cirkel omhoog en omlaag te gaan; haar hartslag bracht haar handen in beweging. Ze had haar ademhaling vertraagd en het wapen minder krampachtig omklemd. Eindelijk – lang nadat haar benen en billen vanwege de kilte uit de betonnen vloer waren gaan tintelen – hoorde ze Zaitsev achter zich langs de rij lopen.

'Een voor een vuren,' zei hij zacht, 'maar niet voordat ik je nummer afroep.'

Hij posteerde zich achter hen. Minuten verstreken.

'Achtentwintig – Vuur!'

Rechts van Tanja knalde een schot. Ze hield haar adem in om haar doelwit in het centrum van haar kruisdraden te brengen.

'Vijftien.' En nog een schot.

'Tien.' Tsjekov, aan Tanja's rechterelleboog, vuurde. De knal maakte dat ze naar links schokte. Meteen riep Zaitsev uit: 'Negen!' (Haar nummer.) Ze corrigeerde een millimeter, spande de trekker, drukte af en ving de schok op, om meteen het doel weer in het vizier te nemen. Vanuit het hart van de roos op de verre muur dwarrelde een stofwolkje neer. Ze glimlachte tegen de kolf van haar wapen en hield zich stil terwijl Zaitsev andere nummers afriep en er meer schoten in de voormalige werkplaats weerkaatsten.

Na de oefening gingen Zaitsev en Medvedev de cirkels persoonlijk inspecteren. Bij hun terugkeer gaven ze de vrijwilligers toestemming om vrijuit op de doelwitten te schieten, dit om hun richtsnelheid op te voeren en vertrouwd te worden met het drukpunt van de trekker.

'Stop wel iets in je oren,' raadde Zaitsev hen aan. Ze begonnen in hun zakken te woelen, op zoek naar propjes papier of sigarettenfilters.

De ochtend verstreek en Tanja vuurde meer dan honderd kogels af. De pijn in haar schouder was zo hevig dat het leek alsof er een kogel in zat. Bij iedere keer dat ze de trekker over wilde halen, leek een van de twee instructeurs achter de vuurposities haar een andere les toe te brullen. Je bent te krampachtig. Je wijkt af naar rechts. Meer naar links. Je wang los van de kolf. Ontspan je. Je bent te losjes. Vlugger. Neem de tijd.

Na een uur inspecteerden de inspecteurs de doelwitten opnieuw. Toen ze met ernstige gezichten terug kwamen lopen, werden de rekruten die te veel missers hadden geboekt naar hun positie teruggestuurd voor een volgende sessie. Tanja hoorde er niet bij, en Fedja evenmin.

Ze werkte zich omhoog op benen die van slap rubber leken en strompelde van de rij kratten en vaten naar de muur. Ze ging er tegenaan zitten. Fedja nestelde zich naast haar en ze zag hoe knap hij was. Hij had zich niet geschoren in de drie dagen die verstreken waren sinds ze in de Wolga waren beland. Zijn nieuwe uniform was smerig. Zijn grote gezicht was een beetje minder dat van de allesziende, zich over alles zorgen makende dichter, het buitenbeentje. Ze zag er nu wat meer van het staal van de vrijwillige sluipschutter in. Iets in zijn ogen was verdwenen. Die verwonderde blik, die grote ogen; dat brede, blanke gezicht dat een open boek was geweest. Nu rustte zijn geweer op zijn dijen en straalde hij opwinding uit.

'Scherpschutters, hè? Allebei scherpschutter, dat zijn we,' zei hij.

Tanja raakte zijn knie aan. 'Ik had nooit gedacht dat jij zo goed met een geweer om kon gaan.'

Fedja ging wat meer rechtop zitten. 'De Beer heeft me vannacht meegenomen.'

'Wat heeft-ie? Wat hebben jullie gedaan?' Tanja kon haar oren niet geloven. Terwijl zij met de Hazen over het rangeerterrein tijgerden, had Fedja samen met Medvedev door de duisternis gezworven. Ze was erop gebrand geweest Fedja te vertellen van haar eigen avonturen bij het diepvriesmagazijn, maar slikte haar verhaal nu in. Ze gebaarde met haar handen alsof ze garen kloste, alsof ze zo het verhaal uit hem kon trekken.

Fedja ging verzitten. 'Sergeant Medvedev zei dat hij me, aangezien ik de enige echte rekruut in de groep ben, vanaf het begin de fijne kneepjes wilde leren, dan hoefde ik niets af te leren. Om middernacht zijn we door de loopgraven naar het Dolgi-ravijn gegaan. Een mitrailleurschutter op de klif daar nam telkens onze gewonden op de korrel als ze naar de overkant van de rivier werden gebracht. Sergeant Medvedev liet het aan mij over hem te doden.'

Tanja boog zich naar voren. 'Zomaar? Je hebt hem gedood?'

De dichter uit Moskou had zijn eerste Duitser gedood en beschikte de volgende ochtend maar over zo weinig woorden ervoor. Tanja stond versteld. Ze had gedacht dat het een hartverscheurende ervaring voor hem zou zijn. Fedja haalde zijn hand door zijn haar. 'Ik weet het niet, Tanja. Het was... Weet je, hij schoot op de gewonden en de verpleegsters. Ik werd zo ontzettend kwaad. Ik had er geen moeite mee hem te doden. Ik heb gewoon...' Fedja keek naar zijn voeten.

Even later verlegde hij het geweer op zijn dijen iets. 'Ja,' zei hij, terwijl hij zijn ogen dicht bij de hare bracht. 'Ik heb hem gedood.'

Fedja trok een nieuw zwart notitieboekje uit zijn zak en liet haar de eerste bladzijde zien. 'Daar staat het. Oktober 26, 1942. 02.15 U. Mitrailleurschutter. Driehonderd meter. In de borst geraakt. Dolgi-ravijn. Getuige: V. Medvedev.'

Tanja liet de maagdelijk witte bladzijden ritsen. Elke bladzij een leven. Een Duits leven. Een gebroken staak. Ik wil ook een notitieboekje, dacht ze met afgunst. Ik zal vijftig van die dingen vullen.

Fedja stak het boekje weg. 'Ik heb gehoord van jullie nachtelijke verrassingsaanval tegen dat diepvriesmagazijn. De sergeant en ik hoorden de explosie. Dat wás wat.'

Fedja wachtte tot ze iets zou zeggen.

'Ik heb er met mezelf om gewed dat jij erbij zou zijn,' liet hij erop volgen.

Ze knikte. 'Het wás wat, ja.'

Hij stak een hand naar haar uit. Ze vouwde haar armen voor haar borst en wendde haar blik af naar de anderen in de kelder. Sommigen liepen wat rond, anderen zaten in groepjes bijeen, weer anderen waren nog een en al aandacht voor hun wapen. Ze schudde het hoofd, bijna beverig.

'Gaat het?' Hij liet zijn hand zakken.

'Jawel.'

Ze stond op, bukte zich en bracht haar gezicht dicht bij het zijne. 'Raak me nooit aan waar de anderen bij zijn. Nóóit.'

'Neem me niet kwalijk.'

'Ik kan dat niet, Fedja.' Ze draaide zich om, hield zich in en fluisterde hem nijdig toe: 'Ik moet even goed zijn als de anderen – of zelfs beter. En ik weiger om me door hen te laten beschouwen als gewoon een vrouw. Ik verdom het om een verpleegster te zijn, of een radio te bedienen in een bunker. Daar zal ik echter terechtkomen als iemand ziet dat jij mijn hand vasthoudt. Er zijn altijd momenten en plaatsen. Maar nooit voordat ik het zeg. Begrijp je?'

Ze keek Fedja in het gezicht, in de verwachting een rimpel van teleurstelling te zien. Ze hoopte er zelfs op. Ze zag bezorgdheid. En ze zag vastberadenheid, in plaats van aarzeling.

Wat heb ik gedaan, dacht ze. De jongen is verliefd op me.

'Tanja, ik wilde me er alleen van overtuigen dat het goed met je is.' Ook hij stond nu op, schouderde zijn geweer en draaide zich om, klaar om terug te gaan naar de Beren. 'En nee, ik begrijp het niet en ben het er ook niet mee eens.'

Ze hield hem staande. 'Fedja?'

'Ja?'

'Heb je, tegen wie dan ook, gezegd dat ik Amerikaanse ben?'

'Nee. En heb jij enig idee waarom niet?'

Hij liep naar haar terug. Toen hij vlak voor haar stond, zijn borst zo dichtbij, voelde ze warmte. Het wapenfeit van die nacht had hem niet alleen verkild, maar ook een vuur in hem ontstoken. De dichter, de angstige jongen, was onbewogen met een geweer in zijn handen.

Fedja sprak langzaam. 'Omdat ze, áls ik dat deed, inderdaad anders met je om zouden gaan. Ze zouden je in bescherming nemen en met je paraderen als een showpaard. Zo snugger ben ik zelf ook nog wel, Tanja. Een beetje vertrouwen, ja?' Met een ruk draaide hij zich om, met één hand zijn wapen omklemmend.

Na een halfuur stuurden Zaitsev en Medvedev iedereen terug naar zijn plaats achter de kratten en vaten. De cirkels van de middenmaat kwamen overeen met een schot door het hoofd op 300 meter. De kleinste cirkels stond eveneens voor een schot door het hoofd, maar dan op 450 meter, de maximale afstand waarop ze geacht werden te opereren. Ze mochten naar eigen inzicht op deze doelwitten vuren.

'Beginnen!' riep Medvedev. Hij begon achter de schutters heen en weer te lopen. Zaitsev bleef een minuut of vijf Tanja observeren. Door zijn kijker zag hij de stofwolkjes van haar doelwitten dwarrelen. Met iedere kogel drongen er woorden van aanmoediging of correctie tot haar oren door, nu Zaitsev en Medvedev ergens anders achter de rij de vrijwilligers zo snel mogelijk tot sluipschutters wilden vormen die de vijand het vuur na aan de schenen moesten leggen.

Tanja liet haar geweer zakken. Ze was er zeker van dat ze fysiek niet tegen ook maar nog één terugstoot van de kolf bestand zou zijn. Haar ellebogen, knieën, ogen en vooral haar rechterschouder waren bont en blauw geslagen en opgezet. Haar heupen leken op slot te zitten Ze moest zich vanuit zithouding op haar buik rollen en zich dan opdrukken om nog te kunnen opstaan.

De vrijwilligers strompelden naar de etensrij. Ze kregen ieder een bord warme, dunne pap, een plak vlees met brood en een mok thee. Ze ging op een krat zitten en keek naar de rij waarbij Fedja zich had aangesloten. Hij knikte haar toe. Zij wees naar het krat naast haar.

Ze wilde haar nijdige opmerkingen van vanochtend afzwakken. Misschien was er een manier om Fedja te helpen haar gevoelens te begrijpen zonder het hem met zoveel kracht in de oren te rammen. Ze hadden elkaar bemind. Het was fijn geweest. Hartstochtelijk. Een ontlading. Alleen, welke gevolgen had die daad? Betekende het meteen ook dat ze voortaan een stel waren, hun geesten al net zo verstrengeld als hun lichamen toen? Waren ze door Fedja geconsacreerd tot geliefden, getransformeerd tot bekoorlijke beelden in een van zijn gedichten? Of waren ze niet meer dan wat Tanja in hen zag: twee strijders aan de rand van een slagveld, die met elkaar de laatste schamele resten deelden die het leven hun had overgelaten? Tanja was niet afgedaald naar de diepten der liefde toen ze met grote Fedja hevig op dat bed had liggen schokken. Zeker, ze hadden het allebei uitgeschrééuwd. Maar híj had haar naam geroepen.

Tanja zag hoe hij zijn rantsoenen in ontvangst nam. Ze zag het aangename zelfvertrouwen in zijn manier van doen en dacht: in Fedja's onschuldige liefde is geen ruimte voor mij. Ik ben vervuld van verdriet en verbittering – genoeg voor wel honderd harten. Ik zal zijn kameraad zijn. En misschien slaap ik nog eens met hem. Maar ik word niet verliefd. Dat zal hij accepteren. Of hij trekt zich terug.

Voordat Fedja zich bij Tanja kon voegen, dook Danilov plotseling voor haar op. De commissaris boog het hoofd voor een hoffelijke groet en liet zich op de kist naast de hare zakken. De gammele kist kreunde toen de corpulente kleine *politroek* zijn overjas begon los te knopen. Hij nam een potlood en sloeg een notitieboek op zijn schoot open. Een waas van blauwe krabbels bedekte iedere lijn en zelfs de marges, zag ze, toen hij doorbladerde naar een van de weinige nog onbeschreven bladzijden.

'Liefje,' begon hij, 'ik ben kapitein Danilov. Ik denk dat je weet wie ik ben en wat mijn eigen taak is binnen deze sluipschutterseenheid. Uiteraard heb ik niet zelf de eer een sluipschutter te zijn. Ik heb echter veel belangstelling opgevat voor de activiteiten van deze eerste lichting vrijwilligers van de opleiding. Ik zal jullie activiteiten en lessen beschrijven ten behoeve van de rest van het leger, en dat alles publiceren in *Voor de landsverdediging*. Misschien heb je wel eens een of twee van mijn artikelen gelezen?'

'Nee, kameraad-commissaris.'

'Nou ja,' antwoordde hij glimlachend, waarbij zijn doorlopende wenkbrauwen een luifel voor zijn donkere ogen vormden, 'misschien zul je het volgende wél lezen. Jij komt er namelijk in voor vanwege jouw aandeel in de overal van vannacht op dat diepvriesmagazijn. Wat kun je mij vertellen?'

Tanja keek naar Zaitsev, die in gesprek was met een van de Hazen. Ze wilde dat hij haar had gered van deze onsmakelijke, gevaarlijke man die naast haar zat en met zijn benen schopte als een kind. Zijn stem klonk zo schor als die van een pad. Ze wist dat één woord van deze commissaris voldoende was om haar uit de sluipschuttersopleiding weg te plukken en haar een zouteloos baantje als verbindingenvrouw te bezorgen. Fedja had trouwens gelijk; als deze commissaris er lucht van kreeg dat een Amerikaanse meevocht in hun eenheid, zou ze op slag een curiosum worden, een instrument voor politieke propaganda dat voor de *Rodina* veel te waardevol was om nog het risico te lopen door een kogel geraakt te worden.

'Hebt u al met sergeant-majoor Zaitsev gesproken?' vroeg ze. 'Hij was de leider van de overval, kameraad-commissaris.'

'We hebben elkaar gesproken. Hij stond erop dat ik met jou ging praten. Het schijnt dat jij vannacht met je blote handen een nazi hebt gedood. En jij was ook degene die de ontstekingskoorden aanstak waarmee het gebouw werd opgeblazen.'

Tanja keek naar de kleine voeten van de commissaris. Zijn zwarte laarzen blonken als spiegels. Hoe krijgt hij dat voor elkaar, vroeg ze zich af.

Danilov vervolgde: 'Wat vind je van kameraad Zaitsev? En hoe vind je het om een van zijn Hazen te zijn?'

Tanja zocht naar woorden. Tot haar verbazing had ze er in haar reservoir voor Russische woorden veel meer uitdrukkingen voor dan ze had verwacht. Ze besefte echter dat dit niet de woorden waren die de commissaris graag wilde horen. Die verwacht natuurlijk van mij een heldhaftige beschrijving, wist ze. Hoe bewonderenswaardig Zaitsev was als leider van onze levensgevaarlijke missie van vannacht. Dat het voor mij een eer is onder zo iemand te mogen dienen. Ik kan deze commissaris onmogelijk de waarheid zeggen, namelijk dat ik er geen benul van heb of Zaitsev een held is of een lafaard met ambitie; op mij maakt-ie de indruk te genieten van zijn toenemende status, iemand wiens naam voorkomt in een vette kop in *Voor de landsverdediging*, als een van de vele nieuwe, betere idolen van de Russische zaak. Nee, ik kan geen ware woorden zeggen tegen deze kleine *tsjekist*; ik kan hem niet zeggen dat Zaitsev onrust in mij teweegbrengt, dat ik die dooraderde handen en dat brede Siberische gezicht wil aanraken en dat mijn lichaam volgt als zijn stem mij zegt vooruit te gaan of stil te staan, meer naar links te mikken of naar rechts te springen. Ik zou maar al te graag zien dat hij werkelijk de held is die Danilov van hem wil maken.

'Kameraad Zaitsev is een stoutmoedig man,' zei ze, en de commissaris kromde zich over zijn notitieboek en kraste verwoed met zijn potlood. 'Hij is werkelijk een held, en allen die aan zijn zijde vechten zullen heldendaden verrichten.

Het is voor mij een eer om als sluipschutter, een van zijn Hazen, onder hem te dienen.'

'En toen jullie dat gebouw gisternacht hadden opgeblazen, renden jullie, jawel, jullie renden doodeenvoudig, door de straten terug naar de Russische linies?'

'De explosies overstemden alle geluiden die wij maakten. Ik kon mezelf niet eens horen lopen. Sergeant-majoor Zaitsev rende voor ons uit, wij volgden. Het was niet aan mij daarover te beslissen, maar het was de juiste beslissing.'

Danilov sloot zijn notitieboekje. 'Nog een laatste vraag, soldaat Tsjernova. In deze gevaarlijke tijden is het van belang dat Rusland wordt verdedigd door, eh, laten we zeggen, toegewijde strijders. Ben jij als vrouw bereid te sterven voor de *Rodina*? Ben je daartoe bereid?'

Jij communistische kloothommel, dacht ze. Jouw vragen verspreiden dezelfde stank als die van de Groenpetten op de route naar Stalingrad.

'Kameraad-commissaris, ik zou niet als vrouw voor de *Rodina* sterven. Ik zou sterven als een Rús.' Tanja hield haar hoofd een beetje scheef, alsof ze haar telescoopgeweer richtte. 'En ik zal zeker niet als een lafbek sterven, kameraad.'

Danilov klemde zijn notitieboek onder zijn arm en trok met een ruk zijn benen in. Hij kwam van de kist. Hij was staand nauwelijks groter dan zij zittend.

'Natuurlijk, liefje.' Zijn ene hand knoopte zijn overjas dicht. Hij hield ermee op en reikte Tanja de hand. Toen hij opnieuw sprak, waren de dramatische klank en het gemaakte in zijn manier van spreken verdwenen.

'Natuurlijk, kameraad.'

Tanja nam de kwabbige hand aan. Ze zag Danilov weglopen. Zaitsev keek haar kant uit. Hij knikte Danilov toe, toen de kleine commissaris langs hem heen dribbelde.

Tanja stak haar lepel in haar laars. Ze zette haar bord neer en liep terug naar de schuttersposities. Drie andere soldaten gebruikten de tijd om nog wat te oefenen. Ze veegde lege hulzen opzij, zodat ze rinkelend over de grond rolden. Ze deed propjes papier in haar oren en grendelde haar geweer door voor een volgend schot. Ze richtte haar oog via de telescoop strak op de kleinste cirkel en vlijde het tweede kootje van haar wijsvinger om de trekker. Ze zag het doelwit op en neer gaan, op het ritme van haar hartslag. Ze wachtte, oppervlakkig ademend, tot haar handen stabiel waren. Al na enkele seconden bleef het doelwit roerloos in de kruisdraden. Het leek nu immens groot en niet te missen, alsof het de kogel wilde lokken. Ze zocht het drukpunt voorzichtig op en drukte af, rustig en gelijkmatig. Het wapen ging af en sloeg heftig terug tegen haar zere schouder. Door haar telescoop vond ze de plotselinge rode stip in de bakstenen muur, geraakt in het hart van de kleinste cirkel. Ze grendelde het wapen opnieuw door.

De middaglessen waren begonnen met een oproep van Zaitsev: 'Hazen! We gaan. Neem je geweer mee!'

Hij ging hen voor over de keldertrap, met zijn geweer als een juk over zijn schouders. De vrijwilligers volgden hem naar de eerste verdieping van het La-zoer-complex. Ze wurmden zich door een doolhof van verwrongen metaal en verkoolde dakspanten naar een rij geblakerde vensters die uitzicht boden op het rangeerterrein dat deel uitmaakte van het niemandsland. Zaitsev bleef op enkele passen van de grote vensteropeningen staan; het schuifraam was weggeslagen. Zijn laarzen verbrijzelden gebroken glas.

Door het raam wees hij naar de gebouwen aan de overkant van het niemandsland, bezet gehouden door de Duitsers. De buitenlucht die naar binnen kwam, was koud – de eerste witte bloei van de Russische winter.

'Jullie kijken nu naar het westen,' zei Zaitsev. 'Op dit moment staat de zon schuin achter je. Kies altijd een positie met de zon in je rug. Dat maakt het voor de vijand stukken moeilijker je te ontdekken. Bovendien voorkomt het dat je telescooplens het zonlicht weerkaatst.'

Tanja keek uit over het met bomkraters bezaaide spoorwegemplacement dat zij en Fedja twee nachten geleden waren overgestoken. Ze keek naar de schuur bij de spoorbaan, en naar de loopgraaf waar ze zich in hadden laten vallen. Nu, in het licht van de namiddagzon, zag ze een tiental Russische mitrailleurs in de loopgraaf, steeds op vijftig meter afstand van elkaar. Ze waren bemand en de lopen bestreken het hele rangeerterrein. Fedja en ik hadden die nacht heel wat kogels kunnen verzamelen, bedacht ze. *Nicht schiessen.*

Op handen en knieën kroop Zaitsev naar de vensterbank en legde de loop van zijn wapen erop. Hij diepte een stel handschoenen op uit zijn zak, die hij met een draad op elkaar had genaaid. Hij legde ze op de vensterbank. 'Maak voor jezelf een soort schietkussentje,' zei hij, achteromkijkend. 'Het voorkomt dat de loop van je wapen gaat glijden.'

Hij tuurde door zijn telescoop. Zonder zijn hoofd te bewegen, zei hij: 'Zien jullie die tweede Duitse tank, degene die een rupsband mist?'

Zaitsev vuurde. In de verte hoorde Tanja een kogel ketsen, metaal op metaal, een duidelijk *ping* dat de knal van het geweer overstemde.

De Haas draaide zich half om. 'Het zwarte kruis op de voorkant van die tank bevindt zich op precies vierhonderd meter van deze muur. Deze rij vensters wordt de "Schietgalerij" genoemd. Jullie komen hier regelmatig heen om je telescoopvizier te ijken, zo vaak als jullie twijfelen aan de nauwkeurigheid van je wapen. Kom voorzichtig naar de vensters toe, maar niet meer dan twee man tegelijk. Stel je vizier af op de juiste afstand en wacht op mijn bevel tot vuren.'

Tanja kroop naar het venster voor haar. Naast haar deed de Armeense vrouw, Slepkinian, hetzelfde. Ze stelde het telescoopvizier af op vierhonderd meter en richtte zorgvuldig op het insigne op de moffentank.

Zaitsev trok zich voorzichtig terug van het venster en stond op. Hij bracht zijn veldkijker omhoog en liep naar een plek achter de twee Hazen bij het eerste venster.

'Sjaikin. Vuur!'

Tanja zette zich schrap voor de terugstoot van haar wapen tegen haar rechterschouder. Uit het veld vernam ze niets dat op een treffer kon duiden.

'Nikolai.'

Koelikov, de man die naast Sjaikin lag, vuurde. Ook hij miste. Zaitsev wandelde naar het volgende venster. Ook hier instrueerde hij zijn pupillen om te vuren, een voor een. Ze misten allebei.

'Partizane,' zei Zaitsev. Ze bracht het zwarte kruis op de tank exact voor haar kruisdraden en haalde gelijkmatig de trekker over. Het wapen sloeg terug. Ze luisterde naar het *ping*-geluid dat op een treffer zou duiden. Niets.

Toen ze allemaal hadden gevuurd, had niet één van dé Hazen het zwarte kruis geraakt. Achter hen begon Zaitsev zacht en rustig te spreken. Er klonk enige voldoening door in zijn stem. Een van zijn listen had gewerkt.

'Zoals jullie zien, is kogels afschieten op een keldermuur niet hetzelfde als in de open lucht op een doel vuren. Hier op het slagveld moet je rekening houden met de wind, de vochtigheidsgraad en de temperatuur; en ook of je omhoog of omlaag moet schieten. De meesten onder jullie hebben jachtervaring. Niemand hier is het echter gewend over dit soort afstanden te schieten met een geweer met telescoopvizier. Jullie moeten eerst de richt- en afvuurinstincten van de sluipschutter ontwikkelen. Leer daarom de tekens te lezen die het terrein en de natuur je met gulle hand geven. Kijk nu eens door jullie telescoop naar het doelwit.'

Tanja richtte en bracht het Duitse insigne op de tank voor haar kruisdraden. Zaitsevs laarzen knerpten op de vloer naast haar.

'Kijk even naar de voorkant. Het is vandaag koel, maar helder. Dat kruis op de tank is zwart. Dat betekent dat het warmte absorbeert. Jullie kunnen de lucht erboven zien zinderen. In welke richting verplaatsen de warmtegolven in dat trillende waas zich, naar rechts of naar links?'

Diverse stemmen antwoordden: 'Naar links.'

'Juist. Dit zegt je dat de wind van rechts naar links waait. De warmtegolven verplaatsen zich nauwelijks, dus is er weinig wind. Maar je vuurt over een brede, open vlakte. Je moet er dan van uitgaan dat de wind onbelemmerd kan waaien. Als het vochtiger was, of op de vroege ochtend na een koude nacht, zou je je telescoopvizier ook voor die verschillen moeten compenseren. Bovendien schieten jullie hier enigszins omlaag. Hou daar dus rekening mee. Het ballistische traject vervlakt dan eerder en dus mik je te laag. Het tegendeel doet zich voor als je omhoog schiet; in dat geval schiet je over je doel heen. Draai je nu om.'

Tanja liet haar geweer zakken. Zaitsev hield een kogel in zijn vingers, recht tegenover zijn schouder. 'Hoelang blijft een kogel, afgevuurd over vlak terrein, in de lucht?' Hij liet de kogel vallen. In een fractie van een seconde kletterde hij op de grond.

'Zo lang. Jullie telescoopvizier doet veel méér dan alleen je doelwit groter maken. Het geeft je aan hoe hoog je moet mikken om te zorgen dat je kogel ook inderdaad de afstand aflegt die je hem wilt laten overbruggen. Dit houdt de kogel langer in de lucht. Jullie moeten daarom leren je telescoop te helpen zijn werk te doen, door rekening te houden met alle factoren waarmee je kogel moet worstelen om zijn doel te kunnen bereiken. Draai je nu om en probeer het nog eens, opnieuw op mijn teken. Denk erover na, stel je vizier in en vuur dán pas.'

Veertien grendels ramden nieuwe patronen in hun kamer. En als de schoten op Zaitsevs bevel werden afgevuurd, hoorde Tanja het *ping, ping* van veel kogels die afketsten tegen het pantserstaal van de Duitse tank.

Tanja stelde haar telescoop in op vierhonderdvijfentwintig meter, inclusief het achtste deel van de afstand dat, als er omlaag wordt geschoten, bij de feitelijke afstand moest worden opgeteld. Ze hield rekening met windafdrijving door één millimeter te compenseren voor wind van links naar rechts. Ze wachtte, te midden van de geweerschoten om haar heen. Zaitsev noemde haar nummer. Ze haalde de trekker rustig over. De kolfplaat bonkte tegen haar zere schouder.

Ping.

Na een uur op de Schietgalerij wandelden de Beren na hen door het puin naar boven. Zaitsev riep zijn Hazen terug van de vensters en drukte hen op het hart te gaan zitten en goed te luisteren.

Net als Zaitsev had gedaan, onderrichtte sergeant Medvedev zijn groep over de voordelen van een schietpositie met de zon in de rug. De grote Beer vestigde hun aandacht op de tank in niemandsland. Hij legde de betekenis ervan uit en kroop daarna voorzichtig naar de vensterbank. In luttele seconden richtte hij zijn telescoopgeweer en haalde de trekker over. Er ketste een kogel af op het zwarte kruis.

De Hazen gniffelden bij zichzelf toen de ene Beer na de andere het doel miste, zonder dat Zaitsev hen terechtwees. Medvedev maakte grimassen naar hen, maar daarmee kan hij hun vrolijkheid alleen wat dempen, maar niet verijdelen. Na de demonstratie met de vallende kogel en de les over de fijne kneepjes van het richten begonnen ook de Beren het doel te raken. Het geluid van metaal op metaal klonk regelmatig op het rangeerterrein beneden hen.

Toen Medvedev eenmaal tevreden was over hun scherpschutterskwaliteiten, haalde hij hen weg bij de vensters. 'Ga maar even bij jullie kameraden zitten, de lachhazen.'

Fedja liet zijn grote lijf naast Tanja zakken. Hij sloeg zijn benen over elkaar en legde zijn geweer op zijn dijen.

Zaitsev hurkte voor de verzamelde cursisten neer.

'Dit is het slot van de tweede dag van jullie sluipschutterstraining. Jullie weten inmiddels zo ongeveer alles wat sergeant-één Medvedev en ikzelf jullie kunnen leren. Die kennis kun je alleen uitbreiden met datgene wat je jezelf op het slagveld leert. Oefen zoveel mogelijk, totdat de regels voor het compenseren voor wind en elevatie in combinatie met de afstand jullie tweede natuur zijn geworden. Vergeet dit nooit: leer niet alleen van jezelf, maar ook van de vijand. Verdere wijsheden zal ik jullie besparen. Ik weet dat jullie vingers jeuken om dat nieuwe wapen van je op de moffen uit te proberen. Morgen neemt ieder van jullie deel aan je eerste opdracht als sluipschutter.'

'Niet voor mij,' fluisterde Fedja Tanja toe. 'Voor mij is het de tweede missie.'

Medvedev voegde zich bij Zaitsev voor het front van de cursisten. Hij zag eruit als het toonbeeld van de Russische strijder: groot, donker, vastberaden. Naast hem leek Zaitsev klein en licht, maar toch was het met hem gesteld als met een automotor: hij had inwendige verbranding. Als dag en nacht, die twee. Tanja kende echter hun reputatie; dit duo zou wel eens het dodelijkste team van het hele Rode Leger kunnen zijn.

Medvedev begon: 'Vannacht trekt Sololovs Vijfenveertigste Infanteriedivisie de Wolga over. Tegen de ochtend kunnen we hier op zijn minst twee bataljons verwachten. Zij hebben bevel om de vijand weg te houden van de rivier, en wel tussen de Barricaden en de Rode Oktober. Er zijn Duitse mitrailleurnesten opgeschoven tot op vijfhonderd meter afstand van de Wolga. Die kunnen onze laatst overgebleven aanlegkade onder vuur nemen. Als we dit bruggenhoofd niet beveiligen, zal de Duitse infanterie zich achter de mitrailleurnesten kunnen groeperen en verliezen we opnieuw een deel van het rivierfront. Vannacht verplaatsen jullie je naar posities aan de zuidkant van deze corridor om de flanken van de Vijfenveertigste te beschermen. Sergeant-majoor Zaitsev en ik komen jullie om middernacht halen om je naar je posities te brengen. Jullie kunnen nu inrukken. Ga terug naar je slaapverblijf of de kelder om nog wat te oefenen. En neem wat rust.'

Beide teams stonden op en hingen het geweer aan de schouder. Fedja torende hoog boven Tanja uit. Zaitsev en Medvedev vertrokken, zich een weg zoekend door het puin. De Hazen en Beren volgden hen.

'Blijf hier,' zei Tanja tegen Fedja.

Hij ging zitten, terwijl Tanja zich aansloot bij de groep die op weg was naar de trap. Toen ze een poosje achteraan had meegelopen, ging ze terug. Ze vond hem bij een venster zittend, zodat hij door zijn telescoop het spoorwegemplacement kon overzien.

Tanja ging naast hem zitten. Ze legde ook haar wapen op de vensterbank en speurde samen met hem het terrein af.

'Zie jij die spoorwegschuur?' vroeg hij. 'Door de telescoop lijkt hij heel dichtbij. Ik kan bijna de gordijnen zien die jij voor me zou ophangen.'

Tanja verplaatste haar kruisdraden langs het dak van de schuur. Zij vond het niet zo dichtbij. Eerder ver. En zo voelde het aan ook.

'Fedoesjka.' Ze liet het geweer zakken. Hij bleef het slagveld afzoeken. Dat geweer ziet er goed uit in die grote handen van hem, dacht ze. Hij gaat er vaardig mee om. Ze legde haar hand op zijn schouder.

Hij liet de telescoop zakken.

'Fedoesjka, morgenochtend gaan we de oorlog in. Het gaat voor ons beginnen.' En zacht voegde ze eraantoe: 'Laten we daarom nu afscheid nemen.'

Hij legde zijn geweer neer. Zijn blik dwaalde af naar zijn handen.

'Toe,' zei ze. 'Alsjeblieft, ik kan er niet nog meer bij hebben. Maak de last niet nog zwaarder voor me.' Ze nam zijn handen in de hare. 'Een andere keer, Fjodor Iwanovitsj. Misschien in een andere wereld.' Ze glimlachte. 'Neem dus afscheid van mij.'

Ze stond op en week terug van het open venster om over het niemandsland uit te kijken; erachter lag de gruwelijk verminkte stad, met de vijand die door haar aderen stroomde. Ze legde haar handen om zijn hoofd en kuste hem op zijn voorhoofd. Ze streelde zijn haar.

'Tanja,' zei hij zacht, 'ik kan dit niet.'

'Je moet, Fedja. Of je het kunt of niet maakt geen verschil. Je moet. Doe het nu.'

Ze liet haar vingers langs zijn nek tot op zijn schouders glijden en duwde zich van hem af. Ze liet hem bij het venster zitten, starend naar de schemering die over de ruïnes droop.

Tanja deed verscheidene passen bij hem vandaan, draaide zich om en keek naar zijn krachtige, brede silhouet. Zijn geweer lag naast hem. Ook nu dacht ze aan een gestileerd toonbeeld van de Russische soldaat, de Rode Iwan, verdediger van de *Rodina*. Fedja's trieste wake was er een momentopname van, een portretstudie in stervend licht, omlijst door de vensteropening.

Het is goed, dacht ze. De dichter uit Moskou hoort voor zich uit te staren. Houd je ogen en je hart open, Fedoesjka. Wij allemaal zullen je gedichten nodig hebben als deze oorlog voorbij is.

In het slaapverblijf van de Hazen maakte Kostikev Tanja wakker. Zijn wond was verbonden en zijn grijns was nog breder, zodat zijn gouden tanden blonken. Na vijftien minuten en een mok thee uit een samowaar verscheen Zaitsev in de deuropening.

Hij schoof de deken opzij. 'Sluipschutters klaar?'

Zaitsev leidde de soldaten naar buiten, de koude nachtwind in. Terwijl ze zich door het netwerk van loopgraven haastten trok Tanja zich diep terug in haar parka. Ze had haar blonde haar onder een zwarte muts verstopt. Toen ze de rand van het niemandsland hadden bereikt, ging Zaitsev hen niet voor over het rangeerterrein. Hij sloeg af naar het oosten, richting Wolga.

Toen ze langs de kliffen boven het donkere rivierwater liepen, ontdekte Tanja de schaduwen van een groot aantal boten en bootjes die zo'n duizend man overzetten naar de bedreigde landingskade achter het complex van de Rode Oktober. Dit waren de eerste compagnieën van Sokolovs divisie. De hemel was stil; de vredige rust tussen de versluierde maan en de bij vlagen harde bries werd door geen artilleriebombardement, noch door duikbommenwerpers van de Luftwaffe verstoord.

De Hazen bereikten een brede laan tussen de Rode Oktober en de Barricaden. Aan de zuidzijde van de straat verdeelde Zaitsev zijn sluipschutters in groepjes van twee of drie over de hoogste gebouwen. Ze kregen opdracht om zo hoog mogelijk te gaan zitten om het gebied ten noorden van de laan te observeren. Verwacht werd dat de Duitsers hun grootste activiteit zouden ontplooien in de puinhopen en straten en stegen daar, wanneer het nieuws over de aankomst van de Vijfenveertigste eenmaal tot het Duitse hoofdkwartier was doorgedrongen. De cursisten moesten uitsluitend Duitse troepenbewegingen in het oog houden. Ze mochten niet vuren, tenzij Medvedev of Zaitsev daar rechtstreeks bevel toe gaf. Het teken daartoe bestond uit twee rode lichtkogels in het westelijke uiteinde van de laan.

'Het heeft geen zin een wespennest te verstoren zolang we Sokolov in alle stilte aan de overkant kunnen krijgen,' zei Zaitsev. 'Daarna gaan we op jacht.'

Nog voor het ochtendkrieken werd Tanja een gebouw van vijf verdiepingen in gestuurd, samen met de slanke Georgische boer Sjaikin en de mollige vrouw, Slepkinian. Ze klommen door naar de bovenste verdieping. Zaitsev had hen de verzekering gegeven dat deze kant van de straat volledig was uitgekamd en stevig in Russische handen was. De altijd waakzame Sjaikin zei tegen Tanja dat hij maar al te vaak ongelukkige situaties had meegemaakt waarin de frontlinie totaal onverwacht was veranderd.

'Hij beweegt zich als een slang,' zei hij, doelend op de denkbeeldige lijn tussen beide legers. Met een granaat in de hand slopen ze de trappen op. Tanja vond het jammer dat Kostikev er niet bij was. Sjaikin, met de lichaamsbouw van een zilverberk, maakte de indruk dat hij zijn mannetje stond. Ze had ook nog geen flauw idee hoe goed de Armeense zou zijn. Al twee dagen had Tanja haar achter haar rug 'de Koe' genoemd.

Het drietal glipte een ruimte binnen op de westelijke hoek van de vijfde verdieping, waar ze niet alleen de laan in beide richtingen konden observeren, maar ook het gebied er tegenover. Nu probeerde Tanja de rode schaduwen van de ochtend met haar telescoop te penetreren en iets te onderscheiden van de Duitse loopgraven achter de in puin gegooide bebouwing.

Ze zat in dezelfde houding als de afgelopen middag in de Schietgalerij, aan de voet van dat open venster zonder kozijn. Ze liet de loop van haar telescoopgeweer op de bovenkant van een uitstekende baksteen rusten, diep genoeg naar binnen en uit het zicht. Sjaikin en de Koe zaten rechts van haar. Ook zij tuurden vanuit hun dekkingspositie door hun telescoop.

Ze zag Duitsers tussen de loopgraven rennen en volgde hun verplaatsingen op een afstand van driehonderd meter met haar kruisdraden exact over hun hart. Ze stelde zich wel tien keer voor hoe ze de trekker zou overhalen. Haar zicht werd met het toenemende daglicht beter en ze herinnerde zich wat Zaitsev over de kunst van het scherpschieten had gezegd: denk er drie keer over na, zet het twee keer op en vuur één keer.

Ze verstelde de afstand in haar telescoop door het gebruikelijke achtste deel van de afstand erbij te tellen vanwege het omlaag schieten. Ze controleerde de wind: die had ze in de rug, ertegen beschermd door het gebouw. De lucht was koud en zou dat blijven tot april. Ze was nu klaar voor het bevel, haar eerste opdracht als sluipschutter.

Twee uur lang volgden de drie Russen de Duitsers door hun telescopen. Om beurten verwijderden ze zich even van het raam om de ledematen te strekken. Tanja's benen en handen werden als gevolg van de gespannen onbeweeglijkheid gevoelig. Haar gezichtsvermogen leed onder het feit dat ze steeds het ene oog gesloten hield en met het andere tuurde. Haar wang en vingers werden stijf tegen het metaal van haar wapen.

De zon klom hoger en Tanja's geduld werd zwaar beproefd. Hoelang moeten we nog wachten? Sokolov moet inmiddels wel in positie zijn. Vanaf de plaats waar we nu zitten, kunnen Sjaikin, Slepkinian en ik drie mitrailleurnesten van de moffen binnen tien seconden uitschakelen. Was dat niet de bedoeling – de beveiliging van deze doorgang tussen de fabriekscomplexen? Waar wachten we op?

Sjaikin rolde zich op zijn rug, weg van het raam. De kleine man sprong met verbazingwekkende lenigheid op. Tanja keek op van haar telescoop. Haar oren pikten nu ook op wat hij moest hebben gehoord. Voetstappen die de trap op kwamen!

Ze tastte naar de handgranaat in haar zak en rolde zich op haar buik. Slepkinian deed hetzelfde. Sjaikin drukte zijn rug tegen de muur naast de deur. Hij toonde hen zijn open handpalm: stil zijn! In zijn ene hand verscheen een mes, in de andere een pistool.

De voetstappen waren zorgeloos en luid, krakend over de met gruis bedekte traptreden. De geluiden op de gang hielden vlak voor hun deur op.

Sjaikin keek Tanja aan. Ze knikte terug.

Met een ruk opende Sjaikin de deur, zijn pistool schietklaar. Zonder een woord of blik achterom rechtte hij zijn rug en liet het pistool zakken. Hij deed twee stappen achteruit. Tanja verstevigde haar greep om de granaat. Ze keek vlug opzij naar de Koe. Geen overgave, dacht ze met opeengeklemde kaken. Het kan me niet verdommen wat Sjaikin doet.

Sjaikin liep achterwaarts de kamer in. Tanja trok de pin uit haar granaat en bracht haar arm naar achteren om hem te werpen. Vanuit de gang hoorde ze gefluister. 'Tanja? Tanja, ben je hier?'

Fedja liep de kamer in, zijn handen nog omhoog, de handpalmen naar voren, nog precies zoals hij ze met een ruk had opgestoken toen hij werd verrast door Sjaikins pistool. Achter hem doemde de kolos Griasev op.

Sjaikin grijnsde naar Tanja en Slepkinian. 'We hadden het kunnen weten, door al het kabaal dat ze maakten,' zei hij zacht. 'Beren.'

Tanja deed de pen weer in haar granaat. 'Wat doen jullie hier?' fluisterde ze Fedja toe. Ze gleed op haar buik terug naar het raam.

'Medvedev heeft ons gestuurd. Hij is vanmorgen naar de verdieping hieronder gegaan en zag toen hoe strategisch gunstig dit punt is. Wij zaten in een gebouw drie blokken verderop, waar niets aan de hand was.'

Griasev knikte met zijn grote hoofd. 'Niets, verdomme.'

'Jullie hebben dus genoeg moffen voor ons?' grijnsde Fedja.

'Neem die ramen daar,' antwoordde Tanja. Ze wees de vensters aan.

'En hou je stil,' voegde Slepkinian eraantoe.

Tanja had een gunstige indruk gekregen van de Koe. Zo-even had ze meer dan bereid geleken om het uit te vechten en desnoods te sterven.

Fedja en Griasev tijgerden naar hun posities. Fedja installeerde zich in de positie om te vuren, de knieën omhoog. De riem van het geweer wikkelde hij om zijn pols en elleboog. Hij legde een paar handschoenen op de vensterbank en liet daar de loop op rusten, waarbij hij er steeds op lette dat de loop uit het zicht bleef. Via zijn telescoop begon hij de Duitse activiteiten aan de overkant van de straat te observeren. Tanja zag dat hij zijn telescoop bijstelde om voor het hoogteverschil te compenseren. Een achtste, dacht ze, er zeker van dat hij het ook wist.

'Wat denk jij, Tanja?' vroeg Fedja. 'Drievijfentwintig?'

De reus Griasev was haar voor. 'Drievijftig.'

'Drievijfentwintig,' zei Tanja.

Fedja maakte zijn blik even los van zijn zoeker. Hij zag Tanja's blik. 'Ja,' fluisterde hij. 'Massa's Duitsers.'

Tanja fronste haar wenkbrauwen. Fedja haalde zijn schouders op en hield zijn hoofd wat schuin om een onschuldige indruk te maken; zijn opduiken hier was niet zijn schuld. Hij richtte zijn aandacht weer op de Duitsers.

Er verstreek nog een uur in drukkend stilzwijgen van het vijftal. Tanja bleef in stilte Zaitsev verwensen vanwege het feit dat hij het teken om te vuren zo lang uitstelde. Ze volgde een stuk of twintig Duitsers door haar telescoop en merkte op dat ze steeds zorgelozer werden naarmate hun activiteiten toenamen. Ze groeven nieuwe loopgraven, maakten de borstwering van bestaande loopgraven hoger en vulden zandzakken. Sommigen liepen zelfs openlijk met munitiekisten te sjouwen, op vierhonderd meter afstand.

Ze denken dat niemand hen ziet en houden zichzelf voor slim, dacht Tanja. Zij denken dat zíj een verrassing voor óns in petto hebben. Vanaf deze hoogte kunnen wij vijven die staken met gemak wegblazen. Als dat teken maar kwam. Waar blijft het?

Op dat moment draafde een colonne Duitse infanteristen uit een steeg de straat op, slechts tweehonderd meter van hen vandaan. De formatie telde een man of twintig en bevond zich recht onder hen.

Tanja's oren werden vermorzeld door het bonken van de nazi-laarzen op straat. Haar handen omklemden het geweer vaster. De bittere smaak van gal welde op in haar keel. Ze herinnerde zich de aanblik van de lijken van haar grootouders op het marktplein. De gebogen schaduw van Lenin. De voetstappen van nazi's op de keien. Wapens die haar tegenhielden, gegil, haar eigen stem en haar eigen bloed. Maar nu was zíj degene met een geweer in haar handen; deze keer had zíj hén op de korrel. Ze klemde haar kaken op elkaar en trok haar lippen strak, zodat ze haar tanden ontblootte. De ogenblikken verstreken. Tanja had het gevoel alsof ze bezig was op te zwellen tot een punt waarop ze zou ontploffen.

Ze bracht haar oog voor de zoeker van de telescoop en richtte op de soldaat aan het hoofd van het peloton. De zwarte kruisdraden wipten op en neer als gevolg van haar bonkende hart, maar deze nazi's waren zo dichtbij dat het weinig of geen verschil maakte. Ze volgde die ene soldaat die op straat onder hen door draafde, nu geen honderd meter van haar vandaan.

'Vuur!' schreeuwde ze, zelf verbaasd over de abruptheid van haar stem. Denken deed ze niet meer; het was alsof ze een sluis had opengegooid en er nu doorheen moest. Ze haalde de trekker over. Ze hield de kolf stijf tegen zich aan met het oog op de terugstoot. Het grijsgroene uniform dat voor het peloton uit draafde leek te verschrompelen in haar telescoop.

De Duitsers verstijfden. Hun hoofden gingen met een ruk omhoog, op zoek naar de bron van de knal hoog boven hen.

Tanja grendelde razendsnel door. De Koe vuurde. Een soldaat achter aan de colonne greep naar zijn borst en zakte ineen.

In een oogwenk daverde het in de kamer van de schoten van alle vijf schutters. De Duitse soldaten voor- en achteraan in de colonne werden het eerst gedood, daarna degenen in het midden. De donkere lijken stapelden zich op onder een hagel van kogels. Tanja concentreerde zich op het hoofd van de colonne en doodde de mannen die struikelend over de lijken weg probeerden te komen.

Binnen vijftien tellen was het voorbij. Blauwe rook uit de geweren verduisterde het plafond en ontsnapte via de ramen naar de verscheurde ochtend. De vloer lag bezaaid met patroonhulzen. Tanja en haar team zaten over hun geweren gebogen. Ze observeerde de straat door haar telescoop, hoewel haar hart in haar oren bonkte. Ze telde de slachtoffers van het bloedbad beneden en zocht met haar kruisdraden de hoofden van de slachtoffers alsof ze hen de doodsteek gaf. De meeste doden lagen in een rij, gedood op de plaats waar ze de eerste ogenblikken hadden gestaan. Achter sommige lijken was een veeg bloed op het plaveisel te zien, een spoor van een korte poging om nog weg te kruipen in dekking.

Tanja's buik kriebelde. De telescoop danste in haar handen. Ze riep uit: 'Zeventien?'

Sjaikin antwoordde ademloos: 'Zeventien.'

Tanja keek over de ruïnes aan de overzijde naar de loopgraven van de Duitsers die ze al sinds het ochtendgloren hadden geobserveerd. Deze Duitsers waren gestopt met hun werk en zaten nu achter hun borstweringen, terwijl ze de lopen van hun mitrailleurs heen en weer lieten zwaaien, op zoek naar de bron van al die schoten. We zitten te ver weg, dacht Tanja. Ze trok zich terug van het venster. Ze hebben ons niet opgemerkt. Mooi. Die nemen we later te grazen, mét een bonus van zeventien geknakte staken. We hebben ze allemaal.

Tanja draaide zich om. Ook de anderen hadden hun geweer laten zakken. Sjaikin en Griasev schudden elkaar de hand. Slepkinian keek stralend van links naar rechts. Alleen Fedja leek niet in zijn schik. Hij schoof nieuwe patronen in zijn magazijn en schudde het hoofd.

Griasev schudde uitbundig een vlezige vuist naar Tanja. 'Dat was een pracht van een hinderlaag,' zei hij en slaakte een zucht. Hij klapte in zijn enorme handen en wreef ze langs elkaar, alsof hij op het punt stond aan te vallen op een bord eten.

Tanja legde haar geweer neer en kroop nog wat verder bij het venster vandaan. Sjaikin deed hetzelfde. Slepkinian, Griasev en Fedja bleven de Duitse posities observeren. De Armeense floot zacht naar de stapels doden op straat.

Op ruime afstand van het venster liep Sjaikin naar Tanja toe. 'Wat denk jij?' vroeg hij.

'We kunnen ze in ons boekje noteren. Drie de man. De extra twee geven we aan Fedja en de Koe.'

'En daarna wachten we op bevelen, veronderstel ik.'

Tanja liep naar de deur. Ze ging boven aan de trap zitten om de gedachten, die in haar hoofd krijgertje speelden, op een rijtje te zetten. Ze móést er greep op krijgen en de razernij in haar innerlijk tot bedaren brengen. Ze hebben ons zelf geleerd initiatieven te nemen, hield ze zich voor. Om gebruik te maken van zich aanbiedende kansen om dood en verderf te zaaien. Om te wachten, zolang dat maar nodig is, en vervolgens in actie te komen. Da's precies wat we hier hebben gedaan. We hebben lang genoeg gewacht. De hele ochtend! Die staken zijn de vijand. En nu zijn er zeventien minder. Dat is wraak. Wat kan Zaitsev meer verlangen?

Tanja keek om naar haar drie kameraden, die nog steeds door hun telescoop tuurden. Het licht was nu hoog in het noordoosten en wierp schaduwen achter hen op de smerige vloer.

Schaduwen! Het licht bescheen hun gezichten!

Tanja spitste haar oren. Ze hoorde door het raam een laag, sissend geluid naderen. Haar benen waren als verlamd, haar verstand werkte koortsachtig – en het geluid zwol aan tot een naargeestig gehuil.

Nee, dacht ze. Nee!

De muur recht voor haar werd opengereten. Voordat haar zintuigen de sprong konden maken, werd ze door een bal van vuur en een overweldigende zwarte windvlaag achteruit gesmeten. Bakstenen schoten weg in alle richtingen, gedragen door de schokgolf van de explosie. Tanja werd tegen de muur gekwakt en zakte ineen op de vloer. Overweldigende misselijkheid maakte zich van haar meester. Ze was als verdoofd, versuft door de klap. Toen ze haar ogen opende, was de kamer gehuld in dikke rookslierten. Door het hart van de rook zag ze het enorme gat in de muur. Het binnenstromende licht overgoot de ruimte met een kolkende gloed.

Naast haar lag Sjaikin, wiens kin lelijk was opgehaald en hevig bloedde. Hij werkte zich wankelend overeind en zocht met zijn handen steun bij de muur alsof hij er tegenop wilde klimmen. De voorkant van zijn parka werd algauw overdekt met bloed. 'Opstaan!' schreeuwde hij Tanja toe. 'Opstaan! Naar buiten!'

Sjaikin trok haar kreunend overeind. Ze stond, maar haar knieën knikten. Sjaikin zette haar tegen de muur en hield haar een ogenblik vast totdat haar benen stijf genoeg waren om haar te kunnen dragen. Zijn parka was nu één rode vlek. Hij greep Tanja bij de schouders om haar naar de deur te duwen.

'Nee,' prevelde ze. Ze draaide zich om naar de kamer. 'Wacht.'

Sjaikin brulde haar in het oor: 'Ze zijn dood! Dood, Tanja! Weg hier!'

Hij draaide haar om door aan haar arm te trekken. Ze hoorde zijn kreten door de chaos heen. Ze zag de deuropening en begon erheen te schuifelen, waarbij haar voeten door het puin sleepten.

Zaitsev schoof de deken opzij en stapte zacht het Hazenleger binnen. Ze zat in een hoek, waar ze al drie uur alleen was geweest. Sjaikin, krachteloos vanwege het bloedverlies, was achtergebleven bij de verpleegster die hen had opgemerkt toen ze zich langs de Wolga terugtrokken.

Zaitsev hurkte naast haar neer. Zijn hele gewicht rustte op de punten van zijn laarzen, want zijn hakken raakten de vloer niet. 'Wat is er gebeurd?' Zijn stem klonk vriendelijker dan zijn gezicht deed vermoeden.

Tanja vocht tegen haar tranen. Ze had niet gehuild en wilde dat ook niet doen waar Zaitsev bij was. Met een toonloze stem, starend naar haar laarzen, vertelde ze hem hoe de ochtend was verlopen. Ze beschreef de activiteiten in de loopgraven achter de ruïnes, hoe gemakkelijk het zou zijn geweest om de Duitsers een voor een uit te schakelen, hoe zij en de anderen uur na uur geduldig hadden gewacht. Totdat die patrouille hen had verrast door zomaar uit het niets op te duiken. Ze had snel gereageerd, misschien te snel.

Zaitsev tilde zijn hoofd op toen hij dit hoorde. Tanja keek naar zijn platte Siberische gezicht. Zijn ogen klopten. 'Hoe bedoel je dat? Je reageerde te snel?'

Een schok van verontrusting verkrampte haar schouders. 'Ik...' Ze zweeg.

Zaitsevs ogen vernauwden zich. Zijn kaak was in beweging, achter strakke, dunne lippen. 'Ik heb als eerste geschoten. Ik gaf het bevel,' bekende ze.

Zaitsevs hand striemde Tanja's gezicht, zo hard dat ze opzij viel.

Hij stond op uit zijn hurkzit. 'Sta op!'

Tanja kwam overeind. Haar gezicht brandde, maar ze betastte het niet. Ze zocht steun tegen de muur en liet haar armen langs haar zijden hangen. 'Kameraad...' begon ze.

'Bek dicht.'

Zaitsev kwam dichter bij haar staan, zijn gezicht slechts enkele centimeters van het hare. Ze voelde de wang die hij had geraakt warmer worden. Hij schreeuwde haar in het gezicht: 'Wat wilde je me gaan zeggen, partizane? Zeg het me! Zeg me dat het je spijt dat je een rechtstreeks bevel in de wind hebt geslagen! Goed, kameraad Tsjernova, het is je vergeven. Zeg me dat het je spijt dat je een missie van essentieel belang in groot gevaar heb gebracht. Ook dát is je vergeven, kameraad Tsjernova. De missie is evengoed volbracht.'

Hij kooide zijn stem achter opeengeklemde tanden. 'En vertel me nu hoe erg het je spijt dat door jouw toedoen Slepkinian, Griasev en Michailov niet meer in leven zijn. Jij alleen bent verantwoordelijk voor hun dood. Niemand anders.'

Tanja slikte moeizaam. Ze voelde zich ondergedompeld in duizelingwekkende, rotsachtige golven van angst, alsof ze opnieuw in de Wolga was geslingerd.

'Jij hebt ze namelijk niet allemaal te pakken gekregen, soldaat. Eén Duitser wist weg te komen en gaf een mortierploeg de coördinaten van jullie positie door.'

Hij balde zijn vuist. 'Jullie verdomde positie! Je negeerde mijn bevelen, verried je positie en ruilde de levens van drie van mijn sluipschutters in voor het leven van zeventien verdomde infanteristen! En dat terwijl iedere sluipschutter wel honderd nazi's waard was! En jij verkwanselde hen voor zeventien man!'

Zaitsev trok zijn gezicht terug en ademde snuivend van woede door zijn neus. Zijn wijd opengesperde ogen doorboorden de hare. Ze voelde zijn pupillen steken, als de donkere lopen van twee sluipschuttersgeweren. Haar geest was leeg, niet tot zelfstandig denken in staat. Alles wat ze hoorde of voelde, al haar zintuigen, waren in Zaitsevs woedende handen. Alleen een golf van spijt brak door naar de oppervlakte en vermengde zich met de hoogrode blos op haar pijnlijke wang. Al het overige was opgeschort.

Hoofdschuddend zei Zaitsev: 'We zijn hier niet om jouw herinneringen uit te wissen, partizane. Ik weet niet wat jij hebt gezien of verloren, maar wat het ook is, jouw pijn is niet groter dan de pijn van heel Rusland.'

Hij richtte zich in zijn volle lengte op. 'Ruslands pijn, verdomme! Niet jóuw pijn! Je dient in het Rode Leger! Jij vecht niet langer een eenmansoorlogje! Vergeet dat nooit meer! Nooit! Jij hebt met je stupide en egoïstische gedrag de levens van drie Russische soldaten op je geweten!' Hij richtte een schokkende, woedende vinger op haar. 'Vanaf dit moment doe jij stipt wat je wordt opgedragen, anders zal ik Danilov vragen jou een kogel door het hoofd te jagen. Heb je dat goed begrepen?'

Zaitsev draaide zich met een ruk om en beende de kamer uit. Hij rukte het touw waaraan de deken hing van de spijkers, zo hard schoof hij hem opzij.

Tanja liet zich langs de muur omlaag glijden. Tranen welden in haar ogen op. Ze voelde hoe ze over haar wangen biggelden. Ze vielen op de rug van haar handen die slap op haar schoot rustten. Ze deed haar ogen dicht en probeerde te luisteren naar haar eigen gesnik, maar haar oren echoden nog na van Zaitsevs woede. Hij had tegen haar geschreeuwd. Hij had haar geslagen.

Ze voelde zich verbannen uit haar lichaam, alsof ze ernaast zweefde; alsof haar geest zo vervuld was van verdriet en schuld dat ze dat lichaam van haar wel móést verlaten omdat het niet in staat was het allemaal te bevatten. Ze keek neer op zichzelf, onderuitgezakt tegen de muur. Ze probeerde medelijden te voelen met het huilende meisje. Het enige wat ze voelde, was verachting.

Ik heb hun dood veroorzaakt, besefte ze. Ik heb hen gedood met mijn stomme, egoïstische gedoe. Ik ben er verantwoordelijk voor. En nu zit ik hier – jankend, sidderend, levend. En zij niet.

Ze bonkte met haar hoofd tegen de muur. Ze zocht naar haar stem, wilde iets zeggen tegen de echo's van Zaitsevs laarzen die zich op de gang verwijderden, antwoord geven op de voorstelling in haar geest – Fedja, geknakt onder een rokende puinhoop, zijn jonge dichtersogen wijdopen, hoewel ze niet langer naar deze wereld konden staren.

Ze hield haar handen voor zich uit en begon ze te ballen tot vuisten om ze weer te ontspannen, en dan haar vingers weer te krommen tot ze pijn begon te voelen, alsof ze bezig was zich klauwend een uitweg te verschaffen uit een kerker. De pijn bracht haar terug in haar lichaam.

Haar wang gloeide nog toen ze fluisterde: 'Ik heb het begrepen.'

TWEE

HET DUEL

11

De Duitse tank kwam ronkend de hoek om, de stalen luiken hermetisch gesloten. Voorzichtig rolde de tank door de straat en liet met een jankend geluid de grijze geschutkoepel met de kanonsloop heen en weer zwaaien. De bemanning was op zoek naar de Russen die, wisten ze, zich tussen de ruïnes voor hen hadden ingegraven.

Een eind achter de tank observeerde een tweede de vorderingen van de voorste, wakend met een roerloos kanon. Verder om de hoek, uit het zicht, wachtte een infanterie-eenheid op het sein om zich achter de tank te posteren en onder dekking ervan op te rukken.

Op de tweede verdieping van een gebouw aan het uiteinde van de straat deed zich een kleine explosie voor. Een Russisch antitankwapen, kaliber 76 mm, had een raket afgevuurd en gemist. De voorste tank kwam met een schok tot staan en werd meteen achteruitgereden, terwijl de kanonsloop omhoogging, op zoek naar de verraderlijke rook van het afgevuurde antitankwapen. Iets verder terug vuurde de tank die dekkingsvuur moest geven een antipersoneelgranaat af op de ruïne. Een peloton Duitse infanteristen sprong uit zijn schuilplaats en begon de nu bekende Russische positie met kogels en granaten te bestoken.

Juist op dat moment in de strijd – en in de stijl die hij zich gedurende de afgelopen dagen eigen had gemaakt, waarbij hij getuige was geweest van wel tien of twaalf van dit soort schermutselingen – richtte korporaal Nikki Mond zijn veldkijker naar de huizendaken en hoog boven het strijdrumoer uittorenende, half ingestorte voorgevels. Daar, alsof het zo was voorbeschikt, ontdekte hij de lopen van Russische sluipschuttergeweren. Ze waren altijd maar heel even zichtbaar, als zwarte dorens die uit de gebouwen staken. Ze schoten de Duitse infanteristen een voor een neer, en op die afstand klonken hun schoten als verre, duidelijk van elkaar gescheiden plofgeluidjes.

Nikki wist dat deze scherpschutters urenlang roerloos op hun post hadden gelegen, al ver vóór zonsopgang, zo hoog mogelijk in de verwoeste gebouwen. Deze eerste week van november, in wat de soldaten de 'stille tijd' plachten te noemen, was Nikki zich steeds beter bewust geworden van de toenemende, dodelijke aanwezigheid van vijandelijke sluipschutters. Mét het verzwakken van de Luftwaffe en het toenemende aantal beperkte schermutselingen schenen deze stille moordenaars van het Rode Leger zich in elk hoekje en gaatje langs de frontlinie te hebben verschanst.

Nikki was er diverse keren getuige van geweest hoe zo'n plaatselijke actie vanaf dat moment escaleerde doordat beide partijen steeds meer en zwaardere wapens inzetten. Als dat om de een of andere reden niet gebeurde, was zo'n slachting meestal binnen de kortste keren voorbij – en lagen de slachtoffers in het volle zicht. De gewonden moesten zichzelf in dekking slepen en blijven waar ze waren totdat het donker was; ondanks hun vaak folterende pijn konden ze niet om hulp roepen, uit angst dat ofwel de sluipschutters boven hen, of een paar door de ruïnes rondsluipende Iwans hen zouden afmaken. In de 'stille tijd' werden er weinig krijgsgevangenen gemaakt.

Dit slopende prijsgeven en innemen van stegen, straatjes en gebouwen was voor de strijdende partijen de eigenlijke Slag om Stalingrad geworden. In plaats van de grote veldslagen van september en oktober, en alle inspanningen die gericht waren tegen het smalle Russische bruggenhoofd over de Wolga, bestonden alle acties die nu werden ondernomen uit op zichzelf staande lokale schermutselingen op compagniesniveau, waarbij de strijdende partijen hun positie meter voor meter probeerden te versterken. Het verbitterde beleg van Stalingrad was veranderd in een meedogenloos moeras dat niet meer toeliet dan een paar trage, martelende stappen voor- of achteruit.

Beide legers waren ondergronds gegaan. Kelders, duikers, tunnels en een schier eindeloos netwerk van ondiepe loopgraven, bekend als 'ratgoten' (ze deden denken aan krassen over het bevroren oppervlak van de stad), vormden nu het decor van het slagveld onder de donkere, winterse hemel. De infanteristen van Hitler noemden het *Der Rattenkrieg*.

Nikki liet zijn veldkijker zakken om vlug een paar notities in zijn boekje te maken. Dit was zijn nieuwe taak: vooruitgeschoven waarnemer, toegevoegd aan de Duitse Militaire Inlichtingendienst. Hij diende speciaal te letten op infanterieactiviteit aan het front, en te rapporteren over de toegepaste tactieken en de aantallen doden en gewonden.

Nadat kapitein Mercker en zijn eenheid onder het puin van de Barricaden waren bedolven, had Nikki zijn negen mede-overlevenden veilig en wel naar een commandopost weten te brengen. Daar had hij een jonge, gedreven luitenant leren kennen, Karl Ostarhild. Hij had Ostarhild van de ramp verteld, terwijl de officier hem met een paar koppen koffie op verhaal liet komen. Toen had Ostarhild een landkaart voor hem uitgerold en hem gevraagd het fabriekscomplex aan te wijzen waarin Mercker en zijn compagnie waren gesneuveld. Nikki had zijn wijsvinger bij de ene plaats na de andere op de kaart laten rusten en de luitenant alles verteld wat hij wist van de Rode posities, met inbegrip van hun sterke en zwakke punten. Ostarhild was niet alleen onder de indruk geraakt van de omvang van Nikki's observaties en kennis, maar vooral ook van de gevaarlijke manieren die hij had toegepast om ze op te doen. De luitenant had Nikki Mond verzocht als waarnemer-inlichtingenman bij zijn commando te komen dienen. Nikki had graag ja gezegd.

Sindsdien volgde hij de ratelende, ronkende tanks en hamerende mitrailleurs overal in de stad. Zelf had hij al in twaalf dagen geen geweer meer afgevuurd, of een handgranaat gegooid. Hij droeg zelfs zijn geweer niet meer bij zich.

Ostarhild begon zich zorgen te maken over de informatie die hij binnenkreeg. Hij had wekenlang gegevens verzameld via verkenningsvliegtuigen, visuele waarnemingen, het verhoor van krijgsgevangenen en het onderscheppen van radioboodschappen. Nu twijfelde hij er niet meer aan dat er door de Russen iets groots op touw werd gezet. Wát wist hij niet, maar alles vertelde hem dat het een actie op immense schaal zou worden.

De vorige dag, zeven november, had Ostarhild al zijn gegevens en voorlopige conclusies verzameld en was op weg gegaan naar zijn superieuren in Goloebinka, verscheidene kilometers ten westen van de stad, in de veiligheid van de steppe. Hij had een overzicht gegeven van zijn rapporten die wezen op een massieve concentratie van manschappen en materieel in de noordelijke Kletskaja-regio. De luitenant had ook zijn theorie ontvouwd, namelijk dat het weleens een Russisch aanvalsleger kon zijn, zwaarbewapend en mobiel, hard op weg zich gereed te maken voor een tegenoffensief. Hij kon de generaals zelfs details verstrekken over iedere Rode eenheid, zoals hun plaats van herkomst en zelfs de namen van hun commandanten.

Ostarhild wist te vertellen dat het Russische Tweeënzestigste Leger onder maarschalk Zjoekov op bevel van de STAVKA, het Russische opperbevel, een drastische reductie van de munitieaanvoer had moeten slikken. Waar ging al die munitie heen? Diezelfde ochtend – toevallig de vijfentwintigste verjaardag van de machtsovername door de *bolsjeviki* in november 1917 – had Stalin een verrassend optimistische radiotoespraak gehouden. Toen hij verwees naar de Slag om Stalingrad, had Stalin zich in cryptische bewoordingen uitgelaten door te zeggen dat 'daar binnenkort ook een straatfeest zal worden gevierd'.

Ostarhild putte deels uit Nikki's waarnemingen en frontlinie-ervaring toen hij de generaals vergastte op een levendig beeld van de huidige status van de strijd. De aanval op Stalingrad was uitgelopen op een groot aantal zeer bloedige lokale schermutselingen. Zo nu en dan slaagde een kleine groep Duitsers erin een stratenblok van ruïnes te bezetten, of zelfs in de nabijheid van de drie grote fabriekscomplexen de Wolga te bereiken. Zodra zij echter hun terreinwinst consolideerden door zich in te graven, ontdekten zulke eenheden steeds weer dat zij waren geïsoleerd doordat de Russen terug waren gekomen via de smalle corridors die de Duitsers zelf hadden bevochten. De gewonden waren dikwijls onbereikbaar; de doden moesten worden achtergelaten en verstarden vaak in afzichtelijke houdingen op de plaats waar ze waren gevallen. De mannen waren hard op weg alle hoop op persoonlijk overleven te laten varen. Ze vochten door, maar al te vaak was hun kracht te danken aan drank of meegesmokkelde amfetaminen. Ostarhild schetste een beeld van de Duitse soldaat dat deed denken aan een ongeschoren dakloze, uitgeput door gebrek aan slaap of steun, vergeven van de luis, beducht voor nóg een Russische winter in de strijd. Deze mannen hadden geen flauw besef meer van wat het *Dritte Reich* nu eigenlijk wilde bereiken door zoveel mensenlevens te offeren voor deze stad. Zij vochten nu alleen nog – en Ostarhild citeerde de woorden van een oorlogscorrespondent – 'voor de ultieme obsessie: elkaar naar de keel vliegen'.

De Russische positie in de stad was even hachelijk. Over een lengte van slechts vijf kilometer klampten de Russen zich wanhopig vast aan het steeds kleiner wordende deel van Stalingrad dat zij beheersten. Op sommige plaatsen was de afstand tussen hun rug en de Wolga nog maar honderd meter. Naast de sterk gereduceerde munitieaanvoer en een onwaarschijnlijk groot aantal gewonden en doden kampten de Russen met een derde probleem: de Wolga, de enige aansluiting op hun aanvoerlijnen, werd in hoog tempo steeds onbevaarbaarder. De immense ijsmassa's uit het noorden die de rivier jaarlijks blokkeerden begonnen zich al samen te pakken, maar de Wolga wilde maar niet volledig genoeg dichtvriezen, zodat het nog vier tot vijf weken zou duren voordat mobiele transporten de rivier konden oversteken. Tot die tijd zouden de Roden het moeten stellen met mondjesmaat aangevoerde versterkingen en voorraden, voorzover die al niet volledig werden afgesneden.

Hierop vroegen de superieuren van de luitenant hem of dit dan niet het goede moment was om nóg eens een groot offensief in te zetten. Die vraag had Ostarhild verwacht: en zodra hij de vraag had aangehoord, wist hij dat hij geen eerlijk antwoord kon geven. Een waarachtig antwoord zou niet datgene zijn wat de generale staf wenste te horen of bereid was door te geven aan generaal Friedrich Paulus, de commandant van het Zesde Leger. In zijn hart wist Ostarhild dat de gewone soldaat van de Wehrmacht te gedesorganiseerd was en al té lang in de kille schaduw van zijn eigen ondergang had moeten staan om op effectieve manier bij te dragen aan een nieuw grootscheeps offensief. En als inlichtingenofficier had hij honderden brieven van soldaten naar hun dierbaren thuis gecensureerd. Al deze brieven, zonder uitzondering, ademden twijfel over hun kansen om ooit nog levend in Duitsland te kunnen terugkeren. Het Duitse opperbevel had erop gereageerd door te bevelen dat alle brieven met zo'n strekking in beslag moesten worden genomen. Nergens voor nodig het moreel van het thuisfront te ondermijnen met defaitistische prietpraat, was er gezegd.

In plaats van de generaals de naakte waarheid te zeggen, koos Ostarhild met grote zorg woorden die hun oren geen geweld zouden aandoen. De Duitse soldaat zal moedig strijden, verklaarde hij, ondanks de aard van de opdracht. De generaals zouden echter snel moeten handelen, voordat de gelegenheid daartoe voorbij was. Ostarhild sprak met geen woord over zijn vrees dat die gelegenheid in feite al weken geleden voorbij was gegaan. Een nieuw offensief zou succes kunnen hebben, zei hij, vooral zolang de Russische aanvoerlijnen door de rivier werden afgesneden. Duitsland zag zich die novembermaand echter geconfronteerd met verscheidene nieuwe obstakels. Het weer, de fysieke toestand van de manschappen en het geringe moreel, zeker, daar moest iets aan worden gedaan, maar een even groot gevaar voor de Duitse aanwezigheid in Stalingrad werd gevormd door het gestaag groeiende aantal sluipschutters dat de vijand inzette.

Deze sluipschutters van het Rode Leger hadden zich veel beter aangepast aan de mogelijkheden die de verwoeste stad te bieden had dan hun tegenhangers van de Wehrmacht, legde Ostarhild uit. De Russen werden in hoog tempo steeds effectiever: zij waren verantwoordelijk voor talloze doden, waaronder veel leden van het officierskorps. Volgens voorzichtige schattingen varieerde het aantal doden en gewonden tussen de honderd en tweehonderd man per dag.

De manier waarop al die doden vielen, was al even verschrikkelijk: ze werden op grote afstand gedood door een onzichtbare schutter die meteen daarna wegtijgerde en zo aan ontdekking wist te ontsnappen. De dood die deze sluipschutters brachten, was altijd een gruwelijke, bloedige schok. De Duitsers in de loopgraven waren tot de overtuiging gekomen dat zij nergens veilig waren. Iedere beweging – al staken ze maar een sigaretje op of deden hun behoefte – kon de aandacht van een sluipschutter trekken. De gedachte dat er jacht op hen werd gemaakt met behulp van een telescoop, die hen ongemerkt op de korrel nam via onzichtbare, zwarte kruisdraden, waarna er een kogel op hen werd afgevuurd die hen in het hoofd raakte en maakte dat zij op slag dood waren, was een ijzingwekkend, luguber vooruitzicht. Het demoraliseerde de mannen. En wat erger was, ze werden erdoor verlamd.

Ostarhild toonde de generaals een map vol krantenknipsels uit de militaire krant *Rode Leger*, en een plaatselijk gedrukte nieuwsbrief voor de mannen in de loopgraven met de titel *Voor de landsverdediging*. Aan de knipsels waren vertalingen toegevoegd, verzorgd door zijn staf. Hij maakte de generaals vooral attent op de artikelen onder het hoofd 'Van het front', geschreven door een politieke commissaris, een zekere I.S. Danilov. Het waren artikelen over een kortgeleden in het leven geroepen opleidingsschool voor sluipschutters in het Tweehonderdvierentachtigste Infanterieregiment onder kolonel Batjoek. 'Het zal u duidelijk zijn,' besloot hij, 'dat het Russische opperbevel heeft ingezien hoe waardevol zo'n sluipschutterseenheid kan zijn. Ik betwijfel echter of zelfs zij hebben voorzien hoe ongelooflijk hinderlijk hun sluipschutters voor ons zouden worden.'

Generaal Schmidt, de adjudant van generaal Paulus en hoogste in rang onder de aanwezigen, knikte instemmend terwijl hij de vertalingen doornam.

'Deze artikelen,' zei hij, 'geven hoog op over deze sluipschutterinstructeur, de man die zij de "Haas" noemen. Hij schijnt het brein achter deze nieuwe opleidingsschool te zijn.'

Ostarhild knikte. 'Jawel, generaal. Het is een Siberiër, een geboren jager uit de Oeral. De Rode pers omschrijft hem als het prototype van de heldhaftige sluipschutter.'

Schmidt tikte met de rug van zijn hand tegen de paperassen die hij voor zich had liggen. 'Dan lijkt het mij dat het buitengewoon goed zou zijn voor het moreel van onze mannen om deze held Zaitsev zelf te pakken te nemen en zijn kop van zijn romp te schieten.'

Schmidt las nog een poosje door. Toen keek hij op en vergastte de aanwezigen op een zelfvoldane grijns.

'En als ik mag afgaan op wat ik hier lees, heeft deze brave Danilov zijn uiterste best gedaan ons te helpen.' Hij hield de knipsels uit *Voor de landsverdediging* omhoog en schudde ermee in Ostarhilds richting. 'Wat wij hier hebben, *meine Herren*, is een catalogus van de door Herr Zaitsev toegepaste tactieken! En hij schijnt gedetailleerd en vrijwel compleet te zijn, vindt u ook niet, luitenant? Hoe hij denkt, welke krijgslisten hij prefereert enzovoort. Zeg me eens: kan dit ons naar uw mening helpen deze Russische schoft te pakken te krijgen? Dit Rode knaagdier?'

De andere generaals in de kamer gniffelden. Ostarhild knikte en zei: 'Zeker, generaal, daar hebben we veel aan.'

'Stuur dan in mijn naam een telegram naar Berlijn,' hernam Schmidt terwijl hij opstond ten teken dat het overleg ten einde was. 'Zeg hun dat wij de beste sluipschutter van het hele Russische leger wensen te doden. Laten ze ons de beste Duitse sluipschutter sturen. De allerbeste. Onmiddellijk!'

Twee dagen na Ostarhilds ontmoeting met de generale staf stond Nikki Mond op de middag van de negende november in een wervelende sneeuwbui op de luchtmachtbasis Goemrak, vijftien kilometer ten westen van het centrum van Stalingrad. De enkele start- en landingsbaan van Goemrak en de eenzame blokhut vormden de dichtstbijzijnde luchtverbinding tussen Duitsland en Stalingrad. De afgelopen maanden had de naam Goemrak onder de soldaten van de Wehrmacht die in Stalingrad vochten zowel een opbeurende als uiterst deprimerende bijklank gekregen. Goemrak betekende dat je naar huis ging, wellicht zelfs op een verende stoel vanwaar uit je Rusland kleiner kon zien worden en vervagen in de mist, maar vermoedelijk – en de kans daarop was maar al te groot – in de duisternis van een lijkzak. De vurenhouten doodkisten moesten intussen allang op zijn.

Nikki tuurde door de dichte sluiers van omlaag dwarrelende sneeuw. Hij zag de bommenwerper, een Heinkel He-111, op veertig meter van zijn op de landingsbaan geparkeerde stafauto tot stilstand komen. Het was de eerste sneeuw van deze winter. Sneeuw die een volle maand eerder viel dan de lichte sneeuwbuitjes die Nikki zich herinnerde van zijn geboortestreek Westfalen.

Het gebrul van de zuigermotoren bereikte een piek en nam abrupt af. De propellers kwamen tot stilstand. Verscheidene minuten lang hulde het vliegtuig zich in somber stilzwijgen. Niemand kwam ernaartoe, niemand stapte uit. Nikki wipte op zijn tenen op en neer om warm te blijven, zijn handen diep begraven in zijn zakken. Zo nu en dan raakte een sneeuwvlok een van zijn wimpers.

De deur halverwege de romp ging open. Er werd een plunjezak naar buiten gegooid. Een man sprong erachteraan en landde zwaar op zijn voeten. Hij nam de plunjezak op en begon door de jachtsneeuw te lopen.

De motoren van de He-111 kuchten en sloegen ronkend aan; opeens vormden de propellers weer een cirkelvormig waas. De gedaante kwam dichterbij. Hij droeg een lange overjas van zwarte wol, zonder onderscheidingstekenen. Zijn fonkelnieuwe, nog stijve pet was zo zwart als ebbenhout, met een brede rand. Een dikke, bruine sjaal bedekte zijn kin en mond, tot onder zijn neus. De klep van de pet beschermde zijn ogen.

Onder het steeds hogere geraas van de vliegtuigmotoren overhandigde de man zijn plunjezak aan Nikki en liep toen langs hem heen naar de wachtende stafauto.

Te oordelen naar de omvang van de overjas van de onbekende veronderstelde Nikki dat hij tamelijk rond van postuur moest zijn, en hij was niet langer dan hijzelf. Dit is dus de supersluipschutter uit Berlijn, dacht hij. Ik had op een echte titaan gerekend, een veteraan met vierkante kaken en ogen van blauw graniet. Nou ja, ik ben nu eenmaal een romanticus. Deze man die zoveel haast heeft om in de auto en uit de kou te komen, lijkt me een zacht ei. Hij moet wel verdomd goed zijn, ontzettend goed.

Nikki startte de auto en verliet de startbaan. Hij schoof de knop van de kachel niet hoger; het leek hem beter de motor eerst wat warm te laten draaien, voordat hij de koude lucht moest verwarmen.

'Waarom is het hier niet warm?' vroeg de man met de sjaal. 'Je had de auto onder het wachten stationair kunnen laten draaien. Dan zou hij warm zijn geweest toen ik instapte.'

'Jawel, overste. Neemt u mij niet kwalijk.' Nikki keek in de spiegel. 'Uw toestel had vertraging, ziet u. Ik wilde geen brandstof verspillen.'

Nikki verschoof de knop, zodat er koele lucht de cabine binnenstroomde. Het tweetal reed in stilzwijgen over de onverharde landweg naar Ostarhilds hoofdkwartier. Af en toe wierp Nikki via de spiegel een verstolen blik op de nieuwkomer. Pas toen het enigszins warm was in de cabine trok de man de sjaal van zijn kin en schoof hij de klep van zijn pet wat omhoog.

Hij glimlachte toen hij via de spiegel opmerkte dat Nikki naar hem keek. 'Hoe heet je, korporaal?'

'Nikolas Mond, overste. Uit Westfalen.'

'Aha.' De *Obersturmbannführer* knikte en keek door het beslagen autoraam naar de natte sneeuw. 'Ik ben daar vaak wezen jagen. Voornamelijk op ganzen, maar er zitten ook meer dan genoeg fraaie eenden.'

De man leek nogal verlegen om een praatje. De blauwgrijze ogen in de spiegel wachtten op antwoord.

'Mijn ouders hebben er een boerderij,' antwoordde Nikki. 'Na iedere oogst strooien we maïskorrels uit over de akkers. De eenden vliegen zo ongeveer het huis binnen en eindigen op de eettafel.'

'Ja,' lachte de man. 'De smaak van stomme eenden bevalt me beter dan die van de slimmeriken.'

Hij deed zijn pet af, trok zijn handschoenen uit en legde ze op zijn schoot. Zijn haar was kortgeknipt en lichtbruin, zo ongeveer als van de in winterslaap zijnde steppe die langs het autoraam voorbijgleed. Zijn huid, roomblank, spande zich strak om vetkussentjes in de hals en bij de oren, rondingen die het hoekige van het gezicht verzachtten. Nikki zag het kleine formaat van de oren, de neus en de mond, en ook zag hij hoe de ogen het hele gezicht domineerden, alsof het twee fletsblauwe vijvers waren waaromheen de rest zich had verzameld om te drinken. Als hij met zijn ogen knipperde, gebeurde dat langzaam en met opzet, maar zijn hoofdbewegingen waren abrupt, bijna staccato. Het deed Nikki denken aan de kerkuilen op de boerderij thuis.

Nikki stuurde de stafauto de verharde weg op. Boven de bumper wapperde een vaantje met een hakenkruis, ten teken dat de auto een belangrijke passagier vervoerde. Nikki reed rustig en laveerde de auto door drommen soldaten te voet. De mannen leken doelloos voort te sjokken, ineengedoken tegen de sneeuw. Sommigen hadden een deken om zich heen gewikkeld. Veel soldaten hadden krantenpapier onder hun helm en onder hun overjas gedaan, waardoor ze deden denken aan vogelverschrikkers.

Vóór Nikki stopte een door paarden getrokken kar. Hij bracht de stafauto tot stilstand. De soldaten aan weerskanten weigerden ruim baan te maken. Nikki wilde geen gebruikmaken van de claxon om de voort sjokkende mannen te manen, maar hij móést erdoorheen.

'Het geeft niet, korporaal,' zei de man op de achterbank. 'Wacht maar even.'

Nikki keek naar de lading in de bak van de kar. Een stapel lijken, hoog opgetast tegen de houten schotten, verstijfd, grijpend naar het luchtledige. Hun hoofden waren onder onmogelijke hoeken geknikt. Blote voeten staken uit de chaotische massa grijsgroene uniformen; hun laarzen en sokken waren al door de ijskoude handen van de levenden opgeëist. Over hun gekromde ellebogen en gebogen benen en in de plooien ertussen vormde zich een tere sneeuwsluier; witte, niet-smeltende ijskristallen vulden de oogkassen en open monden.

Een officier ontdekte de wachtende stafauto achter de paard en wagen. Hij gaf de soldaten die over de berm liepen opdracht ruim baan te maken en beduidde Nikki dat hij om de paard en wagen heen moest rijden. Nikki salueerde voor de officier en reed de berm in. De officier nam er geen notitie van.

Nikki zag in de spiegel dat de grote ogen van de man gesloten waren, waarbij de oogleden als gordijnen fungeerden. Hij vroeg: 'Je weet wie ik ben?'

'Ja, overste,' zei Nikki. 'U bent *Obersturmbannführer der ss* Heinz Thorvald, en u komt uit Berlijn.'

De luitenant-kolonel deed zijn ogen open. 'Uit Gnössen, in feite. Daar heb ik het afgelopen jaar instructie gegeven. Maar Berlijn is er niet ver vandaan. Ik ga er af en toe heen voor theaterbezoek. Hou je van opera, korporaal? Bij jullie in de buurt is ook een operatheater. Ik ben er wel eens geweest.'

'Nee, overste. Met een boerderij heb je daar geen tijd voor.'

De ogen gingen weer dicht. 'Nee, ik veronderstel dat je gelijk hebt. De Engelsen hebben het Staatsopernhaus in Berlijn gebombardeerd. De *Führer* heeft het laten herbouwen. Eind deze maand wordt het heropend. Met Wagners *Die Meistersinger*. Tegen die tijd wil ik thuis zijn.'

Nikki richtte zijn aandacht op de weg. Nu hij vrij baan had, drukte hij het gaspedaal wat verder in en bracht zijn passagier, de gevaarlijkste doder-op-afstand van de hele Duitse strijdkracht, 'supersluiper' Heinz Thorvald, in snelle vaart naar het hoofdkwartier van luitenant Ostarhild.

Luitenant Ostarhild liep de sneeuw in om overste Thorvald te verwelkomen. Hij nam de houding aan en salueerde terwijl Nikki het achterportier opende. De overste beantwoordde de groet en volgde de jonge officier naar binnen. Nikki volgde met de plunjezak van Thorvald.

Ostarhild schonk koffie voor de overste in en bood hem een stoel aan bij een brandende kolenstoof. Nikki had noch de stoof, noch de steenkool eerder gezien. Kennelijk had de luitenant ze 'georganiseerd' ter ere van Thorvalds bezoek.

De beide officieren wisselden beleefdheden uit en praatten wat over Berlijn en Stuttgart, de woonplaats van Ostarhild. De omgeving van Stuttgart scheen ideaal te zijn voor de jacht op fazanten.

De luitenant warmde Thorvalds koffie nog wat op. Hij maakte gebruik van de pauze in het gesprek om over de missie van de overste te beginnen. Hij nam een stapel krantenknipsels van zijn bureau, met de vertalingen eraan gehecht. Het waren allemaal artikelen uit *Voor de landsverdediging*. Die ochtend had Ostarhild ze Nikki laten lezen. Nu overhandigde hij ze aan de meestersluipschutter uit Berlijn.

'Overste, deze artikelen zijn geschreven door een politiek commissaris van het Rode Leger. Ze hebben rechtstreeks betrekking op uw doelwit, sergeant-majoor Wasilji Zaitsev. Het schijnt dat een eenvoudige jager uit Siberië voor de Russen een echte held is geworden.'

Overste Thorvald tuurde in zijn koffie. 'En voor u geen gering probleem, hè?'

Ostarhild vouwde zijn handen. 'Erger nog dan deze knipsels doen vermoeden. Zaitsev, bijgenaamd de "Haas", heeft de leiding gekregen van een soort haastig opgerichte opleidingsschool voor sluipschutters. De afgelopen twee weken zijn er steeds meer namen in deze artikelen opgedoken, allemaal namen van leerlingen van hem. Ze zijn in de vertalingen onderstreept. Medvedev, Tsjekov, Sjaikin, Tsjernova. Deze commissaris gelooft dat sommige leerlingen hun baas qua moed naar de kroon steken, maar niemand overtreft hem in vaardigheid. De Haas heeft meer dan dertig sluipschutters bijgebracht hoe ze vlak langs de frontlinie moeten opereren. Met hun gemiddelde schootsafstand van drie- tot vierhonderd meter richten ze achter onze linies niet geringe schade aan. Zeker, we verliezen manschappen door deze schoften, maar erger is dat het moreel in een schrikbarend tempo zakt.'

Thorvald keek op. 'Drie- tot vierhonderd meter? Niet al te goed voor een echte sluipschutter.'

Ostarhild schudde het hoofd. 'Volgens deze artikelen is Zaitsev zelf ook op vijf- tot vijfhonderdvijftig meter nog effectief.'

'Mijn afstanden zijn groter,' zei Thorvald bedaard.

Ostarhild wachtte totdat de overste zijn koffie op had en schoof toen de kop naar de rand van het bureau. 'Overste Thorvald, ik heb opdracht u op alle mogelijke manieren de helpende hand te bieden. Er is hier een ruimte waarin u zich kunt installeren; u kunt er gebruik van maken totdat u uw opdracht tot een goed einde hebt gebracht. Ook heb ik een van onze eigen sluipschutters laten komen om u wegwijs te maken. Wat kan ik verder voor u doen?'

Thorvald draaide zich langzaam om, maar wendde vervolgens met een ruk zijn hoofd naar Nikki. Onder de monsterende blik van de overste richtte Nikki zich nog wat op. 'Deze man,' vroeg Thorvald aan de luitenant, zonder zijn blik van Nikki los te maken. 'Is hij dapper?'

Ostarhild haalde zijn schouders op, alsof hij niet wist wat hij met de vraag aan moest. 'Zeker, overste. Dat is hij. Bijzonder dapper. Zonder dom te doen.'

'Heeft hij gevochten? Kent hij het slagveld?'

Ostarhild maakte een uitnodigend gebaar naar Nikki. 'Korporaal, vertel de overste het een en ander over je ervaringen.'

'Vertelt ú het mij maar,' zei Thorvald. Zijn stem klonk neutraal, zo neutraal als een ontleedmes. Zijn blik bleef op Nikki gefixeerd. 'Ik wil niet horen wat hij zelf van zijn moed vindt. Ik wil horen wat ú ervan vindt. Als hij een dapper man is, zal hij dat nooit van zichzelf zeggen.'

Ostarhild richtte zich tot het achterhoofd van de overste. 'Korporaal Mond heeft gedurende het zwaarste deel van de Slag om Stalingrad actief deelgenomen aan de strijd. En laat me u verzekeren, overste, dat het zwaarste deel van de Slag om Stalingrad overeenkomt met een verblijf in de heetste hel.'

Thorvalds starende blik naar Nikki verzachtte enigszins en opeens brak er een lachje door op zijn gezicht, als een onverwachte scheur in maagdelijk wit ijs. 'Mooi.' Hij wendde zich weer tot Ostarhild. 'Dan zou ik hem graag als mijn gids en waarnemer toegewezen krijgen.'

De luitenant boog zich naar voren. 'Overste, zoals ik al zei, heb ik ervoor gezorgd dat een van onze sluipschutters als uw waarnemer kan fungeren. Hij kent het slagveld even goed als deze korporaal én hij heeft ervaring met de Russische sluipschutters.'

'Ik wil niemand met ervaring met Russische sluipschutters. Ik heb geen behoefte aan goede raad en prietpraat. Deze Zaitsev heeft het bestuderen van

Duitse sluipschutters tot een kunst verheven. Ik heb niets aan iemand die mijn dood kan worden. Ik wil gewoon iemand die doet wat ík zeg. Deze korporaal van u ként het slagveld. Hij is overduidelijk een geboren overlever. U zegt dat hij goed kan vechten. En ik weet dat hij weet wat angst is. Ik kan het in zijn blik zien. Hij weet wat angst kan aanrichten.'

Ostarhild zei hoofdschuddend: 'Overste, met alle verschuldigde respect, maar een van onze eigen sluipschutters zou...'

Thorvald viel hem in de rede. 'Sluipschutters zijn lafaards. Dat geldt voor ieder van ons. Wij doden zonder te vechten. Vergeet niet, luitenant, dat ík uw Duitse sluipschutters alles heb geleerd wat zij weten.'

De overste stond op. 'Korporaal, al Russen gedood?'

Nikki knikte.

Thorvald wendde zich tot Ostarhild. 'Ik heb nooit iemand gedood. Ik heb er honderden neergeschoten, maar ik heb nooit iemand gedood. Ik beneem hen alleen het leven. Als ik op een afstand van een halve kilometer de trekker overhaal, vallen zij neer. Dat is alles.' Hij wees naar Nikki. 'Wat hij kan, kan ik niet. Ik kan niet vechten, alleen raak schieten. Dat betekent dat ik een lafaard ben. Ik weet dat. Deze man is géén lafaard. Hij komt met mij mee.'

Ostarhild stond ook op. 'Zeker, overste. Natuurlijk. Korporaal, morgenochtend bij het krieken van de dag meld je je bij de overste. Ga nu naar je slaapverblijf en zorg dat je wat rust krijgt. Je vindt me hier morgenochtend. Ingerukt.'

Ostarhilds hoofdkwartier bevond zich op de eerste verdieping van de ruïne van een warenhuis, gelegen aan een straat. Aan de overkant van de straat lag een park. Het centraal station lag ten noorden van dat park, naast een hotel voor toeristen. Ten oosten van het warenhuis bevond zich een betonnen trap die vroeger geflankeerd was geweest door standbeelden en fonteinen, en afdaalde naar een rivierpromenade die zich voortzette tot aan de aanlegsteiger van de veerboten. Vanaf deze steiger hadden plezierboten badgasten overgebracht naar de zandstranden van de grote eilanden in de Wolga. Winkels, banketbakkerijen, kiosken, de plaatselijke krant, een folkloremuseum, bootjesverhuurders, een politieke gehoorzaal, een openluchtmarkt, een kerk – dit alles lag en stond om hem heen verspreid als reusachtige geraamten, de verbrijzelde resten van een kloppend stadshart.

Deze stad, dacht Nikki, terwijl hij naar zijn nachtverblijf wandelde, is verkracht en verminkt door een oorlog die zo immens en overweldigend is dat hij een hele rij gebouwen kan wegmaaien als met een zeis. Nu begint deze bonkende, voortstormende, alles verslindende oorlog trager te worden en wordt het accent verlegd naar het persoonlijke gevecht. Nu gaat het hier om één man, helemaal vanuit Berlijn hierheen gevlogen, die opdracht heeft om één andere man af te maken.

Zal deze oorlog dan helemaal niets over het hoofd zien, vroeg Nikki zich af. Begint hij nu al op onze naam jacht te maken, ééntje tegelijk?

Nikki lag op zijn slaapmat. Hij had zich geïnstalleerd in de kelder van een oude bakkerij. Naast de ovens stonden nog koelrekken langs de muren. De oersterke vloer boven zijn hoofd had het door alle bombardementen heen gehouden. Nikki wist dat hij zich gelukkig mocht prijzen dat hij zo'n veilige plek had om zijn hoofd ter ruste te leggen, ongestoord.

Hij had een paar uur lang onder een lantaarn plattegronden van de fabrieken en de arbeidersnederzettingen zitten bestuderen. Hij spitte zijn kennis van het front nog eens door, op zoek naar aanwijzingen voor de plek van waaruit de Haas kon opereren. Het is niet waarschijnlijk, dacht hij, dat Zaitsev het noordelijkst gelegen complex, de Tractorenfabriek, tot zijn jachtterrein zal maken. Daar hebben we vrijwel alle weerstand eind oktober weggevaagd. We zijn er heer en meester, maar het zal de tol die we ervoor hebben betaald nooit waard zijn. De situatie bij de middelste fabriek, de Barricaden, begint na wekenlange strijd eindelijk over te hellen in ons voordeel. En trouwens, daar in de Barricaden is niets beters te vinden dan soldaten en korporaals die hun leven op het spel zetten alsof het om een potje dobbelen gaat. Iedere stap in dat monsterlijke web van staal en beton is buitengewoon gevaarlijk. Zaitsev heeft een voorkeur voor grotere vissen: officieren, artilleriewaarnemers, mitrailleurschutters. Daarmee haal je de Russische pers. De man houdt van dramatiek. Ik heb zo'n idee dat hij in de omgeving van de Rode Oktober werkt, of in de corridor tussen die fabriek en het Lazoer-complex. Of de oostelijke helling van de Mamajev Koergan. De Russen zijn het sterkst in die contreien. Zaitsev zal zijn bekwaamheden niet verspillen en zichzelf in gevaar brengen in situaties waarin de Russen niet kunnen winnen.

Nikki draaide de lamp lager. Wat had de overste bedoeld toen hij zei dat alle sluipschutters lafaards waren? Zelfs de Russen? Was Zaitsev een lafaard? Hij dacht terug aan een paar van zijn eigen gevechten, en aan andere die hij voor Ostarhild had geobserveerd. Hij herinnerde zich de Russische soldaat die getroffen was terwijl hij een brandende fles antitankvloeistof in zijn hand hield. De man had de fles laten vallen en was opgeslokt door de vlammen. In het besef dat hij zo goed als dood was, had de man een tweede fles gegrepen, was ondanks zijn folterende pijnen naar een tank gerend en had de vloeistof tegen de radiateur gesmeten om de tank in brand te laten vliegen. Waar waren de Russische lafaards? Hij had er nooit een gezien. De lafaards waren allemaal het eerst gestorven. Er konden geen lafaards over zijn.

Liggend in het donker, de ogen wijdopen, staarde Nikki in zijn herinneringen. Zijn geest wiekte als een havik over de afgelopen maanden heen. De huizen. De fabrieken. De groene Wolga. Hij luisterde naar zijn hartslag: het ritme van vurende mortieren. Zijn adem raspte als het doodsgerochel van stervenden. Hij ervoer de donkere kilte en stilte van de kelder als de duim van de dood die hem terneer drukte. Zijn zintuigen maalden. Hij had niet het gevoel dat hij omlaag viel, maar dat hij omlaag werd gegóóid.

Hij ging rechtop zitten. Er moest hoe dan ook een eind aan komen; deze para-de van gewelddadige scènes en verdovende explosies overweldigde hem totaal. Hij tuimelde regelrecht het hart in van een machtig vuurwerk; de herinnerin-gen waren zo ongelooflijk helder, en ze ontploften en knetterden aan alle kan-ten.

Stop! dacht hij. Hou hiermee op! Waar blijft de slaap?

Door het geluid van voetstappen boven zijn hoofd kwam Nikki in het donker overeind. Ostarhild riep Nikki's naam om hem duidelijk te maken dat híj het was; die voorzorgsmaatregel nam hij niet voor Nikki, maar met het oog op zijn eigen veiligheid.

Nikki stak zijn lantaarn aan en liep ermee naar de voet van de trap. 'Luite-nant, ik ben hier. Kom binnen.'

Ostarhild kwam de trap af. 'Het spijt me dat ik je wakker maak, Nikki. Je moet iets voor me doen.'

'Ja, luitenant?'

'Vroeg in de avond zijn er vijf bataljons van het Driehonderdzesendertigste Genieregiment aangekomen. Generaal Paulus wil opnieuw een groot offensief tegen de Barricaden inzetten. Tussen mijn bureau en het spoorwegemplace-ment direct ten zuiden van de Lazoer-fabriek is een telefoonkabel gebroken. Ik moet over die lijn met het Driehonderdzesendertigste kunnen beschikken als ze zich daar eenmaal hebben geïnstalleerd.'

Nikki knikte.

'Ik heb er al iemand heen gestuurd om de kabel te repareren, maar hij schijnt verdwenen te zijn. Geen idee wat er met hem is gebeurd. Hij was een groentje, dus er kan van alles mis zijn gegaan. Ik had je liever laten rusten, maar nu moet ik je wel lastigvallen.'

Ostarhild overhandigde Nikki een zaklantaarn. 'Laten we gaan. Dit hoeft je niet al te lang op te houden.'

Nikki zette zijn petroleumlantaarn op de grond. Hij deed de zaklantaarn aan om voor de officier de trap naar boven te verlichten. Zijn geweer liet hij rechtop in de hoek staan waar het al weken had gestaan.

Bij Ostarhilds bureau liet Nikki de lantaarn naar de grond schijnen. Ostarhild wees hem de zwarte kabel die in een steeg verdween. De dikke, met schellak behandelde draden waren afkomstig van spoelen in de laadbak van een kleine vrachtwagen. Dergelijke telefoonverbindingen legde het Duitse leger overal aan als het zich installeerde om terreinwinst te consolideren. Waar mogelijk werden de kabels langs muren of de binnenzijde van spoorrails gelegd, niet al-leen om beschermd te zijn, maar ook met het oog op camouflage. Soms, als er een straat of water moest worden overbrugd, werden de kabels op palen beves-tigd.

Nikki liet een draadtang en een rol zwart plakband in zijn zak glijden. Ostarhild klopte hem op de rug. 'Ik heb de kabel tot hier gecontroleerd, Nikki. Hij moet daar ergens gebroken zijn. Wees voorzichtig. Zoek de breuk, repareer hem en kom terug.'

Nikki liet de lichtbundel op de kabel vallen en begon hem de steeg in te volgen. Aan het eind van de rij huizen was de kabel op een vlaggenstok bevestigd om een straat te overspannen. Hij liet de lichtbundel de kabel volgen, zigzaggend door de stad.

Onder het lopen bleef hij uiterst waakzaam. Hoewel dit een achterhoedesector was, bleef hij zich er scherp van bewust dat hij een Duitse soldaat was die door de Russische nacht kuierde, nog wel mét een brandende lantaarn.

Hij bleef de draad in het oog houden en schonk zelden aandacht aan de ruïnes vol schaduwen. Hij had het gevoel ze allemaal al eerder te hebben gezien, en de ene leek sprekend op de andere. Maanden geleden had het hem getroffen hoe weinig karakter er nog over was van deze naar Stalin genoemde stad, die ooit mooi moest zijn geweest. Toen Nikki Stalingrad begin september voor het eerst had gezien, hadden de strijd en de bombardementen haar al gereduceerd tot puinhopen en hologige, uitdagende voorgevels. Het was een steenwoestenij die er overal hetzelfde uitzag omdat de verwoestingen overal even erg waren. Alleen de jadegroene Wolga en de steppe voorbij de Mamajev Koergan waren nog een blik waard.

Hij volgde de draad tot achter de resten van een magazijn. Hier stonden vijf, zes steenkolenwagons op de rails, stuk voor stuk doorzeefd met kogels. Nikki liep het open rangeerterrein op, maar hij hoorde voetstappen in het puin. Hij richtte zijn lichtbundel op de eerste kolenwagon. Er kwam een soldaat achter vandaan, de hand opgeheven in een groet. Schouderophalend wees de man naar Nikki's voeten. Nikki richtte de lichtbundel op de breuk in de kabel. Duidelijk doorgeknipt, doelbewust.

Zou deze soldaat daar achter zitten, vroeg Nikki zich af. Was hij helemaal hierheen gegaan en had hij later ontdekt dat hij zijn draadtang of plakband was vergeten? Waarom was hij niet gewoon teruggegaan? Misschien had hij vooruit geweten dat er iemand anders zou komen om de kabel te repareren en dus gewacht op zijn vervanger, redenerend dat het veiliger was om samen terug te lopen? Wat ook de reden mocht zijn, dacht Nikki, een korporaal die 's nachts, vlak voor een belangrijke missie, voor deze futiliteit uit zijn slaap was gehaald, zou dit groentje een lesje geven dat hij nooit meer zou vergeten.

Nikki hurkte neer en nam zijn draadtang. De soldaat bleef waar hij was. Nikki richtte de lichtbundel op hem. 'Kom hier en help me. Ik laat je zien hoe het moet en dan doe jij het. Kom hier.'

De kleine soldaat slenterde naar hem toe. Zijn parka hing losjes om hem heen en zijn broek, uitgerekt ter hoogte van de knieën hing over zijn laarzen. Aan de koppelriem van de soldaat hing een leren schede met een dolkmes met benen greep.

144

Niet zijn uniform, dacht Nikki Mond.

De soldaat liep naar hem toe en bleef naast hem staan, rechtop. Toen bukte hij zich en bracht zijn magere, bleke gezicht tot op ooghoogte voor Nikki. Die tilde de lantaarn op en bescheen het gezicht van de soldaat.

De soldaat grijnsde. Er blikkerden gouden tanden.

Nikki werd opgewacht door pijn. Hij worstelde zich naar de oppervlakte van zijn bewustzijn en voelde een steek van witgloeiende pijn in zijn nek. Zijn handen konden zich niet bewegen. Water stroomde uit zijn neusgaten en mond.

Plotseling voelde hij stekende pijn in zijn wang. Met een ruk draaide hij zijn hoofd naar rechts en dwong zijn oogleden open te gaan. Zijn kaak martelde hem. Hij hoestte het vocht uit zijn neus en keel, knipperde met zijn ogen om de dingen helder te kunnen zien. Een fel licht scheen hem in de ogen.

Zijn zintuigen kregen snel houvast. Hij lag op zijn rug, met gebonden handen en voeten. Nikki deed zijn ogen wijdopen en het licht werd een explosie vol sterren. Meer kon hij niet zien.

Uit het licht schoot een hand naar voren om hem bij de kraag te grijpen en overeind te trekken tot zithouding. De pijn in zijn nek daalde af en breidde zich uit tot in zijn schouders. Zijn ribben bonkten. Hij was geschopt toen hij buiten westen was.

Het licht zakte naar de grond. Zijn gezichtsvermogen paste zich aan en hij zag drie mannen, van wie er een het veel te ruime Duitse uniform droeg. Dit was de man die zich naar hem toe boog. Hij bracht zijn gezicht vlak bij dat van Nikki en grijnsde met die mond vol gouden tanden. Hij trok een lang mes en zette het scherp ervan op Nikki's kin. Zijn gezicht vulde Nikki's hele gezichtsveld.

'Er is niet veel tijd,' zei een ruwe stem achter het licht. Hij had het in het Duits gezegd, met een zwaar accent. 'Deze man hier wil jou doden. En ik zal het hem laten doen ook, tenzij je mij één reden geeft om hem daarvan te weerhouden.'

Nikki staarde als verdoofd in het gezicht tegenover hem. De blikkerende gouden tanden verdwenen achter dunne lippen. De man ademde snuivend door zijn neus.

Nikki keek langs het hoofd tegenover hem naar de duisternis. In het licht van de lantaarn kon hij zien dat hij zich in een kolenwagon bevond. Dit drietal moest een commando zijn dat zich achter de Duitse linies had gewaagd om een krijgsgevangene te maken en hem te ondervragen. Hij kon alleen maar raden hoe lang ze hier in die kolenwagon hadden zitten wachten. Ze hadden de kabel doorgesneden en vervolgens het groentje te pakken genomen dat hierheen was gestuurd om de kabel te repareren. Ze hebben hem afgemaakt; en nu hebben ze mij te pakken, dacht Nikki dof.

'Doden doen jullie me toch,' zei hij.

Het mes schraapte omlaag langs zijn kin, over zijn adamsappel en terug naar zijn kaak. Nikki slikte en noemde zijn naam, rang en registratienummer. Het

145

gezicht tegenover hem keek hem diep in de ogen, als een oplettende hond die zijn baas niet begrijpt.

'Korporaal, laat me dit gemakkelijk voor je maken,' zei de stem achter het licht. 'Wij weten van de versterkingen die zich in de Barricaden installeren. Diverse bataljons. We hebben ze geobserveerd. En hoewel de zenuwachtige jongen die vóór jou hierheen was gestuurd een tamelijk snelle prater was, wist hij niets van waarde. Ik denk dat het met jou anders ligt. Vertel me iets van waarde, korporaal, nu!'

Nikki voelde het vlijmscherpe mes onder zijn oor drukken. Er blikkerde goud tussen de lippen die voor hem zweefden. Deze man siste hem iets toe; bloed sijpelde langs Nikki's hals.

De tolk zei: 'Hij wil dat je weet dat hij je binnen vijf tellen gaat afmaken. Hij wil het graag, zegt hij. Ik raad je aan me nu iets te vertellen, korporaal.'

Nu, dacht Nikki. Nu, zegt hij! *Mein Gott*, op een dergelijke dood was ik niet voorbereid. Mijn keel opengesneden, happend naar adem, gebonden aan handen en voeten als een geslacht varken. Nu! Wat kan ik hen vertellen? Moet ik het hun vertellen? Vertellen? Wat weet ik? Van waarde? Wat is voor deze gekken van waarde? Wat weet ik? Zeg iets, Nikki. Maakt niet uit wat. Er zal altijd wel iets uitkomen, iets van waarde. Nee, hou je bek! Verraders en lafaards praten. Sterf, ga gewoon dood. Het is voorbij. Ze maken je hoe dan ook af. O god. Vader.

Het mes verliet Nikki's keel. Het gezicht verdween achter hem. Nikki keek naar de beide staande mannen, schimmen in het naar de grond gerichte licht. Ze zagen er net zo uit als alle andere Russen die hij had gezien: omvangrijke, gewatteerde parka, patroongordel, handgranaten aan de koppelriem. En natuurlijk de Russische bontmuts, de oorkleppen opgebonden.

Het licht scheen hem opnieuw in het gezicht en verblindde hem. De man met het mes legde zijn hand over Nikki's ogen en neus en trok ruw zijn hoofd achterover. Nikki's keel stond strak.

'Korporaal,' zei de stem. 'We moeten nu weg. Ik geef je deze ene kans.'

Nikki's hersenen werden overstroomd met bloed. Hij zoog sissend lucht naar binnen en ontblootte zijn tanden. Zijn handen en benen waren gebonden, totaal nutteloos. Het is voorbij. Voorbij. Ik weet hen niets te vertellen, niets.

Een grauw ontsnapte aan zijn onbeschermde keel toen het mes erop werd gezet. Het licht werd uitgeknipt. Nikki ontspande zich.

Toen, als een kogel, een reddende engel, kwam er een gedachte bij hem op.

'Thorvald.'

'Wacht,' zei de stem. 'Wat zei je daar?'

Nikki herhaalde het. 'Thorvald. Hij is hier.'

De stem gaf een bevel in het Russisch en het licht scheen weer in Nikki's ogen. De hand trok niet meer aan zijn hoofd. 'Vertel wat meer, korporaal. Wie is Thorvald?'

Nikki sloot zijn ogen om na te denken. Zeg het hun. Het maakt niet uit. Thorvald is maar één man; je verraadt geen grote troepenbewegingen of geheime plannen. Zeg het hun. Ze hebben er toch niks aan. 'Thorvald,' zei hij, happend naar adem, 'is een luitenant-kolonel. Een *Obersturmbannführer* van de ss. Berlijn heeft hem hierheen gestuurd om een van jullie sluipschutters te doden.'

De stem gaf in het Russisch een nieuw bevel. De beul met de gouden tanden stond weer voor Nikki en draaide het mes in zijn handen om en om. 'Welke sluipschutter van ons?' vroeg de stem.

Nikki knipperde met zijn ogen tegen het licht. 'Zaitsev. De Haas.'

De Roden begonnen druk met elkaar te fluisteren. De gouden grijns verscheen weer vlak voor Nikki's ogen en blokkeerde het licht. Zijn ogen waren fel en hij hield zijn hoofd een beetje scheef, als een waakzame hond.

De grijns vormde woorden: '*Otkoeda ty znajesj pra Zaitseva?*' Een andere stem vertaalde het: 'Hoe weet jij van Zaitsev?'

'Er wordt in jullie kranten over hem geschreven. Ze vertellen ons alles over hem.'

De drie overlegden fluisterend. De man in het Duitse uniform wees diverse keren met het mes naar Nikki. Een hoofd schudde nee. De derde, de tolk, stond stil te luisteren naar de argumenten van het tweetal. Kennelijk was deze man degene die de beslissingen nam. Goudtand hurkte naast Nikki neer en staarde naar zijn profiel. Hij drukte op zijn mes en draaide het rond in de houten vloerdelen van de wagon. 'Wanneer is deze ss-overste gearriveerd?'

'Gisteren.'

'Is hij goed?'

Nikki knikte. De pijn in zijn nek werd op slag heviger.

'Hij zegt zelf van wel. Ik weet het niet, ik heb hem nog niet zien schieten. Hij is echter hoofd van de *Heckenschützeschule* van de ss, die sluipschuttersschool bij Berlijn, in Gnössen. De generaals hebben speciaal om hem gevraagd. Ze hebben hem hierheen laten vliegen om Zaitsev te pakken te nemen. Hij is de beste, zeggen ze. Meer weet ik niet.'

'Hoofd van de Duitse sluipschuttersschool?' De tolk vertelde het aan zijn maats. Goudtand fronste zijn wenkbrauwen en schudde zijn hoofd bij Nikki's oor.

De leider wreef over zijn met stoppels begroeide kin. 'Hmm. Interessant, korporaal.' Zijn stem klonk peinzend. 'Een Duitse supersluiper, uit Berlijn hierheen gehaald om de Russische supersluiper te doden. Ja, dat is interessant.'

Hij sloeg zijn armen over zijn borst. 'Ik geloof echter niet dat dit het enige is wat jij weet.'

Nikki zocht koortsachtig naar iets meer, een detail dat de balans kon doen doorslaan. Hij had Thorvald pas ontmoet. Hij wist alleen wat er in Ostarhilds bureau was besproken. 'Hij zegt dat hij een lafaard is. En hij wil dat ik zijn gids ben.'

De tolk begon te lachen. Hij vertaalde het voor de andere twee. Hij beduidde de man naast Nikki naar hem toe te komen. De twee mannen in Russisch uniform hingen ieder een pistoolmitrailleur aan de schouder terwijl de grijnzende man in het Duitse uniform een lang geweer met telescoopvizier oppakte en met het mes in de hand naar Nikki toe kwam. Hij bukte zich en sneed Nikki's handen vrij, maar liet zijn voeten gebonden. Hij richtte de loop van het wapen op Nikki's voorhoofd en grendelde door. Een patroon wipte omhoog, de lucht in. Zijn hand schoot uit en hij ving de patroon op. Hij liet hem naast Nikki neervallen.

'*Vot, dai etomoe troesoe. A sledoesjoejoe on poloetsjit v lob.*'

Hij stak het mes in de schede en draaide zich om naar de open schuifdeur van de kolenwagon.

De tolk posteerde zich voor Nikki. Hij deed de zaklantaarn uit. In het duister zei de soldaat: 'Hij heeft gezegd: "Hier, geef deze aan de lafbek. De volgende die hij krijgt wordt opgevangen door zijn voorhoofd." Het beste, korporaal.'

De Russen sprongen de wagon uit.

Nikki maakte het touw om zijn enkels los. Zodra hij vrij was, kroop hij naar de deur en speurde de nachtelijke schaduwen af. Hij spande zijn zintuigen in, op zoek naar een spoor van de mannen die hem op het rangeerterrein gevangen hadden genomen. Hij had geen andere keus; hij glipte de wagon uit en liep het rangeerterrein op.

Ze zijn weg, dacht hij. Ze hebben me laten leven.

Nikki dreef de lucht uit zijn longen. Hij betastte het warme metaal van de Russische patroon in zijn hand. Hij drukte zijn wijsvinger op de punt en voelde met hoeveel gemak het een lichaam kon doorboren. Toen liet hij de patroon vallen.

In het donker, op handen en knieën, tastte hij om zich heen totdat hij zijn zaklantaarn, draadtang en zwarte plakband terugvond waar hij ze in het zand had laten liggen. Zijn hoofd bonkte terwijl hij de breuk in de kabel repareerde.

12

Heinz Thorvald bewonderde zijn spiegelbeeld in de handspiegel. Dit was sinds zijn vertrek uit Gnössen al de derde ochtend dat hij zich niet had geschoren. Laat je baard staan als je daar bent, had hij zich voorgenomen. Die Russische wind kan steken als naalden.

Hij keek naar zijn naakte lichaam. Hij sliep altijd naakt. Je had het warmer als je de dekens om je blote benen en onder je kin voelde. Hij had de vorige nacht goed geslapen op de brits in de opslagkamer die Ostarhild voor hem had laten neerzetten, maar meer dankzij zijn vermoeidheid dan het comfort.

Thorvald legde de handspiegel neer. Met blote handen begon hij over zijn maag te wrijven. Zijn blanke huid had een wat roodachtige tint, veroorzaakt door de sproeten waarmee zijn lichaam al sinds zijn jeugd van kop tot teen overdekt was geweest en die nu nog altijd zichtbaar waren. Een vetlaag verzachtte de lijnen van zijn spieren en botten als een laagje sneeuw. Zijn middel leek te pruilen alsof het een onderlip uitstak.

Hij gaf een kletsende klap op zijn buik en schudde er even mee, alsof hij zijn maag wilde vertellen dat hij dat lichaamsdeel over een paar minuten wat brood en jam uit zijn plunjezak zou geven. Hij vouwde het gevechtspak open dat Ostarhild hem op zijn verzoek had bezorgd en begon het aan te trekken.

Een geopende houten kist stond aan het voeteneinde van de brits. Thorvald duwde het beschermende stro opzij en tilde de zeildoeken tas met de nieuwe Mauser Kar 98κ uit de kist. Hij trok de zak van het wapen en verwijderde het bruine oliepapier waarmee het in de fabriek was omwikkeld. Hij voelde de gladheid van het conserveringsvet en de machineolie, waarvan de geuren voor hem even aromatisch waren als die van vers gezette koffie.

Thorvald ontmantelde het scherpschuttersgeweer systematisch: kolf, grendel, trekkermechanisme. Hij liet zich door een oppasser een teiltje met heet zeepsop brengen en legde de onderdelen erin. Hij schudde de zeildoeken tas uit om hem te ontdoen van stof en strodeeltjes en legde hem over het bed. Nadat hij alle onderdelen van het wapen met schone poetslappen had gereinigd en gedroogd, legde hij ze op de tas en bedekte de metalen delen met een vliesdun oliefilmpje. Thorvald hield de loop horizontaal naar het raam en keek erin. Diep in de loop, ongeveer halverwege, bevond zich een vlekje, als een kameel in een immense woestijn met een strakblauwe hemel erboven. Thorvald gebruikte zijn pompstok om het vlekje weg te poetsen, controleerde het resultaat en legde de loop op de tas.

Nadat hij het geweer in elkaar had gezet, waste hij zijn handen. Hij trok het vettig geworden gevechtspak uit en gooide het in een hoek. De kleren uit zijn plunjezak spreidde hij uit op het bed. Toen begon hij zich aan te kleden, langzaam. Eerst zijn winterondergoed. Hij genoot van de toenemende warmte van elk kledingstuk: zwarte katoenen sokken, grijsgroene broek, zwarte wollen coltrui, daaroverheen een pullover met kabelmotief, toen zijn met isolerend bont gevoerde laarzen. Als laatste nam hij de omkeerbare gewatteerde parka en dito pet, wit van binnen, groen van buiten. De witte wanten bleven in de zakken. Hij rolde een omkeerbare overbroek uit en legde die naast de geweertas op het bed. Nadat hij zich drie dikke sneden roggenbrood met kersenjam uit het Zwarte Woud goed had laten smaken, pakte hij een kleine geitenleren zak uit de plunjezak. De zak bevatte zijn Zeiss-telescoopvizier (6X) met kruisdraden. Hij bevestigde de telescoop op het geweer.

Nu pas trok Thorvald de witte overbroek en de parka aan – met de witte kant naar buiten. Gekleed en gevoed wreef hij over de blonde stoppels op zijn kin. Ze zullen me naar de baard vragen, daarginds in de Opera, dacht hij. Ik zal hen zeggen dat ik die tijdens een missie aan het Oostfront heb laten staan. Met de Mauser en een doos patronen stapte hij de gang in. Hij passeerde het bureau van Ostarhild en keek even naar binnen. De luitenant was er niet; hij zag dat de samowaar en de koffiepot ook weg waren. Het bureau van de luitenant was één grote chaos.

Buiten kleurden de eerste antracietkleurige lichtstrepen van de ochtend de hemel. Zwaarbewolkt vandaag, dacht hij. Mooi. Dan wordt het niet al te koud. De wolken houden de warmte vast.

Op het plein voor het warenhuis en in de straten eromheen kon hij maar tien soldaten ontdekken. Geen auto's of motorfietsen die de vroege stilte verbraken. Hij vroeg zich af waarom er niet meer activiteit heerste, hoewel hij wist dat hij met betrekking tot de praktische oorlogvoering een vreemdeling in Jeruzalem was. Hij wist in feite niets van de gang van zaken op grotere schaal; zijn wereld bleef beperkt tot het gezichtsveld van zijn telescoop.

Heinz Thorvald had binnen de Duitse strijdkrachten slechts een uiterst specifieke rol gespeeld. Hij was een veelvuldig geroemde sluipschutter, een begaafde *Scharfschütze* geweest, vanaf de eerste dag dat hij in 1933 het zwarte uniform met zilveren insignes van de ss had mogen aantrekken, met de rang van *Hauptsturmführer*, een rang die overeenkwam met die van kapitein bij de Wehrmacht.

Al vóór zijn vijftiende verjaardag was Heinz in zijn geboorteplaats Berlijn nationaal kampioen geweerschieten geworden. Zijn vader, Dieter, baron von Zandt-Thorvald, was in het beboste Zuid-Duitsland een vermaard sportjager. De oude heer had nog met de oude veldmaarschalk Von Hindenburg persoonlijk op eenden en patrijzen gejaagd. Heinz was opgegroeid als lid van de puissant-rijke familie Krupp von Bohlen und Hallbach, zijn familie van moederskant. De familie bezat jachtgronden overal in Duitsland, en Heinz had al vroeg erkenning gekregen als een fenomeen met het geweer.

De hartstocht van de jongen gold echter niet de jacht in de bossen en velden, aan de zijde van zijn vader. Het blaffen van de jachthonden, de natte ochtenden rond meren en plassen en het sterk smakende, bloederige vlees van geschoten wild bevielen hem niet. Zijn hart klopte voor de tijd die hij kon doorbrengen op de schietbaan. Hij gaf de voorkeur aan de camaraderie en het gerief van het clubhuis, het applaus van bewonderaars, de wedstrijden met zijn kornuiten. Het meest keek hij uit naar de wedstrijden tegen oudere scherpschutters die deze begaafde snotneus wel eens even een lesje zouden leren. Dat gebeurde zelden. Vanaf zijn zestiende won Heinz het merendeel van de schietcompetities waaraan hij deelnam, en dat ging zo door tot hij dik in de twintig was. De paar wedstrijden die hij verloor, droegen meer bij aan de verbetering van zijn vaardigheden dan al zijn overwinningen. Hij analyseerde elk gemist schot tot in alle pijnlijke details en maakte de volgende keer niet dezelfde fouten.

Als jongeman legde hij zich toe op kleiduivenschieten. Het geweer dat hij daarvoor gebruikte was de weinig populaire flobertbuks met kaliber 0.410, in plaats van de door veel liefhebbers benutte buks kaliber 12. De sigaarvormige hagelkern van de flobertbuks is kleiner, zodat er veel zuiverder mee moet worden gericht dan met de grovere jachtbuksen. Heinz accepteerde deze handicap vrijwillig. Naar zijn mening schiep het meer gelijke kansen tussen hem en zijn mededingers. Het hielp hem zijn wil te focussen. De grove buks verbrijzelde de kleiduiven bij een voltreffer volledig tot stof. Heinz gebruikte de flobertbuks, kaliber 0.410 om de kleiduiven kapot te schieten en ze dan te zien vallen. Soms oefende hij extra door ook nog eens op zo'n vallende scherf te schieten. Niemand in heel Duitsland had Heinz kunnen overtreffen. De manier waarop hij de kleiduiven van hoog tot laag volgde was even soepel en gelijkmatig als de vlucht van de kleiduif zelf. Zijn balans was opmerkelijk en zijn reflexen werkten als muizenvallen. De kleiduiven werden de lucht in geslingerd bij de roep *Pull!* voor een hoog doel, en *Mark!* voor een laag. Heinz bewoog de loop van de flobertbuks eerst achter de kleiduif aan en dan ervoor; na de eerste seconde bevond zo'n kleiduif zich op twintig meter afstand van de schutter, en na drie seconden op vijftig meter. Hij raakte ze zo gemakkelijk dat ze evengoed tegen een muur kapot gegooid hadden kunnen worden.

In 1928 – hij was toen tweeëntwintig jaar oud – had een golf van stakingen heel Duitsland geteisterd. Op het landgoed van zijn familie in de omgeving van Berlijn was Heinz getuige geweest van de toenemende onrust in het land. Zijn vader, een veteraan van de Eerste Wereldoorlog, was een verstokt aanhanger van het leger. Keer op keer hield hij zijn zoon voor dat het Duitse leger het laatste licht was dat het land de weg kon wijzen naar zijn vroegere glorie.

De baron sloot zich aan bij een militante groep veteranen, de *Stahlhelme*; ze marcheerden door de straten van Berlijn om te demonstreren tegen de hand over hand toenemende werkloosheid, de devaluerende Mark, de Weimar-republiek en het opkomende tij van het communisme. De oude heer predikte dat ijver en de bekwaamheden van de Duitse arbeider tot de waardevolste eigenschappen van het Duitse volk behoorden. Zoals hij het zag, was het de stuntelige manier waarop de leidende politici van de Weimar-republiek met de naoorlogse vrede omsprongen die er oorzaak van was dat de Duitse arbeiders bij duizenden tegelijk werden ontslagen. De hele natie leed aan een depressie. De stabiele ankers van hard werken en dagelijks produceren waren losgerukt uit de bodem eronder, waardoor het schip van staat stuurloos ronddobberde, zo betoogde de baron vaak aan tafel. Alleen een krachtig leger kon deze ankers weer hecht in de bodem laten grijpen.

Heinz Thorvald had zijn vader enkele keren naar de luidruchtige, confronterende demonstraties van de Stahlhelme vergezeld. De wrokgevoelens van de menigte hadden hem angst aangejaagd, en algauw had hij zich verschanst in de geborgenheid van zijn bibliotheek en de schietbaan.

Vijf jaar later, in 1933, was de Oostenrijkse korporaal Adolf Hitler aan de macht gekomen. Een jaar eerder had Hitler zijn National-Socialistische Deutsche Arbeiterpartei een daverende verkiezingsoverwinning bezorgd. Nu was Hitler *Reichskanzler*. Zijn 'Bruinhemden', zoals de leden van de *Sturmabteilung* of SA werden genoemd, marcheerden in paradepas in alle delen van het land, dat het nieuwe nationaal-socialisme enthousiast omhelsde. Adolf Hitler brandmerkte zowel de communisten als de 'Joodse terreur' als de veroorzakers van Duitslands ellende.

In het eerste jaar van Hitlers bewind was de Duitse economie plotseling weer tot leven gekomen, als een motor die jarenlang stof had staan verzamelen en nu een beetje olie had gekregen alvorens te worden aangeslingerd. De stemmen van de dissidenten verstomden al snel toen Hitlers *Schutzstaffel*, de SS, de eerste interneringskampen voor politieke dissidenten openden. De Duitse natie begon kreten te scanderen, eerst voor zichzelf, en toen voor de geschrokken oren van de wereld. De stemmen op straat waren jonge stemmen, getuigend van de hernieuwde kracht waarmee Duitsland zich weer oprichtte.

Heinz werd door zijn vader aangemeld bij de NSDAP. Hij werd onmiddellijk door vrienden overgehaald om lid te worden van de SA. Hitler omschreef deze paramilitaire organisatie met meer dan een half miljoen leden als 'politieke soldaten in het gevecht om de herovering van de straten op de marxisten'. Via talloze vergaderingen en trainingskampen werd Heinz onderworpen aan een soort militaire discipline. Hij werd vertrouwd gemaakt met de kronkelingen van Hitlers politieke doelstellingen en maatschappelijke argwaan jegens alles en iedereen dat of die 'niet-Arisch' was.

Heinz ergerde zich aan het fanatisme van zijn kameraden. De SA'ers vochten op straat met hun vuisten, bierflessen en knuppels tegen de communisten en hun sympathisanten. Ze marcheerden stram en in ganzenpas door de straten ter ondersteuning van Hitlers waanzinnige escapades door de gangen en zalen van regeringsgebouwen. Als ze wegens ordeverstoring werden gearresteerd sloegen ze in de politiebureaus de boel kort en klein en smeten telefoons door de ramen. Heinz kon zichzelf er niet toe brengen mee te doen met dit geweld. Hij werd tegengehouden door een angst waarvan hij niet eens had geweten dat hij haar had totdat zijn kameraden in botsing kwamen met een groep marxisten. Hij had aan de rand van het strijdgewoel gestaan, op het trottoir, als bevroren aan gedrukt tegen een gebouw, overvallen door deze plotselinge angst. Twee maanden na zijn aanmelding had hij zich teruggetrokken uit de SA, met het gevolg dat hij te boek kwam te staan als een lafbek.

De baron was niet bereid dit etiket voor zijn zoon te accepteren en verzekerde iedereen dat het allemaal zíjn fout was geweest. De Bruinhemden, zei hij, waren eenvoudigweg veel te proletarisch. Heinz was te fijnbesnaard voor dit soort barbaren. Heinz zou beter op zijn plaats zijn bij de *Jungdeutsche Orde*, beter bekend als de Jungdo.

Hier vond de jonge Heinz – net als vele andere zoons en dochters van de bourgeoisie – een ideologisch thuis. De Jungdo marcheerde ook in ganzenpas, maar alleen omdat het de mode was en ze niet de indruk wilden wekken minder te ijveren voor de nationaal-socialistische zaak dan de andere groeperingen. Anders dan de Hitler-Jugend en de Sturmabteilung stortten de leden van de Jungdo zich niet op groepen mannen en vrouwen met spandoeken waarop communistische leuzen waren geverfd, noch bekogelden ze communistische sprekers met stenen en flessen. Hun uniform droeg geen insignes of zelfs maar rangonderscheidingstekenen die hun status en rang moesten benadrukken. In plaats van de dronkemansrazernij van de SA-knokploegen belegden de leden van de Jungdo broederschapsbijeenkomsten en patriottistische vergaderingen. Zij gedroegen zich met het air van jongeren die zich ervan bewust zijn dat zij zijn geboren om te leiden, in plaats van deel te nemen aan knokpartijen. Heinz bracht weekeinden door met kampeertochtjes en nam deel aan voettochten en sportevenementen. De Jungdo werkte met een literatuurlijst die een accurate afspiegeling was van de lievelingsauteurs van Adolf Hitler zelf. Zo maakte Heinz kennis met de overtuiging van de Duitse filosoof Friedrich Nietzsche dat een wilskrachtig, heldhaftig ras van *Übermenschen* zou uitstijgen boven de conventionele moraliteit, teneinde zo de wereldse decadentie weg te vagen. In Schopenhauers *Die Welt als Wille und Vorstellung*, een van Hitlers favoriete boeken gedurende de Eerste Wereldoorlog, stuitte Heinz op de idee van de wil als een macht. Ook had hij met stijgende verwondering kennisgenomen van de lessen over het darwiniaanse selectiemechanisme en de onverwachte parallellen tussen wiskunde, fysica, cultuur en geschiedenis die Oswald Spengler in *Der Untergang des Abendlandes* ontvouwde.

Heinz' geestdrift voor Hitlers kijk op Duitsland was toegenomen nadat hij zich enig idee had gevormd van de invloeden achter de denkbeelden van de *Führer*. Onder invloed van sprekers die lezingen hielden voor de leden van de

Jungdo, en van de tot diep in de nacht voortgezette disputen met zijn kamera-den was Heinz zich bewust geworden van het Rode gevaar. Hij begon de joodse kooplieden te zien als het wurgkoord rond de nek van een Arische natie die worstelde om het economisch daglicht te mogen zien.

Gedurende de zomer van 1933 was Heinz' leven doordrongen geraakt van een gevoel van saamhorigheid dat hij nooit had gekend vóór hij zich bij de na-zi's had aangesloten. Hoewel zijn ouderlijk thuis altijd liefdevol was geweest en zijn beide ouders uit een rijke familie afkomstig waren, had Heinz lange tijd al-leen in de schaduw van deze liefde en bevoorrechte status gewandeld. Net als andere erfgenamen was hij te zeer gewend geraakt aan zijn positie; hij had geen *voeling* meer met dit leven. Als er íéts was dat hij gemeen had met de zoons van arbeiders en boeren die massaal lid waren geworden van de Hitler-Jugend en de SA, was dit het wel. De economie stond op zo'n laag pitje dat de Duitse jongeren geen uitzicht meer hadden en zich vervreemd voelden van zichzelf. Er rustte een zware hypotheek op hun hoopvolle verwachtingen en dromen, en hun lotsbestemmingen waren onwrikbaar verbonden met de verwoestin-gen van Duitslands verleden. Dit was niet hetzelfde verleden dat hun ouders zich konden heugen, de tijd van het keizerrijk Duitsland. De Duitse jonge man-nen en vrouwen van 1933 waren opgegroeid in de jaren na de Eerste Wereld-oorlog, nadat Duitsland diep was vernederd en overladen met schande, zuchtte onder zware herstelbetalingen en nu ook nog in het moeras van een wereld-wijde depressie wegzonk.

Vóór zijn lidmaatschap van de Jungdo had Heinz Thorvald geen intellectuele of filosofische haven gekend. Hij had boeken gelezen, plichtsgetrouw naar toe-spraken geluisterd en peinzend wandelingen gemaakt door velden vol wilde bloemen, net als de welgestelde rest van zijn generatie. Het gros van zijn ideeën had hij echter overgenomen van zijn vader. Via deze nieuwe avondlessen werd hij ondergedompeld in de Duitse mythologie. Hij was even vertrouwd met de werken van Thomas Mann als met de hoogdravende retoriek van Hitlers *Mein Kampf*. Hij woonde de fascinerende operaspektakels van Wagner bij. Hij had vol vervoering te midden van tienduizenden anderen voor de *Reichstag* staan luisteren naar Joseph Goebbels' oproep tot 'de strijd om Berlijn'. Hij was met zijn vader en een kwart miljoen andere Stahlhelme door de Brandenburger Tor geparadeerd, achter *Adlerstandart* en hakenkruisvlag, onder de starende blik van Hitler zelf. En zoals zijn lichaam als vanzelf de weg had gevonden naar het sportieve regime van het kleiduivenschieten, had zijn verstand de weg gevon-den naar Adolf Hitler.

Vóór de Jungdo had Heinz Thorvald buiten de schietbaan geen andere plek op aarde kunnen noemen die hij als zijn 'thuis' kon beschouwen. Hij was zijn leven lang een vreemde voor Duitsland gebleven, onzichtbaar en onmondig.

Nu had hij het gevoel de erfgenaam van de aarde zelf te zijn.

In november 1933 was zijn vader naar hem toe gekomen met groot nieuws.

De baron had zijn zoon een officiersaanstelling bezorgd bij de ss, het eigen leger van de NSDAP. Hij zou als *Hauptsturmführer* worden ingedeeld bij Aanschaf Materieel van het ss Panzerwaffe. De baron had zijn zoon verzekerd dat zijn plichten in vredestijd weinig meer om het lijf zouden hebben dan deelname aan de competities van het ss-scherpschuttersteam en het geven van demonstraties tijdens rekruteringsfeesten. Heinz had zijn vader omhelsd en de aanstelling geaccepteerd.

Zes jaar lang had *Hauptsturmführer der ss* Heinz Thorvald zijn vaardigheden als scherpschutter steeds verder verbeterd. Doordeweeks schaafde hij aan zijn 'statische' schot, waarbij hij zijn trefafstand, met behulp van een telescoop met een vergrotingsfactor zes, geleidelijk had opgevoerd tot circa duizend meter. In de weekeinden verfijnde hij zijn bekwaamheid in het kleiduivenschieten, maar nu met de zwaardere eendenbuks. Voor de ss won hij tientallen wedstrijden en trofeeën. De avonden bracht hij door te midden van zijn boeken of in de Opera, vooral als er muziekdrama's van Wagner werden opgevoerd.

Er waren enkele vrouwen in Heinz' leven geweest. Hun voornaamste taak: hem bewonderen. Het vooruitzicht om een vrouw daadwerkelijk te beminnen en zichzelf te laten zien zoals hij was, joeg hem angst aan; hij benutte zijn trouw aan de Arische zaak door de angstvallige fluisteringen in zijn binnenste het zwijgen op te leggen of ze te overschreeuwen. 'De wereld,' zo had hij telkens tegen een minnares gezegd als haar tijd om was, 'is nog niet rijp voor andere verplichtingen dan die aan het vaderland.' Onder het genot van koffie en cognac na een avondje opera hield hij deze meisjes voor hoe turbulent en onzeker de tijden waren.

'Nog niet,' verzuchtte hij dan, terwijl hij zijn blik afwendde. 'Misschien... Ach, ik weet het niet.'

Het jaar negentieneenenveertig was Thorvalds achtste jaar bij de ss. Hoewel Duitsland al twee jaar volop in oorlog was, had Heinz zelf slechts tien weken op een slagveld doorgebracht, verdeeld over twee veldtochten: de invasie van Polen, waar hij veilig en wel op zeshonderd meter afstand de geschrokken, terneergeslagen Polen op hun open slagvelden een voor een kon 'neerleggen'. Bij Duinkerken had hij op zijn gemak pakweg honderd Engelse en Franse soldaten gedood terwijl zij wachtten op het reddende schip dat hen het Kanaal zou overzetten. In beide gevallen had Thorvald straffeloos van opmerkelijk grote afstanden kunnen vuren, in de geruststellende zekerheid dat geen enkele schutter bij de tegenpartij hem iets in de weg kon leggen of zelfs in gevaar kon brengen. In Polen en Frankrijk had hij in zijn eentje meer dan driehonderd man laten sneuvelen, stuk voor stuk met bevestiging van ooggetuigen. Hij was maar al te dankbaar dat hij als sluipschutter zo veilig was in een oorlog.

Zijn indrukwekkende aantal successen, gecombineerd met de invloed van zijn ouders, leidden ertoe dat hij was bevorderd tot *Obersturmbannführer*, wat bij de Wehrmacht gelijkstond met de rang van luitenant-kolonel. Tegen de zomer van 1941 was in de Duitse oorlogsinspanningen in Europa het accent verlegd naar het onder de voet lopen en bezet houden van andere landen, in combinatie met niet-aflatende bombardementen op Londen. Op het vasteland van Europa werden weinig of geen grondacties op touw gezet. Thorvald had ingestemd met de positie van commandant van een sluipschuttersschool in Gnössen, in de naaste omgeving van Berlijn. Hij had door genietroepen een voortreffelijke schietbaan en een baan voor kleiduivenschieten laten aanleggen, erop hamerend dat vaardigheid in beide disciplines vereist was voor de nodige accuratesse en het vermogen om snel te richten en raak te schieten. Thorvald hoopte de rest van de oorlog in Gnössen te kunnen blijven. Op zondagen kon hij fijn met zijn vader ontbijten en door de week leidde hij dodelijke sluipschutters op voor de strijd, waar ze in zijn naam heldendaden mochten verrichten. Hij stelde zich ten doel als instructeur veel te waardevol te worden om nog de oorlog in te worden gestuurd.

Nu wekte de ijzige wind van Stalingrad hem uit zijn dagdromerij en wekte in zijn borst het trieste gevoel dat er een belofte was gebroken. Hij staarde boven aan de stenen trap naar de rivierpromenade langs de Wolga. De hele rivier was bedekt met net onder het oppervlak drijvende ijsschotsen. Daar komt geen boot doorheen, wist hij. Ostarhild heeft me van de bevoorradingscrisis van de Russen verteld. Ik ben hier tijdens een stilte in de strijd, maar die wakkert zeker aan zodra de Wolga dichtvriest en eerst een immense voetbrug en vervolgens een snelweg voor de aanvoer van de Roden wordt. Ik moet ervoor zorgen dat die Zaitsev vóór die tijd dood is en ik veilig en wel aan boord ben van een vliegtuig.

Links van de trap bevonden zich de ruïnes van winkels; aan de overkant van de promenade hadden rijen standbeelden en betonnen fonteinen gestaan. Alle metalen beelden – op één na – waren aan scherven geschoten of van hun sokkel gegooid. Aan het eind van de rij, vlak voor de met rommel bezaaide wandelpier langs de Wolga, stond een sculptuur van een Russische jongen en een Russisch meisje. Ze hielden elk een korenschoof boven hun hoofden, deze arbeiders van de Sovjet-toekomst. Thorvald schatte de afstand op circa vierhonderd meter.

Hij nam het geweer van de schouder, keek door de telescoop en voegde een achtste aan de afstandsinstelling toe om voor neerwaartse elevatie te compenseren. Met het oog op de kille helderheid van de lucht trok hij daar weer twintig meter van af. De wind woei hem van de Wolga tegemoet en liet het haar onder de witte pet wapperen. Ongeveer acht knopen, of vijftien kilometer per uur. Hij telde tien meter bij de afstand op.

Thorvald hurkte neer en centreerde de kruisdraden op het donkere voorhoofd van het metalen beeld van de jongen. Hij mikte op het linkeroog en haalde de trekker over. De knal van het wapen veroorzaakte daverende echo's langs de stille gevels aan zijn linkerhand voordat het geluid terugsloeg en wegraasde over het open park. Zijn eerste schot in Stalingrad.

Hij verkortte de afstand iets toen de wind even luwde. Deze keer mikte hij op het rechteroog van het standbeeld. Toen hij door de telescoop tuurde, kon hij niet bepalen of hij raak had geschoten. IJzeren beelden, bedacht hij, vallen niet van hun sokkel vanwege een kogel.

Thorvald wandelde over de promenade naar het standbeeld. Op deze hoogte boven de rivier kon hij de enorme eilanden zien liggen die de Wolga in tweeën deelden. Voorbij dat witte zandstrand en de winterharde vegetatie op de eilanden begonnen de vlakke steppen van Rusland, zich oplossend in de verre wintermist. Hij dacht aan de immense uitgestrektheid van dit land: Duitsland kon er wel twintig keer uit. Hij had gehoord welke plannen Hitler met Rusland had, verkondigd van wel honderd podia. Hij genoot er altijd van om Hitlers brallende redevoeringen bij te wonen, waarbij hij met zijn vuisten of een officierszweepje dreigende gebaren maakte. Vaak beefde zijn hele bovenlichaam terwijl zijn mond de woorden weg knalde alsof hijzelf een kanon was, en de woorden artilleriegranaten. Wij zullen Rusland ten westen van de Wolga in bezit nemen; dan zal Moskou om vrede smeken en komt er een eind aan de oorlog. Wij zullen het territorium vanaf Polen tot aan de Wolga in het oosten de naam *Ostland* geven. Wij zullen daar heer en meester zijn en het land met ons *Herrenvolk* koloniseren. De Russen, deze *Untermenschen*, zullen ons druiven en honing serveren en graan voor ons brood verbouwen en oogsten.

Als ik hier weg ben, dacht Thorvald, kom ik nooit meer terug, ook niet als het eenmaal Ostland is. Dit oord bevalt me niet, deze somberte, deze ijzige wind.

Toen hij het standbeeld had bereikt, stapte hij over het lagere marmeren muurtje heen en stond op de bodem van het fonteinbekken. Een laagje sneeuw van de afgelopen nacht bedekte de bodem en maakte deze glibberig. Hij gleed naar het beeld van de jongen en betastte het zwarte linkeroog met zijn wijsvinger. Een streepje grijs bleef achter op zijn vinger. De loden kogel was platgeslagen toen hij in contact kwam met het hardere ijzer. Hij betastte het andere oog en vond ook daar het loodspoor op de wang. Het wapen schiet zuiver genoeg, dacht hij.

Boven aan de trap stond de korporaal die hij zich door Ostarhild had laten toewijzen.

'Goedemorgen, korporaal,' zei hij. 'Goed geslapen?'

'Overste?' De jongeman leek geen raad te weten met de vraag.

'Gewoon maar een beleefdheid. Zoals: "Hoe is het weer vandaag"'

De korporaal stak zijn hand uit naar het telescoopgeweer van de overste. 'Ja, overste. Ik heb niet al te best geslapen. De luitenant stuurde me er midden in de nacht op uit om een telefoonkabel te repareren.'

'Dicht bij de Russische linies?'

'Ja, overste.'

'En? Heb je die kabel gerepareerd?'

'Ja, overste.'

'Was je bang?'

De korporaal schudde het hoofd en spuwde in de sneeuw. 'Ik ben altijd bang, overste. Dat word je vanzelf, hier.'

Thorvald liep naast hem de straat in, in noordelijke richting, naar de Russische linies.

'Waarom heb je je geweer niet bij je?'

'Ik nam aan dat we vandaag alleen de frontlinies wat gingen bekijken, overste. Als u wilt, haal ik het even op.'

Thorvald schudde zijn hoofd. 'Geen zorg. We komen niet dicht genoeg bij de Roden om onszelf in moeilijkheden te brengen. Laat deze Zaitsev maar langs de frontlinie tijgeren, met zijn ballen in de modder. Als ik mag afgaan op die artikelen, is hij er aan verslaafd. Trouwens,' voegde hij eraantoe, terwijl hij de jongeman op de schouder sloeg, 'ik zie niet in waarom ik even dicht bij hem zou moeten komen als hij graag van me zou willen.'

Het tweetal liep zwijgend door de ruïnes. De korporaal scheen tamelijk goed te weten waar hij heen ging en ook scheen hij de beste routes ernaartoe te kennen. Thorvald verbaasde zich over de schaal van de aangerichte verwoestingen. Dit was vernietiging, totale vernietiging. Er was letterlijk niets meer heel. De gebouwen waren verminkt en uiteengereten. Wie kon hier nog in vechten? Wie kon hier ooit in leven blijven?

De Russische poolwind scheen hem toe te fluisteren: 'Ik.' Thorvald trok zich nog wat dieper terug in zijn parka. Zijn in een witte want gestoken hand wuifde naar de ruïnes. 'Waar zal hij zitten, denk je, korporaal?'

Mond spreidde een stadsplattegrond op de grond uit. De overste hurkte ernaast neer. 'Kijk, overste. We hebben de Russische strijdkrachten in drie segmenten verdeeld.' Monds wijsvinger tekende drie cirkels op de plattegrond.

'Hier,' zei hij, terwijl hij de eerste, meest noordelijke cirkel aanwees, 'in Rinok, boven de Tractorenfabriek, hebben ze een complete divisie gelegerd. Ten zuiden hiervan ligt het fabriekscomplex van de Rode Oktober; wij hebben deze ring doorbroken en hen helemaal teruggedrongen tot aan de Wolga, zodat deze geïsoleerde strijdmacht met de rug tegen de muur staat.' Zijn wijsvinger priemde naar de cirkel om de Rode Oktober. 'Deze kleine verzetshaard in het voormalige winkelcentrum is vrijwel onmogelijk te doorbreken.'

Mond keek op van de plattegrond. 'Ik heb gezien hoe de Russen er kanonnen demonteerden, de onderdelen door het puin naar het front sleepten, ze weer in elkaar zetten en ons aan flarden begonnen te schieten.'

De korporaal legde zijn vingertop op de zuidoostelijke hoek van het Rode Oktober-complex. Zijn vinger trok een lijn ten westen van het complex naar de oosthelling van de Mamajev Koergan, de heuvel die uitzicht bood over de hele stad. Van daaruit gleed zijn vingertop naar het zuiden en tekende een cirkel om het chemische Lazoer-complex, het spoorwegemplacement en tien kilometer rivierfront ten noorden van de voornaamste aanlegkade.

Thorvald keek op van de kaart – en pal naar Monds kruin. De korporaal bleef naar de kaart kijken.

'Waar zit hij, korporaal?'

'Ik vermoed ergens in deze zuidelijke versterkingen, overste. De grootste.'

'Waarom denk je dat?'

'Het is maar een vermoeden, maar daar heeft hij de meeste manoeuvreer-ruimte, de meeste doelwitten. In een van deze kleinere versterkingen zou hij al snel klem komen te zitten. En ik denk niet dat hij dat wil. Trouwens, in die kleinere versterkingen heerst allang de status-quo. Zaitsev heeft meer dan honderdveertig doden op zijn naam. Ik veronderstel dat hij dáár wil werken waar hij het meeste wild kan vinden.'

'Wild? Waarom gebruik je dat woord?'

Mond haalde zijn schouders op alsof hij wilde uitdrukken hoe eenvoudig zijn logica was. 'Hij is een jager uit Siberië. Hij denkt zelf in die termen. Hij jaagt. Overste, hebt u die artikelen uit *Voor de landsverdediging* gelezen?'

Thorvald knikte. 'Ja, korporaal. Sommige. Niet allemaal. Ik heb ze vluchtig bekeken. Laten we maar zeggen dat ik de belangrijkste punten in mijn hoofd heb.'

De korporaal sloeg zijn ogen neer.

Thorvald reageerde snel. 'Ik zal ze allemaal lezen, ik verzeker het je. Ik was te moe, gisteren.'

'Geeft niet. Het is voornamelijk snoeverij.'

'Je zegt dat Zaitsev ons als een soort wild beschouwt. Jij hebt de artikelen wél allemaal gelezen, neem ik aan. Welk soort wild ziet hij in ons?'

Mond dacht over de vraag na en zei toen: 'Wolven. Siberische toendrawolven. Hij denkt dat hij ons doorheeft. De Duitsers doen zus, de Duitsers doen zo. Hij ziet tactieken en gewoonten als sporen, alsof we dieren zijn.'

'Nou,' zei Thorvald terwijl hij zich oprichtte, 'dan zullen we ons ook als Siberische wolven gedragen. Gevaarlijk, maar voorspelbaar. We laten hem in de waan dat hij ons dóórheeft. En dan verrassen we hem.'

Thorvald glimlachte. Wat hij hier voor de jonge korporaal creëerde, beviel hem. Per slot van rekening had Zaitsev gelijk. Duitse scherpschutters wáren voorspelbaar. Thorvald wist dat beter dan wie ook; hij had veel van de mannen die Zaitsev te pakken had gekregen zelf opgeleid. Hij was ervan overtuigd dat zijn scherpschutters zich hier in Stalingrad gedroegen als dieren: voorspelbaar en saai. Hij had het in de opleidingsschool in Gnössen in hun ogen gezien, dat zorgeloze zelfvertrouwen van de nazi-jeugd, die zich al heer en meester van de wereld waande voordat ze ook maar één schot had gelost. Geen respect voor de vijand. Geen enkel respect meer voor de macht van angst. Ze hadden op straat gevochten met hun vuisten, knuppels en bierflessen, en zagen die knokpartijen als hun vuurproef. Als deze jonge sluipschutters de oorlog in gingen, waren ze er al van overtuigd dat zíj moedig waren en dat de wereld voor hun moed zou bezwijken alsof het een toverwoord was. 'Laat ons nou maar zien hoe het moet –' dat was alles wat ze van hem tijdens de opleiding leken te verwachten '– dan doen wij de rest wel, ouwe man.' Zij waren vergeten dat angst het grootste vernietigingswapen in een oorlog is, niet de kogel, noch de bom.

Hitler heeft het Duitse volk zijn angst afgenomen, peinsde Thorvald, dat is de grootste kracht van de Führer. Dat heeft hij ook voor mij bijna gedaan; hij heeft me er bijna van bevrijd.

'En wij zullen deze Zaitsev,' zei hij langzaam terwijl hij de plattegrond begon op te vouwen, 'behandelen als een eend. We zullen ons verstoppen in een doodlopende straat en hem dan dwingen tevoorschijn te komen. We zullen hem dwingen om van angst op te vliegen en dan halen we hem in een wolk van veren naar beneden.'

Thorvald keek naar de korporaal, die zich had omgedraaid en al naar het noorden begon te lopen, richting Lazoer-complex en niemandsland.

'Ik weet zeker dat we Zaitsev zover kunnen krijgen dat hij naar ons toe komt.'

Mond knikte.

'Het geheim,' vervolgde Thorvald, 'is hem duidelijk maken dat ik hier ben.'

De korporaal staarde hem met open mond aan. 'Hoe...' De jongeman aarzelde. 'Hoe doen we dat, overste?'

'Maak je niet druk. Ik ben ervan overtuigd dat we wel iets weten te bedenken, jij en ik.'

13

Tanja keek op van haar sluipschuttersdagboek toen ze het geluid van metaal tegen de bunker hoorde. Een metalen etensbord viel dansend op de vloer van aangestampte aarde. Sidorov, een jonge soldaat die pas twee weken geleden bij de sluipschutterseenheid was gekomen, had Sjaikin het bord naar het hoofd gemikt.

De stemmen van beide mannen zwollen aan. Ze staarde naar hen, aan de andere kant van de ruimte. Ze stonden met gebalde vuisten tegenover elkaar. Zaitsev en Koelikov sprongen op de beide kemphanen af. Tsjekov verroerde zich niet.

Koelikov omklemde Sjaikins arm om hem terug te trekken. Zaitsev posteerde zich tussen de verhitte gezichten.

'Bek dicht! Allebei!' bulderde Zaitsev. Hij wendde zich tot Sjaikin. 'Ilja, wat is er aan de hand?'

Sjaikin rukte zijn arm los uit de greep van Koelikov. Zijn wijsvinger schoot uit naar Sidorov. 'Ik heb genoeg van deze klootzak! Hij heeft zeventig doden en waant zichzelf nu de grote man! En maar snoeven, de lul. De helft verzint-ie zelf!'

Sidorov lachte hatelijk. 'Ach, je bent gewoon jaloers, kloothommel. Hij heeft er maar zesendertig en heeft daarom de pest aan mij. Hij zou de pest moeten hebben aan zichzelf.'

Sjaikin griste zijn sluipschuttersdagboek van de grond en hield het Zaitsev onder de neus. 'Hier,' zei hij ziedend. 'Kijk zelf maar. Mitrailleurschutters, waarnemers, sluipschutters of officieren, zonder uitzondering. Belangrijke doelwitten, stuk voor stuk!' Hij keek Sidorov aan met ogen die vuur spuwden. 'En nou jij, opschepper! Laat hem je dagboek maar zien.' Met een ruk wendde Sjaikin zich weer tot Zaitsev. 'Weet je wat hij doet? Bij een aanval schiet hij op gewone soldaten, in plaats van op mitrailleurschutters of officieren. Hij wordt geacht onze mensen te beschermen, maar verzamelt liever succesjes voor zichzelf. De man is een verdomd geváár.'

Zaitsev keek Sidorov aan. Zacht vroeg hij: 'Nou?'

De ogen van de broodmagere soldaat fonkelden ook van woede. 'Puur gelul!' Hij wees door de bunkerwand naar het slagveld. 'Die mitrailleursnesten zitten niet in mijn sector. Ik heb vorige week een schutter neergelegd, en ze hebben hem niet vervangen. Deze leugenaar hier is gewoon te traag voor zeventig strepen aan de balk en daarom kan hij mij niet luchten of zien.'

Zaitsev gaf Sjaikin zijn dagboek terug zonder er een blik in te hebben geworpen. 'Ga zitten, Ilja.'

Sjaikin liet zich naast Tanja op de grond zakken. Hij liet zijn handen slap op zijn schoot vallen.

Nu richtte Zaitsev zich tot Sidorov. 'Jij hebt dus zeventig moffen gedood. Dat is voortreffelijk. Je weet overigens dat ik er twee keer zoveel heb.'

'Voor u nog voortreffelijker, sergeant-majoor.'

'En wat vind je,' vroeg Zaitsev, 'nu eigenlijk in je hart van Sjaikins zesendertig treffers? De waarheid graag.'

Sidorov haalde zijn schouders op alsof hij wilde zeggen dat hij de voorkeur gaf aan een diplomatiek antwoord, maar dat de Haas uitdrukkelijk om de waarheid had gevraagd. 'Ik kan er niet hetzelfde van zeggen, sergeant-majoor.'

'Sjaikin is niet voortreffelijk?'

Sjaikin verstrakte. Hij maakte aanstalten om op te staan. Tanja legde een hand op zijn arm.

Sidorov schudde langzaam zijn hoofd.

'Kameraad Sidorov,' zei Zaitsev met vooruitgestoken kin, 'je bent op staande voet overgeplaatst uit deze eenheid.'

Sidorov stapte achteruit alsof hij een harde duw had gehad. 'Sergeant-majoor, wat...'

'Voor een dergelijke houding is bij de Hazen geen plaats, Sidorov. Wij zijn een kleine groep, en we zijn communisten. Wij maken geen ruzie over persoonlijke prestaties. Voortreffelijkheid wordt niet afgemeten aan aantallen of succesjes. Soldaat Sjaikin hoeft geen zeventig vijanden te hebben gedood om op zijn minst een even goede sluipschutter te zijn als jij. Ingerukt.'

Zaitsev staarde de soldaat strak aan. Sidorov en hij waren even groot, maar toch leek Zaitsev veel groter. 'Ingerukt, soldaat!'

Zaitsev wachtte totdat Sidorov zijn dagboek, geweer en rugzak had verzameld en achter de deken in de deuropening verdwenen was. Na zijn vertrek stond Sjaikin op. Tanja deed hetzelfde. Ze kende Sjaikin als een betrouwbare en zeer vindingrijke sluipschutter. De afgelopen drie weken, al sinds ze de opleiding hadden afgerond, hadden ze in dezelfde sector 'gejaagd'. Achter bijna de helft van de treffers in Sjaikins dagboek stond haar handtekening als ooggetuige. Op zijn beurt was Sjaikin getuige geweest bij drieëntwintig van haar eenendertig treffers.

Nu Sidorov vertrokken was, telde de eenheid nog tweeëntwintig van de oorspronkelijke dertig Hazen en Beren. Zaitsev had gezegd dat, als hun aantal was teruggelopen tot twintig, hij opnieuw tien sluipschutters zou opleiden om de sterkte van de eenheid constant tussen de twintig en dertig te houden. Hij zal gauw genoeg een nieuwe lichting moeten opleiden, wist Tanja. Kostikev is de afgelopen nacht aan flarden gerukt toen hij op een mijn trapte tijdens een commando-raid diep achter de Duitse linies. Kostikev was de coördinator van de missie geweest, de vooruit tijgerende sluipschutter. De reputatie van de Hazen was nog altijd groeiende; regelmatig vroegen divisie-eenheden om de assistentie van een paar Hazen voor speciale missies met gevechtsteams die niet tot de Hazen behoorden. Kostikev had zich gehaast toen hij terugkeerde van zo'n missie en had even ten zuiden van het Lazoer-complex op een mijn getrapt. Sjaikin en Tanja hadden met een fles wodka een toast uitgebracht op soldaat Kostikev, de dappere doder met zijn gouden grijns, de man die zelden sprak als hij zijn mond opendeed.

Sidorov was de eerste van de Hazen en Beren die het dringende 'verzoek' kreeg te vertrekken. Dit was een schande voor hem. De anderen die de eenheid hadden verlaten, hadden dat gedaan door hun leven te geven.

Zaitsev vroeg aan Sjaikin: 'Sidorovs sector grenst aan de jouwe, is het niet?'

Sjaikin knikte. Sidorov was een van de vier sluipschutters aan wie een sector op de oosthelling van de Mamajev Koergan was toegewezen, een territorium van circa vijfentwintighonderd vierkante meter. Zaitsev en Medvedev hadden de hele frontlinie in vijftien van deze sectoren verdeeld. Twee teams van twee man waren door de onderofficieren aangewezen om in de sectoren met de meeste gevechtsactiviteit te werken. En als het Opperbevel daarom verzocht, moesten zij de troepenbewegingen van het Rode Leger ondersteunen.

De sectoren werden iedere avond herzien om ze aan te passen aan de door gevechtsactiviteiten ontstane veranderingen. Te allen tijde waren er minimaal tien sectoren bemand met bekwame, ervaren sluipschutters. Zaitsev probeerde de teams niet te vaak te verplaatsen; hij vond het belangrijk dat zij het terrein van hun sector kenden als hun broekzak. Sjaikin en Tanja hadden heen en weer gependeld tussen Sector Vijf, hun huidige sector, en Sector Zes van Sidorovs eenheid, die dan in hún sector had gewerkt. Beide sectoren lagen aan de oostelijke voet van de Mamajev Koergan.

Elk team had een leider: Sjaikin, Koelikov en Tsjekov waren het hoofd van hun sectoren, en Sidorov had de leiding gehad in de zijne. Deze leiders kwamen als het even mogelijk was iedere avond bijeen in de bunker die Zaitsev met Medvedev deelde. Tanja was op haar verzoek kortgeleden Sjaikin gaan vergezellen naar deze bijeenkomsten. Sjaikin, haar vriend en teamgenoot, had het goed gevonden dat ze meeging, maar uitsluitend als waarnemer. Na afloop hadden ze dan samen hun strategie voor de nieuwe dag uitgewerkt.

Nu wendde Zaitsev zich tot Tanja. Hij had haar op afstand gehouden, na haar grove blunder van twee weken eerder. Al die tijd had hij haar nauwelijks nog aangesproken en haar via Sjaikin meegedeeld wat haar te doen stond. De eerste week had ze uitsluitend voor Sjaikin mogen waarnemen. Uiteindelijk had Zaitsev haar toestemming gegeven zelf te schieten. Ze stelde zichzelf ten doel dezelfde zorgvuldigheid en hetzelfde geduld te ontwikkelen als Zaitsev en zo meer greep te krijgen op haar hartstochten, telkens als ze een Duitser in het vizier kreeg. Dit had haar bevredigende, dodelijke resultaten opgeleverd.

Tanja dacht onophoudelijk aan de dag waarop Fedja was omgekomen. Ze wist dat ze zichzelf te schande had gemaakt. Na dat incident was er een verkoeling tussen haar en Zaitsev ontstaan, zo ongeveer als het toenemen van de hoeveelheid ijs in de Wolga. Nu ze tegenover hem stond en dat platte gezicht zag, en die handen en dat lichaam, volledig beheerst als een vos of roofvogel in glijvlucht, hoopte ze vurig dat hij haar weer 'partizane' zou gaan noemen, eens een blik zou slaan in haar dagboek en zou begrijpen hoe goed ze zich had beheerst, hoe goed ze als Haas was geworden. Ze wilde weer wodka met hem proeven in de loopgraven, samen met hem op jacht gaan, bij hem zijn als de nieuwe dag gloorde, zijn ogen op haar gericht.

'Soldaat Tsjernova,' zei Zaitsev, 'jij neemt Sidorovs plaats in. Hij heeft daar samengewerkt met Redinov, Megolin en Djenski. Je kent de sectorgrenzen?'

Tanja knikte. 'Ja, sergeant-majoor.'

Dit was het moment dat ze in haar hart in elkaar had gezet, als de stukjes van een legpuzzel. Dit was de bezegeling. Nu was ze gerehabiliteerd. Zaitsev had haar de leiding gegeven over Sector Zes. De proeftijd, begonnen op het moment dat hij haar had geslagen, was voorbij.

Zaitsev keek haar streng aan. 'In die sector zijn diverse Duitse sluipschutters actief. De Mamajev Koergan is een wespennest.'

Sjaikin, die nog steeds naast haar stond, deed zijn mond open. 'Dat is de berg al weken, sergeant-majoor. Tanja heeft het met succes opgenomen tegen wel tien, twaalf Duitse sluipschutters. Ze staan allemaal in haar dagboek, met mijn handtekening erachter.'

Zaitsev glimlachte haar toe. Het eerste lachje van de Haas in veel te lange tijd.

Noem me weer 'partizane', dacht Tanja, maar dat deed hij niet. Hij verzocht Sjaikin zich nog een paar dagen in zijn eentje te redden, totdat hij iemand kon aanwijzen die Tjsernova in die sector kon vervangen.

Sjaikin gaf Tanja een elleboogje. 'Stuur er maar direct twee.'

Bij de deuropening brulde iemand plotseling: 'Borsjtsj met ballen!'

De deken werd opzijgeschoven. Een ijzige wind volgde de brede rug van Atai Tsjebiboelin, een potige oud Basjkir uit het dorp Tsjisjma in Turkmenistan. Atai was de ordonnans van de sluipschutterseenheid, de man die hen munitie en rantsoenen bracht.

Tanja had Atai zelden iets anders tegen de sluipschutters horen zeggen dan de aankondiging van zijn komst met de woorden: 'Borsjtsj met ballen!' of 'Spasiba', 'Dank je', in zijn moeizame Turkmeense dialect. Een week geleden was Atai echter vroeger naar de bunker gekomen dan anders, tegen het invallen van de avond, toen Tanja er in haar eentje zat, wachtend op nieuwe patronen. Ze had die keer met hem gepraat. Hij had haar duidelijk gemaakt dat hij islamiet was en dat zijn zoon Sakaika hier in Stalingrad was omgekomen.

Tsjebiboelin knielde neer, boog zich voorzichtig achterover om de grote soepgamel op zijn rug op de grond te zetten en schoof toen de draagriemen van zijn schouders. Hij verplaatste de gamel naar het midden van de bunker en haalde uit een jutezak een dozijn dozen met patronen. Daarna toverde hij uit

164

zijn binnenzak een fles wodka te voorschijn. Die reikte hij Tsjekov aan, die er direct op aanviel.

Al sinds de eerste keer dat ze Tsjebiboelin had gezien, nog tijdens de opleiding, was Tanja zich gaan verbazen over het feit dat de Basjkir iedere avond kans zag om de sluipschutters te bevoorraden met eten en munitie. Nooit kwam hij met lege handen; hij was altijd zwaarbeladen, kreunend onder het gewicht van zijn lading. Tsjebiboelin droeg geen handgranaten of een geweer. Hij had al zijn kracht nodig om de dingen te vervoeren die de sluipschutters nodig hadden. Als Atai een sluipschutter was, zou hij ongetwijfeld een Beer zijn geworden. Hij beweegt zich als een os, met zijn bonkende voedselgamel, zijn schalen en zijn verlegen gemompel.

Tsjekov klokte de wodka weg als een degenslikker die degens slikt. Na diverse forse teugen riep hij uit: 'Vadertje Ezel, toch niet wéér borsjtsj, hè? Ik kan koude soep niet uitstaan. Gisteravond was ze steenkoud.'

Atai keerde hem zwijgend de rug toe. Tsjekov was alweer in de weer met de wodka. Zaitsev stapte op hem toe en stak zijn hand uit naar de wodkafles. 'Eet wat soep, Anatoli, voordat ze weer koud is.'

Tsjekov gaf de fles prijs en liep naar de gamel. Hij wipte het deksel eraf en snoof de damp van de soep op. 'Ah, de Ezel heeft vanavond hard gelopen,' zei hij, starend naar Tsjebiboelins rug. 'Aardappelsoep.'

Sjaikin zei tegen Tsjekov: 'Zo kan-ie wel weer, Anatoli.'

Tanja viel hem bij. 'Ja, zo is het wel genoeg.'

Tsjekov keek op van de gamel. Hij had al rode ogen van de wodka. 'Wat gaan we nou krijgen? Jullie nemen het op voor de Ezel?'

Nog voordat Tanja iets kon zeggen, wendde Tsjebiboelin zich tot Tsjekov. 'Ezel? Waarom noem jij me zo? Waarom Ezel?'

Het lichaam van de grijze Basjkir was gespannen en zijn grote handen maakten onrustige bewegingen langs zijn zijden. Hij blies vocht van zijn afhangende grote snor. Zijn kin, bedekt met een dichte peper-en-zoutkleurige stoppelbaard, maakte bewegingen alsof hij op zijn toenemende woede kauwde en probeerde haar in te slikken.

Tsjekov keek naar Tanja en vervolgens naar Sjaikin. Koelikov mompelde iets en boog zich weer over zijn dagboek. Zaitsev zat stil in zijn hoek en liet zijn vingers langs de wodkafles op en neer glijden.

'Toe zeg, Tanjoesjka, Iljoesjka, het enige wat deze ouwe man doet, is voedsel heen en weer sjouwen,' mopperde Tsjekov. 'Hij is geen vechter. Hij neemt niet deel aan de strijd. Ga het me nou niet moeilijk maken door het voor hem op te nemen. Hij sjouwt heen en weer. Dus is hij een ezel. Nou én. Laten we eten.'

Tanja legde haar hand op Tsjebiboelins zware schouder. 'Atai, vertel me nog eens van Sakaika. Ik wil dat de anderen het ook horen.'

Tsjebiboelin staarde naar de grond, kauwend op zijn snor. Tanja keek toe hoe Tsjekov wat van de roomkleurige aardappelsoep in zijn gebutste etensblik schepte. 'Hij heet niet Ezel, Anatoli. Hij heet Atai Tsjebiboelin. En als je niet zo'n kwaaie dronk over je had zou je wat meer respect voor hem kunnen tonen. De zoon van deze man...'

Tsjebiboelin stak zijn vlezige handen op. 'Nee,' zei hij tegen haar. 'Het is wel goed. Ik zelf vertellen.'

Tanja ging naast Sjaikin zitten. Tsjekov stapte opzij en maakte een uitnodigend gebaar naar de oudere man, alsof hij het podium voor hem vrijmaakte. Uit zijn overdreven buiging sprak sarcasme.

Tsjebiboelin ging in kleermakerszit in het midden van de bunker zitten, met zijn rug naar Tsjekov. Hij kreunde toen hij zijn benen over elkaar legde. 'Drie maanden geleden ik brengen Sakaika, mijn zoon hij is, in Tsjisjma naar trein. Hij in leger. Ik hem daar brengen met kar, lange, lange weg. Bij trein ik zie paarden van leger eten hooi en drinken water. Daarom ik denken, goed, ik ook voor mijn paard gratis hooi en water halen. Ik hem vastbinden bij legerpaarden. Trein vol, veel soldaten. Ik Sakaika verliezen. Ik in elke wagon roepen zijn naam. Geen antwoord. Ik hem kwijt.'

De oude Basjkir kneep zijn ogen samen. Zijn hand krabde aan zijn warrige, grijze haar. 'Geef niet, ik denken, ik al zeggen gedag. Sakaika weten. Ik naar paard terug, hij weg. Leger hem op trein gezet, met andere paarden. Ik niet terug kunnen naar huis; geen paard om kar te trekken. Ik paard nodig hebben op boerderij. Ik langs trein lopen heen en weer en roepen paards naam, Prinza, en dan ik hem horen stampen. Brrr.' Tsjebiboelin blies door zijn opeengeklemde lippen en snor om het briesen van een paard na te bootsen.

'Ik springen op trein en vinden mijn paard bij andere paarden. Ik naar soldaat gaan en zeggen: "Hé, dit mijn paard." Hij schudden nee, kan niet helpen Atai. Nog andere soldaat, en nog een, en allemaal zeggen niet helpen. Dan trein rijden gaan en ik proberen uit te springen. Een soldaat mij beetgrijpen en tegen mij zeggen: "Hé, waar jij heen gaan, vadertje" Ik zeggen, ik uit trein springen, jij houden mijn paard. Ik wel naar huis lopen, ja? Maar soldaat zeggen tegen mij jij nodig in leger, alle Russen vechten. Ik hem gevraagd: "Waar Sakaika?" Deze soldaat, hij mij helpen zoon vinden. Ik eerst praten met Sakaika; dan wij zeggen, goed, wij samen gaan vechten, vader en zoon; leger mij teruggeven mijn paard, nog een paard en nieuwe kar. Sakaika en mij, we gaan bij zelfde regiment. Negenendertigste Garde. Wij komen naar Stalingrad. Vele vechten. Vele doden. Dag en nacht ik varen dode jongens rivier over; altijd terugkomen met kogels en soep. Borsjtsj met ballen.'

Tsjebiboelin grijnsde achter zijn snor om zijn herkenningswoorden. Toen dacht hij aan de afloop van zijn verhaal, en zijn gezicht betrok. Hij staarde weer naar de grond en zei hoofdschuddend: 'Twee weken wij in Stalingrad ik vinden mijn Sakaika. Hij kogel in borst bij strijd om steiger van rivier. Ik hem in kar leggen en als gekke man naar veldhospitaal rijden. Daar grote bom mijn paarden doden.' De oude man keek op, nu, richting Zaitsev. 'Ik zelf trek-

166

ken kar, maar veel langzaam. Sakaika dood.'

Zijn blik bleef gefixeerd op Zaitsev. Tanja voelde dat Tsjebiboelin zich vast had voorgenomen dat Zaitsev, leider van de sluipschutters, Tsjekov zou bevelen hem respect te tonen. Het was in Atai's landstreek niet de gewoonte iemand rechtstreeks uit te dagen.

'Ik Sakaika zelf aan boord boot dragen. Hij aan overkant begraven is. Daar ik heen gaan, later, als stinkoorlog voorbij. Eerst ik gaan naar regiment, kapitein zeggen ik vechten voor Sakaika. Ik zijn geweer al hebben. Maar kapitein mij zeggen: "Nee, Atai, ik jou geven nieuwe paarden, jij veels te belangrijk voor kogels. Jij man zijn voor borsjtsj met ballen."'

Tsjebiboelin stond op. 'Dan,' zei hij, 'ik ontmoeten Danilov. Kleine dikke Danilov. Communist, ja? Hij mij vragen voor jullie zorgen, goed zorgen, jullie sluipschutters, belangrijke soldaten. Jij de beste, hij mij zeggen, ik de beste. Dus ik voor jullie zorgen,' zei hij, zich voor het eerst omdraaiend naar Tsjekov, 'en nu jij mij noemen Ezel. Ik niet heten Ezel. Ik heten Atai Tsjebiboelin, vader van held Sakaika.'

Tsjebiboelin zweeg. Na een ogenblik hurkte hij neer bij de gamel en begon soep in de etensblikken te lepelen. Tsjekov liep naar Zaitsev en nam de fles wodka. 'Tsjebiboelin?' zei hij, de gehurkte oude man de fles aanreikend.

De Basjkir schudde het hoofd. 'Nee. Drank drinken zondig voor islamiet.'

Tsjekov hurkte naast hem neer en zette de fles op de grond. Hij hield de oude man zijn etensblik voor en wachtte totdat Tsjebiboelin hem had gevuld. 'Hier,' zei Tsjekov, en bood hem het etensblik aan.

'Nee, ik niet nemen jouw voedsel. Jullie soldaten zijn.'

Tsjekov hield hem opnieuw het etensblik voor. 'En jij bent Atai Tsjebiboelin,' zei hij, 'vader van de held Sakaika. Hier.'

Tsjebiboelin keek Tsjekov in de ogen. Tanja lette scherp op zijn gezicht. Ze zag de onbevreesdheid van de ouderdom in de ogen van de oude man. Ze kende de aard van zijn moed; ze wist dat het eenvoudigweg berusting was. Hij had niets meer te verliezen nu hij zijn zoon had verloren; hij had niets anders meer dan de dagen die een leven vormen dat zijn anker heeft verloren. Tanja keek naar Tsjekov. Ze zag hoe hij de oude man aankeek, de vermetelheid van de jeugd in zijn ogen; hij had nog niet genoeg van het leven gezien om te beseffen wat hij te verliezen had. Ze kende de harten van beide mannen, geloofde dat ze ze allebei in haar eigen borst kon voelen kloppen. Ze stelde zich voor dat deze twee mannen, hier tegenover elkaar gehurkt in het midden van de bunker, de beide zijden van een magische spiegel waren. Dat zijn ook míjn beide kanten, dacht ze. Ik wil leven en ik wil sterven. Ze sloot haar ogen.

'Nee,' hoorde ze Tsjebiboelin zeggen. 'Ik niet nemen jouw soep. Jij zeggen ik niet Ezel.'

Zaitsev antwoordde in plaats van Tsjekov. 'Jij bent géén Ezel, Atai,' zei hij. 'Ik maak een Haas van je. Je bent snel en dapper, een vriend.'

Tanja deed haar ogen open en lachte Zaitsev toe, hoewel hij niet naar haar keek.

'Ja?' Tsjebiboelin keek Tsjekov nog steeds strak aan.

Schouderophalend antwoordde hij: 'Ja.'

'Dan ik jou geven... dit!' Tsjebiboelin diepte een tweede fles wodka uit zijn zak op. Hij zette hem op de grond.

Koelikov knipte met zijn vingers en tikte met zijn wijsvinger tegen zijn keel, het Russische teken voor wodkadorst. Tsjekov wierp hem de fles toe. Koelikov trok de kurk eruit en zette de fles aan zijn mond.

Tsjebiboelin tilde de lege soepgamel op en liet de gevulde etensblikken op de grond staan. Hij hees de gamel op zijn rug en duwde de deken opzij, op het punt om weg te gaan.

'Goeienacht, Haas,' zei Zaitsev. 'Pas goed op jezelf.'

Tsjebiboelin tilde de deken nog even op en keek om naar Zaitsev. 'Als ik zien veel drinken Hazen,' zei hij, 'ik geen Haas. Ik Ezel blijven, *spasiba*.'

Kapitein Igor Danilov liep onder de deken door en liet hem van zich af glijden toen hij zijdelings de bunker binnenstapte. Hij hield zijn handen diep in zijn zakken en maakte schuddende bewegingen met zijn schouders tegen de kou van de nacht. Tanja verbaasde zich over de snelheid waarmee de commissaris zijn kleine lichaam kon laten trillen. Het deed haar denken aan een paard dat last heeft van vliegen, of aan een Tataarse buikdanseres. Ze glimlachte bij de gedachte aan de ronde, donkere Danilov in een sluier.

'De post,' zei de commissaris. 'Er is een brief voor de Haas bij.' Hij hield twee gekreukte enveloppen omhoog en liet er een op Zaitsevs schoot vallen. Volgens het algemene gebruik in het Rode Leger werden brieven van thuis hardop aan de verzamelde soldaten voorgelezen, zodat de anderen konden delen in de gevoelens van het thuisfront. Het was de ontvanger toegestaan slecht nieuws of gevoelige woorden over te slaan, maar hij was verplicht de algemene strekking van de brief voor te lezen. Hoewel er zelden post doordrong aan het front, had Sjaikins vrouw kans gezien hem diverse brieven te sturen die ook waren doorgekomen. Zij en haar kinderen waren vanuit hun dorp in Georgië naar het verre oosten gestuurd, helemaal naar Novosibirsk in Siberië, als onderdeel van Stalins streven het grootste deel van de Russische industriële productie over te brengen naar het oosten, ver buiten het bereik van de Duitsers. Ze was Tanja's favoriete correspondente geworden, want ze vertelde in haar brieven haar echtgenoot – en daarmee, zonder het zelf te beseffen, ook veel anderen in de sluipschutterseenheid – van haar moestuin, de slechte kwaliteit van de stof die beschikbaar was voor het maken van kleding voor de kinderen, de dreigende schoonheid van de Siberische herfst en andere details van het leven buiten de oorlogszone. Nu boog Tanja zich nieuwsgierig naar voren, benieuwd als ze was naar degene die Wasilji Grigorjevitsj Zaitsev brieven schreef.

Hij betastte de envelop en leek hem te bewonderen vanwege de ontberingen die hij op weg hierheen had doorstaan. Hij hield de brief met beide handen vast. 'Hij is van mijn eenheid bij de Rode Marine in Wladivostok.'

Alle ogen waren op hem gericht, en op zijn eerste brief. De Haas begon voor te lezen.

Beste Wasja,
Wij hebben in Voor de landsverdediging *over je gelezen. Wie had ooit durven voorspellen dat onze kleine vriend, de administrateur, zo'n grote held zou worden?*

Zaitsevs fonkelende ogen vlogen over het papier. De sluipschutters keken elkaar aan. Vlug keek Tanja van Sjaikin naar Koelikov. Ze lachten allebei besmuikt.

'Inderdaad, ja,' zei Zaitsev kalm. 'Ik was administrateur. Dat houdt in dat ik kan optellen en aftrekken en het hele alfabet ken. Mag dat soms niet?'

Hij schraapte zijn keel om stilte af te dwingen. '... *zo'n grote held zou worden?'* herhaalde hij, opnieuw opkijkend.

Wij zitten hier aan de rand van de wereld, denken met genegenheid aan je terug en drinken geregeld op jouw gezondheid. Via de krant houden we je prestaties bij en aan de muur van onze keuken hebben we een scorelijst opgehangen. Iedere keer dat jouw naam in de krant komt, drinken we die avond op het laatste aantal nazi's dat jij hebt gedood. Je krijgt ons nog allemaal aan de drank, Wasja! Gelukkig kunnen we er goed tegen, en tegen meer ook. We lazen dat je nog altijd je marinehemd draagt. Vergeet nooit, Wasja, dat jij een marineman bent, net als wij. Jouw kracht komt van de blauwe golven en het witte zeeschuim, en het maakt niet uit hoe ver van ons vandaan je vecht. We weten dat jij en je kameraden de nazi's bij Stalingrad een halt zullen toeroepen. De overwinning is aan ons. Veel geluk. Wij omhelzen je.

Zaitsev vouwde de brief op en deed hem terug in de envelop. De sluipschutters applaudisseerden, in overeenstemming met het gebruik. Tanja dacht: hij laat zich niet in verlegenheid brengen door al die aandacht. Hij is het gewend in de schijnwerpers te lopen.

Zaitsev ging zitten en Danilov stapte naar het midden van de bunker en hield de tweede brief omhoog; voor wie hij was, had hij niet gezegd.

'Ik heb hier een brief van een meisje uit Tsjeljabinsk. Ze heeft op de envelop geschreven dat deze brief bestemd is voor de dapperste soldaat. Wie zou dat kunnen zijn?'

Tanja keek de gezichten langs. Haar blik bleef rusten op Anatoli Tsjekov. Net als zij had hij sinds zijn vertrek van huis geen brief ontvangen. Zijn familie woonde in de Oekraïne, achter de Duitse linies. Anatoli praatte met Tanja vaak over zijn zorgen, want hij wist dat ook zij familie had in een bezette republiek.

De laatste tijd vertoonde hij tekenen van overbelasting. De spanningslijnen veroorzaakten groeven rond zijn ogen en mond, en ook op zijn voorhoofd. Die akelige scène met Tsjebiboelin – dat was niets voor deze dappere, meegaande stroper. Tsjekov stond op het punt te bezwijken. Tanja en Sjaikin hadden het er de vorige ochtend nog over gehad; ze hadden gezien dat hij steeds zwaarder was gaan drinken en dat zijn stemmingen onvoorspelbaar werden. Ze hadden het over het eenzame bestaan van de sluipschutter gehad en hoezeer het van dat van de gewone infanterist verschilde. Niet genoeg slaap, voortdurende missies aan de frontlinie, met het bijbehorende levensgevaar, de onderlinge wedijver en jaloezie onder de sluipschutters – ondanks de pogingen van Zaitsev en Danilov om de eenheid daarvan te vrijwaren en de toewijding aan de socialistische idealen op peil te houden. En het doden zelf, natuurlijk. Ook als je zelf onzichtbaar was, kon je door je telescoop op grote afstand de stuiptrekkingen en het bloed van je nietsvermoedende slachtoffers duidelijk zien. Dit alles sloopte de geest. Tanja wist hoe kaal de innerlijke plaats was waarin de sluipschutter troost probeerde te vinden. Het was daar even naargeestig en levenloos als deze platgebombardeerde stad die in de kille nachtlucht buiten wachtte. De last werd nooit onderbroken; er was geen andere ontlading mogelijk dan het overhalen van de trekker. De afgelopen weken had Tsjekov deze visioenen onderdrukt door ze in een fles te vangen. Ondanks zijn drinkgewoonten mochten alle Hazen hem graag. De drank deed nooit afbreuk aan zijn vermetelheid, ook al werd zijn goede humeur erdoor verziekt.

'Anatoli!' riep Tanja uit. 'Die brief is voor hem, natuurlijk.' Hoofden knikten; ook dat van Zaitsev.

Danilov stapte naar Tsjekovs plaats. Zijn benen lagen gespreid voor hem; de tenen van zijn laarzen schudden nerveus heen en weer. Danilov overhandigde hem de brief en beduidde hem op te staan. Tsjekov betastte de envelop. Na een aarzelende blik op de andere sluipschutters scheurde hij hem open. '*Beste, dappere soldaat.*' Hij wachtte en keek achterom naar de wodkafles naast zijn dagboek.

'Lees voor, Anatoloesjka,' drong Sjaikin aan. 'We willen horen wat je nieuwe vriendin te zeggen heeft.'

Tsjekov bevochtigde zijn lippen en ging verder met voorlezen.

Mijn naam is Hanna. Wie deze brief te lezen krijgt, weet ik niet, maar ik ben ervan overtuigd dat jij de dapperste bent als jij hem zit te lezen.

Ik ben zeventien jaar oud. Als dat betekent dat ik zo oud ben als je dochter, zal ik je vadertje noemen. Zo niet, dan noem ik je broertje. De meisjes bij mij op de fabriek hebben cadeaus verzameld voor de verdedigers van Stalingrad. Wij weten dat jullie het zwaar hebben in de loopgraven, en ons hart is mét jullie. Wij werken en leven alleen voor jullie. Hoewel ik ver achter het Oeralgebergte woon, hoop ik ooit terug te keren naar mijn geboorteplaats, Smolensk. Ik kan mijn moeder in de keuken horen huilen. Maak die nazi's

dood, zodat we naar huis kunnen! Laat hún gezinnen maar rouw dragen in hun land,
niet de onze. Laten hun familieleden zich maar de ogen uit het hoofd huilen. Ik ben maar
een meisje, en ik sta aan een lopende band om onderdelen voor vrachtwagens en tanks in
elkaar te zetten. Toch heb ik zo het gevoel ook te vechten, alleen al door in leven te blijven,
alleen al door de nazi's te haten, van minuut tot minuut. Haten bevalt me echter niet; het
past niet bij een Rus, vind je ook niet? We zullen het echter blijven doen, we móeten wel,
totdat ze verdwenen zijn. Vecht hard, mijn vader en mijn broer doen het ook, net als ik-
zelf.

Tsjekov legde het hoofd in de nek en richtte zijn blik op de zware balken die het dak van de bunker droegen. Zijn borst zwoegde; de dunne brief trilde hevig in zijn handen.

Koelikov klapte twee keer in zijn handen, maar toen hield hij op, beschaamd. Niemand anders had geklapt. Tsjekov was duidelijk aangedaan door de brief. Tanja begreep niet hoe dit Koelikov kon zijn ontgaan.

Tsjekov gaf de brief terug aan Danilov. 'Bewaart u hem voor me. Anders verlies ik hem nog.' Hij liep naar een hoek, raapte een tas met handgranaten op, en nam zijn geweer en pistoolmitrailleur van een haak aan de muur. Zonder om te kijken verliet hij de bunker.

Danilov keek Zaitsev aan. 'Waar gaat hij heen?'

Zaitsev maakte een dringend gebaar naar Koelikov. Die sprong op. Tanja kwam eveneens overeind. Zaitsev zei haar te gaan zitten. Koelikov was een goede vriend van Tsjekov. Hij zou hem terugbrengen.

Er hing een loodzware stilte in de bunker. Danilov wilde niet gaan zitten; hij dribbelde op zijn korte benen heen en weer. Zijn mollige handen konden elkaar achter zijn rug nauwelijks raken. Toen kwam Tsjekov terug. Achter hem kwam Koelikov met de tas met granaten en het geweer. Tsjekov liet zich lusteloos naast de wodkafles zakken. Hij keek ernaar en wreef over zijn kin. Hij maakte een grimas, alsof hij een antwoord bedacht op een opmerking die de fles had gemaakt.

Koelikov posteerde zich in het midden. 'Kameraad Tsjekov heeft een plan,' kondigde hij aan. 'Het is een prima plan en ik stel voor dat we het uitvoeren. Een verrassingsaanval op een Duitse commandobunker vol officieren.'

'Waar?' vroeg Zaitsev vanuit zijn hoek.

'Sector Zes.'

Dat was de sector van Sidorov geweest. Nu was het Tanja's sector.

Koelikov keek Tanja aan. 'Ga je akkoord?'

Tanja legde haar dagboek neer en stond op. 'Ik ga mee.' Haar blik kruiste die van Zaitsev.

'Natuurlijk.' De Haas stond op. Hij wilde zelf ook mee.

Zaitsev vroeg Koelikov: 'Je weet die bunker te vinden?'

Koelikov wees naar Tsjekov, die nog steeds naar de wodkafles stond te staren.

'Het lijkt mij dat Anatoli ons moet leiden. Het was zíjn plan.'

Zaitsev ging bij Tsjekov staan, hoog boven hem uittorenend. 'Anatoli, kun jij ons op een kaart de juiste plaats aanwijzen?'

'Ik wil zelf gaan.' Tsjekovs ogen schoten vol.

'Nee, goede vriend, jij blijft hier. Zorg dat je wat slaapt, drink wat. Laat het mij zien op de kaart.'

Zaitsev spreidde de kaart van Sector Zes uit op de grond. De kleine, verdrietige sluipschutter haalde zijn mouw langs zijn neus, terwijl Zaitsev wachtte. 'Hier.' Hij wees naar de zuidwestelijke hoek van de sector, aan het eind van een stel lange loopgraven, een kilometer buiten de voorste Russische linies.

Een kilometer, dacht Tanja. Niet zo'n grote afstand voor een sluipschuttersteam om te opereren, vooral niet onder dekking van de nacht en de sneeuw. Maar een guerrilla-actie op touw zetten, zo diep in de Duitse linies? Er komen is eenvoudigweg een kwestie van uit het zicht blijven, de specialiteit van de Hazen. Eruit wegkomen is een ander chapiter. Als de herrie eenmaal begint, weten de staken dat je er bent.

Sjaikin stapte naar voren. 'Ik ken iedere meter van Zes. Ik kan ons erheen brengen via Sector Vijf...' Sjaikins vinger gleed over de landkaart. 'En daarna verder achter deze schuren. Er loopt daar een Duitse loopgraaf die vorige week door Sokolovs Vijfenveertigste Divisie is veroverd. Hij staat niet op deze kaart. Maar ik ken hem. Hij loopt regelrecht hierheen.'

'Nikolai,' zei Sjaikin. Hij keek op van de kaart, naar Koelikov. 'Sneeuwt het nog steeds?'

'Harder dan ooit.'

Sjaikin keek Zaitsev weer aan, opgewonden. 'Mooi. Wasja, we kunnen ons even stil verplaatsen als sneeuwvlokken.'

Zaitsev overhandigde Sjaikin de kaart. Tanja zag aan zijn gezicht dat hij nog steeds de plus- en minpunten van de actie tegen elkaar afwoog. Het is spontaan, dacht ze. Er zijn geen bevelen voor gegeven, dit is echt iets voor ons, vanwege dat verdriet in Tsjekovs rode ogen en die van alle andere sluipschutters. Neemt Zaitsev het risico?

Ze keek naar Tsjekov, ineengedoken op de grond. Deze man hoort thuis in zijn Oekraïne, om kippen te slachten en patrijzen te stropen op de jachtgronden van de staat, in plaats van hier te zitten in deze aarden bunker, beschonken, bezig zichzelf te vernietigen, terwijl de oorlog daar al volop mee doende is. Ze keek naar de stille, knappe Koelikov, die er zo gebeten op was om te vechten; hij werd innerlijk zo hevig verteerd door het een of ander dat ze hem er nooit over had horen spreken. Iets bloedigs uit zijn verleden dat hij alleen maar kon bedekken met Duits bloed, meer en meer. En daar stond de magere Sjaikin, ver weg van zijn vrouw en kinderen. En in de lucht achter hen, als overledenen in zwarte catacomben, zweefden de doden. En alle toekomstige doden óók.

'Juist,' zei Zaitsev. 'Iedereen neemt een pistoolmitrailleur mee. De geweren blijven hier.' Hij liep naar de ineengedoken, snuivende Tsjekov. 'Anatoli,' zei hij, terwijl hij zijn hand op het hoofd van de man legde. 'Blijf hier. Later kunnen we erover praten. We zullen het voor jóú doen.'

Tsjekov knipperde met zijn ogen, geschrokken en beschaamd. Tanja keek een andere kant uit, voordat ze nog meer medelijden met hem ging voelen. Ze nam Medvedevs pistoolmitrailleur uit de hoek; in Stalingrad had ze dit wapen nog niet gebruikt. Het voelde prettig aan in haar handen, het was een goed wapen.

Zaitsev stak zijn hand in zijn rugzak, op zoek naar zijn blik wagensmeer. Hij wierp het Sjaikin toe. 'Eropaf.'

Sjaikin opende het blik en liep naar de deken.

'Wacht!'

Danilov, die zich toe nu toe afzijdig had gehouden om de dynamiek tussen de Hazen te bestuderen, stond met beide handen op de heupen, een houding die Tanja deed denken aan een grote, grauwe suikerpot. 'Ik ga mee.'

Zaitsev keek naar de kleine commissaris. Hij zuchtte en liet zijn hoofd zakken om na te denken.

Danilov verbrak te stilte. 'Verspil je tijd niet met zoeken naar een respectvolle manier om mij te zeggen dat ik niet mee kan. Ik peins er niet over hier achter te blijven als kindermeisje voor jullie dronken kameraad. Ik wil zelf deelnemen aan een actie. Ik ga mee.'

Zaitsev tilde zijn hoofd op. Er lag een vage glimlach om zijn mond, maar zijn ogen verrieden zijn ontstemdheid. 'Kameraad,' zei hij, 'dit is buitengewoon gevaarlijk. U bent niet opgeleid voor dergelijke missies.'

Danilov verroerde zich niet en zelfs zijn glimlach liet het niet afweten; hij riep eenvoudigweg zijn macht op. Het was een duistere macht, een macht die leek uit te gaan van zijn kaken, die op zijn gezicht omhoog leken te gaan, terwijl zijn hals zich vanuit zijn borst leek te verlengen als de telescopische nek van een schildpad. De doorlopende zwarte wenkbrauw van de commissaris overhuifde zijn ogen.

'Kameraad Haas,' zei hij met een van boosaardigheid druipende stem, 'ik hoef je toch hopelijk niet te herinneren aan de gevaren waarin ik wél getraind ben.' Danilovs dreigende tegenwoordigheid breidde zich uit door de hele bunker. 'De Communistische Partij wenst deel te nemen aan deze actie. Is dat... duidelijk?'

Na deze pauze en dat laatste woord liet Danilov zijn greep op de bunker los. Zijn glimlach was opeens weer beminnelijk. 'Kameraad Zaitsev, ik zal mij tot aan onze terugkeer volledig onderwerpen aan uw gezag. Is dat voldoende?'

Zaitsev knikte alleen.

'Trouwens,' gniffelde Danilov, waarbij zijn overjas op en neer danste over zijn bolle buik, zijn kleine handen bezig met de knopen, 'dit wordt voor mij niet in het minst gevaarlijk. Ik ben met de Hazen. Betere dan jullie zijn er niet.' Hij grijnsde. 'Zo,' zei hij tegen Sjaikin. 'Gooi me dan nu maar eens die vetpot toe.'

Een damesparaplu beschermde de soldaat achter de zware mitrailleur tegen de vallende sneeuw. Tanja kon niet precies bepalen wat de kleur van de paraplu was. In het maanlicht dat mét de sneeuwvlokken omlaag zweefde leek hij roze. Dat ding gebruikt hij nooit overdag, wist ze. Russische sluipschutters zouden desnoods door de hel kruipen om een schot te kunnen lossen op een Duitse mitrailleurschutter onder een roze paraplu.

Het zware machinegeweer was opgesteld achter een hoge borstwering van zandzakken halverwege een twintig meter lange loopgraaf. Aan het ene uiteinde van de loopgraaf, links van het machinegeweer, bevond zich de ingang van een bunker, afgesloten met een deken om de kou buiten te houden. De hele bunker was overdekt met puin om hem te camoufleren.

Sjaikin had hen in minder dan twee uur hierheen geleid, in een rechte lijn door Sector Vijf, waarbij ze twee Russische mitrailleurnesten waren gepasseerd met wachtwoorden van Sector Vijf. In deze hoek van Sector Zes waren ze doorgedrongen via een lange, lege loopgraaf, onder dekking van de stilte en het beperkte zicht van de nacht en de sneeuw, die het hun mogelijk maakte zich vrijwel onzichtbaar te verplaatsen. Sjaikin had voorop getijgerd, gevolgd door Koelikov, Danilov en Zaitsev. Tanja vormde de achterhoede, de plaats voor de plaatsvervangende commandant. Zaitsev had haar voorrecht geëerbiedigd: Sector Zes was háár jachtterrein.

In een krater, op vijfentwintig meter afstand van de mitrailleurschutter, lag Danilov hijgend op zijn rug te proberen weer op adem te komen, zijn hand over zijn mond. Zijn overjas was wit van de sneeuw; zijn blinkende zwarte laarzen waren dof en de knieën van zijn broekspijpen waren totaal doorweekt. Zaitsev gluurde boven de rand van de bomkrater uit, met Sjaikin naast hem. Zaitsev fluisterde hem iets toe en gaf toen zijn pistoolmitrailleur aan Sjaikin. Hij glipte over de kraterrand, onder het fijne kant van de zacht sissende sneeuwvlokken.

Tanja kroop naast Sjaikin en wachtte. Koelikov deed hetzelfde. Danilov rolde zich om en probeerde tot naast Tanja te tijgeren, maar er was geen ruimte voor hem en ze duwde hem terug.

Liggend op zijn rug trok de commissaris aan haar voet. Tanja gleed omlaag en bracht haar met zwarte smeer bedekte gezicht bij het zijne. 'Kameraad,' zei ze fluisterend, 'zolang hij weg is, heb ik het commando. U blijft hier beneden, is dat duidelijk?'

Ze wachtte niet op antwoord, maar tijgerde terug naar haar plaats naast Sjaikin. In het donker zag Tanja het silhouet van het hoofd van de Duitse soldaat achter de zware mitrailleur onder de paraplu, maar meer details kon ze niet zien. Ze had niet kunnen zien waar Zaitsev zich in de vijandelijke loopgraaf had laten zakken. Ze kon zich alleen maar een voorstelling maken van de bewegingen van de Haas over de natte bodem van de Duitse loopgraaf, wachtend, zachtjes ademend, voor zich uit de bodem aftastend, op zoek naar alles wat zou kunnen kraken en knappen, waardoor zijn aanwezigheid zou worden verra-

174

den. In gedachten wachtte ze mét hem en hield ze eveneens haar adem in, terwijl ook zij haar vingers kromde zoals hij moest doen om zich door de koude modder en steeds dikker wordende laag sneeuw heen te werken. Samen met Zaitsev kwam ze achter de mitrailleurschutter omhoog en zag de soldaat achter zijn wapen staan, misschien met een hoger opgetild been, om zijn rug te ontzien; ze wachtte totdat de man geeuwde, of zich uitrekte of de ogen uitwreef. Toen sprong ze op hem toe, omklemde met haar linkerhand zijn mond en haalde het scherpe mes in haar rechtervuist diep door zijn keel zodat de luchtpijp werd doorgesneden en de lucht uit de longen werd gedreven; ze bleef met haar linkerhand zijn hijgende mond omklemmen en ramde het mes tussen de ribben door het hart in, of de kransslagader. Daarna vlijde ze het lijk tegen de wand van de loopgraaf en plaatste een stuk hout of een eind pijp onder de kin om het hoofd rechtop te houden. Ze richtte de paraplu weer op door hem in de sneeuw te drukken, zich in de grauwe nacht nog steeds afvragend welke kleur hij had.

Een sneeuwbal landde met een zachte bons vlak voor de rand van de krater. Tanja knikte Sjaikin toe. Hij stond op uit de bomkrater en liep in gebukte houding met snelle passen naar de loopgraaf, in plaats van te tijgeren. Tanja volgde hem. Achter haar hielp Koelikov Danilov op de been en over de kraterrand.

Tanja glipte de vijandelijke loopgraaf in, achter Sjaikin. Zaitsev wachtte hen op. De Haas nam zijn pistoolmitrailleur weer van Sjaikin over. Tanja zag het bloed op zijn handen glinsteren. Het had zijn manchetten doordrenkt. Koelikov en Danilov arriveerden en Zaitsev stuurde Koelikov en Sjaikin met zijn wijsvinger naar het andere einde van de loopgraaf om eventuele andere schildwachten uit te schakelen. Zaitsev hurkte op de bodem van de loopgraaf neer, met Tanja naast zich. Danilov ging in de sneeuw zitten.

Sjaikin en Koelikov kwamen terug. Tanja stond naast Zaitsev. Ze was blij met de dekking van het duister en de sneeuw, maar ze was zich ervan bewust dat alles wat de Hazen uit het zicht kon houden, dat ook voor de vijand kon doen.

Op een teken van Zaitsev kwam de groep in actie. Ze liepen langs de staande dode mitrailleurschutter onder de paraplu naar het uiteinde van de loopgraaf, naar de deken in de bunkeropening.

Plotseling werkte Danilov zich met zijn ellebogen langs Zaitsev tot hij vlak voor de in de opening hangende deken stond. Hij had een pistool in zijn hand. Hij schoof de deken opzij en stapte de bunker in. Vliegensvlug dook ook Zaitsev de bunker in, zwijgend, zijn pistoolmitrailleur schietklaar in de handen. Sjaikin, Tanja en Koelikov volgden zijn voorbeeld.

In de bunker hing een brandende petroleumlamp aan een zolderingbalk. Hij was laag gedraaid en verspreidde een gelig schijnsel in de stille lucht en op de aarden wanden. Aan houten pennen naast de ingang hingen verscheidene pistoolmitrailleurs. Eronder hingen helmen en zaklantaarns. Langs de wanden bevonden zich drie rijen britsen, telkens een stapel van vier. Uniformen met de sterren en strepen van officieren lagen netjes opgevouwen op schappen. De Russen werden begroet door gesnurk, kalme ademhalingen en een slaperig gemompel. Ze vormden een vuurpeloton.

Tanja drukte de kolf van haar pistoolmitrailleur tegen haar heup. De loop van het wapen bevond zich op gelijke hoogte met die van de wapens van Zaitsev, Koelikov en Sjaikin. De Russische pistoolmitrailleur type PPSh had een vuursnelheid van negenhonderd schoten per minuut. Ze klemde haar kaken op elkaar en plantte haar voeten stevig in de aarde. Danilov richtte zich op en zei plechtig: 'Vanwege de meedogenloze moord op onze kinderen en moeders worden jullie nazi-roofdieren ter dood veroordeeld.'

Danilov bracht zijn pistool omhoog en loste een schot op een van de britsen. De knal vulde de bunker. Tanja ademde de kruitdamp in. Hoofden en lichamen schoten overeind van de britsen, maar hun stemmen gingen verloren in de knal van het pistoolschot. Voordat de anderen konden reageren, haalde Tanja haar trekker over.

De pistoolmitrailleur schokte en danste in haar handen. De loop ging sidderend omhoog en braakte lood uit dat de britsen doorboorde en bleef steken in de zoldering. Tanja liet de trekker even los om de loop weer horizontaal te brengen. In die korte pauze begon ook Zaitsevs pistoolmitrailleur te hameren, samen met die van Koelikov en Sjaikin. Tanja omklemde haar wapen steviger en vuurde mee. Danilov stapte achteruit en de vier schutters ontketenden zij aan zij een orkaan van lood waarmee ze de britsen besproeiden.

Tanja gebruikte haar wapen alsof het een cirkelzaag was: ze scheurde de britsen ermee aan stukken, met alles erin en erop – hout, matrassen, lichamen, aarde. Ze kon niet zien waar haar kogels insloegen, want ze vermengden zich met de kogels uit de wapens van de anderen. De lichamen op de britsen, nog gehuld in de aan flarden gerukte dekens, bonkten tegen de wanden en maakten de vreemdste krampachtige bewegingen. De vernietigende seconden verstreken en de hele ruimte leek zich te vullen met kabaal, als een fles die volloopt met water, zodat de lucht wordt uitgedreven en vervangen – in dit geval door ratelende explosies, bittere kruitdamp en houtsplinters.

Zaitsev stak zijn hand uit en duwde Tanja's wapen omlaag. Ze liet de trekker los. De anderen waren al opgehouden met schieten. In de bunker hing een dikke, bittere walm. Tanja's hoofd was verdoofd door het woedende geratel van de pistoolmitrailleurs in de kleine ruimte. Ze had barstende hoofdpijn; het enige geluid wat ze kon horen, was dat van de hartslag die in haar slapen bonkte.

Het vijftal stond stil, totdat Koelikov de deken optilde en de vettige walm de loopgraaf in liet golven.

In de bunker zelf had de petroleumlamp de grootste moeite door de rook heen te schijnen. De britsen waren aan splinters geschoten. Het witte inwendige van het hout was zichtbaar in duizenden kogelgaten. De aarden wanden glinsterden alsof er hete teer overheen was gegoten. Het schijnsel van de kleine vlam van de lamp werd op de muur weerkaatst door natte, rode vlekken. De vloer lag bezaaid met ontelbare patroonhulzen, vermengd met houtsplinters en plukken bloederige kapok uit de matrassen.

In deze bloederige slotscène, nu de hamerende salvo's in haar hoofd nog maar net begonnen te vervagen, waren Tanja's zenuwen overbelast. Een beweging links van haar maakte dat ze opzij sprong. Koelikov wankelde naar buiten. Zaitsev volgde hem op de voet, duwend. Een hand omklemde haar pols. Sjaikin trok haar naar buiten, langs de deken. Danilov was al in de loopgraaf.

Zaitsev zei iets tegen haar, maar ze verstond hem niet vanwege het kabaal in haar oren. Sjaikin zette het op een lopen zonder haar los te laten; hij trok haar mee totdat ze uit zichzelf hard liep. Ze volgde Sjaikin naar het uiteinde van de loopgraaf. Hij sprong omhoog en lag met zijn buik over de borstwering, zodat hij een voor een zijn knieën kon optrekken. Ze gaf hem haar pistoolmitrailleur en voelde de hitte van de loop. Ze klom na Sjaikin uit de loopgraaf en rende toen achter hem aan door het witte gordijn dat uit de zwarte nachthemel werd neergelaten. Haar wereldje was stil; de schoten hadden haar oren dichtgestopt. Ze rende in het midden van de Hazen, samen met de corpulente Danilov, in de wetenschap dat de Duitsers naar haar zouden schreeuwen en dat hun kogels langs haar heen moesten fluiten, maar dat ze de geweerschoten niet kon horen, noch de kogels zien inslaan in de grond om haar heen. Zo rende ze voort, opgewonden bij de gedachte dat ze aan de dood ontsnapte door er dwars doorheen te rennen.

Over een afstand van tweehonderd meter volgden ze hun eigen voetsporen, weg van de bunker. Op veilige afstand doken de sluipschutters en de naar adem snakkende commissaris weg achter een berg puin. Zaitsev wachtte totdat hij weer op adem was en begon toen voor hen uit te tijgeren, na hun te hebben gezegd dat ze hem met tussenpozen van vijf minuten moesten volgen.

Tanja legde haar hoofd in haar nek om naar de vallende sneeuw te kijken. Ze voelde zich duizelig en had het gevoel alsof zij omhoog zweefde naar de sneeuwvlokken, in plaats van dat zij op haar neerdwarrelden. Ze liet ze rusten op haar neus en wimpers, zodat ze smolten op haar gloeiende, vettige huid. Ze dacht terug aan de afgelopen tien minuten. De beelden kwamen in haar op in willekeurige volgorde: het krachtige hameren van de pistoolmitrailleur, Danilov die op zijn rug lag en aan haar voet trok, Zaitsevs bebloede handen, de houtsplinters van de britsen op de bunkervloer.

Die paraplu. Welke kleur had hij feitelijk?

Ze opende haar ogen. Verdomme, toch nog vergeten te kijken, dacht ze.

Tsjekov leg met gespreide benen te snurken. Een lege fles stond bij hem te waken, als een glazen troetelkat.

Zaitsev glipte na Tanja onder de deken door, gevolgd door Koelikov en Sjaikin. Danilov had hun groep verlaten zodra ze terug waren achter de Russische linies; hij had haast om het verhaal over de laatste raid van de sluipschutters op papier te zetten. Deze keer was het geen verhaal over de verre, stille dood die de Hazen verbreidden. Vannacht waren de sluipschutters naar een vijandelijke officiersbunker getijgerd en hadden de officiers in hun bedden afgeslacht. Het verhaal van deze nacht was een relaas van meedogenloze vernietiging, een abattoir, een wraakactie. En Danilov was erbij geweest – niet alleen om verslag te doen van wat er gebeurde, maar bij wijze van uitzondering om zelf bij te dragen aan het nieuwsfeit.

Zaitsev porde de snurkende Tsjekov met zijn laars. De man gromde iets, maar deed zijn ogen niet open. 'Anatoli.' Zaitsev stak de punt van zijn laars onder Tsjekovs zij en tilde hem even op, maar liet hem toen terugrollen. Zaitsev wendde zich tot Sjaikin. 'Neem hem mee terug naar het Lazoer-complex, Ilja.' En met een lachje tegen Tanja: 'Viktor vermoordt hem als hij terugkomt en hem hier snurkend en wel aantreft in onze bunker.'

Koelikov voegde zich bij Sjaikin. 'We zullen hem moeten dragen, Ilja. Ik help je wel.' Samen tilden ze Tsjekov over Sjaikins schouders. Koelikov nam de geweren en rugzakken van de drie mannen voor zijn rekening. Tanja hield de deken voor hen opzij. Wankelend onder hun last liepen ze weg.

Nu was ze met Zaitsev alleen in de bunker. 'Welterusten,' zei ze.

'Wacht, ik loop een eindje met je op.'

Samen stapten ze onder de deken door naar buiten. Vóór hen bleef Tsjekov stug door snurken, zwaaiend op Sjaikins smalle schouders. Koelikov gaf Tsjekov een mep tegen zijn ondersteboven hangende hoofd. 'Bek dicht,' zei Koelikov.

Tanja deed een greep in haar rugzak en pakte een doek om de wagensmeer uit haar oogkassen en van haar wangen en hals te vegen. Ze wreef verse sneeuw in haar gezicht en voelde de ijskristallen als ijzig zand op haar huid schuren. Zaitsev zag Koelikov en Sjaikin weglopen met hun dronken vracht tot ze in de dichte sneeuw en geluiden dempende nacht verdwenen.

'Je zit onder het bloed,' zei ze. 'Wacht.' Ze raapte opnieuw een handvol sneeuw op. Ze wreef de sneeuw over de rug van zijn hand, druk uitoefenend met haar handpalm. Ze schraapte het bloed en de wagensmeer weg. De sneeuw werd bloedrood. Zijn bleke Siberische huid en blauwe aderen schemerden door de smurrie heen. Toen ze zijn handen allebei schoon had, depte ze met de doek zijn gezicht af. Zaitsev bleef roerloos staan, hij knipperde alleen met zijn ogen als de doek eroverheen ging.

In Tanja's borst streden allerlei gevoelens om voorrang. Waar ben ik mee bezig, dacht ze. Ik sta hem schoon te maken zoals een moeder met haar zoon zou doen als hij zich smerig heeft gemaakt. Ze probeerde haar handen in te tomen, maar als ze ophield, versnelde ze alleen maar de komst van het ogenblik waarop ze in de sneeuw tegenover elkaar zouden staan, oog in oog, zonder een nerveuze activiteit tussen hen in die hun woorden op afstand hield, of die een onschuldige betekenis verleende aan dat contact tussen hun ogen. Ze wist dat dit het moment was waarop ze had gewacht; hier zo voor hem staan, zo dicht bij die onvermijdelijke aanraking. Alle hitte van de gebeurtenissen van deze avond was alleen maar de aanloop geweest naar deze paar seconden. Vóór de overval, tijdens de bespreking, had Zaitsev haar vergiffenis geschonken en haar gerehabiliteerd door haar de leiding over Sector Zes toe te vertrouwen. Daarna was het tumult gekomen van de slachting onder de Duitse officieren. Ze herinnerde zich hoe haar hele huid had getinteld toen haar pistoolmitrailleur lood sproeide; en daarna hadden ze door de sneeuw en de duisternis gesprint. En nu ze Zaitsev kon aanraken, al was het maar via de doek, helemaal alleen met hem, tintelde ze op dezelfde manier.

Zal hij iets tegen me gaan zeggen als ik niet langer doe alsof ik zijn handen en gezicht schoonmaak? Of geeft hij er de voorkeur aan te zwijgen, zodat hij me dwingt eveneens te kiezen? Zal ik het initiatief nemen of zal ik hem goedenacht wensen en wegstrompelen, gebukt onder mijn eigen last? Hij zal iets tegen me zeggen als ik mijn handen laat zakken. Hij wacht alleen totdat ik ophoud. Hij zal tegen me zeggen dat... Ja, wat?

Tanja dwong haar handen tot vertragen. Met een laatste haal veegde ze wat smeer weg onder zijn onderlip. 'Zo,' zei ze, heel even lachend. Ze propte de doek weer in haar rugzak. Toen ze opkeek en hem in het gezicht zag, keek hij niet naar haar, maar over de vage, door de maan beschenen contouren van de ruïnes en de zich samenpakkende sneeuw naar de Wolga. Zijn rood geworden handen hield hij warm onder zijn oksels.

'Tanja, wat hebben we vanavond gedaan?' zei hij hoofdschuddend.

Ze begreep de vraag niet. Ze stak haar handen in haar zakken. In wat voor stemming is hij, vroeg ze zich af. Waar is hij, zo plotseling? 'Wat bedoel je, Wasilji?'

Ze had hem nog niet eerder bij zijn voornaam genoemd. Ze had de naam eruit geflapt voordat ze het zelf besefte. Nu hij zich echter zo in zichzelf terug had getrokken, nu hij voor zich uit staarde als een man die zichzelf heeft verloren en niet begrijpt hoe dat heeft kunnen gebeuren, leek hij kleiner te worden. Zijn gloed, de uitstraling van de held, de *vozhd* van de Hazen, was vervaagd, alsof zij zijn aureool mét de wagensmeer en het bloed had weggewreven. Dit was niet sergeant-majoor Zaitsev die voor haar stond. Dit was Wasja. Ze voelde het. Hij was hier, kwetsbaar, naast haar in de stille sneeuw van de nacht.

Ze porde hem met haar stem. 'Wat we hebben gedaan?' Ze haalde gelaten haar schouders op. 'We hebben twaalf vijandelijke officieren te pakken genomen. We hebben de moffen iets duidelijk gemaakt.'

Zaitsevs ogen vonden de hare, hoewel zijn blik nog op oneindig leek te staan. 'Wat hebben we hen dan duidelijk gemaakt? En wie? Wie heeft de boodschap opgevangen, zij? Of wijzelf?'

Waar heeft hij het over? Het waren agressors. Wat maakte het uit of ze op hun brits hadden gelegen, in het voorbijgaan een boerendorp in de as legden, of een stel burgers koelbloedig afslachtten in een park? Het waren dezelfde soldaten. Ongedierte, dat waren ze; staken die geknakt moesten worden, die de dood verdienden. Het maakte haar niet uit wat voor dood, niet alleen de abrupte, ontfermende duisternis van een sluipschutterskogel. Aan mootjes gehakt, aan flarden geschoten door honderden kogels op vijf meter afstand – zo mochten ze morgenochtend worden gevonden; laat ze morgenochtend als de zon opgaat elkaar dát verhaal maar vertellen aan de Duitse kant van het front.

Zaitsev trok zijn handen onder zijn oksels vandaan. Hij maakte aanstalten iets te zeggen, maar hield zich in, zodat zijn handen in de lucht bleven zweven, wachtend op de woorden. Hij staarde Tanja aan. 'Het is niet...' zei hij. Ze zag hoe zijn ogen zich vernauwden en hoeveel belang hij hechtte aan zijn volgende woorden. 'Zo ben ik niet opgevoed. Dit is niet de manier waarop wij de dingen doen. Het hoort niet. Dit was geen doden. Het was zelfs geen oorlog voeren.'

Tanja trok zijn handen naar beneden. Ze stapte op hem toe om zijn handen vast te houden. Ze waren koud; ze omklemde ze stevig. 'Jawel, Wasja, het was doden,' fluisterde ze. 'Het was doden zoals dat in een oorlog gebeurt.'

Ze deed een laatste stapje naar voren om haar borst tegen de zijne te drukken. Ze trok zijn handen achter haar en voelde hoe ze elkaar zochten en vonden achter haar middel om haar vast te houden. Ze legde haar hoofd tegen zijn schouder. Ze keek naar zijn nek, zijn oor, het kortgeknipte haar, zonder bakkebaarden.

Ze fluisterde opnieuw. 'Je hebt gelijk, Wasja. Het is niet eervol.' Ze tilde haar hoofd op. Zijn gezicht drukte nog steeds afwezigheid en verlies uit. 'Maar,' liet ze erop volgen, 'dat wordt anders als Danilov erover heeft geschreven.'

Zaitsevs borst schokte even, in een kort lachje. Tanja trok haar armen steviger om zijn middel. 'Laat het doden maar aan ons, aan anderen, over,' fluisterde ze. 'Wij zullen voor je doden. Ik zal voor je doden. Jij moet jagen, Wasja, jij moet jagen.'

14

Zaitsev draaide de lamp lager, bijna te laag. Nog voordat de vlam begon te flakkeren en dreigde te doven draaide hij de pit weer wat hoger. Donkere schaduwen vulden de aarden muren en vloer van de sluipschuttersbunker. Wat riskeer ik, vroeg hij zich af. Hij raadpleegde zijn horloge: halfdrie 's nachts. Viktor komt zelden terug voordat het ochtend wordt.

Hij trok Tanja de bunker in. Ze hield zijn hand vast alsof ze aan een klif hing: sterk, hard, op leven en dood. Zijn geest kroop via zijn eigen hand haar lange vingers in. De kracht van haar greep maakte het echt voor hem, voor de eerste keer. Zelfs toen ze hem zo-even buiten vast had gehouden, was hij niet in staat geweest haar werkelijk te bespeuren. Hij had over haar heen gekeken, in beslag genomen door gedachten over eer, de dood, de oorlog. Wat ze daar vanavond in die bunker hadden gedaan was aanvaardbaar voor een soldaat, maar vreemd en gruwelijk voor de jager. Zijn grootvader zou hem er een pak slaag voor hebben gegeven. Dit werd niet op de taiga gedaan – doden in het wilde weg.

Hij dacht aan Tanja, hoorde haar pistoolmitrailleur ratelen, zag haar ogen knipperen te midden van de rondvliegende houtsplinters en het oorverdovende geraas van de wapens. Hij zag Tanja tandenknarsen, dacht terug aan haar sprint door de ruïnes en de nacht, vlak bij hem. Tanja die me heeft aangeraakt via die sneeuw in haar handen, die warme, smerige doek op mijn gezicht. Tanja heeft me omarmd. Hij keek nu bewust naar haar, in het midden van de bunker, op armlengte. Haar blonde haar, dik als een korenveld, wierp een schaduw over haar gezicht en golfde over haar schouders. Alleen het puntje van haar neus was verlicht. Hij draaide haar zo dat het licht haar hele gezicht bescheen en haar blauwe ogen liet opbloeien.

Vanaf haar eerste dag als rekruut was Tanja een storende factor geweest, een kopzorg, precies zoals hij Danilov had voorspeld. In feite was zij Danilovs experiment, en hij, Zaitsev, had niet gedacht dat het lang zou duren. Ze was te fanatiek, te gretig, had geen greep op haar emoties. Ze was voor hem alleen een vrouw als hij met Viktor over haar speculeerde, zoals mannen doen – over haar kontje, haar blonde haar, de vraag of Fedja, die grote jongen, iets met haar had gehad. Of als ze in Sjaikins gezelschap verkeerde en hij dan zag hoe ze hem tijdens een bespreking even aanraakte. Maar als hij haar niet voor zich zag, dacht hij nooit aan Tanja Tsjernova.

Nu glipte hij als een dief in de nacht zijn eigen bunker in. Waarom? Alleen omdat hij een vrouw aan de hand had? Gewaarwordingen overspoelden hem. Wat riskeer ik, vroeg hij zich nog eens af.

Als er iemand binnen mocht komen, zal ik erom lachen. Ik zal Viktor zeggen hoe ik dit meisje heb verleid; ze was goed en één keer is genoeg. Hij moet het de volgende keer zelf maar proberen, zal ik zeggen. Als we echter ongestoord in elkaars armen kunnen liggen, langzaam, ongehaast, als we elkaar in alle rust kunnen kussen en zacht met elkaar praten, dan weet ik het niet. Op dit moment heb ik alle touwtjes in handen. Wat begin ik met een situatie waaraan ik niet zelf vorm kan geven? Wil ik dit wel?

Niet piekeren, maande hij zichzelf. Jij hebt dit trouwens niet in de hand. Dat wist je vanaf het moment waarop ze je aanraakte, buiten. Tanja liet zijn hand los en wendde zich af van het licht. Hij zag haar naar zijn hoek lopen.

Met haar rug naar hem toe knoopte ze haar parka los. Ze liet haar armen zakken en de parka gleed op de grond, de mouwen naar buiten, de capuchon omhoog, als een sneeuwlichaam dat smolt in de modder. Haar handen gingen naar haar hals. Haar ellebogen wezen naar buiten toen ze met snelle polsbewegingen de knopen van haar gevechtsjasje losmaakte. Ze bukte zich om haar veters los te maken. De zomen van haar onderbroek tekenden zich duidelijk af op haar billen. Toen ze zich had opgericht, werkten haar handen aan haar koppelriem. Ze draaide zich naar hem om: alle hindernissen naar haar naakte lichaam waren ontsloten. Haar hemd welfde over haar borsten, de tepels stevig onder de grijsgroene stof. De manchetten van haar mouwen waren losgeknoopt. Haar koppelriem was los. De rits van haar gevechtsbroek was open en haar laarzen stonden open, zodat ze er direct uit kon stappen.

Tanja schopte haar kistjes uit; nu had ze alleen haar sokken aan. Haar gezicht was als een bleke maan in het licht van de lamp. Haar ogen glansden hem toe en weerkaatsten het licht als twee identieke, azuurblauwe rondjes.

Zaitsev stapte naar haar toe en zag hoe zijn schaduw over haar benen omhoogklom, en daarna over haar lichaam en gezicht. Hij pakte haar bij de schouders om het losgeknoopte hemd weg te schuiven. Ze tilde tijdens de aanraking haar hoofd op; haar lange haar was zwaar op de rug van zijn handen. Haar kraag verwijdde zich en gleed weg. Het hemd zakte, en uit haar onderhemd, armen en hals steeg een geur op. De geur van zweer vermengde zich met de geur van aarde. Het herinnerde hem aan de geur van zoetige leem onder de humus van een berkenbos. Het hemd viel achter haar op de grond. Nu stond Tanja tussen haar parka en haar gevechtshemd, in een cirkel van mouwen en knopen.

Ze tilde haar handen hoog op. Haar borsten duwden tegen haar onderhemd, zodat ze enigszins werden platgedrukt en zich rond aftekenden. Zaitsev legde zijn open handpalmen om haar borsten en betastte haar tepels. Hij trok het dunne katoenen hemd over haar hoofd en liet het voor haar voeten vallen.

Zaitsevs handen gingen naar haar middel, maar Tanja hield hem tegen en duwde zijn handen naast zijn lichaam. Ze greep naar zijn koppelriem rondom zijn parka en maakte de koperen gesp los. Ze gooide de koppelriem de schaduwen in, waar hij met een bons op de vloer belandde. De handen van het meisje

182

gingen naar zijn borst. Haar naakte borsten en schouders waren ivoorkleurige ovalen in de harde, langgerekte schaduwen in het bunkerinterieur. Ze maakte de knopen van zijn parka los en trok zijn schouders wat naar achteren om het kledingstuk te laten vallen.

Nu begon ze zijn gevechtshemd en matrozenhemd los te knopen. Al die tijd vermeed ze zijn ogen; ze observeerde de bewegingen van haar handen, in de weer met zijn kleding. De knopen waren los. Zaitsev trok beide kledingstukken over zijn hoofd uit. Hij liet ze op de groeiende stapel vallen.

Ze hield haar handen naast haar lichaam en vlijde haar borsten tegen zijn ontblote torso. Ze ademde uit toen haar huid tegen de zijne drukte. Haar adem was warm, zacht als bont tegen zijn wang.

Tanja keek hem in de ogen. Ze ging op de vloer voor hem zitten en legde haar hoofd in haar nek om hem aan te kunnen blijven kijken. Ze trok haar broek en sokken uit en stak haar hand uit naar de plek vlak achter Zaitsevs benen om zijn jas en beide hemden te kunnen pakken. Ze legde ze over haar eigen kleren heen, zodat er achter haar rug een soort kussen ontstond. Zaitsev stapte uit zijn laarzen. Hij liet zijn broek omlaag glijden en liet hem op Tanja's benen vallen, die hem demonstratief aan de hoop toevoegde. Hij liet zich op zijn knieën zakken, boven op de stapel kleren. Tanja wees naar zijn sokken.

'Geloof me,' mompelde hij, zodat de stilte werd verbroken. 'Die kunnen beter blijven waar ze zijn.'

Tanja giechelde. Zaitsev werd omhuld door haar lach; het was alsof haar lach de kille aarden vloer verwarmde. Hij had het gevoel alsof haar lach een stel armen werd dat zijn borst voor de hare bracht en hem over haar heen trok.

Tanja zakte niet achterover in het kussen van kledingstukken. Ze drukte haar borst stevig tegen hem aan. Haar handen en armen bleven op de grond steunen. Dit verraste Zaitsev en wond hem op. Hij bedekte haar mond met de zijne om haar al kussend achterover te duwen. Het leek wel wat op het zetten van een val. Ze liet zich terugduwen, beetje voor beetje, totdat ze zich ontspande en haar armen om zijn nek sloeg. Hij legde zijn handen in de rondingen van haar middel en liet ze toen over haar flanken en ribbenkast glijden, helemaal tot in haar nek. Ze gaf met hem mee als een aanrollende golf.

Hij trok zijn rechterhand weg onder het zachte gewicht van haar blonde haar en bekeek zijn hand en vingers. De hand was ruw en eeltig, een gevolg van het maandenlang tijgeren door de ruïnes van Stalingrad. Geronnen bloed van de moordpartij van de afgelopen avond zat onder zijn nagels. Dit is geen hand, dacht hij, geschikt om een vrouw aan te raken. Langzaam, voorzichtig, trok Zaitsev ook zijn linkerhand onder haar nek vandaan. Hij duwde zich wat omhoog, steunend op een elleboog.

'Geef me je hand,' zei hij.

Zaitsev keek naar haar gesloten ogen toen hij zijn hand boven op de hare legde. Langzaam leidde hij haar vingers naar haar borst; hij voelde de vraag in haar pols. Ze ontspande de hand en vertrouwde die aan hem toe. Hij liet het topje van haar wijsvinger een kleine cirkel over haar gezwollen tepel beschrijven. Tanja zoog hijgend lucht in haar longen en liet de adem in een zacht kreunende zucht ontsnappen. Zaitsev liet haar hand van haar borst glijden en leidde hem naar het dal tussen beide heuvels en vandaar naar de witte vlakte van haar buik. Hij bewoog haar hand in lome cirkels, drukkend en loslatend. Haar heupen begonnen onder haar handen te bewegen. Hij leidde haar hand omlaag tot tussen haar benen en bespeurde geen weerstand. Ze bewoog met hem méé, liet zich door hem leiden; haar vingers begonnen onder zijn hand uit zichzelf te draaien en te glijden, over haar huid, in haarzelf.

Hij keek naar haar gezicht en ademde mee met haar zuchten. Hij leidde haar hand niet meer, maar liet zich erdoor meevoeren naar waar ze maar wilde; hij reed mee op haar bewegingen.

Zaitsev keek toe hoe Tanja zichzelf tot een climax bracht. In een steeds snellere siddering stak ze haar vrije hand uit en trok hem omlaag om zijn gezicht te kussen op het ritme van haar lichaam. Ze duwde haar onderlichaam op en drukte haar dijen tegen elkaar, hun handen omsluitend. Een tel later kromde ze haar hele rug, totdat ze hijgend terugviel, met zwoegende borst.

Ze deed haar ogen open. In haar rust was hij zich bewust van de aandacht die zijn eigen lichaam nu opeiste. 'Wasja,' fluisterde ze, 'ga morgen met me mee.'

Hij bekeek haar in haar volle lengte. Haar knieën waren opgetrokken. De gladde zachtheid van haar benen schrijnde in zijn binnenste, persend om naar buiten te treden.

'Zo gaat dat op de taiga,' fluisterde hij. Hij kwam over haar heen en liet zijn benen tussen haar knieën glijden. 'De dieren paren eerst.' Hij drong in haar binnen. 'En dan gaan ze op jacht.'

De littekens van de Mamajev Koergan waren zichtbaar in het ochtendlicht. De sneeuw, die tot aan het krieken van de dag was blijven vallen, kon de in zijn oppervlak gekerfde loopgraven niet verbergen en vulde evenmin de kraters die de oostelijke helling het aanzien gaven van een maanlandschap. De bevroren kristallen flitsten op als diamanten in Zaitsevs zoeker, terwijl hij de kruisdraden langzaam over Sector Zes liet glijden.

'Bekijk de heuveltop eens,' zei Tanja. 'Er ligt geen sneeuw. Ik heb gehoord dat dat komt doordat de grond daar vanwege alle granaten warm blijft.'

Vanaf de top van de Mamajev Koergan kon men de hele stad en een deel van de Wolga overzien. Drie maanden eerder, in augustus, hadden soldaten van het Rode Leger die op de watertoren op de top hadden gestaan de stofwolken opgemerkt die de over de steppe voortstormende Duitse tanks van het type PzKpfw IV deden opwervelen. Vanmorgen, zo wist Zaitsev, waren waarnemers van de Duitsers heer en meester op de top. De beide legers hadden om beurten de heuvel in bezit gehad, maar nooit lang, omdat de bezetters daar altijd het zwaarste geschut aantrokken dat de vijand in stelling kon brengen in een poging de top weer in handen te krijgen. De heuvel was zo dikwijls en zo langdurig murw gebeukt met artilleriegranaten, dat de grond van de Mamajev Koergan zwanger was van een onnatuurlijke hitte.

Zaitsev en Tanja zaten gehurkt in een loopgraaf aan de westelijke rand van niemandsland. Voor hen lag een onwaarschijnlijke doolhof van defect materieel, achtergelaten geschut en pokdalige aarde. Onder de kleine hopen stuifsneeuw lagen lijken verborgen.

Zaitsev nam de periscoop uit zijn rugzak om zelf ongezien dieper te kunnen doordringen in het stijgende terrein dat zich voor hen uitstrekte. Ik moet zorgen dat er iets gebeurt. Hij wist dat de jacht op de Mamajev Koergan traag zou zijn. De strijd was hier zo hevig geweest, zo aan één stuk door gevoerd, dat iedereen die hier nog in leven was, vermoedelijk precies wist hoe hij dat moest blijven. Hij voelde er niets voor dagenlang bij Tanja te blijven om haar te helpen haar eerste succes als sectorleider te boeken.

Een stil uur lang tuurde hij door de periscoop naar de Duitse borstweringen. Tanja was vijftig meter van hem vandaan gekropen om een andere invalshoek te hebben en te voorkomen dat ze in het oog liepen. De schaduwen werden korter en de zon stond in hun rug. De weerkaatsingen van de glinsterende sneeuw werden doffer. Twee keer zag Zaitsev iets wat op een beweging van een sluipschutter leek. Een sliert sigarettenrook verwaaide snel; het had ook wat stuifsneeuw kunnen zijn. Een ogenblik later, bijna op dezelfde plek, meende hij een helm heel even boven de rand van een loopgraaf te zien, en nog eens. Ook deze keer was het verdwenen voordat hij erop had kunnen focussen.

Zaitsev was wachten gewend. Iets dat verband hield met Tsjernova drong hem een hoger tempo op. Haar gretigheid won het van zijn zelfdiscipline, hoewel ze geen eisen stelde of zelfs maar een schijn van ongeduld met hem aan de dag legde. Ze heeft zelf ook hitte in zich, dacht hij. De hitte van een kachel, of de hitte aan de top van de Mamajev Koergan. Om haar heen raken dingen aan de kook.

Hij legde de periscoop neer en stak een sigaret op, waarmee hij een belangrijke regel inzake sluipschuttersactiviteiten overtrad. Hij voelde zich geïrriteerd, rusteloos.

Nou ja, dacht hij, er is iets dat ik al een hele tijd hebben willen uitproberen. Waarom niet vanmorgen? Hij hing zijn geweer aan zijn schouder en tijgerde naar Tanja, die plat tegen de grond gedrukt door haar telescoopzoeker tuurde. Ze keek niet op toen hij bij haar was. 'Je rookt,' zei ze alleen.

'Blijf hier. Ik ga Danilov halen.'

Met een ruk draaide Tanja haar hoofd om. 'Wat? Waar is dat goed voor? We hebben hier alleen maar last van hem. Laat hem met rust.'

'Ik heb een plan. Blijf hier.' Zaitsev hief een vinger tegen haar op. 'En schiet verdomme nergens op, begrepen?'

185

Hij zwaaide met zijn wijsvinger om zijn woorden te onderstrepen. Toen keerde hij zich om en begon aan de heimelijke terugkeer naar het Lazoer-complex.

'Zet de zaak hier maar op.' Zaitsev legde nog wat meer bakstenen op de beide stapels die hij boven de loopgraaf had gemaakt. Hij stapte opzij om Danilov de kans te geven de luidspreker achter de stapel stenen links van hem op te zetten. De commissaris liet de beker van de luidspreker iets naar rechts uitsteken en richtte hem omhoog, naar de Duitse linies.

Danilov rolde het snoer tussen de microfoon en de luidspreker met ingebouwde versterker uit. Hij liet zich moeizaam op de bodem van de loopgraaf zakken en drukte twee keer de knop van de microfoon in. De luidspreker kraakte luid en schraal.

'Wacht.' Zaitsev stak afwerend zijn hand op. 'Op mijn teken wachten, zoals we hebben afgesproken.'

Zaitsev kroop op handen en voeten naar Tanja. Ze staarde naar hem, het geweer en de periscoop over haar dijbenen. 'Nou?' zei ze.

Zaitsev monsterde vlug haar gezicht. Haar wangen hadden een blosje vanwege de kou. Rondom haar rechteroog was een moet te zien van de periscoopzoeker. Er lag geen glimlach om haar mond; de trek getuigde eerder van gemelijkheid en ergernis, de resten van die vraag van één woord: nou?

Hij wachtte, gaf zich rekenschap van de uitwerking die ze op hem had, haar combinatie van wilskracht en schoonheid. Hij had haar anderhalf uur alleen gelaten toen hij terug was gegaan naar het Lazoer-complex om Danilov te halen. Al die tijd had ze niets anders te doen gehad dan langs de helling omhoog staren. Die innerlijke kachel is weer heet gestookt terwijl ik weg was, dacht hij.

Hij fluisterde: 'Doe precies wat ik je zeg, partizane.' Hij keek opzij naar Danilov. 'Ons commissarisje is tamelijk goed in zijn vak, weet je. Agitator, dat is zijn vak. Over een minuut klimt hij in zijn microfoon en gaat enkele bijzonder akelige propagandateksten, geschreven door zijn vakbroeders, de *politroeks* in Moskou, in het Duits voorlezen. Ik veronderstel dat Danilovs Duits niet al te best is, maar vermoedelijk is het goed genoeg om iedere mof hier binnen gehoorsafstand zo kwaad te maken als een nijdige horzel. Misschien alleen al vanwege zijn uitspraak, wie zal het zeggen?'

Zaitsev grinnikte om zijn eigen grap. Tanja's mondhoeken gingen omhoog. In haar ogen lichtte een blauwe vonk op.

'Ik heb zo'n vermoeden,' vervolgde hij, 'dat we ons straks in een schiettent kunnen wanen, als hij eenmaal is begonnen. Jij gaat een meter of twintig naar links en ik blijf in de buurt van Danilov. Als er sluipschuttersvuur komt, zal het vermoedelijk mijn kant op komen. Daar ben ik op voorbereid; ik heb een trucje bedacht dat ik ga uitproberen. Alles wat daarvan afwijkt, mitrailleurs, denk ik, zul jij volgens mij eerder zien. Raak wat je raken kunt. We verplaatsen ons na het eerste schot, van jou óf van mij.'

'Wasja.' Tanja hield haar hand op, de handpalm naar boven, alsof ze wissel-geld verwachtte. 'Je hebt er altijd op gehamerd dat een sluipschutter zijn positie onder geen beding mag verraden.' Ze wees naar Danilov alsof ze een verklaring eiste voor de commissaris en zijn luidspreker.

'Precies,' grijnsde Zaitsev. 'En daarom proberen we vandaag iets onver-wachts.' Hij greep de periscoop op haar dijbenen. Hij legde hem op haar open hand en liet zijn grijns vallen, tegelijkertijd met de periscoop. 'Jij wilde jagen. Goed, we gaan jagen.'

Hij ging terug om zijn krijgslist op te zetten, een ledenpop ter grootte van een volwassen man die hij uit het Lazoer-complex had meegenomen. Hij zette de ledenpop op achter de tweede stapel bakstenen, rechts, maar zover naar voren en net genoeg naar links om te zorgen dat de helm uitsluitend zichtbaar was onder een hoek van circa drieëntwintig graden ten opzichte van het zuidwes-ten. Tot slot stak hij een eind pijp in de aarde en schoorde er de rug van de dum-my mee om hem op zijn plaats te houden.

Zaitsev was geen regelmatige gebruiker van dummy's. Niemand van de Ha-zen, trouwens. Het tegendeel was hun specialiteit, want zij streefden ernaar om zo onzichtbaar mogelijk te zijn, zoals Tanja terecht had opgemerkt. Een dummy was bedoeld om de aandacht af te leiden. Dat soort trucs was geschikter voor het werk dat Viktor Medvedev deed; de Beer had een meer op confrontatie ge-richte stijl. Zaitsev had zelfs gehoord dat Viktors jongens soms tijdens een actie uit hun schutterspositie kwamen om een stormaanval uit te voeren. Niet de manier waarop sluipschutters te werk gaan, vond Zaitsev, maar hij zou Viktor nooit zeggen hoe hij diende te jagen of wat hij zijn Beren moest leren. Hoe het ook zij, schreeuwend een stormaanval inzetten, was niets voor de kleiner van stuk zijnde, lenige en snelle sluipschutters van Zaitsev. Dat nam niet weg dat er altijd dummy's beschikbaar waren. De vervaardiging ervan was uitgegroeid tot een ondergrondse tak van nijverheid voor de ongeveer duizend vrouwen van Stalingrad die nog in de stad waren. In gedachten zag Zaitsev hen in een kring onder een walmende petroleumlamp zitten, in een kelder of afgedekte bom-krater, bezig met het naaien van ledenpoppen uit oude dekens. Ze vulden ze met hooi of kapok uit matrassen en gaven de dummy's zelfs namen. Dat was de manier waarop deze oudere vrouwen vochten – met naald en draad. Nu was Zaitsev blij dat hij een van hun creaties kon gebruiken. Hij doopte hem Pjotr en klopte hem bemoedigend op de schouder.

Tevreden met de opzet koos Zaitsev positie op een meter of tien rechts van de dummy. Met zijn pioniersschop groef hij een gleuf in de rand van de loopgraaf en legde een baksteen aan weerszijden van de sleuf, zodat er een klein schietgat overbleef. Hij legde zijn aan elkaar genaaide handschoenen in het gat en liet de loop van zijn telescoopgeweer daar op rusten, in de richting van de boog van drieëntwintig graden die hij had gecreëerd met Pjotrs hoofd als lokaas. Nu pas stak hij zijn duim op naar Danilov, die op de bodem van de loopgraaf zat te wachten.

De commissaris haalde de microfoonschakelaar over en blies in de microfoon. De luidspreker braakte een kabaal uit waarmee bomen in tweeën konden worden gespleten. Hij had het geluid zo hard mogelijk gedraaid.

De commissaris vouwde wat paperassen open en bracht de microfoon dichter naar zijn mond om met de propaganda te beginnen. Zaitsev luisterde naar de vreemde taal die uit de luidspreker kwam. Hij had vóór zijn komst naar Stalingrad nooit een woord Duits gehoord. Toen hij die taal eindelijk te horen kreeg van krijgsgevangenen of deserteurs, of uit de mond van stervenden, of uitgeschreeuwd door mannen die de strijd van huis tot huis in het centrum uitvochten, was hij tot de conclusie gekomen dat het een lelijke taal was, een oorlogstaal. Duits werd gutturaal gesproken, kelig en afgebeten. Daarentegen vond hij het Russisch een vloeiende, melodieuze taal, een taal die op de lippen werd gewiegd en in de mond gewalst, als cognac. Het Russisch kon door een sleutelgat naar je geliefde aan de andere kant van de deur worden gefluisterd; je kon haar ermee strelen totdat ze van verlangen vanzelf de deur opende. Duits was een taal waarmee je deuren intrapte. Zo snauwde je een hond toe, of schraapte je je keel.

Zaitsev keek langs Danilov naar Tanja. Zij verkende het terrein vanuit haar dekkingspositie, met behulp van de periscoop. Zelf gaf hij de voorkeur aan zijn geweertelescoop. De telescoop met zijn versterkingsfactor 4 verschafte je een geringer bereik dan de periscoop, maar het optiek gaf een scherper beeld. Langzaam tastte hij het terrein af waar hij doelwitten verwachtte. Hoewel de ochtend al aardig begon te vorderen, had hij de zon nog steeds achter zich.

Danilovs versterkte stem verscheurde de stilte. De harde Duitse medeklinkers, nog aangezet door de luidspreker, werden tegen de helling op gejaagd en verwekten galmende echo's. Daar zullen ze zich wild aan ergeren, dacht Zaitsev, zelfs al verstaan ze geen woord van wat hij zegt.

De pamfletten op Danilovs schoot verschilden nauwelijks van die welke door de tegenpartij werden gebruikt. Meestal werden ze vanuit de lucht over het slagveld verstrooid. Het was een bijna alledaagse aanblik om tussen de beide legers pamfletten over de grond te zien waaien, alsof ze hun best deden weg te komen.

Zaitsev keek op van zijn telescoop. Nergens in het stijgende landschap een teken van leven. Danilovs stem scheerde er overheen als een stel ruziënde aasgieren. Nergens beweging. Zaitsev wist echter dat er in de loopgraven en kraters om hem heen overal soldaten en hun wapens te vinden waren, Duitsers én Russen. Al maanden geleden had hij geleerd dat hij zich in Stalingrad nooit door stilte moest laten misleiden.

Hij bracht zijn oog weer voor het optiek. Na enkele momenten zoeken ontdekte hij de bijna onzichtbare loop van een Duitse mitrailleur, op driehonderdvijftig meter afstand. Niet bemand. Dat had niets te betekenen. Het ding kon daar zijn achtergelaten omdat hij was vastgelopen. Het kon echter even gemakkelijk een namaakmitrailleur van hout zijn, of gewoon een schietklaar machinegeweer waarvan de schutter en de patroonbandvoerder in de loopgraaf weggedoken zaten, terwijl een gecamoufleerde waarnemer de wacht hield. Niets hier is wat het lijkt, dacht Zaitsev. Die sneeuwdeken is niet meer dan een verhullende laag over een omgeploegde heuvelhelling. Deze stilte, die zo blind lijkt, heeft honderden ogen. Danilovs blèrende stem lijkt afkomstig van een man, die in werkelijkheid een ledenpop is.

Plotseling hoorde Zaitsev kogels inslaan in de aarde en tegen de bakstenen rond de luidspreker. Het hamerende geluid van een mitrailleur wiekte over hem heen. Danilov staakte zijn gebral; Zaitsev keek heel even van zijn telescoop naar de commissaris, die op de bodem van de loopgraaf ineen was gedoken. Hij had de microfoon laten vallen en beschermde met beide handen zijn hoofd tegen de steensplinters en kluiten aarde die om hen heen vielen, nu de mitrailleurschutter probeerde de luidspreker aan flarden te schieten. Pjotr stond nog steeds achter zijn bakstenen, onvervaard.

Zaitsev tuurde door zijn telescoop naar links. De mitrailleur die hij even eerder had gezien, was nog steeds onbemand. De man die op de luidspreker schoot moest zich aan zijn rechterkant bevinden, buiten zijn schootsveld. Nog voor hij zijn geweer uit het schietgat kon tillen hoorde hij Tanja vuren.

De mitrailleur zweeg.

Goed. Ze had de schoft te pakken. Een minuut.

Zaitsev keek op zijn horloge.

Er kwam een andere mitrailleur tot leven, niet gericht op de luidspreker, maar links van hem. Tanja! Ze hadden haar ontdekt.

Zaitsev drukte zijn oog tegen de telescoop en vond de onbemande mitrailleur. Nu ontwaarde hij de handen en het hoofd van een soldaat erachter, schietend op Tanja's positie. Een tweede Duitser stond naast de schutter, een veldkijker voor de ogen.

Zaitsev ademde uit om de polsslag uit zijn hoofd te bannen. Hij observeerde de schutter en liet zijn aandacht absorberen door zijn doelwit, weg van de strijd. Laat hem de kogel aantrekken. Laat hem zich ervoor openstellen. Er is geen haast bij. Zorg dat je hem raakt. Eén schot. Eén keer de trekker overhalen.

Zonder bewuste voorbereiding 'sprong' het geweer naar zijn schouder. Hij hoorde de luide knal toen de kogel al onderweg was. Dit was de manier waarop hij zijn beste schoten afvuurde: zonder tegen zichzelf 'nu' te zeggen – hij stuurde de kogel eenvoudigweg met zijn wil naar het doel, haalde instinctief de trekker over en verraste als het ware zichzelf een beetje.

In zijn telescoop zag hij de helm van de mitrailleurschutter achteroverslaan toen hij wegviel van het wapen. Een hand bleef in een van de beugels hangen. Onder het gewicht van de dode Duitser werd de mitrailleurloop achterover getrokken, zodat het wapen kogels afvuurde naar de hemel. De waarnemer naast hem trok de vastgehaakte vingers los en dook meteen weg in de loopgraaf – samen met het lijk van zijn kameraad.

Zaitsev nam zijn periscoop en rugzak en haastte zich op handen en voeten naar Danilov, die de rommel van zijn kleren sloeg. Splinters rode baksteen en klodders modderige sneeuw kleefden aan zijn schouders en bontmuts.

Tanja bereikte hen, haar wapen en rugzak in de handen, klaar om te gaan.

'Uitstekend werk,' zei Zaitsev, neerhurkend naast de commissaris. Danilov grijnsde en begon zijn losgelaten paperassen te verzamelen. Hij groef de microfoon op uit het zand tussen zijn benen. 'Het heeft goed gewerkt,' zei Zaitsev, 'maar nu moeten we als de bliksem maken dat we wegkomen.'

'Weggaan. Waarom? Ik ben nog niet klaar.'

Danilovs grijns verstrakte en werd dun, als een uitgerekt elastiek. Hij haalde de microfoonschakelaar over en blies erin. De luidspreker kwam blazend tot leven. 'Ik heb jullie hoerenzonen nog het een en ander te zeggen!' brulde hij in het Russisch. Zijn stem knalde uit de geblutste luidspreker. Zaitsev stond ervan te kijken dat het ding nog werkte.

'Nee, dat is niet zo'n goed idee.' Zaitsev duwde de microfoon omlaag, weg van de mond van de commissaris. 'Onze truc heeft gewerkt, uitstekend gewerkt. Nu moeten we hier weg. Bedenk dat we in de frontlinie zitten.'

'Ik weet verdomme zélf wel waar we zitten.'

'Dan raad ik u aan mee te komen. Nu!'

Nog voordat Zaitsev was uitgesproken kruiste zijn blik die van Tanja, aan de andere kant van Danilov. Zij hoorde het ook. Het steeds lagere gehuil van een naderende mortiergranaat.

Zaitsev greep Danilov bij zijn revers en gooide de commissaris met zijn gezicht omlaag op de bodem van de loopgraaf. Zelf dook hij haast hem neer.

De grond schokte onder de kracht van de explosie. De eerste mortiergranaat landde in het terrein iets boven hen en de granaatscherven en schokgolven schoten over de loopgraaf heen. Er volgden nieuwe erupties. Kluiten aarde regenden op hen neer, roffelend op hun helmen.

Ze wachtten met hun gezicht tegen de grond gedrukt zes granaatexplosies af. Iedere keer beefde de grond onder het geweld. Toen hij voelde dat er een eind was gekomen aan het bombardement, trok Zaitsev aan Tanja's been. Ze tilde haar hoofd op.

Danilov kwam overeind. Aarde en sneeuw plakten aan zijn wenkbrauwen en mond. Hij spuwde om zijn mond ervan te bevrijden. 'Kameraad Zaitsev,' zei hij, 'ik ben het met je eens. We moesten maar eens gaan.'

Het drietal verzamelde zijn uitrusting. Danilov raapte zijn paperassen op van de grond. Zaitsev greep er ook een paar om de commissaris tot spoed te manen. Hij keek op naar Pjotr. De dummy had het bombardement onverstoorbaar doorstaan, de pijp nog stevig in zijn rug.

Met al zijn paperassen in de hand rolde Danilov het snoer van de microfoon op en stak het in zijn zak. Hij stak zijn hand over de rand van de loopgraaf om de luidspreker omlaag te trekken.

Een kogel raakte een baksteen die vlak voor de beker van de luidspreker lag en sloeg hem aan splinters en gruis alvorens af te ketsen. Danilov liet zich op de bodem van de loopgraaf vallen alsof hij zich had verbrand. Tanja en Zaitsev hadden zich vliegensvlug gebukt. De commissaris staarde Zaitsev aan. 'Wat was dat? Wie heeft er verdomme geschoten?'

'Blijf laag,' antwoordde Zaitsev.

Hij greep zijn rugzak en ging ermee naar rechts. Zaitsev haalde zijn periscoop eruit en bracht lens en spiegel net boven de rand van de loopgraaf. Vlug speurde hij het terrein af, maar hij ontdekte niets bijzonders, afgezien van de twee onbemande mitrailleursnesten.

Hij liet de periscoop zakken. Het zal wel een Duitse sluipschutter zijn die verrast werd tijdens een dutje, dacht hij. Wij hebben hem met die luidspreker en onze schoten wakker gemaakt en nu wil hij, al is het wat aan de late kant, zijn rol spelen in de show. Hij was wel zo wijs te wachten totdat iemand een poging deed de luidspreker te pakken. Sluw. Zo zou ik het ook hebben gedaan. Alleen zou ik nooit op een hand hebben gevuurd. Ik zou hebben gewacht op een hoofd.

Zaitsev besloot het plezier van de Duitse sluipschutter niet te bederven. Morgen kom ik misschien met Tanja terug om hem te pakken te nemen. Of misschien ook niet. Hij is het waarschijnlijk niet waard. Zijn blik bleef op Pjotr rusten. Laat hem zakken, dacht hij. Gun die jongen van kapok een beetje rust. Dan zet je hem morgen weer overeind om deze brutale snotaap van een sluipschutter een lesje te leren.

Zaitsev krabbelde op handen en voeten naar Pjotr. Hij stak een hand uit naar een arm van de dummy, maar plotseling sloeg het opgevulde hoofd van Pjotr achterover. Pjotrs helm maakte een trillend geluid en viel met een schok achterover. Hij bleef echter hangen aan de onder de kin vastgegespte helmriem.

Zaitsev sprong opzij. Hij keek naar Tanja en Danilov, juist toen de verre knal van een geweer over de helling omlaag scheerde. Hun ogen staarden naar Pjotrs hoofd. Zaitsev keek naar het 'gezicht' van de dummy. Exact midden in het gezichtloze hoofd van de dummy bevond zich een gaatje. Het vulsel gluurde erdoor naar buiten en gaf Pjotr een merkwaardig soort neus.

Zaitsev bracht zijn periscoop weer boven de rand. Deze sluipschutter moet in mijn schootsveld zitten, wist hij. Er is geen andere invalshoek van waaruit Pjotrs hoofd te zien is.

Nog voordat hij de periscoop kon scherp stellen werd het hoofd van de dummy door een tweede kogel getroffen. Ook deze kogel liet de aan de kinriem hangende helm zingen. Pjotr schokte even, maar bleef staan waar hij stond, op zijn plaats gehouden door de pijp.

Zaitsev was van zijn stuk gebracht. Deze kogel was slechts enkele tellen na de eerste gekomen, misschien al binnen vier seconden! De knal van het geweer scheerde langs hem heen, ver en vaag.

Een volgende kogel trof de helm en wakkerde Zaitsevs verbazing verder aan.

De tijdsinterval tussen beide schoten was onvoorstelbaar kort. Drie seconden misschien, hooguit drieëneenhalve seconde. Pjotrs hoofd sloeg van de weeromstuit naar voren, alsof hij zich er ook zelf over verbaasde.

Zaitsev gooide zich met zijn schouder tegen de wand van de loopgraaf en bracht zijn periscoop omhoog. Verwoed verkende hij zijn schootsveld ter hoogte van de doelwitzone. De periscoop had een bereik van driehonderdvijftig meter. De sluipschutter moest zich op minder dan tweehonderdvijftig meter afstand bevinden om zo accuraat en snel te kunnen schieten, dacht hij. Maar de geweerschoten klonken veel verder weg, alsof de man veel hoger op de helling zat.

Zelfs als de vijandelijke sluipschutter dichterbij zat, viel de precisie van zijn schoten nauwelijks te verklaren. Zo snel, en toch zo moorddadig trefzeker. Of misschien was het een team sluipschutters, die om beurten schoten?

Een nieuwe kogel liet Pjotr schokken. Deze ging dwars door de nek heen en rukte de leren kinriem kapot toen hij tegen de binnenkant van de helm platsloeg. De helm viel kletterend op de bodem van de loopgraaf, waarbij de vier vervormde kogels in de modder belandden. Zaitsev kon niets ontdekken. Geen kruitwolkje dat de positie van de sluipschutter verried; geen beweging van een hoofd, geen sigarettenrook, geen enkele beweging in dit ijzige decor die een van de geheimen van de witte heuvel openbaarde.

Verdomme, dacht Zaitsev. Waar zit die vent? Hij móét dichtbij zijn. Kennelijk heb ik hem over het hoofd gezien. Ik heb zeker langs hem heen gekeken. Of langs hén.

Dit is belachelijk, dacht hij. Hij rukte aan de pijp die de dummy schoorde, zodat de ledenpop achteroverviel. Pjotr viel over zijn knieën. De plukjes vulsel uit de gaatjes in het gezicht vormden een asymmetrisch stel ogen, een neus en een kleine, verwonderde mond.

Zaitsev raapte de gevallen helm op. Ook viste hij de vier geplette loden kogels uit de modder en woog ze in zijn hand.

Tanja kwam op handen en voeten naar hem toe. Ze schudde zijn uitgestoken been. 'Laten we gaan, Wasja,' zei ze. 'Iemand daarginds is stapelgek.'

Zaitsev verroerde zich niet en keek niet op van de kogels. Diep in zijn binnenste ving hij een glimp op, een flits, van twee grauwe ogen in donkere schaduwen, ogen met de gloed van angst erin. De ogen loerden; de angst grauwde hem toe, heel even.

Hij sloot zijn vuist om de geplette kogels. Tanja trok opnieuw aan zijn been.

'Wasja, laten we gaan. Iemand beloert ons door zijn kruisdraden. Iemand die verdomd goed schiet.'

Nu pas keek Zaitsev op. Hij bevochtigde zijn lippen. Zijn mond was kurkdroog geworden.

15

Bij het eerste ochtendlicht stapte Nikki Mond de wachtruimte bij het bureau van luitenant Ostarhild binnen. De overste kwam pas even na negenen op zijn dooie akkertje tevoorschijn. 'We hebben geen haast,' zei hij tegen Nikki. 'We hebben pas ver in de namiddag de zon in de rug. Drink een kop Nederlandse koffie.'

Eerst leidde hij de overste naar de waarnemersheuvel, 102.8. Van hieruit konden ze het hele slagveld overzien: de fabriekscomplexen in het noorden, het stadscentrum in het zuiden en de eilanden in de rivier.

De hele ochtend sjouwde Nikki met het telescoopgeweer en de met etenswaren volgepakte rugzak van de overste. Hij vond het niet erg; Thorvald liet hem gul in zijn voorraden delen en bleef zeggen dat hij niet lang genoeg in Stalingrad zou blijven om zelfs maar de helft van wat hij had meegenomen op te krijgen.

Toen ze een uur lang heen en weer hadden gelopen door een netwerk van loopgraven net onder de top van de Mamajev Koergan, bleef Thorvald opeens staan en staarde langs de helling omlaag. Een Russische luidspreker aan de voet van de helling was krakend tot leven gekomen en raffelde teksten af met een irriterend schraal en hoog stemgeluid. De propagandalezer had zo'n zwaar accent, dat het Duits nauwelijks te begrijpen was.

'Kun je er iets van maken?' vroeg de overste.

'Geen woord,' zei Nikki met een grimas.

'Allemachtig,' zei Thorvald hoofdschuddend. 'Wat is dat Duits van die man slecht.'

De propagandalezer leek zich niet bewust van die tekortkoming. Hij brulde vol overtuiging in de microfoon. Het afschuwelijke, metalig klinkende stemgeluid dat langs de helling schraapte, zou vermoedelijk eerder hoofdpijnaanvallen veroorzaken dan Duitse hartstochten wekken.

Nikki had waardering gekregen voor overste Thorvald. De man beschikte over gevoel voor humor, iets waarnaar je in Stalingrad lang kon zoeken. Hij was schoon, zat nog niet onder de luis. En hij was royaal met de kazen en het brood die hij uit Berlijn had meegebracht. Zijn spraakzaamheid, zijn zelfvertrouwen – het beviel Nikki prima. Hij had er niet op gestaan dat Nikki zijn eigen geweer meezeulde. Hoewel Nikki hem nog niet had zien schieten, vermoedde hij dat Thorvald inderdaad was wat hij beweerde te zijn: de beste.

Nikki zat naast de overste in de loopgraaf gehurkt en bewonderde de witte parka en bijpassende gevechtsbroek van de man. Deze uitrusting leek volledig te versmelten met de sneeuw op de bodem van de loopgraaf. Hij moet op enige afstand absoluut onzichtbaar zijn, bedacht Nikki. Hij keek omlaag naar zijn eigen grijsgroene parka en smerige grijze gevechtsbroek.

Nikki had wel vaker naar Russische agitatoren geluisterd; tijdens de strijd van huis tot huis in de maanden september en oktober zelfs op zijn minst een keer per week. Hij en zijn kameraden hadden toen om de communistische praatjes gelachen. In die dagen was het Duitse leger nog oppermachtig geweest, er absoluut van overtuigd dat de Roden geen schijn van kans hadden om de stad in handen te houden. Ze piepen gewoonweg, als muizen in de val, hadden alle jongens gezegd.

Dat was allemaal anders geworden. Nu viel er niet meer om te lachen. Het beste wat je kon doen was het negeren, ook al werden de woorden uit die luidspreker daar beneden je in het hoofd gehamerd. De Duitse soldaat is belogen, blèrde de luidspreker. Rusland is vreedzaam; kom gerust naar ons en eet je buik rond. Denk na over de afschuwelijk mislukte oogst van dit jaar in je vaderland, sta stil bij de honger die je kinderen en je ouders lijden. Nikki deed zijn best zich af te sluiten voor de woorden en alleen het schraperige geluid van de brallende stem te horen.

'Hij moet dat ding wat zachter draaien,' gnuifde Thorvald. 'Die luidspreker wordt overvoerd.'

Nikki sloot zijn ogen. Dit is oud nieuws, dacht hij, waardeloze propaganda. Als de overste naar dit geleuter wil luisteren, vind ik het best; laat hem maar, dan kan hij er straks in Berlijn over leuteren met zijn leerlingen en opera-vriendjes.

Thorvald deed zijn mond weer open. 'Hij heeft gelijk, weet je.'

Nikki reageerde niet.

'De oogst is dit jaar inderdaad gruwelijk mislukt. De boeren hebben het zwaar. Massa's mensen komen om van de honger.'

'Schenk er geen aandacht aan, overste.'

'Natuurlijk. De kwestie is alleen... doen ze dit voortdurend?'

'Om de haverklap, overste.'

'Heeft het effect? Heb jij er moeite mee?'

Nikki nam Thorvald op. De man stelt allerlei vragen. Vragen als: was je bang? Wat voelde je? Heb je er moeite mee? Hij is overste, beroepsmilitair. Heeft hij soms nooit eerder propaganda gehoord?

'Ja, overste. Soms wel. En nee, ik heb er geen last meer van. Ik luister niet meer.'

Thorvald hield zijn hoofd schuin. Hij keek langs de helling, in de richting van de schrapende stem, daar beneden.

'Goede propaganda,' zei hij. 'Actueel. Ze zijn er goed in, de Iwans. Ik denk dat ze genoeg hebben geoefend op hun eigen mensen, hmm?'

Weer dat gevoel voor humor. Nikki glimlachte naar de ogen van de overste, die zelfs groot bleven onder een lachrimpel. Laten we verder gaan, dacht hij. Hier valt niets te doen.

Beneden hem hamerde een mitrailleur. Nikki en Thorvald stapten naar de rand van de loopgraaf en richtten hun veldkijkers naar beneden. Het mitrailleursnest bevond zich ongeveer honderdvijftig meter beneden hen, aan hun linkerhand, achter een borstwering van zandzakken. De mitrailleurschutter en zijn maat vuurden op een plek aan de voet van de heuvel. Door zijn veldkijker ontwaarde Nikki nog net twee stapeltjes bakstenen die door de mitrailleur onder vuur werden genomen. De luidspreker was stilgevallen onder het geweld van de mitrailleur.

Plotseling zweeg het wapen. Een andere mitrailleur, een eind rechts van de stapeltjes bakstenen, nam het over. Al na enkele seconden werd ook deze mitrailleur tot zwijgen gebracht. 'Sluipschutters,' fluisterde Thorvald onder zijn veldkijker.

Nikki concentreerde zich op de stapels bakstenen. Nu het stof dat de kogels hadden doen opwervelen was neergeslagen, ontwaarde hij de kleine cirkel van een metalen beker – de luidspreker. Achter een van de baksteenstapels was een silhouet te zien. Een man met een helm op? Moeilijk te zeggen. De afstand was zeker vierhonderd meter, misschien nog meer. 'Overste...'

'Mijn geweer,' zei Thorvald onder zijn veldkijker.

Hij wil zijn wapen. Voor een schot op deze afstand, en nog wel omlaag. Nu zal ik hem aan het werk zien; en dan weten we precies wat voor vlees we in de kuip hebben met deze witte, weke scherpschutter uit de Berlijnse opera. Nikki legde het telescoopgeweer naast de overste in de sneeuw. Mortiergranaten vlogen huilend over hun hoofden door de lucht. Een seconde later was de luidspreker omringd door rookwolken en fonteinen van aarde. De explosies marcheerden de helling af nu de mortieren op de top van de Mamajev Koergan hun projectielen steeds dichter bij de loopgraaf lieten exploderen.

Zodra de mortieren zwegen, greep Thorvald zijn geweer. Met nuchtere stem zei hij: 'Die kerel met de microfoon die zo slecht Duits spreekt. Straks zal hij een poging doen zijn luidspreker te pakken. Die is voor hem héél belangrijk.'

Het enige wat aan de overste onder het spreken bewoog, was zijn kaak; het wapen, de telescoop, bewogen geen millimeter. 'Zijn sluipschuttervrienden zijn te ver van hem vandaan om hem te zeggen dat hij eraf moet blijven. Zodra hij het vuil van zich af heeft geschud, zal hij ernaar grijpen.'

Thorvald bleef kijken. Nikki wachtte; hij mat de ogenblikken in hartkloppingen en ademtochten. Zonder waarschuwing, zonder opmerking vooraf, vuurde de overste. Nikki ervoer de knal als een opstopper tegen zijn slaap.

'Hebt u hem?'

Thorvald grendelde bij wijze van antwoord het geweer door. Een rokende huls belandde op de rand van de loopgraaf, vlak naast Nikki's arm. Nikki greep zijn veldkijker om het werk van de overste te volgen. Vlug stelde hij in op de stapel bakstenen. De beker van de luidspreker lag nog op zijn plaats. De overste moet hem hebben geraakt, dacht Nikki.

Hij keek langs de bakstenen en zag nog steeds de rand van de helm. Hij stáát nog! Hoe...

Thorvald vuurde nog eens. Nikki's schouders schokten bij de knal van het wapen. De helm schoot over het hoofd van het doelwit naar achteren. Nog voor Nikki de spanning in zijn nek kon verminderen, vloog Thorvalds grendel naar achteren en weer naar voren, en belandde er een nieuwe rokende huls op de aarde naast zijn arm. De overste vuurde opnieuw. Het hoofd in Nikki's kijker schokte heftig maar richtte zich meteen weer op. Het incasseerde nog twee treffers uit Thorvalds vliegensvlugge handen. Deze scherpschutter vuurde zo snel dat Nikki zijn ogen niet kon geloven. Thorvald aarzelde, met alweer een nieuwe kogel in de kamer. Nikki zag het hoofd verdwijnen. Thorvald legde zijn wapen neer.

Hoe kan hij in dat tempo vuren? Hoe is het mogelijk dat hij iets raakt dat zo klein is als dat hoofd, daar beneden ruim vierhonderd meter ver? Is hij zó goed? En waarom sprong dat hoofd niet uit elkaar, morsdood?

Nikki gaapte de overste aan. Thorvald beantwoordde zijn blik slechts even met die twee meertjes van ogen; toen liet hij zich terugzakken en begon gebukt door de loopgraaf te lopen. 'Kom mee, korporaal. Zij zullen nu op hun beurt gaan schieten.'

Nikki liet zich terugglijden en belandde op de bodem van de loopgraaf. Hij deed zijn mond open om iets te zeggen. Er waren echter te veel gedachten die allemaal tegelijk op zoek waren naar een expressievorm.

'Dat was een dummy, Nikki. Een list. De sluipschutters daarginds hebben hem daar neergezet om ons uit de tent te lukken.'

Daar hadden ze dan succes mee. Hij heeft erop geschoten. Maar hoe kan een echte sluipschutter ooit zijn nek uitsteken als de man zo schieten kan? *Mein Gott.*

Nikki schepte adem en ordende zijn chaotische gedachten. Hij keek naar het wapen aan Thorvalds voet. 'Maar waarom op een dummy schieten? Wat valt daarmee te bereiken?'

Thorvald nam een stuk brood uit zijn rugzak, brak het in twee helften en reikte Nikki een helft aan. 'Ik zei het je toch, korporaal, we gaan ons gedragen als toendrawolven.' Hij kauwde erop los. 'We gaan deze Zaitsev duidelijk maken dat we er zijn, met dit soort bescheiden stunts. We zullen heel gevaarlijk zijn, ontzettend gevaarlijk, en misschien zelfs een tikje dol. We gaan een tijd lang op alles schieten wat beweegt, en zelfs op een paar dingen die niet bewegen, zoals je hebt gezien. Zo zal hij het een en ander horen van mijn kleine demonstraties. Hij zal zich ervan bewust worden dat er iets veranderd is, hier; dat er voor de Duitsers iets nieuws aan het werk is. Zo worden we een uitdaging voor hem, een monster. Hij zal alleen nog aan óns kunnen denken. Goeie genade, zal hij bij zichzelf zeggen, is er bij de tegenpartij een sluipschutter die beter is dan ik? Een betere scherpschutter? Onmogelijk. Hij zal zich zorgen over mij gaan maken; ik word een obsessie voor hem. En dan zal hij eropuit gaan, op zoek naar mij. Hij zal informatie over mij opvragen, proberen in mijn huid te kruipen, slapeloze nachten van mij krijgen. We zullen hem naar buiten dwingen, Nikki, als etter uit een wond. Hij zal jacht op mij gaan maken, zonder nog oog te hebben voor iets anders. En daarmee levert hij zich aan mij uit.'

Nikki zag de overste kauwen en praten. Hij kon hem niet zeggen dat de Roden allang af wisten van zijn aanwezigheid en dat deze Zaitsev misschien nu al bezig was jacht op hem te maken. Hij zou Thorvald moeten beschermen totdat hij hem in de juiste positie kon manoeuvreren om de Haas te doden. Dat zou hij echter moeten doen zonder zijn eigen lafheid te verraden, zijn verraad uit angst voor Goudtand en dat vlijmscherpe mes op zijn keel van de vorige avond.

Thorvald nam de homp brood terug van Nikki en borg het weer op in zijn rugzak. Hij keek op, met opgetrokken wenkbrauwen. Toen knikte hij. 'Ja, Nikki. We zullen de Haas dwingen naar ons toe te komen. Dan kunnen we hem doden wanneer we maar willen.'

16

Nikolai Koelikov begint een meestersluipschutter te worden, dacht Zaitsev. Hij keek van de zoeker van zijn periscoop even naar rechts, naar de zijkant van Koelikovs hoofd. Hij is heel sluw. Ik denk dat ik hem instructie laat geven aan de volgende lichting Hazen.

Zaitsev fluisterde hem toe: 'Klaar?'

De kleine sluipschutter tuurde door zijn telescoop. Hij had de draagriem van zijn Moisin-Nagant strak om zijn pols geslagen om zijn hand achter de trekker onwrikbaar op zijn plaats te houden. De gehavende houten kolf rustte stevig tegen zijn schouder. De loop van het wapen rustte op een doek die hij op de verroeste bovenkant van een zware ijzeren u-balk had gelegd.

Koelikov knikte. De beweging was nauwelijks te zien. Zaitsev wees naar Zviad Baoegderis, Koelikovs maat uit Georgië in Sector Twee. Baoegderis gaf twee korte rukjes aan een strakgespannen dun touw.

Zaitsev bracht zijn ogen weer voor de periscoopzoeker. Het was zijn beurt om waar te nemen terwijl Koelikov schoot. Tweehonderdvijftig meter verder stonden vijf met kogelgaten doorzeefde wagons op sporen, op een talud van één meter hoog. Hij hield zijn adem in om het vergrote beeld roerloos stil te krijgen.

Zaitsev tuurde strak naar de wagons, in een poging tussen de sporen, bakstenen en besneeuwde aardhopen beweging te ontdekken. Hij zag een stukje huid. 'Daar!' fluisterde hij Koelikov toe. 'Linkse wagon. Achter het achterwiel. Hij gluurt eromheen.'

In de periscoop werd een stukje hoofd van een Duitse soldaat zichtbaar; de man hield zich schuil achter een van de grote gietijzeren wagonwielen.

Koelikovs stem verried hoe geconcentreerd hij was. Hij rekte de woorden uit alsof hij heel langzaam een lied zong. 'Kom nog iets verder, kreng. Laat me je ogen zien.'

De Duitser gluurde om het wagonwiel. Zaitsev was verbaasd en vond het zelfs een tikje grappig. Hij wist dat deze mof geschrokken moest zijn; hij had iets gehoord. Wat? Een Russische eenheid die door het puin tijgerde om een verrassingsaanval in te zetten? Of een ordonnans die zich een weg zocht? Het had geklonken als een leeg blik dat over de stenen stuiterde en de zorgeloze voet van een onbeholpen Iwan verried. Beter even kijken. Hou je klaar, jongens, moest de soldaat hebben gefluisterd, er is iets gaande. Hij stak zijn hoofd uit en heeft niet eens gevoeld hoe de kogel zijn voorhoofd openspleet, kreeg de kans niet om te zien dat het lege blik tussen de stenen vastzat aan een touwtje, het touwtje in de handen van Zviad Baoegderis.

Dit was weer zo'n vondst van Koelikov. Het was ook de climax van een indrukwekkend staaltje geruisloos tussen de puinhopen tijgeren van twee van Zaitsevs Hazen, iets waarover Danilov in *Voor de landsverdediging* ongetwijfeld melding zou maken als zijnde een nieuwe tactische vondst. Als een recept. Tijger enkele uren vóór zonsopgang tot vlak voor de neus van de vijand, leg vijf lege blikken aan een touwtje uit, met afstanden van vijftig meter ertussen, en laat elk touwtje eindigen in een telkens op een andere manier gecamoufleerde schietpositie die je de vorige dag hebt ingericht; begin bij het krieken van de dag en trek aan een touwtje, vuur je schot af en verplaats je dan naar een schietpositie op ten minste honderd meter afstand, dus twee blikken verder, en trek aan een tweede touwtje. Wees geduldig. Verplaats je na elk schot, zodat de moffen met hun mortieren je positie niet kunnen bepalen. Gebruik de blikken als dobbers aan een hengel; wacht telkens totdat het water weer tot rust is gekomen en het aas weer aanlokkelijk genoeg lijkt.

Koelikov klakte met zijn tong. 'Ik zie hem.'

'Pak hem.' Zaitsev klemde zijn kaken op elkaar.

Het geweer knalde. Door de periscoop zag Zaitsev het hoofd van de Duitser achteroverslaan en de handen wild door de lucht maaien. Het bovenlichaam viel na omhoog te zijn gegooid terug. Twee zwarte rondingen vlogen omhoog naast het lijk, de bovenkant van andere Duitse helmen. Toen het hoofd van de soldaat naast hen uiteenspatte, waren de angstige mannen onder die helmen opgesprongen. Daarna doken ze weg achter het spoorwegtalud, waar ze zich veilig wisten, als geschrokken schildpadden die wegdoken onder het oppervlak van een meertje.

Zaitsev liet de periscoop zakken en keek opzij naar Baoegderis. De boer uit Tbilisi, een man met een olijfkleurige huid, liet het touwtje vallen en haalde zijn schouders op. Koelikov grinnikte. 'Niet te geloven,' zei hij, toen Baoegderis achter hem kroop. 'Hoe stom kunnen die gasten zijn? Hoeveel zijn het er nu, Zviad?' Hij keek om naar Baoegderis. 'Was dit de zevende?'

Baoegderis haalde opnieuw zijn schouders op. 'Zeven. Acht.'

Koelikov was opgewonden. 'We gaan naar nummer vijf. Daar hebben we ze al een paar uur met rust gelaten. Die zijn ons inmiddels vergeten.'

Hij keek Zaitsev aan. 'Nog eentje, Wasja?'

Zaitsev schudde het hoofd. Hij was aangekomen toen de zon hoog stond en de schaduwen niets verborgen. De jacht was succesvol geweest. Hij had al snel twee Duitsers kunnen aanstrepen; daarna had hij voor Koelikov en Baoegderis als waarnemer gefungeerd. 'Nee, Nikolai Petrovitsj. Ik ga eens even kijken bij Sjaikin.'

Hij draaide zich om en wilde wegtijgeren. Koelikov greep zijn mouw vast.

'Wasja, waarom doe jij de ronde? Eerst vanmorgen Sector Zes, nu hier, en straks nog Sjaikin? Dit is niet jouw manier van jagen.'

Zaitsev trok zijn wenkbrauwen op. Koelikov liet zijn mouw los. 'Ik heb met eigen ogen gezien hoe jij soms drie dagen op een plek zat, met steeds dezelfde patroon in je kamer.'

Zaitsev hing zijn geweer aan zijn schouder en gaf zijn vriend een knipoog.

Koelikov bleef aandringen. 'Wat is er mis?'

'Er is niets mis,' mopperde Zaitsev. 'Doe jij jouw werk, Nikolai, dan doe ik het mijne.'

Koelikovs stem kwam over Zaitsevs schouder toen hij wegtijgerde achter de enorme ijzeren u-balk. 'Ga naar je bunker, Wasja, rust wat uit. De Duitsers gaan heus niet weg als jij even niet kijkt, dat beloof ik je.'

Zaitsev schoof de deken in de deuropening opzij. In de donkere bunker was de lucht als gevolg van petroleumwalm nogal bedompt. Hij trok de klamme deken van de spijkers om koude, frisse lucht naar binnen te laten stromen. Het laatste beetje daglicht sijpelde naar binnen. Hij legde zijn rugzak en geweer in zijn hoek en ging vlak bij de deur zitten, bij de schoonste lucht en het meeste licht, om zijn sluipschuttersdagboek te bestuderen.

Zeven gedood, vandaag, dacht hij. Een mitrailleurschutter met Tanja in Sector Zes, vanmorgen; nog twee in Sector Twee met Koelikov en Baoegderis; en vier man met Sjaikin en Morozov in een niet-geplande hinderlaag in Sector Vijf op de helling van de Mamajev Koergan. Plotseling had Morozov van zijn periscoop opgekeken. 'Moet je zien! Een heel team! Zie ze rennen, daarginds. Wat doen we?'

Ze hadden al twee Duitsers neergelegd voordat Morozov zijn eigen wapen kon pakken om mee te doen. Daarmee komt mijn totaal op honderdtweeënzestig man. Dat is heel goed, dacht Zaitsev. Meer dan iedere andere sluipschutter; meer dan Viktor. Ja, zelfs bijna meer dan de totalen van de twee beste Hazen bij elkaar.

Ik kan niet meer. Zeven man neergelegd, in drie sectoren. Koelikov had gelijk. Het is riskant, dom en egoïstisch. Waarom heb ik dat dan gedaan? Die vier met Sjaikin en Morozov, vanmiddag laat, waren gewoon een meevaller – toevallig op de juiste plek en op het juiste moment. Voor die twee in Sector Twee met Koelikov was geduld nodig, maar er was weinig risico bij. We verplaatsten ons vaak, we pakten het slim aan en Koelikov en Baoegderis waren voortreffelijk voorbereid. Ze schenen er bijna lol in te hebben. Die mitrailleurschutter met Tanja, vanmorgen, dat was andere koek. Ik had die eerste niet eens gezien, dat deed Tanja. Zij kreeg hem te pakken, en ikzelf de tweede. Dat had slecht kunnen aflopen. Mijn eigen fout. Te ongeduldig; ik had het terrein niet goed genoeg verkend voordat ik Danilov erbij haalde. Ik ben verdomme veel te ongeduldig als Tsjernova erbij is. Hoe blijft zíj in leven? Dan die vijandelijke sluipschutter. Verdomd goed, volgens Tanja. Lijkt me niet. Ze moeten om beurten op de dummy hebben geschoten. Te snel voor één man; drie tot vier seconden tussen de schoten en ook nog eens meer dan driehonderdvijftig meter. Exact midden in Pjotrs hoofd, een opgevuld hoofd van lappen. Twee man, kan niet anders.

Zaitsev haalde diep adem. De bedompte lucht in de bunker was weg. De nacht diende zich aan in Stalingrad. Hij liep naar zijn donkere hoek, op de kille aarden vloer. De avondkilte beet al in zijn benen.

Het geluid van haastige laarzen om de hoek. 'Wasja!' Viktor stapte in de deuropening, een kolossaal silhouet. 'Ben je binnen, Wasja?'

'Ik ben er.'

Viktor liep naar binnen. 'Wat doe jij in het donker? Waarom brandt de lamp niet?'

Zaitsev bleef stil zitten, in het besef dat Viktor hem niet kon zien. 'Ik neem aan omdat jij vanmorgen de lamp niet hebt bijgevuld toen je terugkwam.' De vermoeidheid deed Zaitsevs stem mat klinken.

De Beer deed zijn rugzak af en liet hem op de grond vallen. 'Krijg nou wat. Ik heb de hele dag naar je gezocht.'

'Hoezo?'

Viktor doorzocht zijn zakken, op zoek naar lucifers.

Zaitsev kwam overeind. 'Viktor?'

De Beer liep naar de lamp. Hij tilde het glas op en streek de lucifer af. De lont wilde niet branden. 'Ik zei het toch, Viktor? Geen petroleum.'

Medvedev streek een nieuwe lucifer af en hield hem omhoog, zodat zijn grote, fronsende gezicht werd verlicht. 'Ik heb al sinds laat in de ochtend achter je aan gelopen,' zei hij. 'Waarom blijf je niet op één plek? Sector Zes, Sector Twee, Sector Vijf...'

Zaitsev deed zijn armen over elkaar en kruiste zijn benen. Hij keek op naar de Beer, nog steeds geërgerd.

Medvedev liet de lucifer vallen. Hij sprak in het duister. Zaitsev hoorde de brede grijns om de mond van zijn vriend. 'Je bent onderscheiden met de Lenin-orde, Wasja.'

Zaitsev liet zijn armen zakken. 'Vanochtend, kort nadat ik terugkwam, kwamen ze hierheen voor je. Een heel stel commissarissen. Widikov was er ook bij.'

Widikov. Het plaatsvervangend hoofd van de Politieke Inlichtingendienst. Viktor meent het. Ze hebben me de Lenin-orde gegeven.

'Ik heb je de hele dag op de hielen gezeten. Zjoekov wil je zien.'

'Nu?'

Viktor streek een nieuwe lucifer af. Hij bukte zich en trok de Haas met zijn vrije hand met speels gemak overeind. Zaitsev voelde Viktors lichaamskracht en opwinding. De Beer zei lachend: 'Je moet het me maar niet kwalijk nemen, maar ik heb Widikov niet namens jou om een afspraak verzocht.'

Hij greep Zaitsevs geweer en rugzak, gaf ze hem in handen en duwde hem naar de nog open deur, pardoes de avond in.

'Ga nou maar, held van me. Boef die je bent.'

Zaitsev versnelde zijn stappen en voelde opwinding in zich opwellen. Viktors stem riep hem in het donker na: 'Haal hem op voor ons allemaal, jij boef! Haast je!'

Zaitsevs route naar de bunker van Zjoekov leidde hem langs de Wolga. De rivier vormde een twee kilometer breed lint van ononderbroken duisternis. Geen enkele boot riskeerde de oversteek, uit vrees voor de vlijmscherpe ijsschotsen vlak onder het wateroppervlak. Geen vliegtuig reet het nachtelijke luchtruim open, geen rode en groene lichtkogels schoten op om schommelend aan een kleine parachute omlaag te zweven. De nacht leek op iets te broeden of te wachten, de stilte slechts verstoord door het knarsen van de ijsschotsen in de rivier.

Onder het lopen realiseerde Zaitsev zich hoe weinig hij wist van de man die hij zo dadelijk zou ontmoeten – de verdediger van Stalingrad, bevelhebber van het Tweeënzestigste Leger, maarschalk Georgi Konstantinovitsj Zjoekov.

Hij wist dat de stad onder deze commandant een brandstapel voor de Duitsers was geworden. Maar waren er nog meer bewezen feiten over Zjoekov? De man had nooit naast Zaitsev door de striemend-koude nacht gelopen, te midden van jankende en zoevende kogels; hij had niet samen met hem met een sprong dekking gezocht achter de hopen verwrongen metaal in de fabriekscomplexen, of samen met hem geprobeerd het uit een wond gutsende bloed van een kameraad te stelpen. Voor hem was Zjoekov niet meer dan een naam. Een man die vanuit zijn bunker en omringd door zijn stafofficieren beslissingen nam, met vrouwen die zijn radio's bedienen, een eigen kok die voor hem kookte, en meer dan genoeg goeie soldaten tussen hemzelf en de moffen. Zaitsev vroeg zich af hoe hij zich straks zou voelen in de tegenwoordigheid van de maarschalk.

Hij arriveerde bij de commandobunker en legde de schildwacht uit dat hij door de generaal werd verwacht. De schildwacht, een potige soldaat, ging hem voor de bunker in, en bleef achter Zaitsev bij een deuropening wachten. Een lange, slanke man in de andere kamer keek op van een stapel papieren en kwam naar Zaitsev toe, terwijl hij een handschoen afpelde. De hand die hij Zaitsev reikte, voelde warm en enigszins klam aan.

'Sergeant-majoor Zaitsev? Ik ben kolonel Wadim Widikov. Kom binnen, kom binnen.'

Kolonel Widikov leidde Zaitsev langs een tafel, overdekt met radiozend- en ontvangapparatuur. Twee mannen staken aan de lopende band stekkers in stekkerbussen, zonder een woord te zeggen. Er waren geen stafkaarten in de bunker te zien. Zaitsev vermoedde dat dit kwam doordat het Rode Leger een te klein deel van Stalingrad controleerde om zich druk te maken over het in kaart brengen ervan.

'Maarschalk Zjoekov heeft de hele dag op u gewacht, kameraad Zaitsev,' zei

Widikov. 'Hij heeft grote bewondering voor u.'

Widikov duwde een andere deur open, een zware, houten deur. Achter deze deur, bij het licht van drie kaarsen en een petroleumlamp, zat een kleine man met een dikke nek. Hij had een brede neus en dikke lippen, bijna alsof ze waren opgezwollen, onder een dichte dos golvend zwart haar. De zwarte stoppelbaard liet zijn kin ongemerkt overgaan in de bontkraag van zijn officiersjas.

'Sergeant-majoor Zaitsev,' zei Widikov, terwijl hij de deur achter hem sloot.

De stevig gebouwde, kleine man stond dadelijk op. Zijn handen hingen langs zijn lichaam terwijl hij Zaitsev van top tot teen monsterde.

'U bent een buitengewoon belangrijk man.'

Zaitsev keek verrast op. De man die zojuist bij de tafel was opgestaan, was niet degene die deze woorden had gesproken.

Vlug draaide hij zich om naar de donkere hoek waaruit hij de stem had gehoord.

Uit de schaduw stapte een man naar voren die kleiner was dan Zaitsev zelf, en bijna nog corpulenter dan Danilov. Zijn kruin was nagenoeg kaal; het haar rond zijn hoofd was kortgeknipt en wit als droge sneeuw. Zijn ogen waren zo blauw als een heldere hemel bij strenge vorst. Hij stak een hand uit, mollig en week. Zaitsev wist dat zo'n hand alleen bij een commissaris kon horen.

'Ik ben Nikita Sergejevitsj Chroesjtsjov, plaatsvervangend voorzitter van het Politbureau en kameraad Stalins politiek adviseur hier in Stalingrad. Ik wilde u persoonlijk ontmoeten, kameraad Zaitsev.' Chroesjtsjov gebaarde naar de man die naast het bureau stond. 'Dit is natuurlijk maarschalk Zjoekov, uw hoogste commandant.'

Zaitsev keek naar de drie mannen. Met de macht in deze ruimte had hij geen affiniteit. Hij voelde zich slecht op zijn gemak toen Zjoekov hem aansprak.

'We zijn buitengewoon trots op u,' zei de generaal. 'Wij allemaal. U hebt Rusland een grote dienst bewezen.'

'Dank u, maarschalk,' stamelde Zaitsev.

Chroesjtsjov zweefde naar voren. De brede schouders, de bolle buik, de witte huid, het grijze haar – het deed Zaitsev in de lage bunker denken aan een koude, grote ijsberg. 'U bent lid van de Komsomol – de Sovjet-organisatie voor jongeren, nietwaar?'

'Ja, kameraad-commissaris.'

'Mooi. U beseft wat wij communisten hebben gedaan door de armen en benen van de Duitsers hier in Stalingrad geboeid te houden?'

Zaitsev schudde het hoofd.

'De Partij heeft het volle gewicht van de wereld op haar schouders genomen, niet alleen dat van de Sovjet-Unie. De hele wereld vertrouwt op onze onverzettelijkheid en bekwaamheid in de oorlogvoering om de vijand hier vast te houden en hem te vernietigen. U ziet alleen de gruwelijke details van de strijd. Geloof me echter, de uitwerking van wat zich in deze straten en huizen voltrekt, wordt overal ter wereld gevoeld. De Amerikanen, de Britten, ja zelfs de verachtelijke Fransen morsen bij het lezen van hun kranten hun koffie als ze vernemen dat we nog altijd hier zijn.'

Chroesjtsjovs buik schudde vanwege zijn eigen humor. Achter hem lachte Widikov tegen het glinsterende, grijze achterhoofd van de plaatsvervangend voorzitter. 'De wereldpers noemt het "Fort Stalingrad". En dat is precies wat het is. Dat is wat wij van Stalingrad hebben gemaakt. Ik kan u zeggen dat kameraad Stalin uw naam kent. Dankzij mannen als u ziet hij ervan af troepen naar het zuiden te sturen. Hij hoeft de verdediging van Leningrad en Moskou niet te verzwakken om Stalingrad te versterken.'

Zjoekov, die roerloos naar Chroesjtsjov had staan luisteren, voelde dat dit zijn beurt was in de ceremonie. Hij nam een kleine medaille van zijn bureau, een ronde medaille van brons aan een rood lint. Op de medaille prijkte het gezicht met de geitensik van Wladimir Iljitsj Lenin en profil. Lenin leek iets omhoog te kijken, tegen de achtergrond van een vijfpuntige ster.

De medaille lag in Zjoekovs handpalm. 'Kameraad Zaitsev, het land achter de Wolga is onvoorstelbaar uitgestrekt. Kun jij me zeggen hoe het in de ogen van ons volk zal lijken, als wij de Duitsers hier niet tegenhouden? Je kent het motto van het Tweeënzestigste Leger?'

'Ja, maarschalk. "Geen stap terug".'

'Geloof je erin?'

Zaitsev staarde de maarschalk aan, overrompeld door de vraag. Hoe kan hij me zoiets vragen, dacht hij. Pestcommunisten – altijd maar vragen of je dapper bent, of je het vol zult houden, of je bereid bent voor de Partij te sterven om de *Rodina* te verdedigen.

Waarom vragen ze me dit? Om mijn vastbeslotenheid op de proef te stellen? Vinden ze soms dat de nazi's dat dag in, dag uit nog niet vaak genoeg doen? Moet ik naar deze veilige bunker diep in een klif en beschermd door een levend schild van soldaten komen, alleen om mijn vastberadenheid opnieuw te laten testen? Ik ben een strijder, een jager voor het Rode Leger, voor die verdomde Partij. Ik heb mezelf bewezen. En wat hebben zíj bewezen? Nou, geef ze maar wat ze willen en maak dat je uit deze bunker komt.

Zaitsev wendde zich tot Chroesjtsjov. Met vol klinkende stem zei hij: 'Voor ons ís er geen land achter de Wolga.'

Chroesjtsjov knikte. Zijn blik was, hoewel hij naar Zaitsev keek, naar binnen gericht. 'Er is geen land achter de Wolga,' herhaalde hij zacht, alsof hij de woorden op zijn tong proefde. 'Ja! Ja!' De corpulente plaatsvervangend voorzitter richtte zich tot Zjoekov. 'Geef hem die medaille, maarschalk. Het Tweeënzestigste Leger heeft een nieuw motto. Widikov, laat dat drukken. Zeg de man dat de edele held Zaitsev dit heeft gezegd. Dat wij er allemaal aan gebonden zijn. Voor ons ís er geen land achter de Wolga.'

Chroesjtsjov gaf Zaitsev een klap op de rug en draaide zich om naar de deur.

'Dat is de juiste instelling, geacht lid van de Komsomol,' zei hij met een lach. 'Dat was een uitstekend antwoord.' Toen knikte Chroesjtsjov naar Zjoekov. 'Maarschalk,' zei hij. Meteen was hij verdwenen, met Widikov in zijn kielzog.

Zjoekov overhandigde Zaitsev de medaille. 'Wasilji Gregorjevitsj Zaitsev, ik verleen jou de Lenin-orde voor jouw bijdrage aan het totstandkomen van een sluipschutterseenheid in het Tweeënzestigste Leger, en voor de moed die je in de strijd hebt betoond.'

De maarschalk gaf Zaitsev een klopje op de arm. Lachend keek hij om zich heen in de bunker. 'Zo te zien zijn we hier nog de enigen. Nou ja. We zullen nog wel eens een parade in Moskou krijgen, hè?'

Zaitsev bekeek de medaille. Het brons was dik, zodat de medaille enig gewicht had. Vreemd om dit in mijn hand te houden, dacht hij. Ik heb hier een van de hoogste onderscheidingen van ons land in mijn hand, maar ik had liever dat hij me meer munitie gaf voor mijn Hazen. Van het koper in deze medaille hadden ze drie patroonhulzen kunnen maken.

Zjoekov deed een stap terug. Zaitsev keek op en ontmoette zijn blik. 'Ik zou dat maar niet omhangen, Wasja,' zei de maarschalk. 'Voorlopig niet. Houd hem in je rugzak. Op die manier blijft hij schoon.'

Zaitsev liet de medaille in zijn jaszak glijden. Hij glimlachte de maarschalk toe. Hij leeft ten minste als een soldaat aan deze kant van de Wolga, dacht Zaitsev. Dat zul je die vette rat, Chroesjtsjov, niet zien doen. Ik heb die vent hier nooit gezien; ik had zelfs nooit van hem gehoord. Waarschijnlijk zit hij hier – net als wij allemaal – klem omdat de rivier niet over te steken is, en nu reikt-ie medailles uit om de tijd te doden.

'Kan ik gaan, maarschalk?' Zaitsev betastte de medaille in zijn zak. Hij zou hem vannacht aan Viktor laten zien, en misschien ook aan Tanja. Verder aan niemand. Die Danilov zou er natuurlijk op staan hem te zien en erover te schrijven. Verdomd, dacht hij. Ik ben een held. Held! Waarom klonk dat woord zo walgelijk uit Chroesjtsjovs mond? Hij gaf me het gevoel een paradepaardje te zijn. Wasilji Zaitsev, de heldhaftige draver.

Zjoekov trok twee stoelen naar zijn bureau en beduidde Zaitsev te gaan zitten. Zaitsev stak zijn hand uit naar de deur – een stille smeekbede, nogmaals, om weg te mogen.

'Nog niet, Wasja. Iemand anders wil nog met je praten.'

Zaitsev ging zitten. Zjoekov stak zijn hand onder zijn bureau en haalde er drie glazen onder vandaan, plus een fles cognac.

De deur ging open en kolonel Nikolai Filipovitsj Batjoek, commandant van het Tweehonderdvierentachtigste Infanterieregiment, stapte de kamer in. Zaitsev sprong op. Deze man, dacht hij, is mijn leider. Van Batjoek, de lange, magere man uit de Oekraïne, was algemeen bekend dat hij kampte met stoornissen in de bloedsomloop; soms had hij zoveel pijn in zijn benen dat hij nauwelijks kon lopen, zodat een van zijn adjudanten hem op de rug moest dragen.

Vuurvreter Batjoek. Ik heb gehoord dat hij eens uit een rokende bunker naar buiten kwam, de vlammen in zijn uniform met de hand doofde en bevelen begon uit te delen door te schreeuwen als een gek geworden viswijf. Zaitsev salueerde. 'Kolonel.'

Batjoek beantwoordde de groet.

Ze deden allebei een stap naar voren en drukten elkaar de hand.

'Gelukgewenst, sergeant-majoor. Maarschalk Zjoekov was zo vriendelijk om met mijn aanbeveling jou met de Lenin-orde te onderscheiden akkoord te gaan. Je hebt hem verdiend.'

Zaitsev had er geen antwoord op. Als zij het zeggen, zal het wel zo zijn, dacht hij. In elk geval heb ik hem in mijn zak.

Zjoekov schonk drie glazen cognac in. *'Na zdrovje!'* zei hij, terwijl hij zelf als eerste het glas hief. Hij keek beide mannen een voor een aan en sloeg de drank in één keer achterover. Batjoek en Zaitsev wensten Zjoekov op hun beurt een goede gezondheid en dronken hun glas leeg. Het was maanden geleden dat Zaitsev een andere alcoholische drank had gedronken dan wodka.

Wat een dag, dacht Zaitsev, terwijl hij zijn mouw langs zijn mond haalde. Die medaille in mijn zak, die prikkelende cognac op mijn tong, Tanja in die warme stapel kleren, zeven treffers in drie sectoren en nu ook nog een heildronk van Zjoekov en de Vuurvreter. Wat een dag.

'Kameraad Zaitsev, ik zal je niet lang ophouden,' zei de kolonel. Hij zette zijn glas terug op Zjoekovs bureau. 'Ik weet dat de medaille voor jou een verrassing was. Dit móet wel een geluksdag voor je zijn, want ik heb nog een andere verrassing voor je. Wij weten uit betrouwbare bron dat de Duitsers een expert uit Berlijn hierheen hebben gestuurd. Een *Obersturmbannführer* van de ss. Een luitenant-kolonel dus. Hij heet Heinz von Krupp Thorvald. Hij is hoofd van een opleidingsschool voor sluipschutters. Een eliteschool.'

Zaitsev bevochtigde zijn lippen en proefde de zoete smaak van de cognac die erop was achtergebleven. Een sluipschutter kan dus in het Duitse leger overste worden. Dat is je van hét, dacht hij. Dat is respect.

Batjoek vervolgde: 'Hij is hierheen gestuurd om jou te doden, Wasja.'

Zaitsev keek hoofdschuddend naar de grond, glimlachend in zichzelf. Hij wilde niet dat zijn superieuren zich zouden verbazen over een gebrek aan reactie; hij nam alleen een ogenblik de tijd om er een voor hen te bedenken. Als hij op hun gezichten kon afgaan, vonden ze het belangrijk. Wat is daar zo bijzonder aan, dacht hij. Ze zijn allemáál hierheen gestuurd om mij te doden.

Hij draaide het lege glas in zijn handen, voelde zijn eigen warmte erin. Zo, zo, hebben ze er nu een specialist uit Berlijn bij gehaald? Inderdaad, wat een dag.

Hij keek op en zette speciaal voor hen grote ogen op. 'Wat weten we van deze Thorvald?' vroeg hij.

'Vrijwel niets,' zei Batjoek hoofdschuddend. 'Alleen dat hij bij de ss zit. Trek daar zelf je conclusies maar uit. Ik mag ervan uitgaan dat hij de beste man voor deze opdracht is die zij hebben. Heel ironisch, eigenlijk. Onze beste man tegen hun beste man.'

Batjoek hield Zjoekov uitnodigend zijn glas voor. Zaitsev dacht na over het woord 'ironisch'. Het paste. Ironie was precies datgene wat er aan deze dag nog had ontbroken. Nu had hij ook dat.

'O, er is nog iets wat we van hem weten. Hij schijnt zichzelf een lafaard te hebben genoemd,' voegde Batjoek eraantoe. 'Geloof het maar niet.'

Zjoekov stak de fles naar hem uit. 'Hou even je glas op.'

De maarschalk schonk in en de drie mannen hieven hun glazen opnieuw. Deze keer sprak Batjoek de toast uit. 'Jammer dat ze niet meteen Hitler zelf hebben gestuurd. Dat zou een aardige jacht voor je zijn geweest, hè?'

Zaitsev liet zijn glas zakken en bracht het naar zijn mond. Met de geur van de cognac in zijn neus verstarde hij even en knipperde met zijn ogen. Plotseling leken de maarschalk en de kolonel, nog bezig met het achteroverslaan van hun cognac, in zijn blikveld plaats te maken voor het slagveld aan de voet van de Mamajev Koergan – de loopgraaf in Sector Zes, met Danilov en Tanja. En Pjotr, de dummy met de vier gaatjes in zijn schokkende hoofd. Hij hoorde opnieuw de helm zingen toen die door een kogel werd geraakt. Het geluid leek achter zijn ogen echo's te veroorzaken en kil weg te sijpelen langs zijn ruggengraat – met tussenpauzes van telkens drie tellen.

Dus toch niet twee man.

Eén man.

De specialist uit Berlijn.

Zaitsev keerde terug in de bunker. Hij vroeg zich af wat hij de beide officieren had laten zien; ze zaten naar hem te kijken. Hij dronk.

Hij klokte de brandende vloeistof snel naar binnen, op de Russische manier. De cognac schraapte lekker langs zijn keel. Hij ademde snel uit om de drank die in zijn mond bleef hangen af te koelen.

Met een glimlach keek hij op naar Batjoek. 'Ik denk dat deze Berlijnse schutter en ik elkaar al hebben ontmoet.'

Zjoekov hield zijn hoofd scheef. 'Werkelijk? Waar?'

'Vanmorgen, op de oostelijke helling van de Mamajev Koergan.'

'Hoe weet je dat hij het was?'

Zaitsev wreef langs zijn hals. 'De man heeft, eh...' Hij zocht naar het juiste woord. 'Stijl.'

'Goed,' zei Zjoekov. 'Vanaf dit moment ben je van al je taken ontheven, Wasja.' Hij verzamelde de glazen en zette ze op tafel, voordat hij zich weer tot Zaitsev wendde. 'Je hebt nu nog maar één taak: deze Duitse supersluipschutter vinden en hem doden.'

Zaitsev dacht: hem vínden?

Hij liet zijn hoofd zakken om zijn blik te verbergen voor de maarschalk en kolonel Batjoek. Hij verzamelde alles wat hij de afgelopen maanden van Stalingrad had gezien – de gedecimeerde gelederen, de chaotische ruïnes van de fabriekscomplexen, de loopgraven dwars door de straten; puinhopen en de rook van smeulende ruïnes, rennende mannen, zich schuil houdende mannen, tienduizenden mannen die leefden, moordden en stierven. Een stad vol. Deze accumulatie van Stalingrad was te veel om er op deze manier over te denken; je kon het niet bij elkaar optellen en erover denken als één groot geheel waarin het mogelijk zou zijn één enkele man te vinden, een supersluipschutter die op zijn beurt óók maar één enkele opdracht had: jou doden.

Zonder erbij na te denken – want dan zou hij het nooit hebben gezegd – mompelde Zaitsev: 'Hem vinden...'

'Precies.' Zjoekov hield de deur voor hem open; hij kon gaan.

Zaitsev stapte de kamer uit. Batjoek klopte hem op de rug en zei: 'Voordat hij jóú vindt, uiteraard.'

17

Nikki ging Thorvald voor in de afdaling van de waarnemersheuvel. De overste wilde een paar dagen 'rondzwerven', om zijn 'geurvlaggen te plaatsen'. Hij wilde beslist iedere zone vermijden waarin hij als gevolg van de wisselende krijgskansen klem kon komen te zitten. 'Zorg ervoor dat er altijd een achterdeur voor ons is,' had hij gezegd.

Nikki vond het dan ook verstandig de overste die zo meesterlijk kon schieten weg te houden van de fabriekscomplexen. Hoewel de Duitsers de Barricaden volledig beheersten, naast – op een paar kleine uithoeken na – de complexen van de Rode Oktober en de Tractorenfabriek, kon je dergelijke doolhoven maar beter mijden. Nikki beschouwde de mannen die daar in die jungles van verroest ijzer rondslopen als gekwelde, gruwelijke schepsels. Ze hadden daar al zes weken doorgebracht en dag en nacht bloed vergoten en honger en dorst geleden, voortdurend krabbend aan de zwellinkjes die door luizen werden veroorzaakt. De oorlog was daar in vergetelheid geraakt; het enige wat er nog van resteerde, was het moorden. Thorvald had afstand nodig voor zijn welhaast magische schutterskunsten, en Nikki wist dat er in deze fabriekscomplexen feitelijk geen afstanden bestonden. Daar vochten ze vrijwel man tegen man. Granaten en pioniersschoppen waren daar even vernietigend voor vlees en bloed als kogels.

Nikki schudde het hoofd. Nee, de overste had niets in de fabrieken te zoeken.

We zullen langs de linies naar het zuiden patrouilleren. Het Lazoer-complex is een sterke Russische voorpost, achter een uitgestrekt niemandsland van spoorbanen. Bovendien is er in de corridor tussen de Rode Oktober en het Lazoer-complex naar de Wolga voortdurend druk verkeer. Een derde punt van concentratie is wellicht het centrum, met name de vijf kilometer tussen de Tsaritsa-kloof en het Kroetoj-ravijn, dat te vergelijken is met deze heuvel hier: bezaaid met spleten en bunkers vol sluipschutters en andere doelwitten. In het centrum tijgeren de Roden door de ruïnes en klampen zich wanhopig vast aan de hellingen naar de rivier, met op sommige plaatsen nog maar vijftig meter afstand tussen henzelf en de Wolga. In al die sectoren, waar de strijd is overgegaan in wachten, is het goed jagen.

We zullen deze Zaitsev uit zijn tent lokken, precies zoals de overste zegt. We zullen een spoor achterlaten dat hij kan volgen. En als we dan met zekerheid weten dat hij achter ons zit, houden we abrupt halt, draaien ons om en schieten hem een kogel tussen de ogen.

Nikki dacht aan wat hij Thorvald had zien doen op de waarnemersheuvel; de manier waarop hij zijn sluipschuttersgeweer bijna als een automatisch wapen had gebruikt. Thorvald joeg hem angst aan, niet omdat hij voor hém, Nikki, gevaarlijk was, maar omdat hij veel te dodelijk was om vrij rond te lopen. De man was als een machine die het niet zonder een vaste sturende hand kon stellen. Zonder die hand zou de machine wild worden. Thorvald zal met die ogen en handen van hem wel duizend man neerleggen. En al doende zal het niet alleen hém, maar ook mij de kop kosten. Het is moeilijk te geloven, maar de overste schijnt geen greintje gevechtservaring te hebben. Het ontbreekt hem aan geduld en ervaring. Hoe is hij ooit overste bij de ss geworden? Kruiwagens? Daar ziet het wel naar uit. Nee, ik moet hem aan de leiband zien te houden, hem aan zijn duel met Zaitsev helpen.

Duel.

Ik kan hem niet eens zeggen dat het een duel is – dat ik er een duel van gemaakt heb toen ik de Russen toeriep dat hij hier was, in Stalingrad.

Nikki bleef in de loopgraaf staan en wendde zich tot de overste, die achter hem aan wandelde. '*Herr Oberst*, kunnen we even praten?'

Thorvald stak zijn handen uit; hij wilde zijn rugzak. Nikki deed hem af. De sluipschutter legde de rugzak op de grond en ging erop zitten. 'Ja, Nikki?'

Nikki hurkte neer. 'Ik wil niet brutaal zijn, overste, maar er is me iets opgevallen.'

Thorvald wachtte. Nikki voelde zijn blik op zich rusten, bijna tastbaar als een paar handen. Even stelde hij zich voor dat Thorvald door een telescoop naar hem loerde. Zijn huid begon ervan te tintelen. 'Overste, van het werk van een sluipschutter heb ik geen verstand. Maar wél heb ik hier het nodige geleerd over de kunst om op een slagveld in leven te blijven. Wij kunnen een beter team zijn, overste, als u mij inspraak geeft als er moet worden besloten waar en wanneer u gaat schieten. Als we niet goed samenwerken, overste, zullen we het hier niet lang redden.'

Thorvald wreef in zijn handen. 'Het beviel je niet dat ik op die dummy schoot.'

'Dat is het niet, overste. Wij weten van elkaar niet wat de ander zal doen. Ik besef dat ik meer aan de weet moet komen over de werkwijze van een sluipschutter, en u moet leren hoe...'

Nikki slikte de rest in, bang dat hij al te ver was gegaan.

Thorvald schraapte zijn keel. 'Het is goed, Nikki. Ik moet inderdaad meer aan de weet komen over overleven als soldaat. Je hebt groot gelijk. En ik neem ook aan dat we een team vormen. Zonder jou zou ik binnen de kortste keren de weg kwijtraken en nog in Moskou belanden, dat weten we allebei. En jij zou zonder mij... Hmm.' Hij wreef over zijn kin. 'Ach, zonder mij zou jij het best redden, denk ik zo.'

Nikki grijnsde. 'Niet beter dan de anderen hier in Stalingrad.'

De overste klapte één keer in zijn handen. 'Weet je wat? Als we klaar zijn met deze Zaitsev, zorg ik dat dit team bijeen blijft en neem ik je mee terug naar Berlijn, als mij assistent. Dan ben je weg uit Stalingrad. Zo. Lijkt je dat iets?' Thorvald spreidde zijn handen uit, als een goochelaar die zojuist iets heeft laten verschijnen. Iets onwaarschijnlijks. 'Nu móét je wel zorgen dat ik blijf leven.'

Nikki haalde diep adem. Dit was fantastisch! Het was beter dan waarop hij ooit had durven hopen. Hij stak zijn hand uit om Thorvald met een handdruk aan zijn belofte te binden.

Nu was Zaitsev ook Nikki's prooi. Hij was het stel vleugels dat Nikki nodig had om terug te komen naar Westfalen. Hij dacht aan Thorvalds ongelooflijke vaardigheid, nu in zijn eigen handen. Dit kunnen we tot een goed eind brengen. We kunnen hem te pakken nemen. En dan kunnen we naar huis.

'Waar beginnen we?' vroeg Thorvald.

Nikki liet zijn opwinding bekoelen en dacht over de vertalingen van diverse artikelen in *Voor de landsverdediging* – de vertalingen waarvan hij wist dat Thorvald ze niet zorgvuldig had doorgelezen. Zaitsev is anders dan Thorvald. De Haas zal wachten, hij zal aan het werk blijven, hij zal zelfs bereid zijn om te lijden, alleen voor een kans om die ene kogel op dat ene doelwit af te vuren. Hij is trots, een levende legende die het leven neemt zoals het komt, één dag tegelijk. Hij zal nooit ontrouw zijn aan de legende. Hij zal eerder sterven dan de legende bezoedelen.

Grappig toch. Zaitsev is de man en wij zijn de wolven, precies zoals de overste zei. De man wordt beperkt door zijn menselijkheid, de regels voor de strijd die hij zichzelf heeft opgelegd. Zaitsevs grote last is de heldenstatus; hij is het grote voorbeeld voor de communisten en hun Rode Leger, ja, zelfs voor het hele Russische volk. Dat is een last die de overste en ik niet hoeven te torsen. Wij zijn de agressors, dit is ons land niet, dus kunnen we het gerust verwoesten. Dit is ons volk niet, dus kunnen we hen vernietigen. Wij zijn geen helden, wij kunnen doelgericht te werk gaan, met overleg. Wij zijn vrij van dat verblindende aureool dat Zaitsev omgeeft.

Eén ding wist Nikki van zichzelf: sinds zijn eerste ogenblikken in Stalingrad had hij uitsluitend gedood om zelf in leven te blijven. Nooit had hij zijn wapen uit wraak of bloeddorst afgevuurd. Hij doodde alleen degenen die voor hem en zijn eenheid een gevaar vormden, nooit anderen. En hoewel er in Stalingrad beslist genoeg mensen zijn gedood om er ordners en geschiedenisboeken mee te vullen, zal ik er misschien ook nog een paar moeten doden. En hoewel ik niet zelf de trekker zal overhalen, zal ik degene zijn die Zaitsev doodt.

Dus laten we maar beginnen, overste. Laten we er een paar te pakken nemen. Net genoeg om Zaitsev kwaad te maken. Hij zal naar ons toe komen, snel en onverbiddelijk. Hij zal al zijn Hazen naar jou laten uitzien, overste. Dat weet ik, maar ik kan het je niet vertellen. Het maakt niet uit. De Haas zal overal heen rennen waar ze melding maken van sterfgevallen die eruitzien als het werk van de meestersluipschutter uit Berlijn. En wij zullen hem opwachten.

Nikki dacht aan de corridor tussen de Rode Oktober en het Lazoer-complex. Hij had daar zijn ogen de kost gegeven en notities gemaakt voor Ostarhild, toen de sluipschuttersactiviteiten van de Russen zich daar de afgelopen paar weken hadden verdrievoudigd. 'Laten we naar het noorden gaan,' stelde hij voor.

'Mij best. Waarom?' Thorvald tilde zijn rugzak op, gooide die Nikki toe en overhandigde hem daarna zijn geweer. Niet alles verandert alleen door een vraag, merkte Nikki op.

'Zaitsev zal er niet van opkijken als we pakweg twintig mitrailleurschutters of soldaten te pakken nemen. Zelfs voor een paar officieren komt hij niet snel genoeg overeind.'

Nikki hing het geweer aan zijn schouder. Hij draaide zich om en ging Thorvald voor, de helling af. 'Als we echter een paar van zijn Hazen pakken, dringt de boodschap tot hem door. En ik weet waar ik ze kan vinden.'

Drie uur later zaten Nikki en Thorvald in de kelder van een platgebombardeerd gebouw. Het hoofdkwartier van kapitein Manhardt van het Zesenzeventigste Infanterieregiment. Manhardt zat half onderuitgezakt op een stoel met Thorvald te praten.

Nikki zat onrustig op zijn stoel. De witte camouflageparka en bijpassende broek, opgehouden met een rijgkoord, die de overste hem die middag had bezorgd, zorgden ervoor dat hij zat te transpireren. Thorvald had moeten lachen toen Nikki het camouflagepak zo uit de doos had aangetrokken. Wijzend naar de frabrieksvouwen had hij gezegd: 'Ze zullen je alleen kunnen zien als de sneeuw netjes opgevouwen is.'

Kapitein Manhardt krabde zich afwezig onder zijn oksel. Hij zat onder het spreken geen moment stil. Twee keer onderbrak hij zijn beschrijving van de manieren waarop zijn mannen in de Tractorenfabriek en de corridor werden gedood door te zeggen: 'Vervloekte luizen.'

Hij beantwoordde Thorvalds vragen. 'Zeven dood, misschien nog meer; ik kan het nog niet met zekerheid zeggen.' De ellende van de man was tastbaar, alsof hij zijn best deed zo snel mogelijk een eind te maken aan dit gesprek en deze twee bemoeiallen in het wit de deur uit te werken, zodat hij het in zijn kelder ongegeneerd kon uitschreeuwen.

'Stomme kloothommels.' De kapitein drukte zijn tong tegen zijn onderlip en drukte hem bol, zodat het leek alsof hij daar een opstopper had geïncasseerd. Na een ogenblik van treurnis vervolgde hij: 'Ze horen een geluidje in het puin. Een blikkerig gerammel, alsof iemand tegen een leeg conservenblik heeft geschopt. Dan gluurt de een of andere stommeling over de rand van de loopgraaf en vangt een kogel op. Zo is het al sinds het ochtendgloren aan de gang, heen en weer langs dat spoorwegtalud. Ik ben er geweest. Ik zei tegen ze: *"Verdammt noch mal, dass ist doch Heckenschützescheisse!* Ze gooien die blikken vanuit de een of andere schuilplaats of maken dat geluid zelf, hoe weet ik niet." Ik heb ze verboden te kijken, ik heb het hun verdomme verboden! Kijk niet over de rand als je zoiets hoort! Maar wat moeten ze anders? Ze móéten wel kijken. Zij kennen de Iwans. Die doen zoiets desnoods een dag of twee achtereen, net zolang totdat onze mensen het niet meer wagen om over de rand te gluren, om welke reden dan ook. Ze zullen daar stil blijven zitten, blind, bang om zich te verroeren én bang om helemaal niets te doen. En dan, zo tegen het krieken van de dag, sluipen de Iwans door het puin en springen mijn jongens naar de strot omdat ze niet durfden te kijken.'

De kapitein krabde zich in zijn nek. Hij haalde zijn hand over zijn glanzende, slapeloze ogen. 'Wat kunnen ze ertegen doen?' vroeg hij Thorvald. 'Wat kan ik tegen hen zeggen? Sluipschutters! Voor die schoften is het gewoonweg een soort sport.'

Thorvald liet een stilte vallen voordat hij iets terug zei, uit respect voor het verdriet van de kapitein. 'Laat u mij een paar van de lijken zien,' zei hij. Hij liet troost doorklinken in zijn stem, alsof hij een genezende zalf op Manhardts voorhoofd wilde uitstrijken. 'De korporaal en ik gaan er iets aan doen.'

De kapitein stond op. Zijn lichaam was behangen met wapens; hij deed denken aan een met vruchten beladen fruitboom. Hij had patroonbanden over zijn borst gekruist, aan zijn kuit was een bajonet vastgeriemd en aan zijn koppelriem bungelden handgranaten en een Mauser-pistool. Hij hing zijn pistoolmitrailleur aan de schouder en ging Nikki en Thorvald over de trap voor naar boven. Ze kwamen uit in een immense ruimte, een soort enorme luchtbel die in de ruïne van het gebouw was overgebleven. Het plafond, hoog als van een merkwaardig soort kathedraal, bestond uit verbogen stalen balken en reusachtige betonplaten. Verspreid over de grond lagen en zaten gewonde soldaten met van bloed doordrenkte zwachtels. Sommigen strekten hun handen uit, anderen lagen stil of schommelden met hun bovenlijf. Hun gekreun en gefluister werd af en toe overstemd door een benauwde roep om een van de in bruin uniform gestoken verpleegsters. Deze vrouwen waren voortdurend in de weer tussen de mannen. Ze praatten zacht met hen, knikten als ze iets zeiden en wisten hun gezichten af met een vochtige doek.

De kapitein draaide zich om naar Nikki. Zijn ogen leken te vragen: zie je al dit bloed? En waarvoor, verdomme? Hij zei: 'De lijken liggen buiten.'

Thorvald en Nikki volgden hem door de bittere, weeïge lucht van wonden en bloederige zwachtels naar een tunnel die uitkwam op straat.

Naast de beroete, besneeuwde resten van een Duitse tank lagen zeven lijken onder grijsgroene dekens. De kapitein bleef op de achtergrond toen Thorvald naar de lijken toe liep. 'U vindt het verder wel,' zei Manhardt. Hij draaide zich om en verdween om de hoek. Ze hoorden zijn granaten en patroonbanden rammelen.

Thorvald hurkte naast een van de lijken neer en trok voorzichtig de deken van het hoofd weg. Riviertjes van bloed waren uit een gaatje in het voorhoofd van de dode jongeman omlaag gestroomd. Het bloed had zich in de oogholten verzameld en was toen langs de neus en de oren afgedropen, zodat er een soort zwarte weduwe over het grauwe gezicht was ontstaan.

Thorvald keek op naar korporaal Nikki. 'In Gnössen heb ik een arts die mijn sluipschutters instructie geeft over de beste manier om wonden te interprete-ren. Het is wat luguber, maar vaak is de wond het enige spoor dat een sluip-schutter achterlaat.' Hij raakte de wang van het wasachtige gezicht even aan. Met een ironisch glimlachje zei hij: 'Nu wou ik maar dat ik wat beter had opge-let.'

De overste slaakte een zucht. Hij betastte de omtrek van het gaatje, recht bo-ven het linkeroog van het lijk. Thorvald ademde snuivend door zijn neus.

Hij stak zijn hand onder het hoofd van de dode. Met een ruk trok hij de hand terug. Met een grimas zei hij: 'Het achterhoofd is weggeslagen.'

De overste legde de deken terug over het gezicht en richtte zich op. Zijn ar-men hingen slap langs zijn lichaam. Hij bewoog de vingers van beide handen.

Even later hurkte hij naast het tweede lijk neer en sloeg de deken terug. Dit hoofd was bleek en gaaf; hij trok de deken verder omlaag en ontdekte een scheur in de parka, midden in de borst. Hij knoopte de parka los.

'Geef mij je mes eens.'

Nikki trok het mes uit zijn laars. De overste deed de parka open en sneed de knopen van de trui weg, en daarna sneed hij de beide hemden eronder open.

De dodelijke wond bevond zich op de onbehaarde witte borst van de jonge-man, onder het linkersleutelbeen en vlak bij het hart. Thorvald nam een pot-lood uit zijn zak en duwde de punt enkele millimeters in de wond. Met zijn vin-gers begon hij de huid en het spierweefsel in de omgeving van het kogelgat te kneden.

Zonder nog iets te zeggen of naar Nikki op te kijken onderzocht hij de vier volgende lichamen op dezelfde manier. Twee ervan waren door het hoofd ge-schoten; en in beide gevallen stelde Thorvald vast dat het achterhoofd door de kogel was weggeslagen. De andere twee waren in de borst geraakt. Beide keren stak Thorvald zijn potlood in het kogelgat en rommelde en porde ermee terwijl hij het weefsel rond de kogelwond kneedde.

Nikki stond gefascineerd toe te kijken, meer geboeid door Thorvalds speur-werk dan de lijken zelf – een gruwelijke dood was hier een alledaags verschijn-sel. Na een minuut of tien boog Thorvald zich over de laatste dode van de ze-ven. Hij sloeg de deken terug. Nikki vroeg: 'Wat hebt u ontdekt, overste?'

'Nog niets.'

Nikki keek naar het lijk. Hij rekende op de aanblik van de zoveelste kapotge-schoten schedel met een klein zwart gaatje in het voorhoofd of de wang, waar-uit bloed was weggestroomd en zwart verkleurd, als gestolde lava. En als het hoofd gaaf was, moest er een scheurtje in de parka te zien zijn, ter hoogte van het hart.

Bij dit lijk was geen gaatje te bekennen. Het hoofd was gaaf. Thorvald sneed de hemden open; geen wond die de gave borst ontsierde. Thorvald sneed de rest van de kleding open; het verstijfde weefsel was rond de schouderbladen, de dijen, de kuiten en de hielen paarsachtig rood verkleurd, waar het tot stilstand gekomen bloed was achtergebleven.

Met zijn laars rolde Thorvald het naakte lichaam om. Geen kogelgaten te zien. Hij bracht gefrustreerd zijn handen omhoog en rolde het lijk weer om, zodat het gezicht weer naar de hemel staarde. De dode soldaat kwam stil te liggen en Nikki zag in het haar van de jongeman, vlak achter het rechteroor, een plek die wat donkerder was dan de rest. Het kon een kluitje aarde zijn, of iets dergelijks. Hij wees ernaar. 'Kijk daar, achter het oor, overste.'

Thorvald liet zijn vingertoppen door het korte, bruine haar glijden, omlaag naar de bobbel in de nek en onder het oor door. Hij boog zich nog wat meer voorover om de vlek in het achterhoofd beter te kunnen bekijken.

'Het is een uittredingswond. Kijk maar, hier rondom het gaatje. Geen kneuzing, geen wrijvingsring.'

De kogel was achter het oor van de jongeman naar buiten gekomen. Het lood was niet platgedrukt bij de inslag, anders zou het achterhoofd zijn weggeslagen, zoals normaal gesproken het geval zou zijn geweest. Waar was de kogel het lichaam binnengedrongen? Thorvald gebruikte het mes om de mond open te wrikken. De lippen waren als gevolg van de rigor mortis stevig op elkaar geklemd. Door met het mes wat wrikkende bewegingen tussen de tanden te maken, dwong hij de verstijfde kaakspieren tot capitulatie.

Nikki boog zich over Thorvalds schouder om naar het gezicht te kijken. De mond, wijdopen nu, leek te disharmoniëren met de rust die uitging van de gesloten ogen en het roerloze, harde lichaam. De mond leek provocerend te schreeuwen, ook al had de rest van het lichaam in zijn lot berust.

Thorvald morrelde met zijn potlood. Hij wenkte Nikki. 'Kijk hier.'

Hij wees naar een ontbrekend stuk in de linkersnijtand in de bovenkaak. Hij legde het potlood onder het weggeslagen stuk voortand en duwde het potlood de mond in, diep, tot in een gat in de achterwand van de keel. Hij liet het potlood los. Het bleef rechtop staan. 'Vermoedelijk heeft hij de sluipschutter op het laatste moment gezien en iets tegen hem geschreeuwd. De kogel sloeg een stuk voortand weg en drong via de achterwand van de keel het hoofd binnen. Daar raakte hij de bovenste nekwervel, sloeg hem vermoedelijk in tweeën, en ketste zodanig af dat hij achter het oor naar buiten kwam.'

Thorvald tikte met zijn nagel tegen het staande potlood. 'Hij is in rechte lijn binnengedrongen. Hij stond met zijn gezicht naar de sluipschutter toen de kogel hem trof. Eens even kijken... '

Hij betastte het gaatje achter het oor, trok het potlood uit de mond en stak het in het uittredegaatje. Opnieuw begon hij het huid- en spierweefsel eromheen te kneden. Thorvald bestudeerde de wond, trok het potlood eruit en legde de deken weer over het lijk. Hij gaf een klapje op het hoofd toen het bedekt was. Nog op zijn hurken keek de overste langs de rij lijken onder hun dekens. Toen hij sprak, leek het alsof hij het tegen hen had. 'Die schoten in de borst zeiden me niet veel. Als een kogel eenmaal het spierweefsel en de organen in de romp raakt, volgt hij een grillige baan. Maar...' Hij keek op naar Nikki. 'Kijk hier eens naar.'

Thorvald sloeg een van de dekens terug en onthulde de bleke borst van een dode jongeman. Hij omcirkelde de wond met zijn wijsvinger.

'Alle penetratiewonden in de borst zijn volmaakt rond,' legde hij uit. 'Dat wijst op een loodrechte schootshoek.'

Hij raakte een blauwrood verkleurde kring rond het kogelgat aan. 'Zie je deze cirkelvormige verkleuring? Als een kogel inslaat, wordt de huid gestrekt en uitgerekt. Dan schiet de huid terug en laat deze kneuzing rond het kogelgat achter. Deze wrijvingsring is – net zoals de wrijvingsringen van de overige borstwonden – symmetrisch.'

Thorvald bedekte het lichaam weer en richtte zich op, waarbij hij zijn rug wat strekte. Hij wees met het potlood naar de rij doden en zei hoofdschuddend: 'Aan de hoofdwonden had ik niets. Behalve deze laatste. Uit dat kogelgat in de mond blijkt dat de kogel van een plaats recht tegenover hem werd afgevuurd. Ik kan alleen maar raden waarnaar hij keek toen hij werd geraakt. De uittredingswond zit vlak achter het oor, en dat vertelt mij dat hij op de grond moet hebben gelegen en zijn hoofd optilde om langs de grond te kijken. Als hij omhoog had gekeken, zou de uittredingswond lager hebben gezeten, in de nek.'

Op grond van de hoek waaronder de kogel het lichaam van de laatste dode had verlaten, de penetratiewonden bij de andere hoofdwonden en de wrijvingsring rond de borstwonden kwam Thorvald tot de conclusie dat de sluipschutters van de Roden niet in de ruïnes op een hogere etage opereerden, maar op dezelfde hoogte als waarop de soldaten zich hadden bevonden. Als de sluipschutters zich op een hoger of lager niveau van hun doelwit hadden bevonden, of zijdelings ervan, zouden de wrijvingsringen rondom de penetratiewond groter en ovaal zijn geweest, langgerekt, als het soort kneuzing dat ontstaat als een lichaam geraakt wordt door een afschampend bot voorwerp. Op grond van de nauwkeurigheid van de treffers schatte Thorvald de afstand op het gemiddelde voor een ervaren sluipschutter, circa driehonderd meter. Er moesten op zijn minst twee sluipschutters in het desbetreffende terrein actief zijn, een waarnemer en de schutter zelf. Deze sluipschutters waren goed; volgens kapitein Manhardt hadden de doelwitten zich maar héél even blootgegeven. De Roden gingen zeer zorgvuldig te werk en ze zorgen ervoor onzichtbaar te blijven. Voor hen moest dit soort succesjes tamelijk goedkoop zijn.

Voor de laatste maal keek Thorvald naar de rij dekens. De soldaten eronder waren nog jongens geweest, stuk voor stuk; ze zagen er geen van allen ouder uit dan Nikki. 'Deze sluipschutters zien het als een sport.'

Nikki ging Thorvald door de ruïnes voor naar het veldhospitaal in de grote, hoge ruimte. Hij liep naar een verpleegster die zich over een bewusteloze soldaat boog. De borst van de man was omwikkeld met doorweekt rood verband.

'Zuster, neem me niet kwalijk,' begon Nikki.

Ze liet haar hand op de gewonde rusten toen ze opkeek. Het gezicht dat Nikki aankeek was rond, met diepe groeven. Haar ogen en mond waren omgeven door het soort gezwollen huid dat uitputting lijkt vast te houden als een spons.

'De overste en ik moeten met een paar van de mannen hier praten,' zei Nikki. Hij keek naar de bloedende soldaat op de grond. 'Wij willen meer weten over de sluipschutters die in de omgeving van het spoorwegtalud opereren. Kunt u vragen welke van deze mannen daar gewond zijn geraakt?'

'Er zijn hier geen gewonden die afkomstig zijn van dat talud, korporaal,' zei de verpleegster hoofdschuddend. 'Iedere man die daar getroffen is, is dood.'

Thorvald boog zich naar haar toe, zacht als een vallend herfstblad. 'Zuster, alstublieft, zegt u mij of u daar bij dat talud bent geweest?'

Ze wendde zich af naar de soldaat om wat rood schuim en speeksel van zijn mond te vegen. 'Zeven keer. Ik heb hen stuk voor stuk weggedragen.'

Thorvald legde zacht een hand op de arm van de verpleegster. Ze hield op met het schoonvegen van de mond van de gewonde. 'Wij zijn hier om iets aan die Russische sluipschutters te doen. We zijn specialisten. Kunt u ons helpen?'

De verpleegster legde de doek op de borst van de gewonde en richtte zich op. Nikki zag de bloedvlekken op haar uniform. Haar brede schouders en borst waren bedekt met een roestbruine korst. Ze heeft ze inderdaad gedragen, zag hij. Ze had de lijken uit de loopgraaf getild en hen weggedragen. Ze had hen neergelegd, de ogen gesloten en hen bedekt met een deken, een voor een.

In Thorvalds stem klonk eerbied door. 'Misschien kunt u ons wijzen waar deze jongens gevallen zijn; dan kunnen wij gemakkelijker bepalen waar de sluipschutters zitten. Het duurt niet lang; u kunt meteen weer hierheen.'

Ze wenkte de andere verpleegster. 'Madeleine... Deze hier is de volgende die gaat.' Roze bellen bolden op boven de lippen van de jongeman.

Buiten bukte de verpleegster zich achter de uitgebrande tank en sprintte daarna naar een hoop puin. Met een handigheid die Nikki uitdaagde haar voorbeeld te volgen zocht ze zich een weg tussen de puinhopen en bomkraters totdat ze stilhield achter een achtergelaten Russische legertruck waarvan het dekzeil in vlammen was opgegaan. Na een laatste sprintje over open terrein, een afstand van circa tien meter, zocht ze dekking achter een rij verwoeste spoorwagons op een talud ter hoogte van een meter.

Ze liet zich in de loopgraaf achter het talud zakken. Nikki volgde haar, blij dat hij hier was aangekomen zonder de aandacht van de Russische sluipschutters te hebben getrokken.

Deze verpleegster, dacht Nikki, heeft de route hierheen zeven keer gevolgd – wegduiken, sprinten, wegduiken, wachten – en daarna heeft ze op de terugweg hetzelfde gedaan met die zware last over haar schouders, zigzaggend tussen de puinhopen en kraters door. Wij zitten hier driehonderd meter achter de linies, normaal een veilige afstand. Maar alleen al de aanwezigheid van sluipschutters van het Rode Leger verandert alles. Iedere stap moet zorgvuldig overdacht zijn, anders is het een uitnodiging voor een kogel. Als die sluipschutters hierheen komen, riskeer je je leven door alleen maar rechtop te lopen of over de rand van een loopgraaf te gluren. Iedere verplaatsing wordt een zware inspanning met vijandelijke sluipschutters in de buurt; iedere seconde voel je die kruisdraden in je huid branden.

Eenmaal in de loopgraaf, weggedoken achter het talud, draaide Nikki zich om, op zoek naar de overste. Thorvald moest nog dertig meter afleggen, hij zat nog achter de uitgebrande legertruck. Thorvald maakte een gebaar alsof hij wilde zeggen: ga door! Hij wilde kennelijk dat Nikki zonder hem verder ging. Er gebeurt hem niets, dacht Nikki. Het heeft geen zin mijn retourvlucht naar Duitsland in gevaar te brengen door opnieuw dat open stuk over te steken. Ik kan zijn rol wel zonder hem spelen.

De verpleegster ging Nikki voor door de loopgraaf. Hij volgde het talud over de volle lengte, ongeveer tweehonderd meter. Er stonden vijf wagons verspreid over de sporen; op de een of andere manier weigerden ze van hun ijzeren chassis te rotten. Achter iedere wagon zat een eenheid van een stuk of tien soldaten rondom een mitrailleursnest, beschermd door stapels zandzakken. Geen van de vijf mitrailleurs was bemand.

De verpleegster stopte bij de eerste, de tweede en de vijfde eenheid in de loopgraaf. Bij de eerste wees ze twee plaatsen aan waar ze een dode had weggehaald. In totaal zei ze zeven keer alleen: 'Hier.' Nikki vroeg haar of ze zich de volgorde van haar excursies naar de mitrailleursnesten nog kon herinneren. Ze herinnerde zich alleen de eerste twee en de laatste twee. Hij vroeg wat voor soort verwonding de desbetreffende soldaat had gehad. Ze schudde haar hoofd, uitgeput, en wendde haar blik af in de richting van de volgende eenheid in de loopgraaf. Nikki slikte de rest van zijn vragen in.

Hij hurkte bij de mannen neer om hen over de aanvallen van de sluipschutters te ondervragen. Hadden ze er iets van gezien? Wat hadden ze gehoord, welk geluid had de dode soldaten verleid om te kijken? Was het telkens hetzelfde geluid geweest, kort voor een schot uit een sluipschuttersgeweer? Hadden ze dat geluid later opnieuw gehoord?

Het was al verscheidene weken geleden dat Nikki voor het laatst in gezelschap van gewone infanteristen was geweest. Zijn werk voor Ostarhild had hij in zijn eentje moeten doen – zwervend over het slagveld om kaartjes te tekenen en aantekeningen te maken. De ruim zestig infanteristen in de loopgraaf wekten de indruk dat ze ten dode opgeschreven waren. Veel afwezige gezichten verborgen zich achter een baard. In de loopgraven was geen greintje warmte; de mannen zaten ineengedoken en hun ademwolkjes vermengden zich met hun uitwasemingen van angst. Sommigen boden hem een slok aan uit een flacon die een soort eau de cologne bevatte. Nikki gruwde ervan. Mijn god, ze drinken buitgemaakte geurwatertjes vanwege de alcohol! Wat overkomt deze mensen?

Terwijl hij bij deze soldaten neerhurkte, drong het tot Nikki door dat deze mannen niet meer vochten om Stalingrad te veroveren. Hier, in de bijtende kou van november, streden ze niet alleen tegen het Rode Leger, maar ook met hun verlammende angst, de gruwel die ze hoorden snerpen als de man naast hen zonder waarschuwing werd geveld. Hun vijanden waren mannen, dat wel. Maar van seconde tot seconde streden ze nog een andere strijd, een gevecht op kleinere schaal: die met de afschuwelijke luizen die hun huid folterden, de honger en de dorst die brandden zonder waarschuwing, de kille stilte die hen dag en nacht dreigde te verstikken.

Hun neergeslagen ogen en knarsetandende kaken vertelden Nikki dat deze soldaten al een glimp hadden opgevangen van hun lot: met kanonnen, geweren en granaten konden ze zich niet meer bevrijden van Stalingrad. De stad was een smerige, stinkende graftombe zonder medelijden, wroeging of respijt. Deze stad was geen slagveld meer, het was één helse kwelling. Het laatste wapen ertegen was hoop.

Terwijl Nikki zich door de opgeheven handen wurmde, hoorde hij hoe ze hem smekend toefluisterden: 'Neem hem te grazen, dat communistische zwijn.'

'Kijk goed naar hem, jongens. Hij weet wat hij doet.'

'De generaals hebben hem hierheen gestuurd.'

'Een sluipschutterexpert. Hij zal ze krijgen, de schoften.'

'Ze zijn ons nog niet vergeten, mannen.'

Dat was de reden waarom Thorvald hierheen was gestuurd, begreep Nikki. De generaals hadden dit opgemerkt, deze erosie van de hoop onder de mannen, terwijl de Russen voor zichzelf in de persoon van die Siberische Haas een stinkende held opfokten. Nikki zwoer een eed. We zullen die Zaitsev krijgen.

Hij zalfde deze belofte met de ellende van deze mannen. Hij bezwoer zichzelf dat hij zich eeuwig die riviertjes van geronnen bloed onder de zeven dekens naast de tank zou blijven herinneren, net als de misselijkmakende geur van eau de cologne in de loopgraaf.

Nikki vond Thorvald bij de zeven lijken terug. De zwijgende verpleegster, niet langer zijn gids, liep weg zonder om te kijken.

Nikki vertelde de overste wat hij had ontdekt. Hij beschreef de configuratie van de mitrailleurnesten in de loopgraaf: tien man en één mitrailleur per eenheid; iedere eenheid in dekking achter een van de vijf spoorwagons, met telkens een tussenruimte van circa vijftig meter. De mannen daarginds hoorden af en toe een rammelend geluid tussen het puin. Als een van hen over de rand had gegluurd, was hij prompt gedood door een kogel.

Thorvald luisterde en knikte. Toen Nikki was uitgesproken, zei de overste: 'Het zijn lege conservenblikken aan een touwtje. De sluipschutters trekken er-aan.'

Hij had het gezegd alsof hij het allemaal zelf had bedacht. Hoewel Nikki het zelf ook had gereconstrueerd, had Thorvald een merkwaardige, stellige manier om feiten vast te stellen. Nikki ervoer het als geruststellend.

'De eerste kogel werd afgevuurd op eenheid Twee,' zei Nikki, terwijl hij naar de lijken keek om zijn geheugen een handje te helpen. 'De tweede kwam bij eenheid Vijf. De laatste drie schoten werden gelost op achtereenvolgens Drie, Een en toen Vier. Die zwijnen rennen heen en weer en wachten telkens af.'

'Wat stel je voor?'

'Volgens mij moeten we ons installeren in de loopgraaf, tussen Twee en Drie. Daar zullen ze het volgens mij opnieuw proberen. Zodra we dat blikgerammel horen, steken we een lege helm op of zoiets, lokken hem uit en schieten hem dood.'

Thorvald knikte. 'Eenvoudig. Rechtlijnig.'

Nikki wachtte.

De overste blies zijn adem uit. 'Zelfmoord. Vergeet niet dat hier meer dan één sluipschutter opereert. Terwijl ik op degene mik die op de helm heeft geschoten, neemt de ander mij op de korrel. Nee, we wagen ons niet in die loopgraaf.'

Nikki ergerde zich. Hij wilde de Rode sluipschutter te pakken nemen als ze in het gezelschap waren van die hologige soldaten; hij wilde hen laten zien hoe een Duitse soldaat terug kon vechten. Hij stelde zich voor hoe de overste en hij een vonk voor hen ontstaken door die arme drommels iets te geven waarover ze konden juichen.

Thorvald zou natuurlijk een plan uitbroeden dat hen in staat stelde anoniem te werk te gaan; ze zouden dodelijk zijn, maar ongezien. De mannen in de loop-graaf zouden het niet eens weten. Ze zouden Nikki en elkaar niet op de rug slaan; ze zouden niet met eigen ogen zien hoe Nikki en Thorvald het slot van hun kooi openbraken.

Thorvald had Nikki inspraak beloofd. Die had hij nu gehad.

'Kom mee,' zei de overste.

Hij begon weg te lopen van zijn telescoopgeweer, dat nog tegen het gebouw aan stond. Nikki haalde het wapen op, worstelend met de ergernis in zijn bin-nenste over het bruuske optreden van de overste. 'Ik heb deze positie ontdekt toen jij in de loopgraaf zat,' zei de overste achteromkijkend. 'Als de Russen op de begane grond zitten, moeten wij hoger zitten.'

Hij ging Nikki voor naar de achterzijde van de skeletachtige voorgevel van het gebouw. Ze stapten over een vensterbank en tijgerden door rommel en puin van beton. Ze beklommen een stalen trap die de bombardementen had overleefd. Boven aan de trap schuifelden ze langs de overgebleven rand van wat ooit de vloer van de derde verdieping was geweest. Tien meter verder was de vloer ingestort en boven op het bloedbad beland dat beneden werd aangericht; er was een gapend gat ontstaan van vijfenveertig meter. Nikki had het gevoel alsof hij langs de rand van een werkende vulkaankrater kroop.

Thorvald verplaatste zich heel voorzichtig en ging Nikki voor naar een stel geblakerde raamkozijnen. Toen Nikki een van de openingen had bereikt, keek hij naar beneden. Daar strekte zich het talud uit, met de vijf mitrailleurnesten erachter, en de vijf spoorwagons erop. Thorvald had hem naar een positie geleid op circa twintig meter rechts van eenheid Twee.

Nikki bepaalde globaal schattend een afstand van ongeveer driehonderdvijftig meter achter het spoorwegtalud en begon het terrein daar met zijn veldkijker af te speuren. De Russische sluipschutters moesten daar zitten, verborgen tussen het puin, kruipend door een loopgraaf of weggedoken in een bomkrater. Misschien waren ze echter al verdwenen. Het schemerde al. Met hoeveel moorden per dag stelden die schoften zich tevreden?

Thorvald zat onder de vensterbank. Hij legde zijn geweer op het kozijn en tuurde naar de violetkleurige avondlucht. 'We hebben de zon achter ons,' zei hij. Met zijn kin wees hij naar een positie rechts van eenheid Twee. 'Jij houdt het daar in het oog; ik blijf naar links kijken. Zodra je iets ziet, wil ik het horen.'

Die gaat hierboven doodgemoedereerd zitten wachten, dacht Nikki. Hij peinst er zelfs niet over mij de mannen in de loopgraaf te laten waarschuwen. Ik zou hen op het hart binden laag te blijven en niet op te kijken; wij zullen de sluipschutters te pakken nemen. Ik zou hen kunnen zeggen een helm op een geweer omhoog te steken en zelf laag te blijven, in dekking.

Jezus, hij gebruikt die mannen in de loopgraaf als lokeenden!

Nikki legde de veldkijker op de vloer. 'Overste?'

'Ja?'

'Laat mij naar beneden gaan, de loopgraaf in. Ik kan sluipschuttersvuur trekken – dan kunt u hen te grazen nemen.'

Thorvald schudde het hoofd. 'Nee. Ik heb je hier nodig.'

'Laat me dan ten minste die mannen waarschuwen. Ze zijn doodsbang.'

Thorvalds gezicht verstrakte. 'Jij blijft waar je bent, korporaal. Pak je kijker op. Dat is de beste manier om mij te helpen.'

'Overste, die mannen daar –'

'*Verdammt noch mal*, neem je kijker!' Thorvald wees naar Nikki's veldkijker op de vloer. 'Die mannen interesseren me niet! Begrepen? We zijn hier niet om hen te redden of hun bedankjes te incasseren. We hebben een opdracht, korporaal! Spoor Zaitsev op. Doodt hem! En ga dan naar huis.'

Thorvalds blik vernauwde. Hij laste een pauze in en boog zich naar voren. Nikki zag hoe hij nauwelijks waarneembaar zijn hoofd heen en weer wiegde, als een slang die de lucht proeft. 'Ik ga Zaitsev doden. En jij helpt me daarbij, of desnoods iemand anders.' Hij wendde zich af.

221

Nikki keek omlaag naar de mannen bij eenheid Twee. Wij hierboven spelen voor God, dacht hij. Een van die soldaten is ten dode opgeschreven. Ik weet het. En ik laat het gebeuren door toe te kijken. Ik kan het tegenhouden, maar ik doe het niet.

Voor die soldaten ben ik geen held. Zij kunnen geen helden meer hebben. Helden zijn mensen, en mensen kunnen hen nu niet meer redden. Hitler niet, en Stalin evenmin. Ik niet – en zijzelf kunnen het ook niet eens. Zaitsev is een held en hij zal sterven. Ik ben hun eigendom niet. Ik ben van mezelf, en ik wil naar huis.

Die Thorvald heeft mij in zijn zak. Dat geldt ook voor Zaitsev. Ze hebben een lotsbestemming, die twee. En ik zit tussen wal en schip.

Thorvald rekte zich uit. 'Nee, het is nu te donker. Ze zullen het niet nog eens proberen. Ga naar beneden en vraag de verpleegster of ze wat te eten voor ons heeft.'

Nikki stond op zonder naar Thorvald te kijken.

'Nikki.' De overste keek hem aan. Zijn blik was zachter nu. 'Jij wilde dat ieder van ons datgene deed waarin hij het beste is. Zo zouden we hem te pakken nemen. Daar waren we het over eens geworden.' De overste trok zijn knieën op tegen de kou. 'En dat zullen we doen ook. Dit is waarin ík het beste ben. Ik ben de doder, en jij bent mijn gids en beschermer. Laat ons team niet uiteenvallen. We nemen hem te pakken en gaan samen naar huis.'

Voordat hij zich kon omdraaien, voegde Thorvald eraantoe: 'We blijven hier, vannacht. Die sluipschutters gaan het morgenochtend opnieuw proberen, daar ben ik zeker van.'

Nikki wist dat hij Thorvalds plan kon verijdelen. Hij kon de verpleegster een tip geven, of zelf na het invallen van de duisternis de loopgraaf in glippen om de mannen daar te waarschuwen dat ze zich gedekt moesten houden, ongeacht wat voor geluiden ze tussen het puin hoorden. Hij wist echter dat hij dat niet zou doen.

'En, korporaal,' riep Thorvald hem zacht na, 'neem die zeven dekens mee naar boven.'

De dageraad gromde om hen heen. Nikki's alerte oren vingen het geknars op van rupsbanden die beton tot stof vermaalden, vermengd met het gekletter van wapens in wel duizend armen. Boven het kabaal uit werden er bevelen gebruld. Radio's kraakten.

Nu gaan we het krijgen, dacht Nikki. Generaal Paulus onderneemt een laatste wanhoopsoffensief tegen de Russen die zich in de fabriekscomplexen hebben verschanst. Ver links van hem, uit de Banni-kloof en het Barricaden-complex, kwam kanongebulder. Handvuurwapens ratelden in de corridor bij het Rode Oktober-complex.

Thorvald lag al achter zijn geweer, turend door de telescoop. 'Begin maar met waarnemen,' fluisterde hij. 'We zullen hier niet lang meer kunnen blijven. Onze vrienden zullen misschien nog één keer met hun blik rammelen voordat ze genoodzaakt zijn zich terug te trekken. Vergeet niet, zij bevinden zich op de begane grond.'

Nikki speurde de puinhopen vóór eenheid Drie af. De geluiden van ronkende, bonkende tanks en massa's soldaten gonsden om hem heen en verplaatsten zich naar zijn linkerhand – de opmars naar het Rode Oktober-complex en de Wolga.

'Het zal hier druk worden, overste,' zei hij, terwijl hij de veldkijker even liet zakken.

'Nogal, ja.' Thorvald keek Nikki vriendelijk aan.

Plotseling verstijfde hij. Zijn ogen werden groot en stelden zich toen scherp op een punt achter Nikki's schouder. 'Nikki,' zei hij, zonder ook maar even met zijn ogen te knipperen of het punt waarop hij zich concentreerde los te laten, 'zoek het derde huis aan de overkant van de straat. Nu!'

Met een ruk bracht Nikki zijn kijker voor ogen. Heel even, voordat hij de ruïnes ging afspeuren, keek hij omlaag naar eenheid Drie. De soldaten zaten nu niet meer ineengedoken, zoals ze steeds hadden gedaan. Een paar mannen waren op hun knieën weggekropen van de groep; anderen bukten zich en staarden naar de bodem van de loopgraaf. Daar, tussen de ruggen en schouders van de soldaten, lag een bebloed lichaam met het gezicht omhoog wild te schokken.

Nikki richtte de kijker snel op de huizen die Thorvald bedoelde. Het waren eenvoudige bakstenen huisjes, die deel uitmaakten van de arbeiderskolonie voor de Rode Oktober. Ze waren al maanden geleden in vlammen opgegaan. Hij telde af naar het derde huisje.

Terwijl Nikki speurde, klonk Thorvalds stem hem in de oren, rustig, als de stem van de nieuwslezer bij een filmjournaal die commentaar leverde op de vergrote scène die zich voor hem ontvouwde. 'Tien meter naar links. Wat zie je daar?'

Nikki draaide aan de knop om de kijker scherper te stellen. 'Een stuk gegolfd plaatijzer. Een stuk dak, denk ik, van een van die huisjes.'

'Ja. Heel goed. Mooi, kijk nu achter dat afdak. Dat schuurtje daar. Het zou een pomphuisje kunnen zijn.'

'Ik heb het. Rode luiken.'

'Juist. Nu nog tien tot twintig meter verder naar links. Is daar een loopgraaf voor dat gebouw met dat... Wat is het eigenlijk?'

'Een plakkaat. Een plakkaat met het portret van Stalin.'

'Perfect. Is er een loopgraaf? Ik zag daar iets bewegen. Ga op zoek naar een loopgraaf, vlug, Nikki.'

Puinhopen van bakstenen en grote blokken steen maakten het terrein voor de rij verwoeste huisjes moeilijk te onderscheiden. De sneeuw vervaagde bijna alle details. Maar in een gekartelde lijn leken de sneeuw en de bakstenen opeens te verdwijnen. Daar moet een soort sleuf lopen, wist Nikki. Een loopgraaf.

'Ja, ja, die is er.'

'Volg die loopgraaf. Zorg dat je ze vindt. Ik heb een mondingsvlam in die loopgraaf gezien.'

Nikki spande zich in. De afstand was op zijn minst vierhonderd meter en het terrein daar bevond zich in de schaduw. Hij wist niet precies waarnaar hij op zoek was. Mannen, ja. Maar wat zou hij te zien krijgen? De loop van een geweer of een gezicht – op déze afstand? Onmogelijk.

Nikki verdrong zijn teleurstelling en besloot niet meer naar objecten en vormen te zoeken; in plaats daarvan wilde hij alert zijn op bewegingen. Even later ving hij een glimp op van een grijze vorm die even onder de loopgraafrand op en neer deinde. Een helm. Hij komt deze kant uit!

Deze sluipschutters doen nog een laatste keer de ronde langs hun bliktouwtjes voordat ze zich gaan terugtrekken. Ze trekken eraan en wachten dan op een kans om een schot te lossen. Als die kans komt, pakken ze die en gaan naar het volgende bliktouwtje. Eenheid Vijf, dan Vier, op dit moment Drie en vervolgens Twee. Recht voor ons!

'Hebbes,' fluisterde Nikki. Zijn blik zoog zich vast aan de helm – Daar! Twee man! Ze lopen samen door de loopgraaf. Nikki gaf Thorvald aanwijzingen, zodat hij de doelwitten in het vizier kreeg.

Hij sprak snel en beknopt. Nikki wist dat Thorvald nu door de telescoop tuurde – ook zijn blikveld was vergroot, scherper dan door de veldkijker, maar met een beperktere breedte dan door Nikki's kijker.

'Het laatste huisje, overste. Ziet u het? Nu vijf meter zakken. Een kleine krater; er steekt een wiel van een spoorwagon uit.'

'Ja.'

'Nu weer naar links; een stapel balken onder een stuk golfplaat.'

'Ja.'

'Tien meter zakken. Een regenton, of een bak.'

'Ja, ja.'

'Nu recht omlaag vanaf de toren. Daar hangt dat plakkaat. Nog vijf meter naar links. Ze zitten achter een hoop bakstenen.'

Thorvald zweeg. Nikki wachtte, samen met hem.

De overste zuchtte. 'Jaaahhh.'

'Hebt u ze?'

Thorvalds stem klonk hoog en afwezig. 'Niets zeggen.'

Nikki was vastgeketend aan het ogenblik en deelde via de kijker in de macht en schutterskunst van de meestersluipschutter uit Gnössen. Hij huiverde van pure opwinding, maar hij wist dat de overste die opwinding níét voelde.

De Russische sluipschutters waren gestopt bij eenheid Twee, driehonderd meter van hen vandaan. Ze gingen uiteen; een van de twee liep in de loopgraaf tien meter naar rechts. Ze waren door de veldkijker nauwelijks meer dan stipjes, maar Nikki had het gevoel dat hij hen zag met de helderheid van Gods oog. Een van de helmen dook weg achter de rand van de loopgraaf. De tweede bleef staan. Degene die stond was de schutter, de andere was de waarnemer. Hij had zich vermoedelijk gebukt om zijn geweer neer te leggen en het touwtje en de periscoop te pakken. Is dit ook de denkwijze van Thorvald? Volgt hij ook hun bewegingen op deze manier, radend wat ze doen, zodat hij kan voorspellen wat ze erna zullen doen? Nikki kon het hem niet vragen; hij kon alleen maar toekijken.

Het liefst zou hij de sluipschutters even de sluipschutters laten om een blik te werpen op eenheid Twee. Hij wist echter dat hij dan te veel tijd nodig zou hebben om de minuscule vormen van de verre vijand terug te vinden. Dus bleef hij de kijker gericht houden op de grijze stip, die enigszins afstak tegen het bruin en wit van de achtergrond. De andere stip verscheen niet opnieuw rechts van de eerste. Daar hebben we de schutter, dacht Nikki. Alleen, is hij voor Thorvald zichtbaar genoeg om op hem te kunnen richten? Is hij hoog genoeg boven de loopgraaf? Thorvald gaat niet al onze inspanningen tenietdoen door een kogel af te laten ketsen op een helm.

Twee minuten lang observeerden ze de Russische sluipschutter. De waarnemer bleef onder de rand van de loopgraaf, loerend door een periscoop. De schutter zelf zat ook gehurkt, te laag voor een schot; hij wachtte blijkbaar totdat zijn waarnemer hem zei dat er een doelwit zichtbaar was. Dan pas zou hij zijn oog omhoog brengen naar de telescoopzoeker van zijn geweer.

Thorvald verbrak het stilzwijgen. 'Ze trappen er niet in.'

Nikki was gefrustreerd. Al deze tijd zitten huiveren op de ijskoude vloer van dit krakende gebouw, gehuld in een paar lijkwaden – en nu moesten hij en de overste met lege handen vertrekken.

'Nikki, hoe ver kun je gooien?'

Nikki wist wat Thorvald van hem wilde. De mannen in de loopgraaf hadden niet in het lokaas van de Russen gehapt. Zij hadden dat lege blik vaak genoeg horen rammelen. Ze peinsden er niet over toe te happen; ze zouden niet nóg een blik over de rand riskeren. Er is een Duits offensief aan de gang; het bestaat niet dat de Russen nog naar hen toe zouden tijgeren. Zij daar in de loopgraaf weten dat. Ze zullen denken: laat die sluipschutters maar de pest krijgen – die pakken we wel over een paar minuten, als de aanval over hen heen walst. Wij kijken niet.

Thorvald kon niet schieten. Nog niet. Eerst moest een van de soldaten over de rand gluren. Om de loerende Russische sluipschutter in zijn telescoop te zien verstarren; misschien hoopte hij op een nieuwe mondingsvlam, om beter te kunnen richten.

Er was een nieuw mysterie nodig, een nieuw ratelend geluid in het puin.

De meestersluipschutter had een slachtoffer nodig. Nu.

Nikki overwoog slechts een fractie van een seconde of hij zou weigeren. Zijn aarzeling vloog echter naar huis, naar de boerderij van zijn vader in Westfalen, de armen van zijn zus.

Ik ben weerloos, dacht hij. Wat maakt het uit? Klote, voor mij is er niets meer om te verdedigen.

Thorvald herhaalde de vraag: 'Hoe ver kun je gooien?'

'Ver genoeg.'

Hij legde de kijker neer en stapte bij het venster vandaan. Hij koos een plat en rond stuk baksteen dat goed in zijn hand lag. Die vliegt recht en ver, dacht hij. Ver genoeg. Hij zette zich schrap. 'Nu!' fluisterde hij.

Hij wierp de scherf uit alle macht. Hij zeilde hoog over de hoofden van de Duitse soldaten in de loopgraaf, als een kleine, harde doodsengel. Nikki zag hem niet neerkomen, maar hij wist dat het ver genoeg was. Hij bleef afstand houden van het raam, bang dat een stap naar voren Thorvalds concentratie kon verstoren.

Slechts enkele seconden nadat Nikki de scherf had gegooid, vuurde Thorvald. Zijn rechterhand bewoog zo snel dat het niet meer leek dan een waas – van de trekker naar de grendelknop en terug naar de trekker. Hij vuurde opnieuw toen de rokende huls van de eerste kogel rinkelend op de betonvloer viel.

Thorvald grendelde opnieuw en staarde door de telescoop. Toen liet hij zijn geweer zakken en rolde weg van het raam om de lege patroonhulzen op te rapen.

Buiten het gebouw sloegen tankgranaten en mortiergranaten bulderend in. Het oorlogskabaal, dat de afgelopen minuten aan Nikki's oren voorbij was gegaan, bestormde zijn zintuigen opnieuw. Hij vroeg zich af hoe dichtbij ze al zouden zijn.

Thorvald stond op. De huid rondom zijn oog vertoonde een moet, veroorzaakt door het oculair van de telescoop. Het was net alsof hij een monocle droeg. Hij liet de twee hulzen in zijn hand tinkelen, als minuscule klokjes.

Thorvald keek uit over het spoorwegtalud. 'Mooi zo, korporaal,' zei hij.

Nikki stak zijn hand uit naar het telescoopgeweer. 'Ik hou hem nog een poosje bij me, Nikki,' zei hij. 'Ik heb nog één klusje voor je.'

18

Toen Zaitsev na zijn bezoek aan het hoofdkwartier van Zjoekov terugkwam in de bunker, wachtte hem daar een feest. Het was georganiseerd door Medvedev en was ook zonder hem alvast begonnen. De Beer had elk sectorhoofd dat hij had kunnen vinden het nieuws van Zaitsevs onderscheiding gebracht en erbij gezegd dat Wasja weliswaar de medaille in zijn zak had, maar dat zij die gezamenlijk hadden gewonnen.

Zaitsev duwde de deken opzij. Viktor, Tanja, Sjaikin, Morozov, Tsjekov, Wojasjkin en Danilov hielden alle zeven een fles wodka omhoog, op de een of andere manier aangesleept door Atai Tsjebiboelin, samen met de avondsoep.

De Hazen bewonderden de medaille, hieven hun flessen om te toasten en klopten de Haas op de rug. Na een halfuur uitbundigheid nodigde Zaitsev de aanwezigen uit deel te nemen aan een discussie. Hij vertelde hen van de komst van het hoofd van de Duitse opleidingsschool voor sluipschutters en diens opdracht: spoor de Haas op en doodt hem – hun leider. Danilov liet een dronkemanslachje horen en garandeerde persoonlijk dat zij korte metten zouden maken met dit nazi-zwijn. Zaitsev herinnerde de commissaris eraan dat de Duitser zijn voordeel kon doen met zijn gedetailleerde artikelen over de door de Haas gevolgde tactieken van de afgelopen maand, afgedrukt in *Voor de landsverdediging*, zelfs compleet met een foto van Zaitsev.

Danilov was even uit het veld geslagen, maar toen grijnsde hij raadselachtig en stak zijn fles omhoog voor een toast: 'Des te beter!' De sluipschutters wachtten op nadere uitleg, maar de commissaris wankelde met opgestoken hand onder de deken door, zijn eigen donkere nacht in.

Het beraad duurde voort tot na middernacht. Iedere sluipschutter verwoordde zijn of haar eigen ideeën om voor de supersluipschutter een strik te spannen.

'De man is maar een schoolmeester! Geen echte jager. Ga er recht op af! Daag hem uit!'

'Nee, neem alle tijd. Drijf hem in het nauw. Put hem uit.'

'Maak gebruik van je kennis van de stad. Hij zal heel wat keren de weg kwijtraken.'

'Lok hem mijn sector in, dan pakken we hem daar.'

'Prik hem, irriteer hem, leid hem af.'

'Volg zijn spoor en maak dat kreng af! Wat is de moeilijkheid?'

'Wacht niet af. Neem zelf het initiatief.'

'Kalmte kan je redden. Laat hem maar naar jou toe komen.'

Zaitsev luisterde. Al zijn Hazen hadden gelijk – iedere voorgestelde methode had ooit resultaat opgeleverd. Gebruik een dummy, zet valse schietposities op, neem gevangenen, zorg dat hij kwaad wordt, besluip hem, volg hem, lok hem naar je toe en uit zijn tent enzovoort. Dit was de fascinatie van het duel tussen sluipschutters, kleine oorlogen die nooit in leerboeken over strategie zouden worden beschreven. Er bestonden geen 'klassieke' of 'historische' manoeuvres waarop je kon bouwen, zoals het geval was met grote tankslagen op open terrein, of bij grootscheepse infanterieveldtochten. Er bestond geen recept voor het opzetten van egelstellingen tegen een omsingelingsmacht, er waren geen manoeuvres nodig om de aanvoerlijnen van de vijand af te snijden, er konden geen stormtroepen worden ingezet om een vijandelijk bolwerk te slechten. De strijd van de ene sluipschutter tegen de andere was primitief, met alleen de intuïtie als richtsnoer, jager tegen jager, maar ook prooi tegen prooi. Iedere confrontatie van dien aard werd bepaald door de karakters van de beide kemphanen, en elk resultaat was de vrucht van hun karakters. Iedere schutter droeg één geweer. Iedere schutter werkte op hetzelfde terrein, onder dezelfde hemel. De kansen en gevaren waren even gelijkmatig verdeeld als in een oorlog.

Zaitsev hoorde het allemaal geduldig aan; hij hoorde echter niets van zijn voormalige leerlingen dat hij nog niet wist en waarover hij nog niet zelf had nagedacht. Hij wilde nu nog geen plannen maken. Het was beter eerst af te wachten om te zien welke werkwijze de man volgde, en dan pas te besluiten. Wat zal hij tegen mij proberen? Zal hij zich verplaatsen of op dezelfde plaats blijven? Zal hij zich schuilhouden of laten merken waar hij uithangt? Zal hij...

Genoeg, dacht hij. Hij nam een laatste slok wodka. Ik ken al die strategieën en schijnmanoeuvres. Ik heb ze hen zelf onderwezen.

Hij stuurde de Hazen terug naar het Lazoer-complex, met de verzekering dat hij hun raad ter harte zou nemen en hen op de hoogte zou houden. Hij zei ook blij te zijn met alle informatie die zij over uitzonderlijke sluipschuttersactiviteiten van de nazi's in hun sectoren konden vergaren.

Viktor vertrok voor zijn nachtelijke jachtpartij. Een paar minuten later glipte Tanja weer de bunker binnen.

Ze stond zwijgend in de deuropening, onuitgenodigd, maar zelfverzekerd, alsof de bunker haar eigen domein was. Ze liep zwijgend op hem toe, haar ogen gericht op de zijne. Ze liep langs hem heen en liep achter hem verder. Hij draaide zich om, zodat hij haar kon blijven zien. Hij sloot zich aan bij haar bewegingen alsof hij door een middelpuntzoekende kracht werd aangetrokken om achter haar te komen terwijl zij zich om en om draaide. Tanja trok haar parka uit en hield hem met gestrekte arm in het middelpunt van hun beider omloopbaan. Ze liet de parka vallen en begon haar trui en gevechtshemd los te knopen. Zaitsev volgde haar voorbeeld achter haar rug, en samen wierpen ze hun kledingstukken in het midden van hun kring alsof ze bloemen uitstrooiden over een vijver.

228

Twee uur later sloop Tanja weg. Ze hadden zich in stilte aangekleed en een voor een hun kledingstukken uit de chaotische stapel op de donkere vloer gevist. Vandaag of morgen, dacht Zaitsev, loopt ze nog de bunker uit met mijn broek aan, per ongeluk. Hij moest lachen: hij nam zich voor een goed verhaal voor Viktor te bedenken om erop voorbereid te zijn.

De volgende ochtend werd Zaitsev op zijn slaapmat later wakker dan anders. Mét de ochtendkou kwam wat grauw daglicht binnensijpelen. Hij keek op zijn horloge: kwart voor zeven. Hij wreef zijn ogen uit en begon over zijn lichaam te wrijven om de jeukende stijfheid te verdrijven die het gevolg was van slapen op de kille grond.

Hij stak de petroleumlamp aan. Zijn hoofd was nog wazig van de wodka en het bedrijven van de liefde. Hij nam een homp brood uit zijn rugzak en begon afwezig te kauwen. Waar moet ik beginnen, dacht hij. Waar ga ik op zoek naar een meestersluipschutter die naar mij op zoek is?

Hij besloot om terug te keren naar sector Zes, aan de voet van de Mamajev Koergan, waar hij, Tanja en Danilov gisterochtend overste Thorvald op afstand hadden leren kennen. Als hij toen op de hoogte was geweest van de aankomst van de Bovenmeester, zou hij Danilov hebben weggestuurd en samen met Tanja op hem af zijn gegaan.

Met Tanja. Die gedachte verraste hem een beetje. Jawel, ze is goed genoeg. Ik zal nu met haar naast me kunnen vechten.

Nou, dacht hij, opstaan en naar buiten. Eerst naar het Lazoer-complex om Tanja op te halen, en dan gaan we vervolgens in haar sector op jacht naar deze ss-officier.

Viktor stormde naar binnen. 'Wasja! De moffen hebben een aanval ingezet tegen de Rode Oktober! Grootscheeps! Zes tot zeven divisies!'

'Klote. Nu gaat het gebeuren.' Dit moet de laatste wanhoopspoging van de Duitsers zijn om de stad te bezetten. We wisten allemaal dat het zou gebeuren voordat de Wolga zou zijn dichtgevroren. Nu is het zover. De elfde november, bij het krieken van de dag. En ik heb me verslapen.

Zaitsev greep zijn geweer.

Medvedev pakte Zaitsevs rugzak en extra munitie, en hij praatte aan een stuk door. 'Een front van vijf kilometer breed. Tussen de Banni-kloof en de Wogovstrojevskaja-straat.'

'Wie verdedigen daar?'

'De Vijfennegentigste onder Gorisjni in de fabriek en de corridor. Het centrum wordt verdedigd door de Honderdachtendertigste onder Ljoednikov.'

Zaitsev wierp Viktor het restant van zijn homp brood toe. 'Die geven geen krimp. Waar –'

'Ik ben al in het Lazoer geweest. Ik heb iedere Beer en Haas die ik kon vinden erheen gestuurd. We moeten ons haasten – ze naderen snel.'

Zaitsev vloog achter Viktor de bunker uit, het telescoopgeweer in zijn vuist.

Met zijn vrije hand hing hij zijn pistoolmitrailleur aan de linkerschouder. De zware PPSh en het gebogen, zware magazijn bonkten onder het lopen tegen zijn ruggenwervels. Viktor was behangen met een heel assortiment granaten, patroonbanden, messen, veldkijkers en vuurwapens. Alles rammelde onder het lopen.

De sectoren Twee en Drie, dacht Zaitsev. Daar komt de aanval naartoe. Koelikov zit in Twee, Morozov in Drie.

Nikolai Koelikov. Hij had gisteravond op het feest ontbroken. Waarschijnlijk waren hij en Baoegderis de hele nacht in hun loopgraaf gebleven om bij het aanbreken van de dag verder te gaan met hun rammelende blikken. Nu zitten ze er vermoedelijk al middenin. Ik moet ze zien te bereiken.

Zjoekov heeft me van al mijn overige taken ontheven om die supersluiper uit Berlijn te pakken te nemen. Daar valt nu niets aan te doen. Ik houd me later wel weer met deze Thorvald bezig. Die loopt niet weg. En trouwens, misschien zit hij wel in Sector Twee om mij op te wachten.

De Haas en de Beer renden door loopgraven en verlaten stegen naar de Wolga. Daar, beschut door de kliffen langs de met rommel bezaaide, zanderige oever, lag de hoofdroute vanuit het Lazoer-complex voor de Russische troepen die het industriegebied met de fabriekscomplexen moesten verdedigen.

De Duitse generaal Friedrich Paulus had het bereiken van de rivier verheven tot een prioriteit, dit om de Russische posities daar te kunnen reduceren tot kleine bruggenhoofden, vooral nu, tijdens de bevoorradingscrisis. Onder het lopen voelde Zaitsev echter tot in zijn schokkende botten dat de laatste krampachtige aanval van de Duitsers tot mislukken gedoemd was. Hij wist hoe goed het Tweeënzestigste Leger onder Zjoekov zich had ingegraven. Het heilige vuur van de Russen was met behulp van wodka brandend gehouden en stelselmatig roodheet gestookt door de blaasbalgen van de propaganda, uitgevoerd door de politieke commissarissen die niet ophielden om in de bunkers en schuilplaatsen hun gloedvolle redevoeringen af te steken, fluisterend of hardop.

Toen ze het complex van de Rode Oktober naderden, hoorde Zaitsev kanonnen bulderen en tankgeschut daveren. Viktor vertraagde zijn pas. Grote wolken damp kwamen uit zijn mond. Zijn brede schouders zakten af onder het gewicht dat ze moesten torsen.

Zaitsev klopte hem op de schouder. 'Beer, we moeten voortmaken.'

'Laten we even rusten,' hijgde Viktor. 'Het heeft geen zin om daar zo moe aan te komen dat we geen kans meer zien moffen af te maken.' Hij bleef staan op het zand en bukte zich, de handen op de knieën, briesend als een trekpaard dat net terugkomt van het ploegen.

Zaitsev voelde onder zijn bontmuts zweetdruppels op zijn voorhoofd. Hij keek over de rivier naar de beboste eilanden, ongeveer een kilometer van de oever. Achter die eilanden zullen er massa's voedsel, munitie, wodka, geneesmiddelen en warme laarzen liggen te wachten, dacht hij. De Wolga, de geliefdste rivier uit de Russische folklore, is nu steeds aan het kruien, nog weifelend of hij de bewoners van dit land te hulp zal komen of niet.

De grote ijsschotsen dreven traag in de rivier en schuurden knarsend over en langs elkaar. Langs de oever had zich een melkachtig witte rand van ijs gevormd, ijs dat steeds dikker werd. Hoe lang zou het nog duren voordat er een legertruck overheen kon rijden? Een maand misschien? Zullen we er dan nog zijn?

'Ik ga voor, Viktor.' Zaitsev begon aan een sprint over de oever. 'Goeie jacht!' Hij liet de hijgende Viktor staan. Het zand knerpte onder zijn laarzen. 'Wasja,' siste het zand, 'vergeet de Bovenmeester niet.'

De enorme ijsschotsen in de Wolga schuurden langs elkaar hen en riepen hem toe: 'Wasja, hij zoekt je!'

Eenmaal bij de oever vandaan, terug in de straten, leken de kale voorgevels zich naar hem toe te buigen om hem iets in het oor te prevelen.

'Wasja, pas op je tellen,' zei de stad.

Hij bleef staan en keek in de straat om zich heen. Een compagnie Russische soldaten draafde langs hem heen, een man of honderd. Overal om zich heen hoorde hij kreten en geweerschoten.

'Thorvald, Wasja. Thorvald...'

De strijd woedde nu achter hem. Hij dook loopgraven in en klom vliegensvlug door de vensters van de gebouwen op zijn weg. Zijn gehoor was even scherp en alert als zijn ogen, altijd klaar om als een kameleon te verstijven bij de minste beweging of het geringste geluid tussen de puinhopen. Hij kwam onopgemerkt vooruit, zoals hij wist dat hij dat kon.

Hij verplaatste zich met een kracht die boven de normale kracht in zijn armen en benen uitsteeg. Ze was in zijn maag, in zijn zintuigen, die kracht. Hij besefte dat de oorlog op dit moment even niet op hem lette. Die had elders al zijn aandacht nodig. Hij was op het toppunt van zijn kunnen, op zijn sterkst en op zijn schranderst, alert op elk gevaar, klaar om de confrontatie aan te gaan en de eerste klap uit te delen. Zo haastte hij zich langs de zoom van het strijdtoneel, instinctief bereid om te verdwijnen in het weefsel van de gewapende strijd. Hij had het weliswaar geprobeerd – bij menige fles en vele sigaretten, in tientallen loopgraven onder het flakkerende licht van mondingsvuur of onder neerdalende lichtkogels, nu eens in het gezelschap van groentjes, dan weer in dat van geharde veteranen – maar hij had nooit de woorden kunnen vinden om het uit te kunnen drukken: oorlog – als je het eenmaal kent, als je het in je hebt – is een beest. Je kunt het verjagen of je ervoor schuilhouden, je kunt het kwaad maken of het iets anders te vreten geven dan jezelf. Je kunt het niet beheersen, maar je kunt je de manier van denken eigen maken. Dit was het soort bekwaamheid dat Zaitsev zijn Hazen niet kon bijbrengen. Het leefde in zijn binnenste, op het niveau van de ingewanden, diep onder het verstand en alle

woorden; hij had het in de taiga ingeademd, toen het door zijn grootvader eenmaal in zijn bloed gewekt was. Een soldaat bezat het, zoals Viktor Medvedev en
Anatoli Petrovitsj Tsjekov, of je verwierf het alsnog, zoals in Tanja's geval, óf je
had het niet en zou het ook nooit krijgen, hoe dapper of intelligent je ook
mocht zijn. Hij dacht terug aan de jonge Beer die omgekomen was, Fedja.

Hij vroeg zich af hoe het met de Bovenmeester gesteld zou zijn. Heeft hij het?
Zit zijn bekwaamheid als doder in zijn verstand of in zijn bloed? Is hij een leraar,
een soldaat of een jager?

Wat zal deze Thorvald mij willen laten zien? Hoe geduldig hij is? Waar zou hij
uithangen? Ligt hij ergens te wachten totdat hij mij in zijn kruisdraden kan
brengen, of is hij nog bezig mij te besluipen? Zal hij proberen mij naar buiten te
drijven, of zal hij een valkuil voor me graven, in de hoop dat ik erin zal vallen?

Zaitsev staarde naar de kale casco's van de ruïnes tegenover hem. Hij keek
naar de uitgebrande huisjes van de arbeiderskolonie ten noorden van de resten
van de Rode Oktober; daarginds, diep in de rokerige verte, lag het Barricaden-
complex. Hij dacht aan de stad die zich achter hem langs de zich krommende
oever van de Wolga uitstrekte – één grote, halvemaan van verwoestingen. Nu
was het allemaal anders. Eerst was Stalingrad een slagveld geweest, met stafkaarten, sectoren, frontlinies, flanken, aanvoerroutes, de rivier – allemaal
bouwstenen die de stad karakter verleenden. Hij had de stad grondig leren kennen door zich op de best mogelijke manier vertrouwd te maken met het terrein, namelijk door zich erin schuil te houden. Vanaf zijn eerste dagen bij de
stormtroepen had de stad zich geroerd in een ritme dat Zaitsev had kunnen
voelen, net als het ritme van de bossen, of de getijdenbeweging van de Grote
Oceaan in Wladivostok. Nu loerde er in al deze schaduwen en spleten een
woest, onvoorspelbaar element: één enkele man met een specifieke opdracht –
hem, de Haas, opsporen en doden. Een ss-officier, een meestersluipschutter,
uitgerust met bekwaamheden waarnaar Zaitsev alleen maar kon raden, en ook
nog gewapend met een foto van zijn prooi en een map vol krantenknipsels met
Danilovs artikelen die tot in alle details beschreven welke sluipschuttersfoefjes
Zaitsev allemaal had uitgevonden en toegepast.

Als Thorvald de sluipschutter was die de dummy in Sector Zes vier keer had
geraakt, was hij griezelig snel en dodelijk trefzeker. En toen Zaitsev zich het kapotte hoofd van Pjotr voor de geest haalde, wist hij dat er nog iets anders met
hem aan de hand moest zijn. Iets buitenissigs of misschien zelfs bizars.

Zaitsev ging ver genoeg naar het westen om het spoorwegemplacement langs
de arbeidersnederzettingen van de Rode Oktober te kunnen zien. Hij bevond
zich in de buurt van de diepvriesmagazijnen, pal ten noorden van het Lazoeur-
complex. Achter hem, een halve kilometer maar, zette Striakov de tegenaanval
in. Links van hem hoorde hij de echo's van Duitse tanks en laarzen tussen de
puinhopen en naakte gevels. De Duitsers trokken op om Striakovs tegenstoot
te pareren.

De schietposities die hij met Koelikov en Baoegderis had gedeeld, waren hier vlakbij. Hij verkende het terrein met zijn telescoop – de veldkijker was voor dit werk beter geschikt, maar hij had graag de vinger om de trekker in dit soort onzekere situaties – op zoek naar de vijf spoorwagons. Daarachter bevond zich de Duitse loopgraaf, Koelikovs jachtterrein van de vorige middag, waar hij met zijn rammelende blikken had geopereerd.

Hij tijgerde twintig meter naar voren. De eerste spoorwagon kwam in zijn blikveld, helemaal aan het eind van het rangeerterrein op een talud, onder een rij loodsen. Hij herkende dit terrein. Hier, nog ongeveer vijftig meter naar links, moest Koelikovs loopgraaf liggen.

Het laatste stuk moest hij over open terrein. De grond lag bezaaid met rommel. Zaitsev bood weerstand aan de neiging om het laatste stuk te sprinten en tastte in zijn rugzak naar de zak van mousseline. Hij stopte zijn telescoopgeweer en pistoolmitrailleur erin en trok het koord aan. Nu tijgerde hij langzaam het open terrein in, het koord in zijn handen. Langzaam kroop hij verder, plat op zijn buik. Hij deed vijf minuten over twintig meter, want om de paar tellen stopte hij om één te worden met het terrein. Hij kroop een ondiepe krater in. Zaitsev begon het koord in te halen en trok de smerige bruine zak heel langzaam over het open terrein naar zich toe. Intussen dacht hij na over dit soort attributen op het slagveld en de manieren waarop hij er zijn voordeel mee kon doen. Als je voorzichtig en waakzaam genoeg was, kon je altijd wel dekking vinden. Als je wist hoe je je moest verplaatsen, kon je naar believen de hele stad doorkruisen en onzichtbaar blijven in de grillige schaduwen en puinhopen. Daar hadden de Duitsers niet aan gedacht toen zij in augustus en september meedogenloos de stad waren blijven bombarderen; ze hadden er geen moment bij stilgestaan dat ze volop bezig waren rattennesten, doorgangen, bomkraters en schaduwen te creëren waarmee de Russische soldaat zijn voordeel kon doen.

Pas na een halfuur bereikte hij de rand van de loopgraaf. Hij had geen idee wat hij er zou aantreffen. Hij trok de geweerzak vlug naar zich toe en nam de wapens in zijn handen.

Nu hield hij zich stil om zijn zintuigen het rangeerterrein en de bebouwing eromheen te laten aftasten. Hij wist met zekerheid dat hij onopgemerkt was aangekomen. De Duitse aanval had zich tot achter hem verplaatst; hij voelde dat het rangeerterrein volkomen verlaten was. Hier, op nog geen kilometer van de strijd, waren de gebouwen doodstil; ze weerkaatsten alleen de driftige echo's van de strijd die woedde vanaf de kliffen langs de Wolga in het noordoosten tot in de ingewanden van het fabriekscomplex.

Hij liet zich de loopgraaf in glijden, in de hoop dat hij de beide Hazen er niet zou aantreffen. In de doodse stilte van het rangeerterrein gaf hij tegenover zichzelf toe dat hij nog nauwelijks durfde te hopen Koelikov en Baoegderis levend terug te vinden. Als ze nog in de loopgraaf zijn, dacht hij, komt dat doordat ze dood zijn. Bij het krieken van de dag had deze loopgraaf deel uitgemaakt van de zoom van de frontlinie zelf. De Duitse aanval moest op volle kracht over hen heen zijn gewalst, voordat er iets was dat het offensief kon vertragen. Misschien hadden ze zich kunnen terugtrekken over het open rangeerterrein, maar alleen sprintend, en dan zouden ze getroffen zijn door vuur uit wel honderd geweren.

Hij besefte dat hij een onuitgesproken bevel had opgevolgd door hierheen te komen, op zoek naar Koelikov en Baoegderis. Zelfs als hij alleen hun lijken zou aantreffen, realiseerdehij zich, kon hij zijn vrienden eigenlijk niet laten liggen om onder de winterse hemel te bevriezen of weg te rotten. Hij wist ook dat hij niet in staat zou zijn hun lichamen weg te halen voor een fatsoenlijke begrafenis; dat zou moeten wachten totdat de Duitsers uit Stalingrad waren verdreven. Om echter aan hun moeders te kunnen schrijven hoe hun zoon was gestorven, moest hij hierheen komen, dat had hij geweten. Dit was, diep in zijn hart, ook wat hij voor zichzelf wenste, als hij ooit klem mocht komen te zitten en de dood vond.

Eer aan de doden, trouw aan de levenden. Niemand mag deze dingen verlangen als hij ze niet zelf kan geven; dan verdient hij ze eenvoudigweg niet. Dit was billijk. Dit was een van de wetten van leven en dood.

Zaitsev had al vijftig meter door de loopgraaf gekropen voordat hij hen zag. Hij haastte zich naar de lijken, ineengezakt op de bodem, en zijn hart begon aan de snelle val naar woede.

Het eerste lijk was dat van Baoegderis. De Georgiër lag ruggelings tegen de loopgraafwand, de armen gespreid, de benen onder zijn lichaam geknikt. Zijn houding leek vreugde uit te drukken, alsof hij was opgesprongen om met zijn armen te zwaaien en een kuitenflikker te slaan. Zijn gezicht logenstrafte die indruk. De rechteroogholte was een bloederige, chaotische massa vlees. Er lag een dikke korst zwart bloed over zijn rechterschouder en -arm, afkomstig uit het gat dat zich, zoals Zaitsev wist, in zijn achterhoofd moest bevinden.

Rechts van Baoegderis lag Koelikov. Zijn helm lag naast hem, met een kogelgat in de zijkant. Bij zijn hand lag de artillerieperiscoop.

Zaitsev stapte over Baoegderis' lijk heen om naast Koelikov neer te hurken. De helft van het gezicht en de hals van zijn vriend waren bedekt met geronnen bloed. In zijn oor had zich een zwart plasje verzameld.

Zaitsev boog zich naar hem toe om de wond in Koelikovs slaap te onderzoeken. In het midden van de wond, in het hart van het geronnen bloed, klopte een lichtrode massa als een minuscule tong die om beurten werd uitgestoken en teruggetrokken. Een sijpelend beetje bloed vormde zich tot een druppel en biggelde dan als een rood lintje over de korst geronnen bloed. Het hield op, maar het was ver genoeg gezakt om Zaitsev duidelijk te maken dat Koelikov nog leefde.

Zijn handen vlogen naar de hals van zijn vriend, zijn duimen tegen zijn wangen. Hij schudde hem door elkaar, hard. 'Nikolai! Doe je ogen open!'

Koelikov ademde uit en zijn hoofd zwaaide even. Zijn oogleden knipperden en Zaitsev kon het wit van zijn ogen zien.

Hij gaf een pets tegen Koelikovs wang, steeds harder, tot de ogen open bleven en focusten. Zaitsev rekte zich uit naar zijn rugzak en zijn veldfles. Hij wrong Koelikovs mond open en goot er water in. Het meeste ervan stroomde langs Koelikovs hals, totdat hij begon te slikken.

'Rustig, rustig, Nikolai. Het is goed.'

Koelikov duwde de veldfles weg en hoestte. Hij loenste en kreunde. Zijn hand ging omhoog, maar hij had niet de moed de wond te betasten.

'Wa... wat is..., Koelikov draaide zich om naar Baoegderis. Hij ontdekte de bloederige massa in het gezicht van zijn vriend. 'O, nee, klote,' mompelde hij, plotseling met angst in zijn ogen.

'Je maakt het goed, Nikolai,' zei Zaitsev geruststellend. 'Je hebt alleen een vleeswond aan je hoofd. Je gaat niet dood. Ik breng je terug.'

Koelikov sloot zijn ogen. Hij haalde diep adem. 'Die aanval. Waar...' zei hij, met een stem die op zoek was naar kracht.

Zaitsev viel hem in de rede. 'Dat zit wel goed. Die zitten nu achter ons. Ze zijn langs jullie heen getrokken.'

Koelikov liet zijn hoofd achterover en keek naar de ochtendhemel. Zijn mond maakte een grimas. 'Ik herinner me er niets van. Nog wat water.'

Zaitsev gaf hem de veldfles. Wat bedoelt hij – herinnert hij zich niets van die aanval? Ja, hij is meer dan twee uur buiten westen geweest. Is dat dan niet de oorzaak dat Baoegderis is gesneuveld en Koelikov gewond is geraakt? De Duitse aanval walste over hen heen; ze konden zich niet terugtrekken; ze hebben verzet geboden en gevuurd.

'Nikolai,' vroeg hij, 'hoe kom je aan die wond?'

Koelikov keek opnieuw naar Baoegderis. 'Sluipschutter.'

Zaitsevs kaakspieren verstrakten.

Koelikov worstelde om overeind te komen. 'De aanval kwam kort nadat het dag begon te worden. We konden hier onmogelijk blijven. Maar toch...' Hij snoof; het klonk bijna als een somber lachje. 'Ik denk dat we dat toch gedaan hebben.'

Zaitsev wachtte totdat Koelikov weer enigszins bij zijn positieven was.

'We waren van plan om aan die kant de loopgraaf te verlaten. Als we sprintten, konden we misschien die diepvriesmagazijnen nog halen. We liepen die kant uit en trokken nog een laatste keer aan een touw. We hebben niet lang gewacht, net genoeg om te zien wat we naar boven konden lokken. We kregen er nog een te pakken.'

Nikolai betastte zijn wang. Trillend raakten zijn vingers de bobbels geronnen bloed aan, die zich daar hadden verzameld als afgedropen kaarsvet. Hij streek over het haar aan zijn slaap en voelde dat het een harde korst was. Toen zijn vingertoppen de wond naderden, kreunde hij.

'Laat die maar met rust,' zei Zaitsev. 'Daar gaan we gauw genoeg wat aan doen.'

Koelikov liet zijn hand terugvallen en grinnikte moeizaam vanwege de pijn, nerveus, om zijn geluk.

Hij vervolgde: 'Toen we eenmaal hier waren, trok ik aan het touw en ging waarnemen. We hadden al wat haast, toen. Er gebeurde niets en we stonden op het punt door te lopen naar de laatste schietpositie. Toen, waarom kan ik je ook niet zeggen, zag ik dat een mof zijn kop opstak. Ik zei Zviad waar hij moest schieten. Hij vuurde en op hetzelfde moment werd hij zelf geraakt.'

Op de rand van de loopgraaf, in de modder waarin hij was neergekomen toen de kogel doel trof, lag Baoegderis' Moisin-Nagant. Zaitsev trok het wapen de loopgraaf in en hijgde van verbazing.

De zoeker van de telescoop was verbrijzeld. De kogel was daar ingeslagen en was door de buis heen Baoegderis' rechteroog binnengedrongen. Baoegderis had niet eens de twee seconden gekregen die nodig waren om te vuren en zijn blik los te maken van de telescoop voordat de Duitser hem had gedood.

Zaitsev haalde de grendel van het wapen naar achteren om de lege huls uit de kamer te verwijderen. Hij heeft niet eens een vin kunnen verroeren, wist hij. Baoegderis heeft gevuurd, zag zijn kogel doel treffen en stierf ter plekke.

'Ik heb niet gezien waar het vandaan kwam,' zei Koelikov hoofdschuddend. 'Ik... Ik was zo... toen hij geraakt werd, kwam die kogel uit het niets. Ik scheet bijna in mijn broek, Wasja. Ik denk dat ik van schrik ben opgestaan.'

Zaitsev knikte. 'Niet langer dan een seconde,' mompelde hij, meer tegen zichzelf dan tegen Koelikov.

'Thorvald. Hij is hier geweest. En de schoft wil dat ik dat weet.'

'Niet langer dan een seconde,' beaamde Koelikov. 'Ze moeten met twee of drie man zijn geweest. We... we zijn te lang gebleven.'

Koelikovs ogen begonnen te glinsteren. Hij keek weer opzij naar Baoegderis. Een traan trok een glinsterend spoor over zijn bloederige wang.

'We maakten er een sport van, Wasja,' fluisterde hij. 'Zonder reden. We hadden gisteravond weg moeten gaan. We zijn echter gebleven. Alleen voor die verdomde treffers.'

Zaitsev knikte. Hij begreep het. Nu zat Nikolai Koelikov te huilen, een van zijn beste en slimste Hazen. Hier was een sluipschutter in tranen, een getrainde en doelgerichte doder die het moorden betreurde. Zaitsev wist waarvan Koelikov getuige was geweest; hij had zijn eigen ziel gezien. Hij had de bezoedeling van moord op zijn ziel gezien en was vol afschuw teruggedeinsd. Dit was wat dit knekelhuis met Koelikov had gedaan en wat het nog zoveel andere mannen van beide legers zou aandoen. Eerst veranderde het hen in mannen die vol overtuiging voor hun vaderland aan het doden sloegen; daarna in jagers, uit op opwinding en vermaak of om wraak te oefenen. Hoe vaak kon je een trekker

236

overhalen en een leven vernietigen voordat de werkelijkheid zich tegen je keert en je ontdekt dat je in feite bezig bent je eigen geest te vernietigen?

Koelikov had bijna honderd man verrast met een kogel; Zaitsev zelf bijna twee keer zoveel. Koelikov en Baoegderis hadden van de kunst, de noodzaak en de gruwel van het doden een sport gemaakt. Zaitsev dacht terug aan het bloedbad in de Duitse officiersbunker. Die nacht had hij, verontrust als hij was door het onmenselijke van die daad en het volslagen gebrek aan militaire noodzaak, veel geluk gehad. Ook hij had het ziekelijke van al het moorden dat hij had gedaan beseft, even indringend als Koelikov zich er nu van bewust was. Zaitsev had echter het vuur van Tanja bij zich gehad om het ijs in zijn hart te doen smelten en de pijn in zijn binnenste tot bedaren te brengen totdat hij in staat zou zijn die te beteugelen. Nu staarde Koelikov in deze loopgraaf over zijn bebloede schouder naar de vrucht van zijn eigen sport, het dodenmasker van Baoegderis, en begon het verderf van Stalingrad zijn ziel aan te vreten.

Wiens schuld is dit, vroeg Zaitsev zich af, de snikkende Koelikov naast hem. Hebben ze ons dit niet opgedragen te doen, aan de lopende band? Maak de nazi's af. Sla ze de grond in, bijt hen de strot af, blaas hen op, steek hen dood, verdelg ze totdat ons land ervan is bevrijd. Wij zijn allemáál bloeddronken, als dolle honden. Elk woord dat we horen en in *Voor de landsverdediging* en de *Rode Ster* lezen zegt ons: maak die Duitsers af. De *politroeks*: dood de Duitsers of sterf zelf. De stroom wodka die voor ons nooit schijnt op te drogen: blijf dronken, blijf als verdoofd en ongevoelig en dood de Duitsers. Waar je hen ook aantreft – als ze hun blaas legen of in hun bunker slapen – nooit zijn ze minder dan wat ze zijn: schofterige, moorddadige, stinkende nazi's, vijanden van het communisme die geen vergiffenis, geen medelijden en geen redding verdienen. Dood de nazi's of sterf!

Zaitsev legde het geweer over de dijbenen van de dode Georgiër. Hij knoopte zijn parka los en stak zijn hand in de binnenzak om Zviad Baoegderis' lidmaatschapskaart van de Komsomol te pakken.

'Laten we gaan, Nikolai. Kun je staan?'

Koelikov worstelde om overeind te komen. Zaitsev ondersteunde hem. Hij drukte zacht op de rug van de gewonde om hem eraan te herinneren dat hij gedekt moest blijven. Zaitsev raapte Koelikovs periscoop op en keek om zich heen om de bodem van de loopgraaf af te speuren.

'Waar is je geweer?'

Koelikov keek ook naar de grond. 'Dat ligt... Waar is het?'

Zaitsev had het gevoel alsof hij tussen de ijsschotsen in de Wolga was beland. IJsnaalden priemden in zijn huid.

Hij is hier geweest, wist hij. Hij is in deze loopgraaf geweest. In gedachten zag Zaitsev de hoge, zwarte laarzen van de nazi-overste over dezelfde grond lopen als waar hij nu op stond. Misschien heeft hij sporen achtergelaten? Nee, hij niet.

Hij keek voor de laatste keer om naar Baoegderis. Is het niet genoeg, dacht hij. De schoft maakt er nu zelf een sport van; hij verzamelt trofeeën van de mannen die hij doodt. Of nee, geen trofeeën. Hij wist dat hij twee sluipschutters had geraakt, nietwaar? Dus moest hij wel hierheen om te zien of ik erbij was. Dat is zijn opdracht. Als hij mij heeft gedood, kan hij naar huis.

Hij heeft mijn foto uit *Voor de landsverdediging*.

De Bovenmeester heeft gewacht totdat de Duitse aanval de loopgraaf voorbij was en is er toen achteraan gekomen. Nu weet hij dat hij me heeft gemist. En hij heeft de Moisin-Nagant meegenomen bij wijze van bonus. Dat geweer is beter dan zijn Mauser, en dat weet hij ook.

Zaitsev bukte zich nog wat dieper in de loopgraaf en duwde Koelikov voor zich uit. Zit Thorvald nog steeds in die ruïnes? Heeft hij zich daar genesteld om af te wachten totdat ik een van mijn Hazen kom redden? Is dit een val? Met Nikolai als lokaas? Of heeft hij Koelikov expres laten leven om mij te vertellen hoe onvoorstelbaar goed hij schiet?

'Kom, Nikolai,' zei hij. 'Laten we maken dat we hier wegkomen.'

19

Thorvald trok de manchet van zijn witte camouflageparka over zijn polshorloge. Nikki was al bijna een uur weg.

Hij keek door het venster, door de wolk van stof en rook, opbollend onder de groter wordende zon. Hij leunde achterover. Zijn lichaam herinnerde zich de nacht die hij hier had doorgebracht. De kille, ruwe betonvloer gaf nu eenmaal niet mee. Deze jongen verplaatst zich opmerkelijk voorzichtig, dacht hij. Slechts vierhonderd meter heen en vierhonderd meter terug, en hij neemt er ruim een uur de tijd voor. Geduld als hulpmiddel, als wapen. Nikki weet dat. Nikki is uit het goede sluipschuttershout gesneden.

Thorvald sloeg zijn armen weer om zijn geweer, zodat ze op zijn borst konden rusten. Zo had hij sinds Nikki was weggegaan achterover gelegen, als een lijk dat een geweer omklemt, in plaats van een bloem. Hij tilde zijn hoofd op om langs zijn witte camouflageparka en -broek naar zijn laarzen te kijken. Hij tikte zijn voorvoeten tegen elkaar, genietend van de slapstickbeweging. Nog volop in leven, dacht hij. Alles werkt nog. Hij bracht het puntje van zijn neus in contact met de loop van zijn wapen. Het metaal was koud zoals alleen metaal koud kan zijn, nu de warmte van de afgevuurde kogels allang door het zwarte oppervlak was uitgestraald. De geur van olie en rook, van flitsende snelheid, zweefde uit de monding van de loop tegen zijn wang. Thorvald omhelsde zijn wapen. Hij wreef zijn met stoppels begroeide onderkaak over het nokje van het open vizier op het voorste deel van de loop. Het geweer in zijn armen stond voor alles wat hij níét was. Het was het ontbrekende deel van zijn wezen, de hardheid en rechtlijnigheid die geen deel uitmaakten van zijn lichaam. Zo'n wapen blijft zijn natuur altijd trouw, peinsde hij. Het geurt naar dodelijkheid, zijn ware natuur: koud, hard en dodelijk. Het is voltooid, beslist.

De geluiden van het Duitse offensief daverden langs het open venster. Voordat hij wegging, had Nikki gezegd dat de man die daar dood in de loopgraaf lag zeer waarschijnlijk níét Zaitsev zou zijn. De Haas zou dit soort fouten nooit hebben gemaakt; hij zou niet tot het bittere eind zijn gebleven, alleen om nog méér vijanden te kunnen doden. Daar staat hij boven; het past een levende legende niet. Te weinig zelfdiscipline. Nee, dacht Thorvald, deze Zaitsev is geen sportman, geen wedstrijdschutter, zoals ik. Deze man is een jager. Hij geeft de voorkeur aan een prooi in het wild.

Thorvald keek omhoog naar de geblakerde dakspanten. Zijn blik hechtte zich aan een reep stucwerk dat door een raadselachtige kracht was blijven hangen en zacht bewoog in de kille wind. Hij leerde iedere dag meer over Zaitsev, net zoals hij dagelijks meer van Stalingrad te weten kwam. Deze twee – deze man en deze stad – zijn onlosmakelijk met elkaar verbonden. Ze zijn elkaars volmaakte tegenhanger en vullen elkaar dus volmaakt aan. De stad is een wreed strijdperk, dat geen onderscheid kent. Dit is het vleesgeworden lijden, met zijn luizen, vuil en gruwelijke aangezichten. Hier is iedere schaduw geïnfecteerd met verwonding en dood. Stalingrad is een gevallen ding, een en al scherven en afzichtelijkheid. Bij iedere pijnscheut schreeuwt en schokt het van pijn, als een oude muilezel in doodsnood. Zaitsev blijft echter stil onder al dat gekrijs van de stad. Hij is het massieve, stille ijs, de vernietigende kou van de Russische dageraad. Hij heeft zijn wil. Hij is niet tot op het bot uitgekleed, zoals de stad. Hij is gehuld in trots, met zijn stomme Siberische vastbeslotenheid om vol te houden. Deze sergeant-majoor met de bossen in zijn bloed beseft niet eens waar hij is. Hij waant zich nog altijd in zijn vervloekte bossen, ergens in de bergen. Hij heeft niet opgemerkt dat de kleuren verdwenen zijn. Dat de bossen in vlammen zijn opgegaan, en dat de eerste slachtoffers in die vuurstorm van te voren bekend waren: eer, orde en genade, juist de eigenschappen die mensen boven de dieren stellen die voor Zaitsev zo belangrijk zijn. Het is zoals het in de muziekdrama's van Wagner tot uitdrukking komt, of in de filosofische ethiek van Schopenauer en Nietzsches superieure mens: wij staan boven de dieren, wij zijn schepselen van een hogere orde. Maar in de strijd op leven en dood, waarin mannen nog maar één ding willen – elkaar doden – wordt hun menselijkheid in het verzengende vuur van hun haat gecremeerd. Dan degenereren zij tot woeste, schichtige moordenaars. Zaitsev jaagt op hun dierlijkheid; hij weet hen door hun dierlijkheid te vinden en vernietigt hen erom.

Zaitsev zal nooit ontwaken, deze man met zijn 'één kogel de man'-credo, zijn vreemde moraliteit. Hij slaapwandelt. Belachelijk, de idee van eervol doden – een *contradictio in terminis*. Zo zit het dus. De Haas verschilt zo van Stalingrad dat de stad hem camoufleert en zelfs beschermt, want op de een of andere manier – dankzij de intuïtieve gemoedstoestand van de jager die *in* het bos vertoeft, maar er geen *deel* van is – kan deze stad hem niet raken.

Nee, die dode man daar in de loopgraaf is niet Wasilji Zaitsev. Nog niet.

Nikki stond onder aan de trap en riep naar boven. Thorvald had hem niet horen naderen. 'Overste? Ik ben terug. Kom naar beneden.'

Thorvald kwam stijf overeind. Zijn gewrichten waren pijnlijk als gevolg van anderhalf uur roerloos liggen. 'Nou?' vroeg hij terwijl hij de ijzeren trap afdaalde. 'Hoe hebben we het gedaan?'

Nikki hield een lang Russisch telescoopgeweer omhoog. 'Er waren daar twee sluipschutters, overste. Geen Zaitsev.'

'Hmm. Dat verbaast me niets. Ik veronderstel dat we goed zullen moeten zijn, in plaats van fortuinlijk. Denk je ook niet, Nikki?'

Thorvald wees naar de Moisin-Nagant. Hij had dat wapen in Gnössen vaak genoeg gezien, had er instructie over gegeven. Goede geweren, betrouwbaar onder zware omstandigheden, maar een tikje traag.

'Als er twee doden zijn,' vroeg hij, gebarend naar de Moisin-Nagant, 'waarom heb je dan maar één geweer meegebracht?'

Thorvald gaf zijn Mauser aan Nikki om de Moisin-Nagant te kunnen bekijken. Het Russische wapen was zwaarder. Het voelde onhandelbaar aan, onbeholpen, log als een ploegpaard, dacht hij. Maar daar hebben de Russen verstand van. Zij weten dat ploegpaarden robuust zijn.

'Nou, korporaal?' drong hij aan. 'Waar is dat andere geweer?'

'Dat andere geweer...' zei Nikki met een afwezige blik in zijn ogen; misschien was hij in gedachten terug in de loopgraaf en verscheen er weer iets voor zijn geestesoog dat hij daar had gezien. 'Dat deugde niet meer. Ik heb het laten liggen.'

'Uitstekend. Het heeft geen zin beschadigde wapens over dat rangeerterrein mee te sjouwen. Ik zei het je al toen je wegging – ik had al zo'n idee dat een van die Russische wapens beschadigd zou zijn.'

Thorvald had het druk met de Moisin-Nagant. Hij tuurde door de telescoop, wendde zich af van Nikki en maakte plotselinge bewegingen met de loop – richten, trekker overhalen! Nee, ongeschikt voor een valstrik, want topzwaar.

'Wat mankeerde er precies aan, Nikki?'

Nikki wachtte. Thorvald tuurde geconcentreerd door de telescoop en wachtte op antwoord, met het zelfvertrouwen van een honkballer die een bal loodrecht omhoog heeft gegooid en nu op de terugvallende bal wacht.

Nikki schuifelde wat met zijn voet in de rommel.

'Niemand is zo goed, overste.'

Zonder te hoeven kijken wist Thorvald dat Nikki naar hem staarde. De jonge korporaal was met hem verbonden als een vis aan de haak, vanwege datgene wat hij in de loopgraaf had gezien.

Thorvald bewoog de loop van het Russische geweer omhoog en weer omlaag. Log. Maar betrouwbaar. Dodelijk. 'Ik kan hiermee treffers plaatsen. Dat zeker.'

'Doe me een genoegen, korporaal. Vertel me hoe het zit met dat andere geweer.'

'Dat andere geweer was in de telescoop getroffen.'

Thorvald liet de Moisin-Nagant zakken. 'Werkelijk?'

Nikki hing de draagriem van de Mauser aan zijn schouder. Hij stak zijn hand uit naar het geweer in Thorvalds handen. 'Een knap schot, overste.'

Thorvald deed zijn witte wanten aan en liep achter Nikki aan naar de straat. Soldaten renden bedrijvig in alle richtingen.

'Het was niet zozeer een schot,' zei Thorvald voor zich uit. 'Eerder een visitekaartje.'

Het kon hem niet schelen waar ze heen gingen; hij wist dat Nikki hem goed door de puinhopen zou loodsen. Hij had gelijk gehad toen hij de voorkeur aan deze jongeman had gegeven, in plaats van een van Ostarhilds sluipschutters. De jonge korporaal kende het slagveld. Hoewel Thorvald het eigenlijke schieten voor zijn rekening had genomen, had Nikki hem naar zijn doelwitten van vanmorgen gebracht en het stuk baksteen gegooid dat het lot van de Russische sluipschutter had bezegeld. En daarna was de jonge korporaal op zijn bevel door de ruïnes getijgerd om het Russische geweer te halen, zich ervan te overtuigen dat het niet Zaitsev was die hij had gedood, en om zijn 'visitekaartje' te verifiëren.

Mooi, dacht hij. Het loopt allemaal goed. Nikki moest met eigen ogen zien waartoe ik in staat ben.

Ze verplaatsten zich vijf kilometer naar het westen, naar de achterhoede, waar de bedrijvigheid van mannen en oorlogsmachines afnam. De oorlogsgeluiden verdwenen naar de achtergrond; de krakende explosies van mortiergranaten en de doffe dreunen van het tankgeschut werden door het netwerk van straten en stegen gedempt. Zelfs het razende venijn van ordonnansmotoren werd algauw opgeslokt door de geblakerde puinhopen om hen heen. De gedecimeerde stad leek niet alleen levens op te slokken, maar ook licht en geluid.

Thorvald bleef staan en ging op zijn rugzak zitten. Hij beduidde Nikki hetzelfde te doen. Hij wilde praten.

Thorvald keek naar de ruïnes. Boven de weggebombardeerde daken stegen de geluiden en het kruitdamp van het Duitse offensief als vrijgelaten schimmen naar de hemel op. De stad gromde; de beide legers klauwden naar elkaar.

'Kijk eens om je heen, Nikki.' Zijn armgebaar omsloot het hele smörgåsbord van verwoestingen. 'Kijk goed. Tienduizenden mannen, die allemaal dezelfde kant op gaan. En jij en ik, wij gaan onze eigen gang, alleen wij tweeën. Wij vechten een andere oorlog uit.'

Krakende mortierexplosies leken zijn woorden te onderstrepen. 'Wij gebruiken niet eens dezelfde wapens als de rest. Wij slaan niet alles neer wat ons voor de voeten komt, proberen niet iedere Rus die we kunnen vinden te doden. Wij werken alleen; wij hebben onze eigen opdracht om een tegenstander op te sporen en te elimineren. Wij zijn niet met bommen, tanks en bataljons op zoek naar Rode eenheden. Wij zoeken één man, en zijn alleen hiermee bewapend.' Zijn wijsvinger priemde naar het Duitse en Russische sluipschuttersgeweer die Nikki op de grond had gelegd.

'Hoe pakken we dat aan? Hoe vinden we deze ene, stille man in al dit kabaal? Het brengt me van de wijs, en eerlijk gezegd maak ik me wat zorgen.'

Thorvald keek naar de verwoestingen om hen heen. Betonnen spoken, dacht hij, skeletten van beton, stenen en staal – overal waar je kijkt. Zaitsev kan overal zijn, achter een van die talloze vensters of in een kelder, loopgraaf, rotskloof, ruïne of tunnel. En de volgende dag of zelfs het volgende uur kan hij ergens anders zijn. Ja, hij kan zelfs ergens dood zijn neergevallen, door toedoen van de verdwaalde kogel van een soldaat of een rondvliegende granaatscherf. En dan zit ik hier gevangen om te zoeken naar een dode of, in het gunstigste geval, naar een zich voortdurend verplaatsend, zich schuilhoudend doelwit dat niet eens wéét dat ik ernaar zoek.

Waar ben ik mee bezig? Ik hou dit niet vol, ik kan deze jongen niet eeuwig door Stalingrad volgen om te schieten op doelen die hij me wijst. Ik kan mijn dagen niet verspillen aan schermutselingen met Russische sluipschutters in elk segment van deze helse stad, waarbij ik Nikki twee of drie keer per dag eropuit moet sturen om te zien of ik erin geslaagd ben een gaatje te schieten in die Zaitsev, dat zwijn. Nee, dit is een absurd en dodelijk plan. Nu zit ik hier, alleen met een onverschrokken, verdomde tiener op zoek naar een menselijke speld in een onafzienbare, helse hooiberg. En Nikki zou het liefst zien dat ik iedere Russische sluipschutter die we kunnen vinden uit zijn tent lok, als een soort rondreizend circus, alleen om deze Zaitsev te dwingen zich met mij bezig te gaan houden. Op deze manier vang ik vermoedelijk zelf een kogel op, lang voordat ik er een op de Haas kan afvuren.

'Nikki,' zei hij eindelijk, opeens voldaan door het gevoel een besluit te hebben genomen, 'wij hebben de tijd niet om door heel Stalingrad te zwerven, op zoek naar Zaitsev. We zijn weliswaar pas begonnen, maar toch zullen we ons plan moeten herzien. Ik ben niet hierheen gestuurd om deze stad van sluipschutters te bevrijden. Eén man, meer niet. Da's alles wat we nodig hebben om naar huis te kunnen.'

Nikki Monds hoofd hing omlaag. Hij wreef wat betongruis tussen zijn vingers.

Thorvald vervolgde: 'Laten we ons bezinnen op een effectievere manier om Zaitsev duidelijk te maken dat ik hier ben. Hij zal er geen weerstand aan kunnen bieden. De levende legende, de held, zal als een dolle stier op ons af stormen. Wat denk jij ervan?'

Nikki balde een vuist rondom een stuk steen. Hij bleef naar de grond staren.

Thorvald herhaalde zijn vraag: 'Wat denk jij ervan?'

Nikki keek op.

'Dat is al gebeurd.'

Thorvald lachte. Waar had de jongen het over? Wat is al gebeurd? Zaitsev kan niet weten dat ik hem zoek. Hij is niet zo'n machtig jager dat hij helderziend zou zijn.

De overste gooide een stukje steen over zijn schouder – een gebed om geluk, zoals bij de vijvers van zijn jeugd. Glanzende wateroppervlakken achter de landhuizen van zijn familieleden, ver weg. 'Hoe dan? Met dat zondagsschot door die geweertelescoop? Ik zou dat schot op zijn minst tien keer moeten herhalen voordat Zaitsev ervan opkeek. Hij zal denken dat het een toevalstreffer is.'

'Niet door dat schot, overste. Zaitsev weet dat u hier bent. Hij weet het al een paar dagen.'

Bij die woorden schoot Thorvald overeind. Hij legde zijn vingertoppen tegen elkaar.

Nikki staarde weer naar de grond. Hij sprak zonder op te kijken. 'Ik heb het ze verteld.'

Thorvald knipperde met zijn ogen. 'Je hebt... je hebt wát? Aan wie?'

'De Russen.'

Zaitsev weet dat ik hier ben, dacht hij. Alarmbellen rinkelden in zijn hoofd; al zijn zintuigen waren op slag alert. Deze knaap hier heeft Zaitsev verteld dat ik hier ben? Hoe heeft hij dat kunnen doen? Hoe kan hij met Zaitsev hebben gesproken? Wat is deze korporaal – een Russische spion? Een verrader? Zijn gedachten buitelden over elkaar heen, plotseling opgejaagd door Nikki's bekentenis. Waarom vertelt hij me dit? Hij keek naar Nikki's voeten en de beide wapens, allebei geladen. Het waren de enige wapens binnen bereik, afgezien van het mes in Nikki's laars.

Nikki sprak verder. 'Ze hadden me gevangengenomen. De avond nadat u was geland. De Russen zaten achter onze linies; ze grepen me terwijl ik bezig was een telefoonlijn te repareren. Ze zetten mij het mes op de keel. Ik moest hen iets zeggen, anders hadden ze me de strot afgesneden.' Hij stond op, een geweer in iedere vuist.

'Daarom gaf ik hen ú, overste. Ik dacht: het maakt toch niks uit. Ik zei hun dat u hier bent om Zaitsev te doden. Dat idee beviel hen. Een duel tussen hun supersluiper en de onze. Ze lieten me in leven om u dat te zeggen. Dat deed ik niet.'

Thorvald staarde woedend omhoog naar de korporaal. De bekentenis van de jongen was geloofwaardig. Nikki was gevangengenomen; ze hadden hem de stuipen op het lijf gejaagd en hij had gepraat, precies zoals ik zelf zou hebben gedaan. Het verhaal kon echter zijn plotselinge argwaan jegens Nikki niet wegnemen. Hij wist het en hield zijn mond. Hij heeft me gemanipuleerd, zette mijn leven op het spel en maakte plannen voor meer confrontaties met sluipschutters die misschien Zaitsev konden zijn, zonder dat ik het wist. Wel, wel. Deze jonge knaap, Nikki. Een doder, een leugenaar, een verrader en een lafaard.

Nee, dit is definitief genoeg.

'Korporaal,' zei hij met ijs in zijn stem, 'ik geloof je. En ik begrijp ook waarom je er niet op gebrand was mij in te lichten over je avontuur met de Russen. Per slot van rekening is het verstrekken van inlichtingen aan de vijand hoogverraad dat met standrechtelijke executie wordt bestraft, naar ik meem.'

Nikki's knokkels om de geweren werden spierwit. Hij veranderde van houding. Thorvald vroeg zich af of de korporaal vreesde dat de ss-officier aan zijn voeten zou opstaan om een van de geweren op te eisen en hem een kogel door het hoofd te jagen, het loon voor hoogverraad. Nikki leek zich te spannen, alsof hij zich erop voorbereidde een van de geweren weg te slingeren, het andere te richten en zelf als eerste te schieten.

'Ik begrijp ook waarom je nu hebt besloten het me te zeggen. Per slot van rekening, als Zaitsev mij door het hoofd schiet, kun jij niet met mij naar huis, wel? Is er nog meer dat ik van jou moet weten, korporaal?'

Nikki stond stil; hij leek nu zelf geruïneerd, net als Stalingrad.

Thorvald keek op naar de lage, voortijlende wolken om dit nieuwe feit een plaatsje te geven. Zaitsev weet dus al dat ik hier ben. Goed, dat verandert het hele spel. Ik hoef me niet meer door deze knaap door de hele stad te laten slepen om een spoor van lijken achter te laten, alleen om Zaitsevs aandacht te trekken. Die heb ik al. Als ik in de schoenen van de Haas stond, als mij was gezegd dat er uit Berlijn een specialist is gestuurd om mij te doden, zou ik me schuilhouden, in de hoop dat de schoft door iemand anders zou worden gedood. Maar Zaitsev? Nee, de levende legende zal op zoek gaan naar de Duitse supersluiper. Die maniak leeft zijn eigen leven niet meer; hij creëert artikelen voor de propagandabladen van de communisten. En dat zal hem noodlottig worden. Nu kan ik hem met gemak naar me toe lokken. Ik hoef hem alleen maar even lucht van mij te geven en hij zal recht op de geur afgaan. Ik zal ervoor zorgen dat dit, waarvan hij hoopt dat het zijn glorieverhaal zal worden – deze kans op een confrontatie met de meestersluipschutter van de Duitsers, eindigend met diens dood op een podium waarop de ogen van de hele wereld zijn gericht – zijn eigen graf wordt. Ik zal de trots van deze Haas transformeren tot zijn eigen grafsteen.

Nikki stond zwijgend te wachten. Thorvald kon zien dat de jongeman geen idee had van wat er nu ging gebeuren. Ik heb hem in mijn zak, ik heb het zo diep in zijn ziel gegrift dat hij zich geen raad meer weet. Vanaf dit moment heb ik het in mijn macht om hem met vrijwel alles wat ik zeg of doe te verrassen.

We stoppen met het opjagen van Zaitsev. In plaats daarvan zullen we de Haas naar een val lokken, een duel dat hij onmogelijk kan winnen.

Thorvald probeerde een streng gezicht te zetten; het moment leek erom te vragen. Duizend spiegels hadden hem echter verteld dat zijn huid te blank was, zijn wangen te rond. In plaats daarvan liet hij zijn stem resoluut klinken.

'Goed, Nikki, nu we ons op een gelijkmatig speelveld bevinden, zoals ik hoop, zullen we een verandering doorvoeren. Jij en ik stoppen met al dat getijger door de stad, als twee dolende ridders op zoek naar duels. In plaats daarvan gaan we één geschikte schietpositie voor mij zoeken. De perfecte lokatie. Onmogelijk te ontdekken. Vanuit die positie ga ik iedere Rus die zich vertoont afschieten. Ik zal een gebied met een straal van een kilometer veranderen in een dodenakker. Zaitsev zal naar mij toe komen omdat hij, volgens datgene wat je me zo-even hebt verteld, erop wacht totdat ik me vertoon. Ik zal hem zijn zin geven. Hij zal naar mij toe komen, zonder meer. Dan schiet ik hem neer en ga naar huis.'

Thorvald stond op. Hij droeg zijn rugzak twee stappen naar voren en liet hem aan Nikki's voeten vallen. 'En ik zal jou meenemen, korporaal. Ik heb nu gezien dat je geen haar beter bent dan ik. Jij snakt er even hard naar om hier weg te komen als ik.'

20

Zaitsevs been schokt. De bons van zijn laars tegen de aarde zorgde ervoor dat Tanja haar periscoop liet zakken om naar hem om te kijken.

Zijn been schokte opnieuw.

'Kan niet...' mompelde hij. 'Niet zoeken... vlucht.'

Tanja trok haar geweer van de rand van de loopgraaf die naar de oostelijke helling van de Mamajev Koergan was gekeerd. Ze kroop over de bodem naar hem toe. Ze legde haar hand op zijn knie en hij werd stil.

Zaitsev had zich om zijn geweer geslingerd als een klimoprank. Hij had haar gezegd dat ze hem na een kwartier moest wekken, maar ze had hem een uur laten slapen. Als sinds het ochtendgloren hadden zij, Zaitsev, Sjaikin en Tsjekov getijgerd en geklommen, op zoek naar Thorvald. Ze streelde Zaitsevs scheenbeen. Hij maakt verwoed jacht op de Bovenmeester, dacht ze. Hij was het grootste deel van de nacht opgebleven om met Medvedev strategieën uit te denken, plattegronden te bestuderen en rapporten door te nemen.

Sinds zij, Zaitsev en Danilov door stom toeval een ontmoeting hadden gehad met Thorvald, hier op de helling van de Mamajev Koergan, hadden ze weinig vernomen van de Bovenmeester. Maar goed ook, dacht ze, die handtekening van hem op Baoegderis was gruwelijk. Misschien is hij neergeschoten door iemand anders. Misschien was hij achteraf toch niet zo goed. Dat zou prima zijn. Het zou bijdragen aan Wasja's veiligheid. De Haas had zich in iedere sector aan de grootst mogelijke gevaren blootgesteld. Hij had met soldaten gepraat, vragen gesteld aan gewonden en met artilleriewaarnemers en mitrailleurschutters langs de hele frontlinie overlegd. Hij had lijken onderzocht en had zo ongeveer bij iedere stap onder vuur gelegen – en dat allemaal om de Bovenmeester te vinden.

Ik hoop dat die staak uit Berlijn al dood is, dacht ze.

Zaitsevs lichaam sidderde, zodat het geweer dat hij omklemde mee ratelde. Zijn oogleden trilden en zijn kin ging omhoog alsof hij zijn hoofd boven wassend water moest houden.

Zijn ademhaling ging sneller. 'Waar...' prevelde hij. 'Waar...'

Tanja voelde hoe zijn spieren zich spanden. Ze masseerde zacht zijn dijbeen om hem te wekken.

Verlost van datgene wat hem zijn rust ontstal, ontspande Zaitsev zich. Hij deed zijn ogen open, maar verstrakte opeens, zodat Tanja ervan schrok. Ze schuifelde op haar hurken terug om hem ruimte te geven, zodat hij rechtop kon gaan zitten en zijn ogen zich scherp konden stellen.

'Waar was je?' vroeg ze.

Zaitsev snoof en knipperde met zijn ogen. Hij zoog met een sissend geluid lucht in zijn longen, zoals een man doet voordat hij iets zwaars optilt.

'Hoe lang heb ik geslapen?'

'Een uur.'

'Een úúr? Ik had je gezegd –'

'Je had het hard nodig.' Ze legde haar geweer over haar dijbenen. De dag was vervaagd tot schemerlicht. 'Je was uitgeput.'

Zaitsev wreef over zijn voorhoofd. 'De volgende keer doe je wat ik je vraag.'

Hij snoof opnieuw en keek door de loopgraaf naar de plek, honderd meter van hem vandaan, waar Sjaikin en Tsjekov zich hadden geïnstalleerd om langs het gehavende gelaat van de Mamajev Koergan omhoog te turen.

'Iets ontdekt?'

Tanja schudde het hoofd. 'Waar droomde je van?'

'O... eh...' Hij zweeg bij de herinnering, of misschien besloot hij het haar niet te vertellen.

Ze drong aan. 'Je zei: "Niet zoeken..." en "Vlucht". Wat was dat voor een droom, Wasja?'

Zijn hand streek over zijn kin. De baardstoppels maakten een raspend geluid in zijn handpalm. 'Er werd jacht op me gemaakt. In de taiga. Ik was op de loop voor een jager. Ik had geen wapen; ik kon alleen... ik vluchtte alleen, als een dier.'

Tanja wachtte totdat hij het zou zeggen, maar omdat ze niet in staat was zich ervan te weerhouden, sprak zij het voor hem uit. 'Thorvald?'

Zaitsev keek haar strak aan. Zijn hand verstarde in de lucht.

Dat was stom, dacht ze meteen. Ze stak haar hand uit naar zijn been. 'Het was vermoedelijk je grootvader. Je hebt zelf gezegd dat er geen betere was dan hij. Trouwens –' ze trok haar hand terug en schudde het hoofd '– jij zou nóóit voor Thorvald op de loop gaan.'

Zaitsev zei niets, maar zijn ogen verrieden haar dat ze gelijk had. Het was dus Thorvald geweest. De kruisdraden van de Bovenmeester hadden hun schroei-merk op de dromen van de Haas gezet. Hij maakte zich zorgen over het komende duel, was er zelfs bang voor, en zij had hem daarvan bewust gemaakt.

Ze was nonchalant geweest, en te rechtlijnig – ze had zich opgedrongen. Altijd halsoverkop, dacht ze, ongeduldig en egocentrisch. Te weinig ervaring met mannen, althans, niet van zijn soort. Laat zijn ego intact, Tanja. Je kunt zijn angsten ook wel leren kennen zonder hem te dwingen ze uit te spreken. Stom!

'Het licht wordt minder,' zei ze, om woorden te vormen en zo de blunder die ze had begaan te verdoezelen. 'Wat wilde je gaan doen?'

Zaitsev ging op zijn knieën liggen en hing zijn rugzak aan zijn schouders. 'We gaan.' Hij keek haar niet aan.

'Ga jij maar voor.' Het was het beste hem een poosje met rust te laten. Ze had het niet gewild, maar ze had hem verwond. Geef hem de kans weg te lopen en je in stilte te verwensen. Ze zou het vannacht goedmaken. 'Ik haal Sjaikin en Tsjekov, dan zie ik je straks wel weer,' zei ze.

Zaitsev pakte zijn sluipschuttersgeweer.

Ze sprak het uit toen hij haar de rug toekeerde. 'Zie ik je vannacht?'

Zaitsev draaide zich om zijn as. Zijn ogen verzachtten zich boven het begin van een glimlach en hij knikte instemmend. Opnieuw draaide hij zich om, al op weg naar het eind van de loopgraaf. Ze hoorde hem zacht lachen, alsof hij een raadselachtig binnenpretje had.

'Ik wil erheen.' Tanja sloeg haar armen voor haar borst over elkaar.

'Tanjoesjka, dat kan niet!' Sjaikin liet zijn vlakke hand kletsend op zijn dij neerkomen. 'Het is niet behoorlijk.'

'Ha! Maar voor jóú is het wel behoorlijk? Wat zou je vrouw je schrijven in haar volgende brief als ze het wist? "Lieve Ilja Alexejevitsj, wat ben ik blij dat je een bordeel in Stalingrad hebt gevonden. Het verbaast me een beetje, maar ik hoop dat het helpt de spanningen te ontladen." Nou?'

Tsjekov, die achter Sjaikin stond, grinnikte zacht.

'Ik ga erheen,' herhaalde ze.

'Iljoesjka,' zei Tsjekov, een hand op Sjaikins schouder, 'laat haar met ons meegaan. Tanja, beloof je weg te gaan als we het je vragen?'

'Nee. Ik ga weg als ík dat wil.'

'Hoor je het nou?' riep Sjaikin uit, terwijl hij zijn armen ophief. 'Je ziet het. Ze zal het voor ons verpesten.'

Tanja schopte naar de bodem van de loopgraaf, waardoor er kluitjes aarde over Sjaikins laarzen vlogen. 'Wat zou ik kunnen doen om het te verpesten? Twee vrouwen die een bordeel runnen in het hart van een slagveld! Wat zou ík kunnen doen om het hun te beletten? Dacht je dat ze verlegen zijn, of ben je soms bang dat ik in zal storten en daar ga zitten janken?'

Sjaikins gezicht verhardde zich. Tanja had op die weerstand gerekend. Ze sloeg een andere toon aan. 'Geen zorg, Ilja.' Ze boog zich voorover en porde haar vriend in de ribben. 'Ik ben weg voordat jij je broek laat zakken. Ik wil alleen die vrouwen ontmoeten. Ik ben nieuwsgierig. Laat me meegaan. Ik zal me gedragen, ik zweer het je.'

Tanja liep weg, zodat haar vrienden tot een besluit konden komen. De zon hurkte neer in de ruïnes ten westen van de loopgraaf. Achter de gebouwen was de top van de Mamajev Koergan vuurrood, als zonverbrande huid. De door de bombardementen warm gehouden heuveltop, sneeuwloos, was nog altijd in Duitse handen.

Ze keek uit over de ruïnes en peinsde over het feit dat er te midden van dit alles een bordeel was ontstaan. Tegen alles in. Totaal ongerijmd. Volmaakt was het: seks, totaal ontdaan van liefde, smerige mannen en vrouwen die kreunend een gat groeven, op zoek naar iets zachts en troostgevends, alleen om te ontdekken dat hen niets anders wachtte dan nog meer leegte, nog meer holheid, nog meer Stalingrad. En toch vergaat het hun net als mij als ik bij Wasja lig – je ervaart het als kostbaar, raadselachtig en verbijsterend; hoop en verdoemenis tegelijk. Haar vrouwenhart wist echter intuïtief dat er iets meer moest zijn dan alleen heldhaftigheid aan deze twee vrouwen die Russische soldaten 'ontvingen', zoals Tsjekov het had genoemd. Ze proefde er iets fatalistisch in. Waren deze vrouwen niet eenvoudigweg goedkope dellen, maar in werkelijkheid goede, door verdriet verteerde vrouwen die – net als bij haarzelf het geval was geweest – door de dood van hun dierbaren tot het uiterste waren gedreven; hun leven al geknakt door de nazi's? En zouden ze daarna herboren zijn in vernedering en pijn? Of waren het gewoon hoeren die hun voordeel deden met de situatie? Als de Duitsers de stad toch nog veroverden, zouden plaatselijke hoeren het onder de overlevenden nog het minst slecht hebben.

Ze voelde zich gekrenkt door de verlegen weigering van de mannen haar mee te laten komen. Zij, Tanja, had evenveel Duitsers neergelegd als Sjaikin. Wat voor schokkends dacht hij dat ze zou zien in een smerige kelder met twee beschilderde vrouwen? Ik blijf niet lang, dacht ze, net lang genoeg om deze twee hoeren te ontmoeten en te zien wat voor vrouwen het zijn – en misschien om er Sjaikin en Tsjekov later wat mee te pesten. En dan kom ik vannacht terug voor mijn eigen genoegen, mijn verontschuldiging aan Wasja.

Sjaikin en Tsjekov kwamen op handen en voeten naar haar toe. Sjaikin maakte wapperende handbewegingen naar Tanja, alsof hij haar wilde opdrijven als een schaap over een weg. 'Goed, goed,' zei hij met hoge stem, 'als jij zo graag mee wilt, doe je dat maar. Ga!' Hij wapperde opnieuw met zijn handen. 'Ga! Ga!'

Tsjekov passeerde haar in de loopgraaf. 'Het is niet ver, Tanja. Volg mij maar.'

Hij leidde hen naar het noordelijke uiteinde van de loopgraaf. Na tot drie te hebben geteld, klommen de sluipschutters eruit en sprintten over vijfentwintig meter open terrein voordat ze wegdoken in een bomkrater.

Tsjekov haalde een paar keer diep adem en keek naar de hemel. 'De zon staat al behoorlijk laag,' zei hij. 'We moeten ons haasten.'

Tanja rolde naar hem toe. 'Haasten? Waarom?'

'Ze sluiten na het invallen van de duisternis.'

'Ken je die vrouwen goed, Anatoli?'

Tsjekovs grijns werd breder. 'Goed genoeg.'

'Hmm,' gromde Tanja, die zich voorbereidde op meer inspanning. 'Laten we gaan, anders krijg ik nog de schuld als jullie te laat komen.'

Tsjekov sprong op. Hij ging hen in een rechte lijn rennend voor, over een afstand van een kilometer ten noordoosten van de Mamajev Koergan, over een brede boulevard, rechtstreeks naar het labyrint van de arbeidershuisjes aan de rand van het industriecomplex. De frontlinie was maar tweehonderd meter ver, maar Tsjekov was luchthartig, alsof hij zijn vrienden voorging naar zijn eigen huis om hen aan zijn familie voor te stellen.

Tanja dacht na over het gevaar dat ze voor lief namen, alleen om de hoeren te bezoeken. Hoewel ze zich achter hun eigen linies bevonden, was er nog genoeg daglicht voor vijandelijke mortierschutters of sluipschutters om hen vanuit de hogere ruïnes ten westen van hen onder vuur te nemen. De ondergaande zon en hun snelle ren verminderden het risico, maar stel dat die ss-officier, Thorvald, een van degenen was die nu door een telescoop loerde, op zoek naar doelen? Renden ze wel snel genoeg?

Aan de voet van een stenen muur vol kogelgaten bleef Tsjekov staan. Hijgend keek hij Tanja aan en bracht grinnikend uit: 'We zijn... er bijna.'

Nog eens vijftig meter door de uitgebrande en ingestorte arbeidershuisjes; toen bleven ze staan. Tsjekov beduidde Sjaikin en Tanja dekking te zoeken en op hem te wachten. Hij verdween achter het puin van een ingestort huisje; de geblakerde dakspanen waren lichtgeel, met bijna witte groeven in het verbrande oppervlak.

Lange slagschaduwen verdeelden de besneeuwde straat in grillige plekken van zwart en wit. Geblakerde, kale bomen stonden doods langs opengereten trottoirs. De huisjes hier waren niet meer dan hopen puin; hun geschiedenis was uit hen geperst als vocht uit boomschors. In deze uitgestorven uithoek was het leven, de enige kaars die brandend werd gehouden, in de handen van twee hoeren.

Terwijl ze op adem kwam, glimlachte Tanja naar de puinhopen toen ze dacht aan de vrouwen die eronder wachtten. Ze waren als wilde zaadjes die na een bosbrand hun wortels de grond in zonden. Het leven, dacht ze, laat zich heel moeilijk vertrappen.

Naast haar trommelde Sjaikin met zijn vingers tegen zijn been. 'Waar blijft hij?' vroeg hij. 'Het is al bijna donker.'

Tanja klakte met haar tong naar Sjaikin om wat met hem te spelen en hem wat verlegen te maken. Hij trok zijn wenkbrauwen op en trommelde met zijn vingers hard op de kolf van zijn pistoolmitrailleur.

'Staar niet zo,' zei hij geërgerd. En schouderophalend: 'Jij begrijpt dat niet. Jij bent geen man.'

Tanja knipoogde naar hem, maar hij was niet in staat haar te blijven aankijken. 'Jullie slaan als man een tamelijk dwaas figuur nu,' zei ze. 'Waarom zou ik een man willen zijn?'

Tsjekov kwam stralend terug. 'Wij zijn aan de beurt.'

Tanja's mond viel open. 'Aan de beurt?' Ze dempte haar stem en vroeg op ironische toon: 'Wil je zeggen dat er een rij is?'

'Allicht,' zei Tsjekov onbezorgd. 'Iedereen in het Tweehonderdvierentachtigste weet van deze vrouwen. We hebben echter geluk, vandaag. Het is al zo laat in de middag dat wij de laatsten zijn.' Hij grijnsde Sjaikin toe. 'We kunnen de tijd nemen.'

Tanja's verbazing sloeg om in verontwaardiging. 'Iedere man in het regiment, zeg je? En die riskeren allemaal hun nek, alleen om...'

Haar boosheid vervloog even snel als ze was opgekomen.

Ze nam de ruïnes van de stad in zich op, de waarschuwing 'Gevaar!' in iedere steen gebrand. En ze dacht: waarom ook niet? Elk beetje tederheid, zelfs in de armen van een hoer, is voor deze mannen een toevlucht. Misschien is het wel het enige respijt dat hun is vergund, afgezien van de wodkafles.

Tanja kende de macht ervan uit eigen ervaring. Bij elkaar liggen, delend in elkaars warmte, een paar momenten van tederheid, was de hemel in deze lange strijd. Ze zag de laatste scharlakenrode rand van de zon verdwijnen achter de helling van de Mamajev Koergan, daar waar ze tientallen mannen had gedood en waar nog vijftigduizend andere mannen waren gevallen.

Ik ben geen man, zei Sjaikin. Alleen heeft hij het mis als hij denkt dat ik het niet kan begrijpen.

Tanja hoorde voetstappen. Stemmen die te luid waren voor het gevaar dat ze vormden werden meegevoerd door de wind. Drie Russische soldaten kwamen de hoek om. Een van hen hield even in om Tsjekov een vriendschappelijke stomp tegen de schouder te geven. De drie mannen neurieden eenstemmig een vrolijk deuntje. De laatste hield zich in om Tanja aan te kijken. Hij maakte een buiginkje en haastte zich verder, zich aansluitend bij zijn neuriënde kornuiten.

Tsjekov stapte naar voren. 'Wacht,' zei Sjaikin tegen Tanja. 'Alsjeblieft. Je blijft vijf minuten en dan ga je terug naar hier om op ons te wachten. Goed? Beloof het.'

Tanja keek naar de ruggen van de mannen die op hun gemak weg waren gekuierd. Ze wilde dat haar beide vrienden straks ook zo opgewekt zouden zijn.

'Ja, Iljoesjka. Natuurlijk.'

Tsjekov ging Sjaikin en Tanja voor, de hoek om. Tien meter voor hen zagen ze de resten van een fundering in de grond. Een hoek van kapotte sintelblokken stak uit de sneeuw omhoog als de gekartelde rugkam van een prehistorisch monster. Andere sintelblokken lieten zien waar de binnenmuren hadden gestaan. De geblakerde resten van een roze geverfd houten huis lagen achter deze fundering.

Twee schuin liggende kelderluiken tekenden zich af in de sneeuw, net erboven. De planken waren zeegroen, met hemelsblauwe metalen handgrepen. Sjaikin rukte een van de luiken omhoog; Tanja staarde in de duisternis eronder en had het gevoel alsof ze afdaalde in een onderwatergrot, omgeven door schemerig water.

Ze volgde Tsjekov over een korte trap naar beneden. Sjaikin liet het luik boven hun hoofd zakken en ze werd zich bewust van de bedompte, prikkelende geur van mensen, vermengd met de geur van petroleumwalm.

Tanja stond achter Tsjekovs rug. Sjaikin posteerde zich voor haar. Verborgen achter haar beide kameraden sloeg ze haar armen over elkaar en wachtte totdat ze zou worden ontdekt of voorgesteld.

'Anatoli Petrovitsj.' De zwoele stem van een vrouw. Tanja kon de vrouw zelf niet zien. De stem klonk energiek, niet vermoeid, zoals Tanja had verwacht van een hoer na een drukbezette werkdag.

'Wacht,' zei de stem. 'Ik weet welke je bevalt.'

Tanja gluurde over de schouders van Sjaikin en Tsjekov. De ondiepe kelder was vierkant; niet groter dan vijf bij vijf meter. Het plafond bestond uit de vloerbalken en -delen van het huis dat er vroeger boven had gestaan. De muren waren van beton, netjes wit gesausd. In het amberkleurige licht en de diepe schaduwen van de petroleumlamp zag ze nergens spinnenwebben of stof in de hoeken. Ze houden de boel tenminste netjes schoon, dacht ze.

Een grammofoon kwam krassend tot leven. Trompetten en houtblazers blèrden de introductie van een nummer dat levendig beloofde te zijn. Tanja keek omlaag naar Tsjekovs heupen. De kleine sluipschutter had zijn armen opgetild en knipte ritmisch met zijn vingers, terwijl zijn bovenlichaam heen en weer wiegde op de melodie, een tango.

De zwoele stem kwam boven de muziek uit. 'En zeg eens, wie zijn je vrienden, Anatoloesjka?'

Op het ritme van de muziek bewoog Tsjekov zijn rechterheup naar Sjaikin, zodat zijn vriend een stap opzij werd geduwd. Sjaikins handen bleven diep in zijn zakken gepropt. 'Dit is Ilja Alexejevitsj Sjaikin.'

Toen Sjaikin zich weer oprichtte, ving Tanja een eerste glimp op van de beide vrouwen. Ze lagen gedrapeerd op een matras op de betonnen vloer. De ene vrouw, een brunette met een rond, zacht gezicht, was groter dan de andere. Ze droeg een rok van wit linnen met een witte bloes. Zo te zien ondergoed. Haar naakte armen en benen waren zwaar, niet zo dik dat ze onaangenaam aandeden, maar groot en zacht. Als de veren van een witte duif, dacht Tanja.

Naast de brunette lag een slanke, bleke blondine. Ze droeg een olijfkleurig onderhemd van het leger boven een rok die ze van een wollen deken had gemaakt. Ze had een gerafelde roze sjaal om haar schouders. Ze zag er ziekelijk uit, broos, met meelijwekkende schaduwen onder haar ogen die aan kneuzingen deden denken. De aderen in haar armen en nek leken blauwe vegen achter matglas. Tanja kon het meisje voelen breken, ook al glimlachte ze de bezoekers toe.

Achter de beide vrouwen met hun blote voeten lagen pastelkleurige kussens. Tanja wrong zich tussen Sjaikin en de wiegende Tsjekov door naar voren. De brunette op de matras sloeg haar handen voor haar mond. 'O, lieve help,' zei ze door haar vingers. 'O nee. Wacht even.'

Ze stak haar hand door de kussens heen, op zoek naar iets achter de matras. Ze toverde een bronskleurig buisje te voorschijn. Ze rolde het over haar handpalm voordat ze het naar haar mond bracht. Haar lippen werden algauw vuur-rood.

'Nee, wacht,' zei ze. 'Laat me eerst dit even opdoen. Ziezo.' Ze stond op terwijl de fragiele blondine met een afwezig lachje overeind ging zitten. 'Dag,' zei de grote brunette met de rode lippen, die fel afstaken tegen haar blanke huid, on-danks het gelige lichtschijnsel van de petroleumlamp. Ze reikte Tanja de hand en stapte met hoog opgetrokken knieën over de zachte matras, onder het kras-sende geluid van de tango.

'Ik ben Olga Kopoleva,' zei ze. 'Mijn vriendin is Irina Gobolinka. En jij bent?'

'Soldaat Tanja Tsjernova.'

De vrouw gaf haar een hand. Ze keek om naar de blonde Irina, die wat dieper wegdook in haar sjaal. Olga grinnikte Tanja toe en schudde haar nog eens de hand, steviger nu, alsof ze een hoge piet begroette. Tanja moest aan Danilov denken. Hij moest deze vrouwen ontmoeten.

Olga trok Tanja naar voren, zonder zich iets van Sjaikin en Tsjekov aan te trekken. 'Kom maar. Ga zitten, wil je?'

De mond van de vrouw leek naar Tanja te happen als ze praatte. 'Jij bent een soldáát? Is dit jóúw wapen?' Ze wees naar de pistoolmitrailleur aan Tanja's schouder. Tanja wist van zichzelf dat ze zich inhield, haar oordeel opschortte.

'Allicht. Natuurlijk is het mijn wapen.'

Olga wendde zich weer tot de fletse, stille Irina. 'Ze heeft een pistoolmitrail-leur voor zichzelf. Ze vecht mee! Een vrouw!' Ze richtte haar aandacht op haar gast. 'Tanja, liefje, hou je van muziek? We hebben een paar grammofoonpla-ten.'

'Deze bevalt me wel.'

Irina deed haar mond open. 'Een Argentijnse tango. We weten de naam niet.' Haar stem klonk onzeker, fladderend, een vlinder in de wind. Ze giechelde. 'We kunnen het label niet lezen. Het is Engels, denken we.'

Olga praatte verder, alsof ze Irina de mond snoerde. 'Deze bevalt Anatoloesj-ka het beste. Het is vreemd, maar de meeste mannen die hier komen zijn er op gesteld. Ik wed dat ze niet eens weten waar Argentinië ligt.'

Tsjekov ging naast Tanja zitten. 'Tanja hoort bij ons, de sluipschutters. Ze is een van de besten. Stil als de nacht, dodelijk als een vrouw.'

Olga had er lol in. 'Anatoli, jij *doerak*,' zei ze lachend, met een klapje op zijn been. 'We zijn niet allemaal doders.'

'Toch wel,' zei Tsjekov.

'Hou op!' lachte Olga.

Tanja zag de lippenstift van de grote vrouw bij haar mondhoeken uitlopen. Telkens als ze haar aandacht verplaatste van Irina naar Tsjekov, of van Tsjekov naar haar, wiegden Olga's borsten weelderig onder haar bloes. Tanja keek er-naar en dacht: alleen de borsten van een vrouw kunnen op die manier bewe-gen. Ze kunnen iedere kamer op de wereld, zelfs als daarboven een oorlog woedt, veranderen in een enerverende ruimte. Ik heb het kortgeleden zelf gedaan, en nu doet Olga het ook.

'Tanja...' Irina deed haar ogen wijdopen. 'Heb jij nazi's gedood?'

'Ja?'

'Hoeveel?'

'Meer dan honderd. Tussen hier en Moskou.'

Olga vroeg: 'Ben je in Moskou geweest? In de strijd?'

'Nee, buiten Moskou. In de bossen, bij de partizanen. Daar vielen we Duitse konvooien aan.'

De conversatie, de ogen van de beide vrouwen én die van Sjaikin en Tsjekov, draaiden nu om Tanja. Dat was haar bedoeling niet geweest; ze had geen plaats willen opeisen in dit bezoek, geen energie. Ze had alleen maar wat rond willen kijken, haar nieuwsgierigheid bevredigen en dan weggaan. Maar nu ze zo onverwachts werd herinnerd aan haar dagen bij het verzet, kwamen de vele offers die ze had gebracht weer bij haar op. Ze realiseerde zich dat ze die bij zich droeg, zichtbaar op haar gezicht, hoorbaar in haar stem. Haar huid voelde warm aan, geprikkeld door de wrijving van herinneringsbeelden die langs haar heen schoten: haar ouders in hun knusse huis met wie ze al een jaar lang geen contact meer had gehad – ze zouden zich dagelijks zorgen maken over haar veiligheid en die van Tanja's grootouders, niet bevroedend dat het al te laat was voor hun angsten; Tanja's vriendinnen in Manhattan, met hun open schoentjes flirtend met soldaten terwijl ze op weg waren om oorlogsobligaties te kopen; de dood van Fedja; de dood van de oude Joeri in het riool; de dood van tal van leden van haar partizanengroep in de bossen; de vele rouwende vrouwen, oud en jong, de huilende kinderen in Wit-Rusland, de Oekraïne, Moskou, Leningrad en Stalingrad. Ze keek omlaag naar Irina, de prostituee die nog een kind was, broodmager en wit als was. Tanja dacht aan haar verloren jeugd in Amerika: auto's en feestjes, boeken en toespraken, haar bonkende hart voor een afspraakje met een knappe jongen; haar geest, altijd op zoek naar ideeën. Ze miste Amerika, zo plotseling dat ze pijn in haar borst voelde; en diep in haar binnenste, diep in haar merg, miste ze zichzelf. Daar, waar ze niets duidelijker kon voelen, juist daar brandde haar haat tegen de nazi's die haar dit alles hadden aangedaan.

Tanja probeerde zich af te sluiten voor de beelden uit het verleden, maar de spoken uit haar herinnering omzwermden haar zoals ze zo vaak deden als ze alleen was, of – de laatste tijd – als zij en Zaitsev elkaar hadden bemind. Soms, als haar vrouwelijkheid in zijn armen tot leven kwam, kwamen de spookbeelden in haar op alsof ze oprezen uit een graftombe. En nu werden ze door deze hoeren geactiveerd. De erotische sfeer van hun kelder, Olga's deinende borsten, Irina's wasbleke, zachte huid, de Argentijnse tango – Tanja voelde ze graven in haar eigen lichaam om haar gruwelen op te delven.

Tsjekov, die naast haar zat, diepte een fles wodka uit zijn binnenzak op. Hij gaf hem aan Olga. De vrouw kirde toen ze het geschenk in ontvangst nam. Ze drukte de fles tegen haar boezem.

Tsjekov keek opzij naar Sjaikin, die eveneens een greep in zijn zakken had gedaan. Sjaikin liep om de matras heen naar Irina en gaf het meisje vier plakken chocolade.

Olga's ogen keerden terug naar Tanja; de kelderaangelegenheden waren begonnen. Tanja merkte dat ze geen vragen had, geen zusterlijkheid die ze met Olga en Irina kon verkennen. Ze werd niet meer in beslag genomen door de vraag wat voor vrouwen het waren. Ze wist nu genoeg; het waren hoeren, aan de oppervlakte. Ze had geen belangstelling voor wat eronder schuilging. Ze was bereid hun reden om in Stalingrad te zijn te accepteren, of zelfs hun bijdrage te erkennen. Sjaikin en Tsjekov grijnsden naar de vrouwen toen ze hun tribuut presenteerden. Tanja was voldaan. Ook deze vrouwen dienen, erkende ze, want de grijns van haar vrienden was dezelfde als die welke ze had gezien op het gezicht van de soldaten die tien minuten geleden langs haar heen waren gelopen, jonge kerels die vanuit deze kelder met een lied in hun hoofd terugslenterden naar hun lotsbestemming.

Tanja moest weg. Deze vrouwen hadden iets wakker gemaakt in haar lichaam, de een of andere vonk in haar hart en lendenen die, als hij opgloeide en vlam vatte, haar terugtrok in haar vlees. Dat vlees was belast met herinneringen en pijn, veel te veel pijn. Toen Tsjekov en Sjaikin hun betaling overhandigden, gunde het smerige van het hoerenvak haar wat respijt van haar visioenen. Op dat moment had ze haar warmer wordende hart neergedrukt om zich zonder dat te kunnen terugtrekken in de diepten van wat voor haar de lege huls van haar gevoelens was geworden, haar kale cel.

Ook deze vrouwen zijn oorlogsdoden, dacht Tanja. Dat heb ik met hen gemeen. Ze zijn als de lijken bij de zomerse begrafenissen waarnaar mijn vader me meenam als een patiënt was overleden. Ze waren zo mooi mogelijk opgemaakt en er werd alleen fluisterend over hen gesproken. Ze zagen er in hun dood gezond en beheerst uit.

Olga bleef naar Tanja kijken. Irina had het druk met het openen van een van de wikkels van det chocolade. Ook Tanja wilde de vrouwen iets geven voordat ze de kelder verliet. 'Ik heb iets voor je,' zei ze tegen Olga.

'Is het werkelijk?' De hoer drapeerde zichzelf weer op de matras. Ze klemde de fles wodka tussen haar benen om hem rechtop te houden en haar handen vrij te hebben.

Tanja greep naar Tsjekovs koppelriem. Vlug trok ze zijn buitgemaakte Lugerpistool uit het holster.

'Tanja, geef hier! Wat doe je nou?'

Ze liet het pistool op de schoot van de vrouw vallen. Het veerde op van haar dij en gleed af naar de matras, naast haar. Daar lag het, vloekend met de pastelkleurige kussens.

De bleke Irina trok haar knieën weg van het pistool op het bed, alsof ze bang was dat het haar zou treffen. Olga keek naar het wapen naast haar. Haar handen betastten de wodkafles tussen haar benen.

'Op dit moment,' zei Tanja, 'ligt deze kelder nog in ons territorium. Vandaag. Morgen kan dit knusse nestje van jullie achter de Duitse linies liggen.' Ze wees naar de trap. 'Als een Duitser die trap daar af komt, gebruik je dit pistool. Je schiet hem dood. Begrijp je me? Doe het.'

Ze stak haar wijsvinger uit naar Irina en Olga. 'Ik zal voor jullie vechten, meiden, maar jullie sterven met de rest van ons. Sterf als Russen!'

Tanja stak haar hand in haar jaszak. Ze haalde er twee repen chocolade uit en wierp ze Irina toe, achteloos. Toen, met een ruk, draaide ze zich om en bonkte de trap op. Ze stak haar hand uit om het zeegroene kelderluik open te duwen.

Het luik werd uit haar hand getrokken alsof het uit zichzelf openging. Het laatste restje daglicht stroomde omlaag, samen met de kou. In de opening, in silhouet, stond Zaitsev.

Hij hield de deur open en keek op haar neer.

Tsjekov riep hem toe: 'Wasja? Wat doe je daar? Kom naar beneden en doe dat luik dicht. Alle warmte ontsnapt.'

Zaitsev daalde in de kelder af en liet het luik zakken. Hij liep langs Tanja heen naar de matras. Hij knikte naar Sjaikin, die naast Irina stond. Hij keek Tsjekov aan en liet zijn duim naar Tanja wijzen, nog op de trap.

'Een interessant besluit van je om Tanjoesjka mee te nemen, Anatoli. Of heeft zij het voor je genomen?'

Tsjekov liet zijn hoofd zakken. Sjaikin stak zijn duim op naar Zaitsev.

Zaitsev nam het Luger-pistool van het bed en hield het omhoog naar Tanja. 'Van jou?'

'Van mij,' zei Tsjekov.

Zaitsev gaf het pistool aan de kleine sluipschutter. 'Stop het weg.'

Hij keek om naar Tanja, in de schaduw. 'Aan het rekruteren, Tanja? Je maakt Danilov nog jaloers. Dat is zijn afdeling.'

Zaitsev wendde zich tot Tsjekov en Sjaikin. 'Na vandaag nemen jullie afscheid van ze,' zei hij toonloos. 'Niet weer. Begrepen?'

Beide mannen knikten.

Zaitsev boog met gemaakte hoffelijkheid het hoofd. 'Dames...' Toen liep hij naar Tanja en zei tegen haar: 'Jij gaat weg.' Hij pakte haar bij een elleboog.

Tanja rukte haar arm los. 'Hoe bedoel je – ik ga weg?' Ze wees naar Tsjekov en Sjaikin. 'Als zij blijven, blijf ik ook.' Sjaikin hief geïrriteerd zijn armen op en blies zijn adem uit alsof hij werd gespietst. Tanja liet haar stem scherp klinken. 'En trouwens, wat kom jij hier doen?'

'Er is je een bevel gegeven, soldaat.'

'Door wie?'

'Door jouw sergeant-majoor.'

Tanja lachte. 'Ben je mijn sergeant-majoor ook in een hoerentent?'

Zaitsev stak zijn arm omhoog om het luik open te duwen. 'Genoeg.' Hij omklemde Tanja's pols en trok haar de trap op. Ze sloeg hem in de rug met haar vrije vuist.

'Tanja,' riep Tsjekov om het gerammel van hun geweren en het bonken van hun laarzen te overstemmen, 'doe niet zo vervelend. Het is maar wat plezier.'

Sjaikins stem achtervolgde hen ook. 'Ik heb het je gezegd, Anatoli.'

Buiten liet Zaitsev haar los en liet de luiken met een harde klap dichtvallen. Ze beende woedend weg.

Zaitsev rende haar na en greep haar opnieuw vast. Hij bracht zijn gezicht vlak bij het hare. 'Wat voerde je uit, daar beneden?'

Ze probeerde zich los te rukken. Hij omklemde haar pols met beide handen en rukte haar arm omlaag, hard. 'Hou daarmee op. Wat deed je daar?'

Kan hij mij dit vragen, dacht ze. Kan hij hoeren bezoeken en me dan vragen wat ik daar deed toen hij binnen kwam vallen?

'Sjaikin en Tsjekov nodigden mij uit. Ik wilde eens zien wat het voorstelde. En wie heeft jóú uitgenodigd?' Ze stak haar vrije hand uit en greep hem in zijn kruis. 'Hij daar?'

Ze liet Zaitsev los voordat hij haar ertoe kon dwingen. 'Laat me met rust,' zei ze.

Zaitsev liet haar arm los. 'Bedaar. Luister naar me.'

Ze zette haar handen op haar heupen en spreidde haar benen, alsof ze zich voorbereidde op een aardschok. Hij deed twee stappen achteruit. Hij denkt dat ik naar hem uit wil halen, dacht ze. Hij zou wel eens gelijk kunnen hebben.

'Ik ben hierheen gekomen om jou weg te halen,' zei hij. Zijn handen werkten samen met zijn stem, om zijn woorden kracht bij te zetten. 'Nadat ik jullie in de loopgraaf had achtergelaten, kwam ik terug om met jou te praten. Ik zag je weggaan met Sjaikin en Tsjekov, deze kant uit. Tegen de tijd dat ik doorhad waar jullie heen gingen en hier zelf aankwam, was je al binnen.'

Tanja wees naar de kelderluiken in de sneeuw. 'En waarom moest ik daar zo vlug worden weggehaald door mijn sergeant-majoor? Waarom ik, en niet Sjaikin of Tsjekov?'

'Tanja, dat daar...' Hij wees ook. 'Dat is iets voor mannen.'

'En ik hoor niet in een oord voor mannen.' Tanja had haar hand laten zakken en zachter gesproken. 'Zit het zo?'

Zaitsev haalde adem om tijd te winnen voor een antwoord. Toen hij niets kon bedenken, haalde hij zijn schouders op. Het deed Tanja aan schaken denken. Als een witte koning zijn schouders kon ophalen als hij mat wordt gezet, zou hij er net zo uitzien als Zaitsev nu. 'Is dat het, Wasja?' Ze bracht haar handen naar haar borsten. 'Wat moet ik doen voordat jij me als een gelijke gaat behandelen? Moet ik meer moffen doden? Ik zal het doen. Zeg het me maar.'

'Tanjoesjka,' zei hij. 'Je bent een vróúw.'

'Ah,' zei ze met boosaardig sarcasme. 'Ik snap het. Dat zit dus in de weg. Mijn lichaam, het lichaam van een vrouw. Ja, ja, Wasja, bedankt dat je het mij zo duidelijk hebt gemaakt wat ik moet doen. Ik moet niet meer met je vrijen.'

Ze knipte met haar vingers. 'Alsjeblieft. Het is voorbij. Afgelopen. Nu ben ik geen vrouw meer. Gewoon een sluipschutter, meer niet.'

'Tanja...'

'Nee! We zijn nu allebei een man. Het is goed. We kunnen dus als mannen met elkaar praten. Je bent hier kennelijk eerder geweest, sergeant-majoor. Waarom ga je niet terug naar binnen om mee te feesten? Alleen moet je wel voortmaken – ze sluiten na het invallen van de duisternis. Maar ach, dat weet je natuurlijk allang.' Met die woorden rende ze weg tussen de puinhopen.

Tanja zocht iets wat ze zou kunnen gooien toen Zaitsevs voetstappen de deken in de deuropening naderden. Naast haar op de vloer van Zaitsevs bunker stond een bijna volle fles wodka. Ze had geprobeerd het spul te drinken tijdens het uur dat ze op de kille aarde in zijn hoek had gezeten, maar ze had de wens om dronken te worden laten varen. Het is gewoon de zoveelste manier om je ellendig te voelen, dacht ze. Ik ken genoeg manieren.

Ze nam de fles op.

Zaitsev duwde de deken opzij. Tanja greep de fles om ermee te gooien, maar ze zette hem meteen weer neer. In plaats daarvan vuurde ze woorden op hem af.

'Ga weg. Neuk maar iemand anders.'

Ze sloeg haar armen om haar knieën en maakte zich klein, als een torretje dat is aangeraakt.

Zaitsev liep naar de plek waar ze tegen de bunkerwand leunde. Hij hing zijn pistoolmitrailleur, geweer, helm en veldfles aan haken. Hij hurkte voor haar neer. Ze maakte zich nog kleiner.

'Zoek maar een andere hoer, sergeant-majoor.'

Hij kromp ineen. Haar pijn was de zijne, cirkelde om hen heen.

'Ik wil de geur van die vrouwen aan jou niet ruiken.'

'Tanja...'

'Ga maar, Wasja, gun jezelf je pleziertje.'

'Tanja, ik –'

'Hou toch je bek!' Ze greep naar de fles.

Zaitsev was haar voor en zette de fles buiten haar bereik.

Tanja probeerde hem met haar starende blik te doorboren. Ze knipperde niet met haar ogen; ze had het gevoel dat ze zou bezwijken als ze dat deed. Ze wist dat ze in de hoerenkelder op slag bevroren was. Nog voor ze had kunnen opkijken naar de contouren van zijn lichaam in die luikopening was ze teruggedeinsd voor het opnieuw laten ontwaken van haar lichaam en emoties, toen Irina en Olga hun aandacht op Sjaikin en Tsjekov hadden gericht. Haar woede over Zaitsevs plotseling opduiken daar, over zijn vernederende houding en de manier waarop hij haar had 'weggehaald uit een oord voor mannen', was doorgedrongen tot diep in de donkere wateren in haar binnenste, tot onder het ijs. En daar bevond ze zich nu nog.

Hoe waagt hij het mij te vernederen waar Sjaikin en Tsjekov bij zijn! Mij te behandelen als een hond die zich los heeft gerukt van de lijn en meteen moet worden achtervolgd en aangelijnd! Tanja, je bent een vrouw, zei hij. Die twee hoeren waren ook vrouwen. Is dat hoe hij me ziet?

Ze werkte zich overeind om haar pistoolmitrailleur en de fles wodka te pakken.

Zaitsevs stem hield haar tegen. 'Ik heb er spijt van.'

Tanja lachte en keek hem aan. 'Verontschuldig je niet. We zijn allebei vrij. We kunnen allebei keuzes maken. Op dit moment kies ik. Ik kies ervoor om ergens anders bevrediging te vinden voor mijn vrouwenlichaam.'

Ze zag Zaitsevs schouders zakken. Zijn gezicht verslapte, zijn handen vielen omlaag. Goed, dacht ze. Zelfs als ik ijskoud ben smelt hij nog.

'Tanja, doe dit niet. Ik...'

'Ik heb het al gedaan. Wij allebei.'

Hij stapte op haar toe. Zaitsev de jager, dacht ze. Nu zullen we eens zien wat hij presteert, hoe hij sporen volgt en jaagt. Eens kijken wat hij in dit grote, bevroren bos kan vinden.

Zaitsev zag er ontredderd uit. Hij ging aan haar voeten zitten. Hij begon te praten, zonder op te kijken. Zijn stem leek op het klagende geluid van de wind door lege gebouwen. En nu ze naar Zaitsev luisterde, werd ze nog triester dan hijzelf.

'Wat kan ik zeggen?' begon hij. 'Het is voor mij ook zwaar. Al dat moorden. Mijn vrienden sterven. Mijn familie wacht in Siberië. Iedere dag, iedere afschuwelijke dag, zonder rustpauze, zonder onderbreking. En nu... nu maakt deze Thorvald jacht op mij.'

Tanja knielde voor hem neer. Ze legde haar wapen neer en zette de fles wodka ernaast. Zaitsev keek niet naar haar op. Hij wachtte, alsof hij te kennen wilde geven dat hij wist dat ze nu dicht bij hem was. Ze keek naar zijn kruin, naar het dikke, korte haar, de volle haardos die zich naar haar uitstrekte.

'Nadat je bent weggerend, ben ik gaan jagen. Ik zwierf maar wat rond. Ik kon me echter niet concentreren.' Hij hield haar zijn handen voor alsof hij haar iets kleins en teers wilde tonen. 'Ik ben hierheen gegaan, op zoek naar jou. Ik moest je vinden, moest met je praten. Ik wilde je zeggen hoe belangrijk je voor me bent. Jij bent de reden waarom ik wil blijven leven. Als ik jou verlies, zou dit alles opnieuw een hel voor me worden.'

Zaitsev bracht zijn gezicht dicht bij het hare. Zijn ogen glommen. Hij knipperde, alsof hij in de zon keek. 'Ik heb sterk het gevoel dat jij nu ergens bent waar ik je niet kan volgen.' Hij stak zijn handen uit naar de hare, die rustten op haar schoot; ze liet het toe. Zijn greep was warm, stevig. 'Tanja, vergeef het me. Ik wist zelf niet hoeveel je voor me betekent. Ik wist niet wat mij ertoe dreef jou daarheen te volgen en me zo te gedragen. Je had gelijk. Ik...'

Tanja trok haar handen terug. Ze trok haar knieën weer op tot tegen haar borst en sloeg er haar armen stevig omheen. Ze liet haar hoofd zakken tot het op haar knieën rustte. Ze had haar ogen open en staarde in de kleine, duistere grot die werd gevormd door haar gezicht, armen en benen toen ze een traan over haar wang voelde biggelen. Ze schudde haar kin om de druppel af te schudden; hij vloog weg en belandde op de aarden bodem.

Ze voelde hem dichterbij komen. Zijn stem kwam van vlak bij haar voorhoofd, begraven in haar armen. 'Nu weet ik het wel,' fluisterde hij.

Toen was haar blonde haar in Zaitsevs hand; hij trok zachtjes om haar gezicht uit de grot te tillen. Ze wist dat de petroleumlamp haar verried, dat het spoor van de traan zou glinsteren.

Hij boog zich over haar heen. Zijn mond streek langs haar wang, volgde het spoor van de traan. Hij wiste het uit met zijn onderlip, helemaal tot aan haar oog. Zijn adem in haar vochtige gezicht was roesverwekkend.

Ze kneep haar ogen dicht, worstelend met een kramp in haar innerlijk toen het ijs daar scheurde en openbarstte. Ogenblikkelijk wiekte ze eruit op; het water, niet langer bevroren, maar verwarmd, stroomde van haar af, uit haar gesloten ogen, over haar wangen, recht in het opvangbekken van zijn mond. Ze wiekte verder omhoog tot buiten zichzelf, haar lichaam achterlatend om in zijn armen te schokken. Ze keek omlaag en zag alles om haar heen, de lijken en de haat, en ook de schaamte, alle schaamte. Alles was nu zichtbaar voor haar, glinsterend schoongespoeld door haar stromende tranen.

Zaitsev omhelsde haar. Zijn armen waren als vleugels die haar bevrijdden uit het ijs en haar meevoerden tot hoog in de wolkbreuk, dwars door de wind die blies door de ruïnes van de stad diep beneden haar. De regen doorweekte·haar.

21

Het bloed was door het dunne linnen dat het lijk bedekte heen gesijpeld en leek nu een soort roos boven het hoofd. Verdomme, dacht Zaitsev, hadden ze van alle dekens die ze per vliegtuig over de Wolga aanvoeren er niet één kunnen missen om er Morozov mee te bedekken?

Konstantin Danjelovitsj Morozov was een van Viktors Beren en een vriend van Zaitsev bij het Tweehonderdvierentachtigste, een mede-Siberiër. Nu was hij een groot lijk, onder het rechteroog door de wang geschoten, waarna zijn hele achterhoofd was opengespleten. De kogel die hem had gedood was afgeketst van zijn telescoopzoeker en had het ding verbrijzeld.

Zaitsev stapte opzij toen twee mannen Morozovs brancard op een slede tilden. Ze zouden hem naar de grotten aan de waterkant slepen; daar werden alle doden heen gebracht om op evacuatie en een begrafenis te wachten zodra de rivier was dichtgevroren.

Als de Wolga dicht is, dacht hij, zullen we deze lijken zien vertrekken met een eindeloze stoet sleden, zwarte mieren die zich georganiseerd terugtrekken van een picknick – duizenden en nog eens duizenden. De lijken gaan; er komen dekens en wodka voor terug. Nog steeds geen munitie. Geen versterkingen.

Dat is een onmiskenbaar signaal dat me zegt dat er iets in de lucht zit. De Duitsers hebben sinds augustus al tien divisies naar ons toe geslingerd. Wij stelden er minder dan vijf divisies versterkingen tegenover. Mijn sluipschutters hebben al de hele maand november niet genoeg kogels gehad om voluit te kunnen werken. Zelfs Atai Tsjebiboelins pogingen om aan meer munitie te komen hebben niets opgeleverd.

De generaals en *politroeks* blijven ons aansporen om vol te houden. Volhouden voor wie? Ze hebben ons tot taak gegeven om zoveel mogelijk moffen naar de stad te lokken en hen daar vast te houden. We zouden hen op dit moment met genoeg manschappen en munitie zonder meer kunnen wegvagen uit Stalingrad. De moffen sidderen van angst en wanhoop. Ze hebben geen fut meer. Dat zijn geen soldaten meer, alleen nog de slappe, weke huidzakken van voormalige strijders. Toch blijven Stalin en zijn generaals hun offensief opschorten en onze munitie hamsteren, zodat wij niets kunnen forceren. Dat betekent dat ze bezig zijn een strijdmacht op te bouwen om terug te slaan. Dat kan niet anders. Ze zijn ons niet vergeten.

Er is iets op til. En het komt gauw óók.

Die Thorvald weet dat ook. Hij moet wel. De man is luitenant-kolonel bij de ss. Hij verkeert in een andere positie dan ik, een smerig sergeant-majoortje dat

zijn informatie krijgt via de legertamtam, of via gesteriliseerde artikelen van fi-
guren als Danilov. Hij is speciaal hierheen komen vliegen om mij te doden. En
hij kan naar huis zodra hij dat heeft gedaan. Dus heeft hij haast.

Zaitsev keek uit over de ijskorst die zich langs de boorden van de rivier had
gevormd. In Siberië had hij vaak genoeg bevroren rivieren gezien. Hij wist dat
dit ijs niet vóór half december dik genoeg zou zijn om legertrucks en paard en
wagens te dragen.

En dan Morozov, ook een Siberiër. Zaitsev schudde het hoofd. Morozov zou
geen rivieren meer zien, en ook geen blauwe hemel of leven. Hij wendde zich
af. Alweer een vriend. Alweer een held die als bagage op een slede werd weggehaald, alweer een herinnering om te bewaren en te wreken.

Morozov.

Dit stinkt naar Thorvald. Hij wil mij iets zeggen. Hij schrijft boodschappen, te-
kent met het bloed van Baoegderis, Koelikov en Morozov een plattegrond
waar ik hem kan ontmoeten. En dat van Sjaikin.

Ilja Sjaikin was dwars door de nek geschoten toen hij in Sector Vijftien aan de
zuidrand van het stadscentrum voor Morozov aan het waarnemen was. Deze
sector volgde de frontlinie ten zuiden van het Lazoer-complex, in de namiddag-
schaduw van de Mamajev Koergan. In deze dunne rand van het centrum
waren Russische soldaten diep verschanst in verscheidene formidabele, strategisch gunstig gelokaliseerde gebouwen. Het waren ondoordringbare bolwerken geworden, waar de ene Duitse aanvalsgolf na de andere op af was
gestormd, alleen om door vernietigend Russische spervuur te worden terugge-
slagen. Deze bolwerken waren zo onverzettelijk verdedigd dat ze herkenningspunten op de Russische stafkaarten waren geworden. De meesten droegen nog
hun vroegere namen, zoals het Specialistenhuis, de Staatsbank en de Bierhal.
In sommige gevallen was de vroegere statuur van een gebouw verdrongen
door een nieuwe identiteit, ontsproten aan de opmerkelijke daden van zijn
Russische verdedigers. Dat gold bijvoorbeeld voor het L-Gebouw en de Oude
Fabriek, waarvan de namen verhalen vol ontzag opriepen – ontzag voor de
strijdlust en leeuwenmoed van hun bewakers. Het beroemdste van alle bolwerken was wel het Pavlov-huis. Dit zwaar beschadigde appartementencom-
plex was officieus omgedoopt ter ere van de ontembare Russische sergeant Jacob Pavlov, die met zijn groep van slechts twintig man de ruïne in de
Soletsjnaja-straat al sinds de negenentwintigste september bezet had weten te
houden, nota bene in de frontlinie. Pavlov belette daarmee de Duitsers om
door te stoten naar de Wolga, slechts tweehonderd meter achter hem. Hij had
het zelfs zo lang volgehouden dat de commandanten hem 'de Huisbaas' waren
gaan noemen.

De afgelopen drie dagen hadden Zaitsev en Viktor berichten binnengekregen
over verhoogde Duitse sluipschuttersactiviteiten ten zuiden van de Mamajev
Koergan, niet ver van het stadscentrum. Zelfs hospikken waren onder vuur ge-

nomen als ze bezig waren de gewonden in de stegen en straten rondom het Pavlov-huis te evacueren. Twee artsen-officieren en een hospitaalsoldaat waren door het hart geschoten. Een verpleegster was gedood door een kogel onder haar kin; een andere was verwond door een kogel, eveneens in haar keel.

Het leek Zaitsev logisch dat Thorvald de fabriekscomplexen zou mijden; de grote aantallen doden daar zouden zijn treffers verdoezelen. Zijn geur zou erdoor worden gecamoufleerd, de stank van een slager waarmee hij hoopte zijn prooi, de Haas, naar zich toe te lokken.

Die ochtend had Sjaikin zich samen met Morozov vrijwillig gemeld om een onderzoek in te stellen naar de verhalen over Duitse sluipschutters in Sector Vijftien. 'Jij kunt niet overal tegelijk zijn, Wasja,' had Sjaikin aan het slot van hun bespreking in Zaitsevs bunker gezegd. 'Het zou kunnen zijn dat de Bovenmeester daar aan het paffen is. Ik zal een praatje maken met de gewonde verpleegster. En daarna gaan Morozov en ik er zelf een kijkje nemen.'

'O ja,' had Sjaikin gezegd toen hij de deken al optilde om weg te gaan. 'Het spijt me van gistermiddag. Tsjekov en Tanja hadden me omgepraat. Ze had niet in de kelder mogen komen. Je hebt het goed aangepakt.'

'Waarom zou het je spijten, Iljoesjka? Waarom zou het voor mij iets uitmaken of Tanja daar was of niet?'

'Wasja,' had zijn vriend met een glimlach gezegd, 'laat ik het in de woorden van Tsjekov zeggen, letterlijk, toen hij het mij vertelde. Hij zei: "Kameraad Zaitsev is een opmerkelijk stille sluipschutter, dat weet je. Maar in bed maakt hij veel kabaal." '

Sjaikins laatste lach was gedempt door de vallende deken.

Nu ligt Sjaikin in een veldhospitaal op evacuatie te wachten. Tanja was aan komen rennen om het hem te vertellen, 's middags. 'Wasja! Morozov is dood, een kogel door de hersenen. Sjaikin is door zijn keel geschoten. Sjaikin heeft Morozovs lichaam uit hun loopgraaf meegesleept tot op een plaats waar hij door een artilleriewaarnemer werd opgemerkt. Er werd hulp gestuurd. Morozov ligt bij het Lazoer-complex. Sjaikin ligt in het veldhospitaal in Sector Dertien en zijn toestand is kritiek. Ze zeiden dat hij zijn halsslagader eigenhandig bleef dichtdrukken, Wasja, om niet dood te bloeden.'

Sjaikin deed zijn ogen open, de smekende ogen van een verminkt dier. Hijgend bracht hij uit: 'Wasjinka...' De naam ging bijna verloren in de ademstoot uit de mond van de gewonde, alsof hij zijn longen totaal had moeten leeg drukken om het woord door de gloeiende pijn in zijn keel heen te persen.

Zaitsev keek omlaag naar zijn vriend. Sjaikin lag op een brancard, rustend op vier stapeltjes bakstenen. Zijn hals was omzwachteld met schoon gaasverband. Zijn hand had tussen de vingers een roodzwarte korst, zijn eigen geronnen bloed.

Sjaikin kneep zijn ogen dicht. Als hij inademde bleef zijn mond open, een cirkel van lijden, een kleine, donkere put. Zaitsev schrok van het gorgelende geluid diep in de keel van zijn vriend. 'Niet praten, Ilja.' Hij legde zijn hand op Sjaikins bebloede vuist. 'Knik alleen. Was het Thorvald?'

Sjaikin kneep in Zaitsevs vingers. Zijn ogen gingen open. Zijn hoofd schokte even op en neer. Ja.

'Je hebt met die gewonde verpleegster gepraat. Dat was hij ook?'

Sjaikin kromp ineen. Zo te zien niet vanwege de pijn, maar door een gedachte. Hij kneep opnieuw in Zaitsevs hand en zei: '... pleegster.' Zijn gorgelende stem deed Zaitsev meer verdriet dan de omzwachtelde keel en het bleke gezicht. Sjaikins mond vertrok zich. 'Dood,' zei hij. Hij bracht zijn hand naar zijn nek om naar het punt te wijzen waar de kogel haar keel was binnengedrongen; bij hem sijpelde op die plaats nu bloed door het verband: '... pleegster. Hier.'

Zaitsev herinnerde zich wat Tanja hem had verteld. Twee artsen-officieren en een hospitaalsoldaat door het hart geschoten. Daarna de verpleegsters en Sjaikin; hun keel doorboord, als gekaakte vissen. Morozov, gedood door een kogel door zijn telescoopzoeker – net als Baoegderis.

Opnieuw de stank van Thorvald. Hij schiet op alles wat hij voor zijn vizier krijgt, zelfs artsen en verpleegsters. En hij doet dat met zijn persoonlijk stempel erop, zijn onmiskenbare stijl, zodat hij er zeker van kan zijn dat ik zijn spoor zal herkennen.

Vier dagen geleden had hij zijn kunsten gedemonstreerd op de dummy Pjotr, aan de voet van de oostelijke helling van de Mamajev Koergan. De volgende ochtend had hij Baoegderis en Koelikov neergeschoten. Toen had de Bovenmeester zich naar het zuiden verplaatst om te wachten. Wat voerde hij in zijn schild? Waarom die kloof van drie dagen?

Omdat hij op zoek was. Op zoek naar de volmaakte schuilplaats, een positie waarin hij zichzelf onzichtbaar kon maken om op iedere Rus die zich om hem heen beweegt te kunnen schieten. En hij heeft die ideale plek gevonden. Hij kan er ongezien komen en meteen weer ontsnappen. Ik heb hem door. Daar, in zijn knusse fortje, zit hij te wachten, opgerold als een slang. Daar heeft hij in twee dagen tijd vijf artsen en verpleegkundigen neergeschoten, en vanmorgen ook de beide sluipschutters die de confrontatie met hem zochten, Morozov en Sjaikin.

Ja. Hij heeft zich geïnstalleerd. Hij wil hier zo snel mogelijk vanaf. Hij laat er geen twijfel over bestaan – hij wil naar huis. Dus heeft hij met lood, koper, vlees en bloed een uitnodiging geschreven en mij die toegestuurd.

Kom, de Bovenmeester heeft je aangeschreven. Kom hierheen, sergeant-majoor Wasilji Gregorjevitsj Zaitsev, naar dezelfde plaats waar jouw vrienden mij vandaag hebben ontmoet. Vraag het maar aan die kleine man die nu op sterven ligt, Sjaikin. Hij zal het adres voor je opboeren.

Kom maar, Haas.

Dank je, Schoolmeester. Ik neem de uitnodiging aan.

De temperatuur daalde sneller dan het licht afnam. Zaitsev bewoog zijn stijve schouders. Een kille pijn daalde vanuit zijn nek af naar zijn onderrug. Al twee uur lang, zonder onderbreking, tuurde hij door zijn periscoop.

In de zoeker werden de contouren van de ruïnes en puinhopen onscherp nu het schemergordijn neerdaalde. Hij bevond zich exact op de plaats die Sjaikin hem met zoveel pijn en moeite had beschreven; hier was Sjaikin door de kogel getroffen. Achter Zaitsev was de loopgraafbodem donker verkleurd, als het waarmerk van de jager, op de plaats waar Morozov was gevallen. Nog één keer speurde Zaitsev de rij appartementenblokken in het zuidwesten af, langs de Soletsjnaja-straat. Hij liet zijn blik afdalen en naar rechts zwaaien om de circa tweehonderdvijftig meter open terrein van het Plein van de Negende Januari in zich op te nemen, in feite een park met verbrijzelde fonteinen, geknakte banken en ontwortelde bomen en struiken.

Het park was veranderd in een verbijsterende chaos van loopgraven, verwoeste voertuigen en bomkraters. Aan zijn linkerkant werd het park begrensd door de drie appartementenblokken in de Soletsjnaja-straat. Op de linkerhoek van het park, aan de overkant van de straat, stond het Pavlov-huis. Achter het park, langs de noordwestgrens ervan, bevonden zich de ruïnes van winkels en kantoorgebouwen, doorsneden door lanen en straatjes. Dit, zo vermoedde Zaitsev, was voor de oorlog het kloppende hart van Stalingrad geweest.

Eindelijk liet hij de periscoop zakken, met gevoelloze, stijve handen. Hij had gedaan waarvoor hij gekomen was: zich alle details van de frontlinie vanaf dit punt in het hoofd prenten. Als er iets veranderde in de komende paar dagen, als er ook maar een blok steen was verplaatst of een paar bakstenen opgestapeld, zou hij het weten. Hij trok zijn witte wanten uit om in zijn handen te blazen. Hij liet zijn vingergewrichten kraken en strekte zijn handpalmen om er weer wat gevoel in te krijgen. Hij nam een potlood en een blocnote uit zijn rugzak en begon haastig in het kwijnende licht schetsjes te maken.

Zaitsev strekte zijn benen, die door het lange zitten in de bijtend koude lucht verkrampt waren. Onder zijn voeten bevond zich de verkleurde aarde waarin Morozovs bloed een plasje had gevormd alvorens te worden geabsorbeerd. Zaitsev kroop een paar meter verder in de loopgraaf. Het was niet behoorlijk om hier te blijven talmen op deze plek, waar het leven van een vriend was weggevloeid in de aarde en waar een andere vriend dodelijk gewond was geraakt. Op de een of andere manier leek het heiligschennis, zo ongeveer als zitten op een graf. Hier verwijlden geesten, zoals overal waar iemand het leven had gelaten. Hij bedacht hoe zijn oude grootvader hem de les zou hebben gelezen over deze manier van denken, en hoe grootmoeder Doenja, dreigend met haar berkentak, hem zou hebben gemaand om de geesten te respecteren en naar hen te luisteren; zij kennen de dood, weten dingen die voor ons onbekend zijn.

Hij stopte zijn blocnote en potlood weg. Ik herinner me de details goed genoeg, vond hij. Trouwens, dat soort fouten hoef ik van Thorvald niet te ver-

wachten. De Bovenmeester zal een veel grovere blunder maken dan het verplaatsten van een baksteen of het opsteken van een sigaret. En als hij dat doet,
zullen de machten die boven zijn bloed zweven mij helpen hem te vinden en
zijn schim los te laten, zodat hij kan rondspoken bij de plek waar hij is gevallen.

Voor het eerst sinds hij van de aanwezigheid van de nazi-sluipschutter in Stalingrad op de hoogte was gebracht voelde Zaitsev hoe zijn taiga-instincten zich
openstelden. De fluisterende stemmen van zijn vader en grootvader en al die
andere voorvaderen die hun leven in de taiga hadden gesleten waren blijven
zwijgen totdat hij naar deze plek was gekomen om de omgeving te observeren,
in het besef dat Thorvald op hem loerde. De stemmen hadden gewacht op aanwijzingen, vertrouwde dingen, sleutels die zijn diepere kennis konden ontslui-
ten. Thorvald was een soort prooi waarop hij nog nooit had gejaagd en de stemmen hadden het zwijgen ertoe gedaan.

Nu echter, nu hij Thorvald eindelijk binnen bereik had, en met de bewijzen
van Morozovs dood en Sjaikins zieltogen in de winterharde aarde naast hem,
kwamen Zaitsevs intuïtieve vermogens tot leven. Natuurlijk, Thorvald was een
man, en de Haas had inmiddels jacht gemaakt op honderden mannen als hij, en
met succes. Maar de Bovenmeester beschikte over vaardigheden die geen van de
mannen die hij ooit tegenover zich had gehad had bezetten.

Deze nazi kon onvoorstelbaar trefzeker schieten. Hij kon binnen enkele seconden een gezicht kerven in een dummy. Hij vuurde zijn wapen af alsof er twee
schutters aan het werk waren. En waartoe hij op grote afstand in staat was, kon
alleen maar griezelig worden genoemd. Hij had Morozov en Baoegderis allebei
gedood door een kogel door hun telescoopzoeker te jagen, terwijl Koelikov en
Sjaikin, twee van zijn meest ervaren Hazen, naast de slachtoffers hadden zitten
waarnemen, waarna hij ook hen had geraakt. Hij kent het slagveld. Hij was op de
Mamajev Koergan, daarna bij de Rode Oktober en nu weer bij dit park in het
centrum van de stad.

Thorvald is brutaal. Hij is zelfs Koelikovs loopgraaf in gekropen om zijn geweer buit te maken. De man heeft een kronkel; hij is misschien zelfs gek. Hij
schiet op van alles en nog wat, van dummy's tot verpleegsters. Hij is wreed. En
hij heeft hersens. En net zoals iedere andere man van vlees en bloed is hij bang
omdat hij hier zit, in Stalingrad.

De Bovenmeester concentreert zich op één enkele taak: mij treffen. Hij is als
een dolgeworden boswolf die niet meer eet en drinkt, maar alleen andere dieren verscheurt. Alles wat zo'n beest doet, is op dat ene, op zichzelf staande doel
gericht. Dat is zijn zwakheid. Het kan hem verraden.

Zaitsev stond langzaam op om nog één keer voor het vallen van de avond uit
te kijken over het park. Het licht was bedorven en nu sijpelden de schaduwen
de grond in. Tijd om te vertrekken. Hij hing zijn telescoopgeweer aan de schouder en bukte zich om zijn periscoop op te rapen. Op de bodem van de loopgraaf,
vlak bij zijn hand, bevond zich Morozovs bloedige lichaamsafdruk. Tegen het

bloed zei hij: 'Morgenochtend ben ik terug.'

Twee uur later liep Zaitsev de sluipschuttersbunker in. Koelikov stond op. 'Wasja!'

'Nikolai!' Zaitsev omhelsde zijn vriend en kuste hem luid op beide wangen. Toen hield hij hem op armlengte. 'Je bent terug! Hoe maak je het? Hoe is het met je hoofd?'

Koelikov hield zijn hoofd scheef om Zaitsev het verband boven zijn oren te laten zien.

Zaitsev liet zijn vinger voorzichtig over de plek strijken waar de hechtingen moesten zitten, zoals hij wist. 'Nou,' zei de Haas met een grijns, 'dat oor zit er nog aan. Da's beter dan bij sommige anderen.'

Koelikovs grijns verdween. In zijn blijdschap had Zaitsev heel even Baoegderis vergeten. Nu zag hij het verbrijzelde gezicht van Baoegderis weer voor zich, en de gezichten van Morozov en Sjaikin. En die van anderen.

'Ik voel me goed,' zei Koelikov. 'Ze hebben vanmiddag mijn bed omgekeerd. Ik heb gehoord wat er met Ilja en Morozov is gebeurd.'

Zaitsev zette zijn geweer en rugzak in een hoek. 'Ik heb hem gevonden, Nikolai – Sjaikin heeft me haarfijn verteld waar ik moest zijn. Ik kan hem voelen. Dat nazi-zwijn, ik kan hem vóélen.'

Koelikov keek Zaitsev in de ogen. De kleine sluipschutter slikte moeizaam, maar zijn gezicht bleef als een nietszeggend masker. Zaitsev had zich al dikwijls verwonderd over dit stilzwijgen van Nikolai Koelikovs gezicht. Het verried niets van wat er in de man omging. Zijn trekken, ja zelfs zijn armen en benen, waren vaak nagenoeg roerloos, stil als de maan. Zaitsev wist zeker dat dit de reden was waarom Koelikov van al zijn sluipschutters de meest onzichtbare was als hij zich verplaatste. De stilte zat hem in de botten.

Zaitsev dacht aan de keer, vier dagen geleden, toen Koelikov en Baoegderis hun spel met de rammelende blikken hadden opgezet. Koelikov was buiten bewustzijn geweest en had pas beseft welke fout hij had gemaakt toen hij dat bloederige gat in Baoegderis' gezicht had gezien en ook de wond in zijn eigen hoofd had ontdekt. Koelikov had een rekening te vereffenen. Bovendien had Thorvald zijn geweer.

'Wil je meekomen, Nikolai? We hebben hem allebei aan het werk gezien, en we leven nog, zodat we erover kunnen praten. We kunnen hem te grazen nemen.'

Koelikov knipperde met zijn ogen. 'Zal Tanja daar geen bezwaar tegen hebben?'

'Wat...' Zaitsev zweeg. Hoofdschuddend liep hij naar de hoek. Straks komt Danilov ook nog, met zijn verdomde wekelijkse column in *Voor de landsverdediging*.

'Nee, Nikolai. Tanja zal er geen bezwaar tegen hebben. Ga zitten.'

Koelikov liet zich op de grond vallen. Zaitsev hoorde hem niet eens bewegen, hoewel hij toekeek hoe Koelikov weggleed naar de flakkerende schaduw onder de lamp. Hij kiest altijd de donkerste plek, merkte Zaitsev op.

Zaitsev beschreef de details van de plaats waar Sjaikin en Morozov hun confrontatie met Thorvald hadden gehad. Hij wist niet hoe de Bovenmeester kans had gezien beide sluipschutters te treffen. In dit stadium was het hoe echter minder belangrijk dan het waar. Hij en Koelikov zouden hun eigen, nieuwe gevecht tegen de super-sluipschutter van de nazi's beginnen.

'De zon komt in onze rug op en daalt tegenover ons, enigszins naar rechts. We zijn dus 's morgens en in het begin van de middag in het voordeel. We zullen hem tot een paar schoten moeten verleiden om enigszins te kunnen bepalen waar hij zit. Dat lijkt me niet al te moeilijk. De Bovenmeester lijkt er bijzonder op gebrand om zijn trekker over te halen.'

Koelikov zei niets. Zijn leigrijze ogen stonden waakzaam, alsof hij ermee luisterde.

Zaitsev vervolgde: 'We kunnen ons verplaatsen. Ik heb echter het idee dat hij zal blijven waar hij is. Hij heeft een plaats gevonden die in zijn ogen goed genoeg is om mij te pakken te kunnen krijgen. Dus zal hij, zolang hij denkt dat hij verborgen is, op die plek blijven hangen.'

Koelikov deed zijn mond open. 'Hoe weet hij dat hij jou niet heeft geraakt, toen hij Sjaikin en Morozov neerschoot?'

Zaitsev dacht even na voordat hij antwoord gaf. 'Dat weet hij niet. Ik denk echter dat hij de plek waar hij de laatste twee sluipschutters heeft geraakt zal blijven observeren. Als er morgen of overmorgen niemand komt om met hem te spelen, zal hij denken dat hij mij te pakken heeft gehad en dat het spel uit is. Als er echter wel iemand komt opdagen om de confrontatie met hem aan te gaan, zal hij ervan uitgaan dat ik eindelijk zelf in die loopgraaf tegenover hem sta, omdat ik het nieuws heb gehoord over zijn telescoopschot op Morozov en al die andere schoftenstreken van hem. Uiteindelijk is dat precies zijn bedoeling. Ik schat dat we nog een of twee dagen de tijd hebben, terwijl hij in zijn schuilplaats zit te loeren om te zien wie er op bezoek komt.'

Koelikov stond op. 'Ik ga wat pitten. Vier uur hier?'

'Ja, Nikolai.'

Geluidloos was Koelikov verdwenen. Zaitsev ging zitten en staarde naar de bewegende schaduwschijf onder de lamp, waar Koelikov had gezeten. Slechts enkele seconden na zijn vertrek leek het of Koelikov al een uur weg was. Hoe doet hij dat toch, vroeg Zaitsev zich af.

Hij draaide de petroleumlamp uit en ging op zijn slaapmat liggen, zijn rugzak onder zijn hoofd. Hij staarde naar de inktzwarte duisternis in de bunker.

Morgen. Morgen begint het duel.

De kille tocht van de aarden vloer kroop langs zijn wang omhoog. Hij trok zijn deken hoger. Hij luisterde naar zijn eigen ademhaling en voelde het kloppen in zijn keel. Thorvald. Luitenant-kolonel Thorvald. Gewoon maar een naam, niet meer dan bloederige gaatjes in lichamen, tot dusverre niet meer dan gissingen en conclusies. Morgen wordt Thorvald voor mij een feit, een concreet feit, zo concreet als een kogel.

Hij vroeg zich af hoe het zou voelen zelf een kogel in zijn lijf te krijgen. Hij was in Stalingrad nog niet gewond geraakt, hoewel hij duizenden gewonden had gezien. Wat voor soort pijn zou het zijn? En gedood worden... werd de zwarte nacht van de dood ogenblikkelijk door de kogel meegevoerd, voordat de pijn zich meester van je maakte – alles stil en vredig terwijl je wegzweefde naar de eeuwigheid? Of was het gruwelijk om met een kogel tussen de ogen te sterven? Was het een plotselinge explosie van iedere kwelling die in je lichaam op de loer ligt, ontketend voor de paar seconden die het duurde voordat je zintuigen zich afsloten? Zaitsev voelde iets jeuken op zijn voorhoofd, de plek waarin zich de volgende dag een kogel kon boren. Hij wreef over zijn gezicht om het gevoel kwijt te raken.

Thorvald. Zaitsev nam in gedachten de lessen door die hij zijn Hazen had gegeven over de beste manieren om met een sluipschutter af te rekenen. Het procédé van het vinden van de sluipschutter begint met het zich vertrouwd maken met de frontlinie van de vijandelijke verdediging. Neem alle details in je op en geef ze een plaats in je beeld van die frontlinie. Dit had hij de afgelopen uren gedaan. Maak vervolgens een studie van de manier waarop en de plaats waar andere mensen in de desbetreffende zone zijn getroffen. Zaitsev dacht terug aan de tien minuten die hij door had gebracht bij Sjaikins hevige lijden, en daarvoor naast Morozovs lijk. De kogel in Morozovs hoofd was door de telescoop op zijn geweer afgebogen. Ook de telescoop zelf had niets onthuld. Waarop was Morozovs geweer gericht geweest toen hij werd getroffen? Sjaikin had hem dat niet kunnen zeggen. Hij had door zijn veldkijker naar een zich verplaatsende helm gekeken, vlak boven de rand van een loopgraaf die evenwijdig liep met de Soletsjnaja-straat. Hij had Morozov naar een schot op de helm gedirigeerd toen Thorvald had toegeslagen. Zaitsev veronderstelde dat er ofwel wat soldatenactiviteit gaande moest zijn nabij het Pavlov-huis, of dat Thorvald een assistent had die voor hem de helm op een staak door de loopgraaf droeg.

Sjaikin en Morozov hadden zelf een fout gemaakt. Ze hadden niet mogen schieten. Ze waren naar het Plein van de Negende Januari gegaan om Thorvald te lokaliseren, niet om een duel met hem aan te gaan. Toen zij in het aas hapten – vermoedelijk de bewegende helm – had de Bovenmeester in een reflex toegeslagen.

De volgende stap is het peilen van de zwakke en sterke punten van je opponent. Vermijd zijn sterke punten; scherp zijn tekortkomingen aan. Als hij een vaardig schutter is, zoals Thorvald, stel je hem op de proef met schijnmanoeuvres en valse posities; je geeft hem gemakkelijk te raken doelen om hem ertoe te verleiden zijn positie te verraden zonder jezelf bloot te geven. Drijf de spot met zijn schutterskunsten door te doen alsof je zelf een beginnend sluipschuttertje bent; maak kleine, beheerste foutjes om zijn zelfvertrouwen aan te wakkeren, zodat hij belust wordt op het duel. Als hij ongeduldig en gretig is, zoals Thorvald, verleid je hem tot een langdurig, gecompliceerd duel. Als hij koppig is, zoals de Bovenmeester, leid je zijn aandacht af. Je stelt zijn concentratie op de proef, en daarmee ook zijn fysieke vaardigheid om door zijn telescoop te turen en accuraat te schieten. Als hij het initiatief heeft gegrepen, zoals Thorvald, neem je het zelf in handen.

Als het jouw beurt is om te schieten, zorg dan dat je raak schiet. Denk aan die oude volkswijsheid: de stof zeven keer afmeten, dan pas knippen.

De deken in de deuropening ging omhoog en viel terug. Voorzichtige laarzen staken de aarden vloer naar Zaitsevs hoek over. Hij opende zijn ogen, maar zag niets. Hij trok zijn hand onder de deken vandaan. Zonder van zijn slaapmat op te staan tastte hij in het duister. De koude lucht verkilde zijn pols. Een been streek langs hem heen.

Hij hoorde hoe ze op de grond naast hem neerhurkte. Haar hakken woelden in de grond toen ze in de kleermakerszit ging zitten. Ze nam zijn hand in haar beide handen en omvatte hem zonder te knijpen, alsof zijn vingers breekbaar waren. Na een minuutje in het donker voelde hij dat ze zijn hand begon te strelen. Ze zei: 'Koelikov is een prima keus. Ik ben blij dat hij terug is.'

Hij haalde diep adem. Tot zijn eigen verbazing klonk het hem als een zucht in de oren. De bunker, daarnet nog zo koud en inktzwart, leek om hem heen te fladderen, pulserend en zwiepend als de vleugels van een kraai, nu Tanja naast hem zat. Zij geeft de wereld, elk ogenblik ervan, dynamiek, dacht hij. De dingen beginnen in haar omgeving te veranderen, alsof zij ze een gevoel van onbehagen geeft.

'Blijf vannacht,' zei hij.

Het was niet zijn bedoeling geweest dit te zeggen. Verdomme, dacht hij, ze trekt de dingen uit me, haalt mijn gedachten door mijn mond en handen naar buiten en vormt ze tot woorden en handelingen voordat ik ze tegen kan houden.

'Nee, Wasjinka,' fluisterde ze. 'Morgen sta je tegenover Thorvald. Dan moet je zuiver zijn. Ik zal wachten.'

Ze bleef zijn hand nog een minuut lang vasthouden, in het middelpunt van de rondwervelende tijd en duisternis. Zaitsev zag niets, zelfs de nacht niet. Zijn verstand stond stil, zijn geest verbonden met die van Tanja, terwijl haar vingers zacht als een muis in de palm van zijn hand gleden. Ze omhult me, dacht hij. Zelfs als ze alleen maar naast me zit en mijn hand streelt. Ze neemt mij.

Hij trok zijn hand terug en tastte naar haar voorhoofd om zijn vingers diep in haar weelderige haar te steken. Het was dik, met strengen als stro; hij zou zijn vingers er niet rechtstandig omhoog uit kunnen trekken. Zijn hand gleed over haar voorhoofd en over haar ogen en neus. Voorzichtig betastte hij haar gezicht als een blinde, zacht genoeg om alleen water in beroering te brengen. Zijn hart en bewustzijn balden zich samen in zijn hand en vingers, als toeristen die zich voor een raam verdrongen om een glimp van haar op te vangen. Toen hij haar hals bereikte, de huid boven haar kraag, hield hij op.

Ik moet zuiver zijn, heeft ze gezegd.

Tanja stond op. Haar gevechtspak ruiste en verbrak de ban.

Ze liep naar de deken. 'Het wordt tijd dat de Bovenmeester een nieuwe les leert,' zei ze tegen het donker. 'Wat het is om te sterven. Eén kogel, één les. Van de Haas.'

Ze tilde de deken op. Een streep maanlicht maakte het silhouet van haar benen en middel in de deuropening zichtbaar. Ze glipte onder de deken door.

'Dood hem, Wasja,' zei ze. Toen was ze weg. De deken viel alweer voor de deuropening. Een kille vlaag tocht vulde de leemte die ze had achtergelaten en kroop over de vloer naar de plek waar ze naast Zaitsev had gezeten.

22

De middag was al gedeeltelijk om toen Nikki en Thorvald bij het Plein van de Negende Januari waren gearriveerd. Thorvalds interesse werd ogenblikkelijk intens zodra hij het park zag.

Deze ruimte was ideaal voor zijn opdracht, zei hij. Hij gluurde over de lage stenen muur en zijn hand maakte een zwaaibeweging over het schemerige panorama – tweehonderdvijftig meter in het vierkant, alsof hij het aftastte, op zoek naar knobbels en andere onregelmatigheden. Dit park gaf hem uitzicht over een breed schootsveld. De zon zou achter zijn rug ondergaan en hem 's middags in schaduw hullen. Hier bevonden zich meer dan genoeg plekken om je schuil te kunnen houden: verscheidene uitgebrande tanks, een in de steek gelaten fortificatie. En massa's puin. De andere kant van het park, langs de Russische frontlinie, was gelijkmatiger. De strijd had zich hier toegespitst op het gebouw aan hun rechterhand, het Pavlov-huis. De Roden waren daar onverzettelijk blijven zitten, hoewel het park zelf een ontvolkt strijdperk was, niemandsland. 'Perfect!' had Thorvald verklaard.

Nikki had dekking gezocht achter de parkmuur terwijl Thorvald zich door zijn opwinding liet meeslepen en het terrein van het park onafgebroken door zijn veldkijker afspeurde. Na een minuut, hij stond toen bijna rechtop, had hij gezegd: 'Ah, ja, daarginds.'

Haastig was hij de muur gaan volgen, vijftig meter naar links. Nikki was hem gevolgd. Ze bleven staan bij een bres in de muur, veroorzaakt door het brute geweld van een tank. Tien meter voor hen lag een groot stuk gegolfd plaatijzer boven op een grote hoop bakstenen.

Tien minuten later had Thorvald van een soldaat achter hen in de linies een pioniersschop gevorderd. Direct na het invallen van de duisternis had hij Nikki aan het werk gezet om onder de golfplaat een schuilplaats uit te graven, plus een ondiepe loopgraaf ernaartoe.

Nikki schepte de aarde op een stuk zeildoek, waarna de overste zelf het zeil wegsleepte en de aarde achter de parkmuur deponeerde. Thorvald drukte Nikki op het hart dat hij het aanzicht van de bakstenen aan de naar de Russische frontlinie gekeerde kant van de puinhoop op geen enkele manier moest veranderen of verplaatsen.

Twee uur later gluurde Nikki vanuit de schietpositie die hij had gecreëerd naar buiten. Het gat was nu diep genoeg om plaats te bieden aan een op zijn knieën liggende man, wiens hoofd de golfplaat net niet raakte. Dit afdak zou de overste de hele dag diep in de schaduw houden. Het hol, de bakstenen en het afdak zouden niet alleen zijn lichaam aan het oog onttrekken, maar ook de knal van zijn geweer sterk dempen. Hij kon hier in de neutrale zone op de loer liggen, ongezien en ongehoord, zelfs beschut tegen de Russische ijswind en op zijn gemak tussen de bakstenen door naar het oosten richten.

Nikki maakte zijn karwei af en kwam toen uit het hol gekropen. Hij was doodop naast de overste op de grond gaan zitten.

Thorvald was energieker geweest. 'Nou, dan zullen we maar eens gaan kijken hoe het er daarbinnen uitziet, korporaal.' Hij kroop vlug onder het afdak vandaan.

Nikki had hem horen lachen, diep in zijn hol. 'O, het kan niet beter.' Zijn stem onder het metaal had blikkerig en hol geklonken; de bron was onzichtbaar.

De volgende ochtend vroeg had Thorvald verscheidene dekens meegenomen naar zijn schietpositie, plus twee dozen munitie, een thermosfles en twee boterhammen. Nikki moest achter de parkmuur blijven, tien meter terug, ook met dekens, proviand en munitie, om op de instructies van de overste te wachten.

Tot aan het eind van de middag was Thorvald stil in zijn hol gebleven. Met de zon achter hem, en terwijl Nikki via de veldkijker het terrein observeerde had de overste op verscheidene leden van het medische korps van de Russen geschoten, ook al waren ze maar enkele ogenblikken zichtbaar als ze zich het Pavlov-huis in haastten en met gewonden terugkwamen. Nikki Mond was ineengekrompen bij iedere knal van het geweer, hoewel het geluid gedempt klonk, heel anders dan de scherpe knallen die hij gewend was. De schoten troffen hem als de mokerslagen van een bokser en deden zijn maag samentrekken.

Nikki verachtte de overste omdat hij op verpleegsters en hospikken schoot, en om de manier waarop de man bij iedere treffer glunderde. Steeds als hij de trekker overhaalde, hield hij hardop de score bij: 'Een... twee... en... drie.' Waar Nikki de afgelopen dagen net zolang met zijn geweten had geworsteld totdat hij het had gevloerd, moest hij nu verwoed worstelen om het daar te houden terwijl de overste nog meer nietsvermoedende slachtoffers doodde. Hij kende het antwoord op zijn vraag al voordat hij die aan zichzelf stelde: was dit juist? Was het gepast om verpleegsters, hospikken, artsen en gewonde soldaten neer te maaien als lokaas voor de Haas, alsof ze niets meer waren dan wortelen en kool in een konijnenval? Ja, natuurlijk. Het gaat hier in Stalingrad allang niet meer om recht of onrecht, of om winnen – alleen om overleven. Nee, dit waren geen *militaire* doelen. En wat ik hier probeer te doen heeft ook niets met militaire overwegingen te maken. Ik wil naar huis. Hoeveel mensen zal ik daarvoor laten sterven? Nikki kon geen getal bedenken. Allemaal.

De volgende ochtend was precies zo begonnen als de vorige, voor zonsopgang. Thorvald kroop zijn hol in en hield zich stil tot in de namiddag; toen had hij met de snelheid van een repeteergeweer twee schoten gelost, en toen nog een derde keer. Het enige wat hij tegen Nikki zei, was: 'Nog drie.'

Die avond liepen Thorvald en Nikki zwijgend naar hun afzonderlijke kwartieren in het centrum. Het was alsof de overste een bepaald concentratiedomein was binnengegaan; als hij zijn oog eenmaal tegen de zoeker drukte, keek hij niet meer weg en knipperde zelfs niet met zijn ogen totdat hij zijn doel had geraakt. Het duel met Zaitsev was voorbereid; het doel was al gekozen, maar bevond zich nog niet achter de kruisdraden van de overste.

Tijdens de derde zonsopgang bij het Plein van de Negende Januari, juist toen de zon het park zijn kleuren teruggaf, hoorde Nikki de blikkerige stem van Thorvald.

'Korporaal. We hebben gezelschap gekregen.'

Nikki liet de deken van zijn schouders glijden en greep zijn veldkijker. Hij maakte aanstalten om zijn kijker boven de parkmuur te brengen. Vanuit zijn hol siste Thorvald hem toe: 'Sluipschutters! Blijf in dekking.'

De rest van de ochtend zat Nikki gebukt achter het muurtje. Nerveus vroeg hij zich af of de overste de Haas eindelijk in het vizier had. Het wachten duurde uren. Verveling knaagde aan zijn alertheid; zijn zenuwgestel werd gesloopt. Tegen de middag, de zon stond op zijn hoogst en de schaduwen waren loodrecht, fluisterde Thorvald hem vanuit het hol toe: 'Ga dertig meter naar links. Daar stop je en zet je je helm op de steel van die pioniersschop. Breng hem net ver genoeg boven de muur om hen te laten denken dat het je hoofd is. Loop ermee naar links. Nikki, hoor je me?'

'Ja, overste.'

'Doe het. En als de helm wordt geraakt, laat je hem snel vallen.'

Nikki greep de pioniersschop. Op zijn knieën kroop hij dertig meter naar rechts. Hij nam zijn helm af en tilde hem op de steel van de schop net boven de parkmuur.

Hij had nog geen tien meter afgelegd toen de helm met een harde klap werd getroffen en een keer in het rond draaide. Het blad van de pioniersschop beet hem in de hand. Hij liet de schop vallen en hoorde de vertraagde echo's van een geweerschot aan de overkant van het park. Hij greep de schop en de helm en haastte zich terug naar zijn observatieplaats achter Thorvald.

'Ik heb u niet horen schieten, overste,' riep hij naar het hol. 'Hébt u wel geschoten?'

'Ja.' De ingeblikte stem klonk vermoeid.

'Een – twee, overste?'

'Een – twee.'

Nikki wachtte. Toen vroeg hij: 'Was het Zaitsev?'

Thorvald slaakte een zucht. Nikki stelde zich voor dat de overste zich nu omrolde om in de warmte van de dekens en de warmte van de zon die door het gegolfde plaatijzer werd uitgestraald een dutje te doen, als een beer die zijn buik rond heeft gegeten.

'Dat ontdekken we morgen wel.'

Het eerste ochtendlicht zou nog een uur op zich laten wachten. Nikki zat naast Thorvald met zijn rug tegen het stenen muurtje. De overste rustte even voordat hij door de ondiepe loopgraaf naar zijn schietpositie onder het afdak zou tijgeren.

Nikki's verwachtingen waren hooggespannen, deze vierde ochtend op het Plein van de Negende Januari. Hij was het met Thorvald eens dat de Russische sluipschutters van de vorige dag waarschijnlijk tot de door Zaitsev geleide eenheid hadden behoord. Vermoedelijk was de Russische meestersluipschutter er zelf niet bij geweest. De list met het omhoog houden van de helm was veel te elementair en te slecht uitgevoerd om het werk van de Bovenmeester te kunnen zijn; als Zaitsev, de ervaren jager uit de taiga, degene was geweest die waarnam, zou hij er niet in zijn getrapt. Ongetwijfeld zou hij de list als het werk van een doorsnee-schutter in het Duitse leger hebben herkend, en dan zou hij zich nooit hebben laten verleiden tot een aanval, zoals die twee Russische sluipschutters hadden gedaan. Zaitsev had maar één doel: Thorvald en niemand anders. De Haas zou zijn positie nooit hebben verraden voor een prooi van minder belang. Als echter de beide Iwans aan de overkant van het park gewoon een stel sluipschutters op jacht waren geweest, of misschien zelfs in opdracht van Zaitsev de situatie hadden willen verkennen, zouden ze waarschijnlijk op elk doel hebben geschoten dat zich aanbood, vooral een Duitse sluipschutter die zo harteloos was om op gewonde soldaten en medisch personeel te vuren.

Vandaag en morgen zullen we het weten. Als Zaitsev dood is, blijft de reactie uit. De Roden zouden geen leerlingen van Zaitsev meer op Thorvald afsturen. Hij heeft hen al verscheidene keren bewezen dat een dergelijke daad neerkomt op zelfmoord. Nee, als er vanmorgen of de dag van morgen opnieuw activiteit van sluipschutters komt, moet het Zaitsev zelf zijn.

Het zal beslist Zaitsev zelf zijn, eindelijk.

Thorvald had lang genoeg gerust. Hij nam de rugzak met zijn thermosfles en de boterhammen die hij met zijn laatste kaas en worst had belegd. Er was nog net genoeg over voor vier lunches, de komende dagen. De overste veronderstelde dat het voldoende zou zijn.

Thorvald nam de buit gemaakte Moisin-Nagant. Hij trok een grimas en begon naar zijn hol te tijgeren. Nikki vroeg zich af: waar haalt de man toch het geduld vandaan om de hele dag waakzaam te blijven en af te wachten? Moet je hem zien. Hij is mollig en allesbehalve een gehard strijder. Waar haalt hij de wil vandaan om desondanks een super-sluipschutter te zijn, de gevaarlijkste schutter van het *Dritte Reich*? Als er zo'n grote kracht in hem huist, zou die zich dan niet ook aan de buitenkant manifesteren – in zijn spieren en de rest?

O, maar dat is ook het geval, Nikki, het is inderdaad zo – hij hoorde het de stem van de overste hem al uitleggen. Die kracht zit in mijn ogen en handen, zoals je zelf hebt gezien. En soms ook in mijn stem. Ik projecteer haar in mijn kogels. Mijn wil ontlaadt zich in die explosie van cordiet en vliegt mee in het lood dat ik verstuur. Zodra ik mijn geweer pak, word ik de Duitse supersluip-schutter.

'Blijf heel alert, vandaag,' zei de overste. Hij lag al op zijn knieën. 'Doe niets voordat ik je instructies geef. Ik denk dat we nog voor het vallen van de avond een vette Haas te pakken zullen hebben.'

De overste tijgerde door de ondiepe loopgraaf, op weg naar de berg puin met de golfplaat eroverheen. Hij duwde zijn geweer en rugzak voor zich uit door de lichte sneeuw die de afgelopen nacht was gevallen.

Nikki maakte zich zo klein mogelijk, weggekropen in een deken. De ochtend rook fris. Het vochtige, sombere weer dat de afgelopen week als een natte spons over Stalingrad had gelegen, was de afgelopen nacht weggewaaid; het zou een heldere dag worden, met weinig wind.

De laatste ster van de nachthemel twinkelde laag boven de oostelijke horizon boven de Wolga. De ster wedijverde met de roze en paarse lichtvegen van de opkomende zon om nog een paar laatste gloedvolle ogenblikken. We zullen vandaag uitstekend zicht hebben, peinsde Nikki, en geluiden zullen ver dragen. Een uitstekende dag voor de jacht.

Nikki werd wakker toen de zon hem vol in het gezicht scheen. Hij tilde zijn kin op om zijn hals warm te wrijven. Toen trok hij zijn witte camouflagecapuchon van zijn hoofd en deed zijn helm af. De zon was niet hoog genoeg om zijn kruin te verwarmen, maar dankzij de afwezigheid van de wind voelde de kou prettig aan. Hij dacht aan de droge kou en de poedersneeuw over de akkers van zijn vader in Westfalen en zag voor zich hoe de koeien en schapen soms na een eer-ste sneeuwbui roerloos in het midden van het uitgestrekte weiland bij elkaar stonden, verbijsterd door het verdwijnen van de aarde. Hij dacht aan zijn zus, die op koude dagen vaak stamppot met worst of snert voor hem en zijn vader had gekookt, als ze stampvoetend de deel betraden en bij de deur naar de keu-ken hun laarzen uittrokken. Dan gingen ze in de keuken aan tafel, onder de grote sepiakleurige foto van zijn moeder, die al jaren dood was, evenveel jaren als Nikki oud was. Ze zou een goede moeder voor je zijn geweest, had zijn vader altijd gezegd. Dan had Nikki naar zijn zus gelachen, aan de overkant van de ta-fel, de zus die hem bemoederde.

Thuis was het nooit zo intens koud geweest, geen kou die doordrong tot in je botten, zoals hier in dit vreemde land gedurende een oorlog waar je wachtte op jouw beurt om te sterven, te doden of te overleven en verder te wachten.

Hij trok een want uit en haalde zijn boterhammen tevoorschijn. Hij pakte er een uit en begon te eten. Hij had hem moeten bewaren voor het moment later op de dag, als hij echt trek kreeg. De onzekerheid verleidde hem er echter toe hem nu te eten, nu hij er zin in had.

Nikki zat in de kerkhofachtige stilte van de parkmuur, aan alle zijden omge-ven door de zeldzaam blauwe hemel, de puinhopen en andere verwoestingen.

277

Een poosje dacht hij niet eens aan Thorvald, dik en wit opgerold in zijn hol als een reusachtige made. Nikki keek op naar de top van de Mamajev Koergan, naar de spoorlijnen achter de straten en stegen van de arbeidershuisjes – alles geblakerd en verwoest, zoals vandaag zo duidelijk te zien was. Hij stelde zich voor dat hij de enige overlevende was in Stalingrad. Wat zou hij in dat geval doen? Uit de brokstukken een huis voor zichzelf bouwen? Opstaan en weglopen... maar waarheen? Nee, hij zou hier in de zon blijven zitten. En zijn laatste boterham eten. Misschien zou hij in het hol van de made kruipen en zijn boterhammen ook verorberen.

Nikki zat waar hij zat, de hele middag. Hij kon zijn plek bij de bres in de parkmuur niet verlaten, want Thorvald kon hem elk ogenblik nodig hebben. Hij rekte zich uit, rolde zich op zijn buik en trok de deken over zich heen. Het liefst zou hij wat hebben geneuried of zacht gezongen, maar dat kon hij niet maken. Zou de overste in God geloven? Vraagt hij God om kracht? Of is hij net als ik en gelooft hij alleen als hij God nodig heeft omdat hij in moeilijkheden verkeert? God, haal me hier weg. Alstublieft, God, ik geloof, ik geloof altijd, ook al hoort U niets van mij. Breng mij veilig thuis, dan zal ik nog harder geloven, ik beloof het.

Laat in de middag overgoot de zon het park met lange slagschaduwen en zakte verder om over de verborgen schouders van Thorvald in zijn hol te schijnen. Nikki at zijn tweede en laatste boterham op nadat hij met zichzelf een spel had gespeeld door te wachten hoe intens de honger zou worden. Hij had de uren doorgebracht met observeren hoe zijn honger heviger werd. De pijn in zijn maag hielp hem alert te blijven.

Thorvalds blikkerige stem. 'Nikki, ben je daar?'

Nikki moest na al die verveling zoeken naar een antwoord.

'Nikki?'

'Ja, overste, ik ben hier.'

'Het wordt tijd om eens na te gaan of we gezelschap hebben.'

Nikki hield zijn adem in.

'Hebt u iets ontdekt, overste?'

'Misschien. Ik ben er niet zeker van, maar ik zag misschien iets blikkeren op dezelfde plek als waar die twee sluipschutters gisteren zaten.'

'Is het de Haas, denkt u?'

In Thorvalds vervormde stem klonk een grijns door. 'Nou, in elk geval is het op de plaats waar ik Zaitsev zou verwachten.'

Ja, dacht Nikki. Zaitsev, de held van de propagandabladen. Natuurlijk komt hij naar de plaats waar zijn vrienden de dood hebben gevonden. Zijn voorstelling van wraak moet wel naar het dramatische neigen. De Haas kent Thorvald niet, maar de overste kent hém. Hij is de hele dag diezelfde plek in het oog blijven houden, wachtend totdat de zon genoeg zou zijn gedaald om zo'n reflectie te veroorzaken.

'Doe je helm weer op de pioniersschop. Kruip vijftig meter naar links, til hem dan half boven de parkmuur en kruip naar rechts.'

Nikki rekte zich uit naar de pioniersschop. Achter zich hoorde hij Thorvald zacht in zichzelf praten of zingen, diep in zijn hol.

'Kom maar hier, mijn Haasje, kom maar rustig hier.'

23

'Daar, dáár, Wasja! Ik zie iets. Een... een helm. Kijk dan! Vlug, verdomme!'

Zaitsev had net zijn beurt van een uur lang aandachtig het park observeren door de periscoop achter de rug. Zijn ogen waren uitgeput. Nog geen minuut geleden had hij zijn wanten aangetrokken en was achterover gaan leunen tegen de wand van de loopgraaf, toen Koelikov iets ontdekte.

Hij rukte de wanten uit, greep naar zijn periscoop en bracht hem boven de steenhoop. 'Waar?'

'Dat muurtje aan de overkant van het park, achter die tank. Daar. Daar!'

'Nikolai, rustig nou maar. Ik vind hem wel.' Nooit eerder had hij Koelikov zo levendig gezien. Hij wordt sterk geïntrigeerd door de Bovenmeester. Maar ja, ik leef nu al een week met de gedachte aan Thorvald. Voor hem is het nog maar net begonnen.

'Hij verplaatst zich naar rechts,' fluisterde Koelikov.

Fluisteren is niet nodig, peinsde Zaitsev. Thorvald is voldoende dicht in de buurt voor een kogel, maar we kunnen nog steeds normaal praten.

Zaitsev liet de periscoop langzaam langs het lage muurtje glijden, op tweehonderdvijftig meter afstand. Nu de zon tegenover hem onderging, was het moeilijk vormen te herkennen, want alles in zijn periscoop was omhuld door een spookachtige aura. Die Thorvald weet dat natuurlijk. Hij heeft zijn positie zo gekozen dat de zon hém dit deel van de dag in de schoot werpt omdat hij in het voordeel is. De ochtend en de vroege middag waren voor mij. Ook dat weet Thorvald. De hele ochtend is verstreken zonder dat er iets van hem te zien was.

'Gevonden?' fluisterde Koelikov.

Nog niet. Niet daar. Voorbij de tank. Langs dat muurtje, niet dáár... Wat is dat? Een steen? Nee, het... ja, het bewoog. Een helm, natuurlijk. De periscoop had moeite met de afstand, maar op dit moment vertrouwde Zaitsev meer op Koelikovs gezichtsvermogen en instincten dan op die van hemzelf. Beweegt dat ding werkelijk, vroeg hij zich af, of komt het door dat nerveuze gepraat van Koelikov dat ik het graag zou willen zien bewegen? 'Ik zie het,' zei hij, voordat hij er zelf zeker van was. Hij observeerde de bewegende grijze bobbel boven de rand van de parkmuur scherp. Zijn vermoeide ogen begonnen langzaam aan hun automatische taak – zich zodanig focussen dat de zonnegloed en het wat wazige beeld in de periscoop werden gecompenseerd. De bobbel bewoog werkelijk. Ja, geen twijfel aan. Een helm. 'Ik zie hem,' herhaalde hij.

'Hij is jouw prooi, Wasja. Wat doen we?'

Zaitsev observeerde de deinende helm. De bewegingen waren onnatuurlijk;

het dalen en omhoog komen verliepen schoksgewijs – heel anders dan een man die zich achter de muur daarginds verplaatste. Het was een slechte imitatie, gewoon een helm op een staak, dansend alsof degene die de staak vasthield maar één been had om op te lopen óf op zijn knieën voortkroop. Zo te zien was de muur hoog genoeg om het een man mogelijk te maken om met gebogen knieën te kunnen lopen en toch gedekt te blijven, tenzij die man een staak met een helm erop vasthield. Nee, dit is niet de Bovenmeester. Die schoft ligt ergens anders op de loer, zodanig dat hij mij kan zien en raken – wachtend totdat ik zal vuren, zoals Sjaikin en Morozov hebben gedaan. Hij wacht totdat ik mijn positie verraad. De man die de helm draagt is een assistent, een onbeholpen helper.

Met een ruk trok Zaitsev zijn hoofd terug van de periscoop. Deze primitieve krijgslist, dit zogenaamde bewijs van onbeholpenheid, ervoer hij als een krenking. Dit was niet het openingsbod waarop hij had gerekend. Wat hij dan wel had verwacht, wist hij niet, maar niet dít.

'Het is een list. Nog slecht uitgevoerd ook.' Zaitsev knipperde met zijn ogen om de spanning in zijn ogen te verminderen. 'We doen helemaal niets.'

Zaitsev en Koelikov zagen de helm langs de bovenrand van de stenen muur deinen. Na verscheidene minuten scheen degene die hem droeg moe te worden; de helm verdween.

De zon zakte verder totdat hij laag boven de ruïnes aan de westelijke rand van het park hing. In dit licht hadden ze niets aan hun telescoopvizieren. Het enige doel zo laat in de middag, het soort doel dat Medvedev en zijn Beren zo ongelooflijk goed konden raken, zou een opgestoken sigaret zijn, of een mondingsvlammetje ergens in de toenemende duisternis – niet het soort blunder dat de Bovenmeester zou begaan. Of toch? Per slot van rekening had hij de Haas met een helm op een staak proberen te verleiden tot een schot – zonder meer een teleurstelling. Deze nazi is verre van briljant; hij was niet eens vakkundig.

Een halfuur later, toen de nacht was ingevallen, pakten Koelikov en Zaitsev ieder hun rugzak en geweer om te vertrekken.

'Waar zit hij, verdomme?' mopperde Koelikov. 'De vervloekeling.'

Geamuseerd stelde Zaitsev in stilte vast dat Nikolai, de notoire zwijger, zijn mond vol had van Thorvald.

Toen ze terugkeerden in de sluipschuttersbunker, werden ze opgewacht door Medvedev en Tanja. Zaitsev bracht verslag uit over de lange dag zonder een spoor van activiteit, die geëindigd was met de goedkope helmtruc. Een halfuur lang luisterde hij naar hun meningen over de tactiek die hij en Koelikov zouden moeten volgen. Toen stond Koelikov zwijgend op en verdween.

'Hebben we hem gekrenkt?' vroeg Medvedev.

'Dat niet,' zei Zaitsev, 'maar hij vat dit duel met Thorvald persoonlijk op. Ik denk dat hij hem zo graag te pakken wil nemen dat hij niet openstaat voor goede raad. Ik weet het eigenlijk niet. Misschien zit Baoegderis hem dwars. Het komt wel goed met hem. Zo, het lijkt me voor vandaag wel welletjes.'

Medvedev werkte zich overeind. 'Misschien ga ik vannacht eens in jouw park op jacht,' zei hij. 'Misschien rookt de Bovenmeester.'

Zaitsev begon te lachen. 'Als dat zo is, mag jij er een voor hem aansteken.'

Tanja zat met gekruiste benen tegenover Zaitsev en sloeg Medvedevs vertrek gade. 'Hoe is het met Sjaikin?' vroeg hij haar.

'Ik weet het niet. Ik wil het niet weten. Ik maak mezelf wijs dat hij nog leeft.'

Tanja wreef met haar handpalmen over haar knieën. Zaitsev zat bij haar in de avondstilte, proberend het kloppen in zijn borst te bedwingen dat wilde dat hij zijn armen naar haar uitstak om haar tegen zich aan te trekken.

Ze vroeg: 'Thorvald. Waarom gedraagt hij zich als een groentje?'

Zaitsev zei hoofdschuddend: 'Om mij het idee te geven dat hij het niet is. Of om me kwaad te maken. Ik kan voor alles wat hij doet wel tien verschillende redenen bedenken. En dan weet ik nog niets.'

Ze strekte haar benen. De contouren van haar dijen en de rondingen van haar bekken waren onder haar witte camouflagebroek zichtbaar.

'De Bovenmeester wil er zeker van zijn dat hij jóú tegenover zich heeft. Hij kent jou, Wasja. We kunnen ervan uitgaan dat hij alle artikelen over jou heeft gelezen. Hij wéét dat de Haas nooit op een helm op een staak zou schieten. Toen je vandaag besloot niet te schieten, vertelde je hem in feite dat jij er was.'

Tanja wreef haar handen langs elkaar. Toen hield ze op en bestudeerde haar handpalmen alsof ze op de bodem van een theepot op zoek was naar mystieke aanwijzingen.

Ze vervolgde: 'Hij doet alsof hij onvoorspelbaar is. Jij bent degene die volgens een patroon te werk gaat.'

Zaitsev ging op zijn slaapmat liggen en negeerde haar opmerkingen. Wat weet zij nou helemaal, dacht hij. Een vrouw, zelf nog grotendeels groen. Zij zit daar niet naast me naar dat waas en die schaduwen te staren, op zoek naar de man die gestuurd is om haar persoonlijk te doden. Patroon? Het enige patroon dat ik volg, is dit: als ik schiet, sterft er iemand. Eén kogel de man. Thorvald zal geen uitzondering zijn.

Toch bleef Tanja's opmerking aan hem knagen. Zou ze gelijk hebben? Ik word achtervolgd door de details en nuances van deze strijd tegen Thorvald. Is het mogelijk dat zij het op afstand scherper ziet dan ik van dichtbij?

Verdomme, ze heeft gelijk. Een patroon. Thorvald kent het. Eén kogel de man. Mijn *in druk verschenen* geloofsbelijdenis. Nee, geen geloof. Een verdomde snoeverij is het. En hij weet dat. Hij heeft het – de hemel mag weten hoe vaak – in die artikelen gelezen. Eigenlijk zou ik Danilov de nek moeten omdraaien omdat hij al die informatie over mij in *Voor de landsverdediging* aan de grote klok heeft gehangen. Hij heeft touwtjes aan mij bevestigd en nu kan Thorvald ze oprapen en mij als een marionet laten dansen. Thorvald weet precies hoe ik jaag; hij kent al mijn patronen. Toen ik vanmiddag niet op die helm schoot. Precies zoals Tanja het zei. En toen Sjaikin en Morozov gisteren vuurden, wist Thorvald meteen dat hij niet míj tegenover zich had. Ik had moeten ophouden met die gesprekken met Danilov; ik had dat aardmannetje moeten zeggen dat ik geen interviews meer gaf. Dat heb ik niet gedaan. Het beviel me; ik wentelde me erin, zoals een hond door hoog gras. En nu is mijn geur zo sterk dat Thorvald die alleen maar hoeft te volgen om mij te vinden. Ik een held? Een stomme idioot! Ik sta tegenover een grootmeester in de sluipschutterskunst en weet niets van hem af, terwijl hij over niemandsland naar een tegenstander loert over wie hij een boek heeft gelezen.

En nu gebruikt hij míjn tactieken tegen mij. Doet alsof hij een groentje is. Zorg dat je opponent minder op zijn hoede is. Maak hem zorgeloos, irriteer hem. Breng hem uit zijn evenwicht, put zijn uithoudingsvermogen uit. Die helm op een staak. Helemaal geen onbeholpen foefje. Het maakte me nijdig. Dat wist hij van tevoren. En erger nog, hij geeft me een lesje met mijn eigen tactieken.

Zaitsevs geest vloog terug naar de tientallen keren dat hij ditzelfde spel met Duitse sluipschutters had gespeeld. Maak ze kwaad, verander de strijd in een persoonlijke vendetta. Hij herinnerde zich de morgen van een maand geleden, niet ver van de Barricaden, toen hij een van de twee Duitse sluipschutters had gedood die zich achter een spoorwegtalud hadden verschanst. Na zijn eerste kogel, die zich, zoals hij met zekerheid wist, in de neusholte van de eerste sluipschutter had geboord, had hij een bordje boven de rand van de loopgraaf uit laten steken; op het bordje had hij met een stuk verbrande kurk het cijfer 10 geschreven. Dat cijfer stond voor een perfect schot in een scherpschutterscompetitie. Nadat hij de andere Duitser een paar minuten in zijn sop had laten gaarkoken van woede over deze brutale Russische sluipschutter, had hij eenvoudigweg zijn helm op een staak boven de loopgraafrand gebracht. Hij was ermee door de loopgraaf gaan lopen, en binnen enkele ogenblikken had Tsjekov de tweede Duitse sluipschutter getroffen. De driftkop had zichzelf niet kunnen beheersen en domweg op de helm gevuurd. De les: zorg dat het nooit persoonlijk wordt.

Tanja heeft gelijk. Ik zit gevangen in een patroon. Thorvald heeft me eerst in verwarring gebracht en toen kwaad gemaakt. Hij leidt me rond alsof ik aan zijn teugels loop. Ik heb dit duel tot een persoonlijke vendetta gemaakt om hem te laten boeten voor het afschieten van mijn Hazen. Hij heeft speciaal op hen gejaagd, omdat het de beste manier was om mij uit te lokken. Het werkte.

Voordat Zaitsev iets kon terugzeggen tegen Tanja, werd de deken opgetild. De koperen knopen van een militaire overjas rondom het postuur van kapitein Danilov kwamen de bunker in.

In Zaitsevs ogen leek Danilov slecht op zijn plaats in de sluipschuttersbunker, ook al was de commissaris al vaak genoeg geweest. Vanavond, zo volledig in beslag genomen door zijn duel met de Bovenmeester, ergerde Zaitsev zich hevig aan de aanwezigheid van de kleine, corpulente man. Dit is een plek voor strijders, dacht hij, mannen en vrouwen die sterk en dodelijk, vitaal en gehard zijn. En nu staat dit weke mannetje, kleiner dan een Haas en breder dan een ton, hier midden in een ruimte waar anderen hebben gestaan die oneindig veel beter waren dan hij, maar die hier nooit meer zullen staan. Zaitsev voelde opeens een boosaardige drang in zich opkomen: het liefst zou hij boven op Danilov zijn gaan zitten, of de petroleumlamp op hem zetten alsof hij een tafel was.

'Kameraden,' zei Danilov joviaal ter begroeting van Zaitsev en Tanja. Het zachte licht van de petroleumlamp verduisterde zijn wervende lachje.

'Kameraad-commissaris,' reageerde Zaitsev, enkel en alleen om te laten blijken dat hij de *politroek* had opgemerkt. Hij ervoer zijn komst duidelijk als een storing; hij wilde samen met Tanja de Bovenmeester verder ontleden, als voorbereiding op de jacht van de volgende dag.

Danilov ging niet zitten. Mooi, dacht Zaitsev. Als hij gaat zitten, is hij niet weg te branden.

'Sergeant-majoor,' begon de commissaris, 'wat is er vandaag gebeurd tijdens de speurtocht naar de Duitse meestersluipschutter?'

Zaitsev zei hoofdschuddend: 'Niets. Ik ben er echter van overtuigd dat ik nu weet waar hij uithangt. Wij, de Bovenmeester en ik, zijn het erover eens geworden dat we elkaar aan weerszijden van een park in het stadscentrum zullen ontmoeten.'

'Uitstekend,' zei Danilov. 'Een park. Dat bevalt me. Een weidse, open ruimte. Niets anders tussen de opponenten dan afstand. Weinig om je achter schuil te houden, behalve je intelligentie. Een schitterend decor. Ik zou er graag een kijkje nemen.'

Zaitsev en Tanja keken elkaar aan. Zij had het ook gehoord! Danilov wil met mij mee!

'Morgen,' voegde de commissaris eraantoe.

Zaitsev reageerde direct. 'Nee, dat zal niet gaan.'

'Beslist wel.' Alleen Danilovs lippen hadden bewogen.

Zaitsev balde zijn vuisten en schudde ze naar de commissaris. 'Dit is iets heel anders dan u denkt! Dit is een krachtmeting in concentratie. De Bovenmeester en ik zijn opgesloten in iets dat niet in uw artikelen valt te beschrijven. De Bovenmeester zal de minste of geringste fout onmiddellijk afstraffen. Hij is een doder.'

'Net als jij, Haas. Je weet je voortreffelijk uit te drukken als je opgewonden bent, wist je dat? Ik ben hier twee uur voor het ochtend wordt.' Hij draaide zich om, klaar om weg te gaan.

Zaitsev schreeuwde hem toe: 'Nee!'

Tanja trok aan zijn broekspijp. 'Jawel,' zei ze.

Danilov draaide zich naar de beide sluipschutters om. 'Soldaat Tsjernova,' zei hij met ogen die glinsterden als water in maanlicht, 'dank je voor je steun. De Haas kan een koppig man zijn, hè?'

284

'Inderdaad, kameraad, dat kan hij zijn. Net voordat u binnenkwam overlegden we over de tactieken die deze nazi volgt. Hij is een buitengewoon complexe opponent en ik ben ervan overtuigd dat kameraad Zaitsev weet dat hij iedere hulp kan gebruiken die hij krijgen kan.'

Danilov bleef in de deuropening hangen, zijn neus in de lucht, alsof hij gevaar had geroken. Hij keek haar aan. Danilov vraagt zich hetzelfde af als ik, dacht Zaitsev. Wat voert Tanja in haar schild? Danilov draaide zich met een ruk om. 'Tot morgenochtend dan maar.' Weg was hij. De deken viel vermoeid terug.

Zaitsev wachtte. Hij staarde naar de deken, het enige in de bunker dat Danilov had aangeraakt. In zijn hoofd streden woorden en impulsen om voorrang, boze vragen die hij Tanja naar het hoofd wilde slingeren. Hij bleef zwijgend zitten, gaf er de voorkeur aan eerst dekking te zoeken achter stilte.

'Wasja, kijk me aan.'

Hij keek op en knipperde een keer met zijn ogen, langzaam. 'Ja?'

Ze zei glimlachend: 'Ik heb daarnet misschien iets heels slims gedaan, maar het kan ook erg stom zijn. Kun je me zeggen waarom het slim was?'

'Ja.'

'Danilov heeft iets onweerlegbaars. We hebben het allebei gezien. Jij bent hem zelfs vorige week gaan halen, juist om die reden. Weet je het nog? Toen je met mij ging jagen op de Mamajev Koergan.'

Zaitsev voelde de opbouw van een moment, als een aanzwellende watervloed. Tanja strekte zich naar hem uit en hij wilde hetzelfde doen in haar richting. Hevig verlangde hij naar Tanja's onbewogenheid en warmte; hij moest zijn drift wegsturen, de kou en het donker in, samen met Danilov.

Tanja hield haar hoofd scheef. Ze ging op haar knieën liggen en bracht haar gezicht zo dicht bij het zijne dat haar blauwe ogen zijn gezichtsveld vulden en hij het gevoel kreeg dat haar ogen tegen zijn wang ademden. Hij blies zacht naar haar, alsof hij een insect van zijn gezicht wilde verjagen. Ze blies zachtjes terug, erotisch, nauwelijks voldoende om een kaarsvlam te verstoren.

'Steeds als hij in de buurt is,' fluisterde ze, terwijl ze haar neus langs de zijne wreef, 'gebeuren er dingen, nietwaar? Je hebt het zelf gezegd. Neem hem mee als je Thorvald gaat bezoeken. Dan zie je vanzelf wat er gebeurt.'

Een uur na zonsopgang ondernamen de Duitsers opnieuw een stormaanval op het Pavlov-huis.

Zaitsev, Koelikov en Danilov konden de strijd niet zien, tweehonderd meter van waar zij achter de muur langs het park zaten. De aanval was gericht tegen de zuidkant van het gebouw, buiten hun gezichtsveld. De bulderstemmen van de kanonnen en het hameren van automatische wapens lieten de lucht zinderen. De kruitdamp en het steenstof uit de wonden die de muren van het Pavlov-huis werden toegebracht wolkten over het open terrein van het park. De explosies van inslaande granaten lieten de grond onder hun voeten beven en verplaatsten zich door de ruïnes alsof iemand een immens tapijt uitklopte.

De aanval bloedde halverwege de ochtend dood. Opnieuw werd vanuit de vensters in het appartementenblok mitrailleurvuur vernomen. Sergeant Jacob Pavlov, de Huisbaas, was nog steeds de baas in huis.

Zaitsev en Koelikov bleven door hun periscopen turen. Met de ochtendzon in de rug hoefden ze niet bang te zijn voor reflecties van hun lenzen. Misschien kan de Bovenmeester proberen een glimp van ons op te vangen, dacht Zaitsev, maar hij vermoedt al dat we er zijn. Het zal hem niet verrassen. Bovendien is het in dit waas van stof en kruitdamp maar de vraag of hij datgene wat wij hem willen laten zien scherp genoeg kan onderscheiden om erop te vuren.

Danilov zat naast Koelikov. De commissaris zat over het zoveelste notitieboek gebogen. Alleen zijn onderrug rustte tegen de muur. Vanmorgen vroeg, toen de commissaris naar Zaitsev en Koelikov toe was gekomen, in de donkere kou voor de sluipschuttersbunker, had hij de gebutste luidspreker, de kleine accu en de microfoon bij zich.

'We zullen vanmorgen eens een praatje maken met deze nazi-overste,' had hij gezegd, in plaats van de twee mannen te begroeten. Zaitsev had opnieuw een visioen gekregen van de commissaris als een buikige ton die naar hen toe rolde, berstensvol. 'De Bovenmeester,' had Danilov gewichtig gezegd, 'zal mij zeker antwoord geven, en dan kunnen jullie samen hem de mond snoeren.'

Zaitsev had al zijn overredingskracht aangewend om de commissaris af te brengen van zijn voornemen de luidspreker mee te nemen. 'Morgen misschien,' had hij gezegd. 'Laten we ons nog wat langer gedekt houden, totdat we een beter idee hebben van wie we tegenover ons hebben. Achter het hoofd van de commissaris had Koelikov gekke bekken staan trekken, zodat Zaitsev met moeite zijn lachen had kunnen bedwingen.

Nu keek Zaitsev naar de achterkant van het Pavlov-huis. De afgelopen paar dagen had het kunnen sluimeren, maar vanmorgen rookte het en verkeerde in gevaar. Tanja heeft gelijk. Danilov is een 'gebeurtenis' in menselijke gedaante.

De commissaris sloot met een klap zijn notitieboekje en propte het terug in zijn rugzak. Kreunend rolde hij zich op zijn knieën en drukte zijn buik tegen de muur. Fluisterend vroeg hij Zaitsev: 'Hebben jullie hem al ontdekt?'

Zaitsev slaakte een zucht. 'Ik heb geen idee waar de Bovenmeester uithangt. Het enige dat ik weet, is dat hij aan de overkant van dit park moet zitten. Voordat ik hem kan opsporen zal hij ofwel een fout moeten maken, en dat gebeurt niet, of als eerste in actie komen, en daar zal ik hem toe moeten verleiden. De ellende is alleen dat, steeds als Thorvald in actie komt, iemand een kogel door zijn hoofd krijgt.'

Danilov greep opnieuw naar zijn notitieboekje om deze verklaring van Zaitsev te vereeuwigen.

Koelikov liet zijn periscoop zakken en legde zijn hand licht op Danilovs pols. 'Kameraad-commissaris, alstublieft, hou op met dat geschrijf. Het drijft me tot waanzin.'

Zaitsev viel hem bij. 'Hij heeft gelijk. Het leidt de aandacht af.' Hij pakte een reserveperiscoop. 'Wilt u ons helpen het front af te speuren?'

Danilov kwam overeind, klaar voor actie. 'Maar natuurlijk. Waar moet ik kijken?'

'Observeert u de muur aan de overkant, terwijl Nikolai en ik het terrein in het oog houden.'

Danilov griste hem de periscoop uit handen. Vlug, bijna hebzuchtig, bracht de commissaris de zoeker voor zijn ogen. Zaitsev nam hem aandachtig op. Zolang we de zon in de rug hebben is hij veilig, mits hij in dekking blijft. De lucht is wazig. Hij zal toch niets zien. Laat hem maar turen. Zaitsev nam zijn helm af en kroop achter Danilov. 'Blijf stil zitten,' zei hij. Hij nam Danilovs bontmuts af en zette hem in plaats daarvan zijn helm op. Danilov bleef door de zoeker turen, richting park. De helm zat hoger op zijn hoofd dan wenselijk was. Verdomme, dacht Zaitsev, dat hoofd van die man is zo groot als een emmer.

Zaitsev klopte op de helm om hem omlaag te krijgen. Hij zakte geen millimeter.

'Hou daarmee op,' fluisterde Danilov. Hij gaat er nu helemaal in op, dacht Zaitsev. Hij speelt voor sluipschutter, zoals een kind zou doen.

'Goede jacht, commissaris.'

'Dank je. Ga nu maar terug naar je post.'

Zaitsev dacht hoofdschuddend: als hij een uur lang met zijn ogen tegen die zoeker heeft gezeten, kan hij niet meer. Misschien dat hij dan teruggaat om over iemand anders te schrijven. Dan kunnen Nikolai en ik ons concentreren op het elimineren van de Bovenmeester.

Zaitsev gleed terug naar zijn periscoop. Langzaam bracht hij hem boven de muur en stelde in op de overkant van het park. Daar was niets veranderd in de drie dagen die hij die zone in het oog had gehouden. Geen baksteen was van plaats veranderd. Waar de Bovenmeester ook mocht hebben gezeten toen hij Sjaikin en Morozov neerschoot, hij was er nog steeds. Hij had geen enkele reden om zich te verplaatsen. We hebben hem geen reden gegeven. Hij heeft nog geen schot gelost sinds wij hier zijn.

Er verstreken minuten en ze raakten Zaitsev niet meer dan de ochtendbries. Al zijn zintuigen balden zich samen in zijn ogen en handen om in de periscoop één te worden. Zijn stem, zijn reukzin, zijn tastzin, zijn gedachten – ze werden allemaal uitvergroot en over het pokdalige terrein geprojecteerd. Hij had geen idee waarnaar hij moest zoeken, behalve dan de een of andere onbekende aanwijzing die hem, daar was hij zeker van, zou worden onthuld, een klein teken van leven in de puinhopen en de mist voor hem.

Geen zorg, mijmerde hij, dit hier is Stalingrad – de volmaakte achtergrond voor een wachtende, speurende sluipschutter. Het zal onvermijdelijk verraden of er leven is of niet.

Waar zal hij zitten, die slang? Het barst hier van de spleten, vensteropeningen, bomkraters, schaduwen en puinhopen; en dan de zon nog, en die mist en die pestkou! Alles om me heen is immens en morsdood. En daarginds, als de punt van een naald die uit een tapijt steekt, bevindt zich dat onzichtbare, dodelijke kreng dat naar mij op zoek is, mij kent, mij ligt op te wachten. Hij wacht op mij met een kogel en een spetterend einde, een triest verhaal vannacht onder de lamp in mijn bunker, gevolgd door een sleetochtje langs de rivieroever, naar de koele opslaggrotten. Misschien dat Tanja vanmiddag aan de Wolga afscheid van mij neemt, om morgenochtend in alle vroegte zelf op deze plek achter de muur te gaan zitten om mij te wreken. Zal het sneeuwen, zodat mijn bloedmerk wordt toegedekt voordat zij er wraak boven kan zweren, nog voordat mijn geest hier kan gaan rondwaren om haar te beschermen?

Niets in die puinhopen. Niets in die ruïnes, schaduwen, sneeuwbobbels, loopgraven, uitgebrande tanks of bomkraters.

Niets. Waar dan wél?

Een ruisende beweging naast hem stal zijn concentratie, zoog het uit zijn ogen. Hij trok zijn hoofd terug van de zoeker. Zijn gedachten, zo ver naar voren in het park, botsten met het moment zelf – het ruwe, kille besef van het hier en nu. De verandering voltrok zich zo abrupt dat hij er duizelig van werd.

Hij keek opzij naar Koelikov, die naast hem geknield lag. Nikolai staarde nog steeds aandachtig in zijn zoeker, onverstoorbaar. Zaitsev boog zich naar achteren om langs Koelikov heen te kunnen kijken. Danilov was bezig omhoog te komen uit zijn geknielde houding, zodat zijn buik langs de muur wreef. Hij klemde de periscoop stevig tussen zijn wanten en hield de zoeker tegen zijn ogen gedrukt. De wangen van de commissaris bolden op onder zijn verborgen ogen doordat het oculair ze naar buiten duwde.

'Commissaris, omlaag!' beval Zaitsev. Hoe lang staat hij al rechtop, vroeg hij zich af. Verdomme, ik had een oogje op hem moeten houden.

Danilov antwoordde met een stem die zo gespannen klonk als een snaar. 'Ik zie de schoft.'

Nog voordat Zaitsev iets kon zeggen, richtte Danilov zich met een ruk in zijn volle lengte op. Zijn gehelmde hoofd en de schouders van zijn overjas bevonden zich boven de rand van de muur. 'Daar heb je hem!' Danilov nam een hand van de periscoop. 'Ik wijs hem aan!'

'Omlaag!'

Koelikov liet zijn periscoop vallen en gleed naar rechts. Hij greep de benen van de commissaris beet om ze onder hem vandaan te trekken, zodat hij achter de muur zou verdwijnen.

Op hetzelfde moment werd Danilov van de muur weggeslagen alsof hij een harde stomp incasseerde. Zijn armen vlogen opzij en de periscoop belandde op de grond. Zijn linkerbeen schoot omhoog en raakte Koelikov tegen de kin, zo hard viel hij achterover. De helm rolde van zijn hoofd.

Danilovs hoofd was intact. Een schot in de borst. Nog tijdens de val van de commissaris had Zaitsev het gat in zijn overjas ontdekt, vlak onder het rechtersleutelbeen.

Danilov lag verscheidene seconden roerloos. Zaitsev en Koelikov waren verbijsterd, geschokt door het onbesuisde gedrag van de commissaris en de abrupte aankomst van de kogel. De man had niet langer dan twee seconden boven de muur uitgestoken. In dat korte tijdsbestek had Thorvald hem geraakt.

Danilov begon te schoppen en te maaien, als een gestrande zalm die zich in alle mogelijke bochten wringt om terug te springen in de rivier. Zijn bolle buik schokte en zijn rug werd hol en kwam omhoog van de grond. Hij begon om te rollen, wild slaand met zijn armen.

Zaitsev dook naar hem toe om de commissaris tegen de grond te drukken. Koelikov wierp zich met zijn volle gewicht over de benen van de commissaris, worstelend om hem stil te houden.

Hij is in shock als gevolg van die wond, dacht Zaitsev. We moeten hem in bedwang houden tot hij bij zinnen komt of het bewustzijn verliest.

Danilov gromde van inspanning, en probeerde overeind te komen.

'Lig stil!' schreeuwde Koelikov hem in het oor. 'De pijn gaat voorbij!'

Danilov worstelde verwoed met de twee mannen die over hem heen lagen. 'Ga van me af, verdomme!' brulde de commissaris. 'Ga van me af!'

Zaitsev keek Danilov in de ogen. Ze waren wijdopen en stonden helder.

'Laat me los. Ik zal die hoerenzoon zelf afmaken. Ik schiet hem zelf overhoop! Hij heeft me geraakt, dat verdomde nazi-zwijn! Help me overeind. Ik maak hem af!'

Zaitsev en Koelikov lieten hem los. Danilov ging overeind zitten, zijn gezicht zo rood als Zaitsev nog nooit een gezicht had gezien dat niet overdekt was met bloed. De aderen op de slapen en in de nek van de man waren gezwollen onder de huid. Danilovs stuipen waren geen gevolg van shellshock, maar van woede. Hij was zo razend dat hij geen uiting kon geven aan zijn woede. De corpulente kleine boef.

Danilov probeerde naar het gaatje onder zijn rechtersleutelbeen te kijken. Grijze draadjes wol staken uit de scheur in het weefsel naar buiten, alsof er lucht uit de opening ontsnapte. Zaitsev zag nergens bloed, maar hij wist dat de commissaris onder de overjas en het uniform hevig moest bloeden.

'Klote!' Danilov schokte toen hij het woord uitsprak. Hij keek op naar Zaitsev die naast hem neerhurkte.

Zaitsev legde zijn hand op de ongedeerde schouder van de commissaris. 'Gaat het?'

'Ja. Ik blijf in leven.' Hij wachtte even. 'Ik ben nog nooit eerder geraakt. Verdomd pijnlijk.'

'Dat heb ik vaker gehoord. We zullen u nu terug moeten brengen.'

'Ik was liever gebleven, maar ik denk dat ik bloed verlies.'

Zaitsev grijnsde. Danilov knipperde met zijn ogen en zijn lippen weken van-een in een onzekere, flauwe glimlach. Danilov deed alsof hij achterover ging liggen. Zaitsev legde zijn handen onder de nek van de commissaris om hem te helpen bij het zakken. Danilov zuchtte. 'Dank je, kameraad Haas.'

Zaitsev bracht zijn gezicht bij dat van de commissaris. 'Wat hebt u precies gezien? Waar keek u naar?'

'Naar die muur, zoals je had gezegd.' In Danilovs stem klonk lichte wrevel door, alsof de vraag suggereerde dat hij een andere kant uit had gekeken en niet Zaitsevs instructies had uitgevoerd.

'Ja, natuurlijk,' zei Zaitsev, iets vriendelijker nu. 'Wat zag u precies? U zei dat u hem zag.'

'Dat was ook zo.' Danilov stak Zaitsev zijn linkerhand toe om hem overeind te trekken tot hij zat. De *politroek* spuwde naar de grond. Hij was nog woest, maar zo te zien had hij nog net kracht genoeg om één keer te spuwen. 'Ik zag de helm van de schoft,' zei hij. Speeksel, licht roze gekleurd, droop over de kin van de commissaris en bleef daar hangen, niet afgewist, triest. 'Hij wandelde achter die muur langs. Dat was wat ik zag.'

Zaitsev verbaasde zich er niet over. Natuurlijk. De Bovenmeester, kampioen in het spelen van spelletjes. Hij hangt nog steeds het groentje uit, ja? Hij probeert nog altijd me zo kwaad te maken dat ik woedend opspring. Zijn tactiek heeft nog gewerkt ook, alleen heeft hij de verkeerde prooi geraakt.

Zaitsev keek Koelikov aan. 'Nikolai, heb jij iets gezien? Een mondingsvlam, een reflectie?'

Koelikov schudde het hoofd. 'Nee.'

Zaitsev zelf had evenmin iets gezien. Thorvald was als eerste in actie gekomen, precies datgene waarvoor hij Danilov had gewaarschuwd. En Zaitsev was er niets mee opgeschoten; alleen zat hij nu met een gewonde en uiterst koppige commissaris.

'Commissaris, laat me mijn gang even gaan, ja? Ik móét uw wond bekijken.'

Danilovs ogen gingen iets verder open. 'Nee, het is wel goed,' zei hij zwakjes. 'Ik heb liever dat er een dokter naar kijkt.'

Zaitsev streelde zacht over de schouder van de commissaris. 'Kameraad, uw wond kan mij misschien vertellen waar Thorvald zich ongeveer schuilhoudt. Daar zijn manieren voor.'

Danilov kneep zijn ogen dicht.

'Het zal even pijn doen,' zei Koelikov achter hem.

Danilov knikte als een beschonkene. 'Ja, natuurlijk. Ga je gang.'

Grommend door zijn opeengeklemde tanden hielp Danilov Koelikov bij het losknopen van zijn overjas, zodat hij voorzichtig van zijn rechterschouder kon worden getrokken. De groene trui en het gevechtshemd onder de jas waren doordrenkt van bloed. Zaitsev knipte de kleding door om de wond vrij te maken. Hij sneed een reep stof af om de wond wat schoon te kunnen maken en een tweede reep stof om de wond te omzwachtelen. 'Nu stilzitten. Ik moet hem schoonmaken.'

'Doe wat nodig is.' Danilov leunde achterover tegen Koelikov.

Rood bloed sijpelde uit de wond omlaag. Danilovs vlezige schouder was overdekt met zwart haar. Zaitsev depte het bloed in de omgeving van de wond op. Danilovs gezicht vertrok van pijn. 'Nog even maar,' fluisterde Zaitsev.

Het kogelgat was mooi rond. Een paarse kneuzing vormde een gelijkmatige cirkel rondom de wond. Dit wees op een kogelbaan die exact haaks stond op het lichaam, zoals zijn grootvader Andrej hem had geleerd aan de hand van de huiden die aan de houten wand van de jachthut hingen te drogen. Kijk altijd naar de penetratiewond, Wasja, had de oude man gezegd, wijzend met zijn wandelstok. De kogel laat een afdruk achter in de huid, net als een pootafdruk in de sneeuw. Thorvald bevindt zich vermoedelijk op de begane grond. Wat denk jij ervan, grootvader? Het is moeilijk te bepalen welke hoek Danilovs borst maakte ten opzichte van het park. Toch heeft de verwonding van de commissaris ons eindelijk wat informatie opgeleverd.

'U keek recht naar voren, nietwaar?' vroeg Zaitsev, terwijl Koelikov Danilov hielp om zijn kleren weer in orde te brengen en de overjas over de schouder te trekken.

'Eh... hmm... Ik geloof het wel.'

'Het spijt me dat u dit is overkomen.' Het is wel zijn eigen verdomde schuld, maar waarom zou ik zout in de wond wrijven? Dit is niet het moment om hem de les te lezen.

Met de resterende reep stof veegde hij het bloed van de commissaris van zijn handen. Ik had Danilov niet mee moeten nemen. Ik had moeten weigeren, zelfs nadat Tanja tussenbeide was gekomen. Maar Tanja moet haar zin hebben; zij wilde dat Danilov hier was, en nu ligt hij hier. Dat is precies wat ze wou; ze heeft het voorzien. Ze stuurde Danilov koelbloedig naar zijn kogel en haalde mij over het mogelijk te maken. Waarom? Om mij te helpen Thorvald te vinden of ons te verlossen van Danilov? Hoe het ook zij, de commissaris zal levend en wel wegkomen uit Stalingrad. Hij heeft geluk. De artsen van het veldhospitaal zullen de kogel uit zijn schouder spitten en zodra de rivier dicht is gevroren, krijg je een sledetochtje naar Krasnaja Sloboda, commissaris. Nou ja. Al wie de goden verkiezen te sparen, laat hen in vrede leven. Misschien heeft de commissaris beschermende geesten om zich heen. Als dat zo is, geesten, hoor mij dan aan: ga met Danilov mee! Beloon hem voor zijn verwonding in jullie dienst en bescherm hem verder. Hij heeft lef en laat zich niet uit het veld slaan, ook al is hij gevaarlijk met zijn stomme gedoe. Als hij een dier was in de bossen, zou hem dat onschuldig maken.

Zaitsev dacht aan de kogel in Danilovs schouder en het bloed dat, zoals hij wist, warm langs de zij en het been van de commissaris zou druipen, zich wellicht verzamelend in zijn laars. Hoe is het zo ver gekomen? Batjoek heeft mij deze opdracht gegeven: spoor de Bovenmeester op en doodt hem. Waarom? Het is maar een man alleen. Waarom al die inspanning om hem te elimineren; waarom die kogels in de lichamen van Sjaikin, Morozov, Baoegderis, Danilov, de verpleegsters en artsen, de gewonden? Waarom zit ik hier, verwikkeld in een duel op leven en dood met één enkele sluipschutter, in plaats van rondom de fabriekscomplexen te werken en de Russische soldaten daar te beschermen, zodat ik een bijdrage kon leveren aan de strijd om deze stad?

Hier, in Danilovs van pijn verkrampte lichaam, had hij het antwoord gezien. Stalingrad is geen strijd meer om een plek op de kaart. Het is een ideeënstrijd geworden tussen Hitler en Stalin, tussen de generaals van de beide legers die het land openrijten en al deze gebouwen hebben verwoest. Stalingrad is Hitlers diepste dolkstoot in het lijf van Rusland. Hij zal zichzelf niet toestaan zich hier te laten stuiten. Omgekeerd doet Stalin precies hetzelfde: hij wil in de naar hem genoemde stad geen stap terug doen. Omdat hij weet hoe groot het strategische belang van de stad is voor Hitler, heeft Stalin deze stad prijsgegeven aan de dood om het leven van de *Rodina* te beschermen. Het eigenlijke resultaat van de ideeën van deze beide volksmenners, veilig verschanst in hun machtige burchten, sijpelt nu weg uit Danilovs lichaam: bloed. Dood en verderf – dat zijn veel reëlere begrippen dan ideeën, maar desondanks voor deze leiders zoveel minder van belang. En wij hier, tegenover elkaar geplaatst als felle kemphanen, zijn geen mensen meer, maar ideeën – Thorvald en ik. Ze hebben ons zo groot mogelijk geschreven, ons belangrijker gemaakt dan ons eigen lichaam. Voor de toekijkende propagandisten als Danilov, voor de opiniemakers, de kranten en de generaals, voor Hitler en Stalin, draait het alleen om de Bovenmeester versus de Haas, de levende legende uit Rusland tegen het schietwonder uit Duitsland. Wie van ons tweeën geraakt wordt, zal niet alleen bloed verliezen, maar ook zorgen voor kopij en een vette kop die de ene dictator in de kaart zal spelen en de andere dictator in diskrediet zal brengen. En een lijk te meer zal koud en dood zijn als de zwarte inkt van de kranten en propagandabladen die op het stromende bloed zullen volgen.

Nou, luitenant-kolonel. Met overpeinzingen zal ik je niet elimineren. Daar heb ik een kogel bij nodig. Dus laten we nu serieus aan de slag gaan. Zaitsev raapte zijn helm op en zette hem weer op, het metaal ijskoud nadat het zolang op de grond had gelegen. Hij pakte Danilovs periscoop. Ik heb niets gezien. Koelikov evenmin. Danilov zag de wandelende helm.

Hoe kon Thorvald schieten zonder dat Koelikov of ik een mondingsvlam zag? De Bovenmeester bevindt zich op het niveau van het maaiveld. Hij moet echter diep in de schaduw zitten, verborgen in het donker, ingenesteld. Niemand kan schieten zonder een mondingsvlam te veroorzaken. Waar kan hij zitten, als hij ons kan zien zonder zich zorgen te maken over zijn mondingsvlam of een reflectie van zijn telescooplens? Hij kan alleen maar in een buitengewoon goed gecamoufleerde plek zitten, ergens waar ik hem nooit zou hebben vermoed, ergens waar hij er zeker van kon zijn dat ik hem er niet zou zoeken wanneer hij de trekker overhaalde en zijn loop vuur uitbraakte.

Waar vind je hier een dergelijke ideale schuilplaats voor een sluipschutter? Waar?

Zaitsevs tastte het park af met zijn zintuigen en zijn intuïtie, en sloop met ze mee, als een panter in de jungle, tussen en onder de bladeren van feiten en waarnemingen. Zo had hij altijd gejaagd, als jongen in de taiga en als man in de oorlog. Hij haalde zich de scène opnieuw voor de geest: Danilov had slechts twee tellen overeind gestaan, niet langer. Thorvald moet tamelijk dichtbij zitten om zo te kunnen schieten, ondanks de mist en het ochtendlicht in zijn ogen. En dan die gelijkmatige ring rond de wond. Een open mond, fluisterend met de stem van zijn grootvader.

Waar?

Om te beginnen heeft hij een assistent. Thorvald heeft hem gezegd dat hij die helm weer op de staak omhoog moest houden. Dus moet de Bovenmeester niet ver van die muur daar zitten, erachter of ervóór, anders kan zijn helper hem niet verstaan. Vermoedelijk minder dan een meter of tien. Hoe had hij anders deze val kunnen opzetten?

Zaitsev verkende het terrein door zijn periscoop. Hij koos een segment links en rechts van zijn positie – een logische perimeter waarbinnen de Bovenmeester zich moest bevinden om het schot te kunnen lossen dat Danilov zodanig trof dat er een gelijkmatige ringvormige kneuzing om de wond was ontstaan. In het linkerdeel van dit schootsveld lagen verscheidene onregelmatige bomkraters bij een verwoeste fontein en een uitgebrande Duitse tank. De tank stond naar het oosten gekeerd, recht voor Zaitsevs positie. Hij had de afgelopen twee dagen wel honderd keer naar die tank gekeken, maar nu had de lege ijzeren romp een nieuwe betekenis voor hem gekregen. Thorvald in de tank? Het zou kunnen. Het was ruimschoots binnen schootsafstand en ook binnen gehoorsafstand voor zijn assistent achter de muur. Thorvald kon gemakkelijk vóór het dag werd onder de tank kruipen en via het noodluik in de tank klimmen. Hij kon door de kijkspleet voor de tankbestuurder vuren, of door het gat dat in de geschutskoepel achter was gebleven nadat de zware mitrailleur van de tank was gedemonteerd.

Toch was het geen ideale positie voor een ervaren sluipschutter, vooral niet als hij zo duivels te werk ging als deze. Als er een mortieraanval op de tank kwam, of een stormaanval van infanteristen, kon hij geen kant op. Bovendien zou zijn uitzicht over het strijdperk zo beperkt zijn dat hij zijn doelwitten niet altijd zou kunnen zien. Uit niets was gebleken dat Thorvald kieskeurig had moeten zijn bij het op de korrel nemen van zijn slachtoffers.

Zaitsev draaide de periscoop naar het rechterdeel van het schootsveld dat hij had gekozen. Nu concentreerde hij zich op de muur. Hij stelde zich voor dat de Bovenmeester zich in een schuilplaats bevond en zijn assistent achter de muur toeriep: 'Zet de helm op de staak en ga ermee wandelen. Beweeg hem een beetje op en neer alsof je een kip roostert boven een kookvuurtje. Doe het zo amateuristisch dat de Haas het zal voelen als een klap in het gezicht!' De periscoop onthulde Zaitsev de rand van een andere krater. Nee, hij zit niet in een open gat in de grond, wist hij. Verscheidene met sneeuw overdekte puinhopen deden hem denken aan molshopen in een besneeuwd grasveld. Daar ligt hij ook niet achter. Uiterst rechts bevond zich een verlaten Duitse bunker, een kleine 'pillendoos' van zandzakken, opgestapeld beton en houten balken. Zou Thorvald daarin zijn weggekropen? Het was beslist mogelijk. Zaitsev drukte zijn ogen tegen de zoeker van de periscoop alsof hij zijn ogen als haviken vooruit kon sturen naar de fortificatie om de details te bestuderen en ze naar hem terug te brengen. Met zijn gezichtsvermogen tastte Zaitsev de spleten in de pillendoos af en beklopte hem aan alle kanten, onder het roepen van Thorvalds naam: ben je hier? Langs welke route bereikte Thorvald zijn schuilplaats? En hoe zou hij hem verlaten? Onder welke hoeken kan hij vuren? Nee, daar zit hij ook niet in. Net zomin als de uitgebrande tank aan het andere einde van zijn schootsveld zou de Bovenmeester ooit zo'n voor de hand liggende schietpositie kiezen, zoals een minder intelligente sluipschutter wellicht zou hebben gedaan. Hij richtte de periscoop op het middelpunt van zijn schootsveld aan de overkant van het park en inspecteerde de puinhopen aan de voet van de parkmuur. Nog meer hopen bakstenen, meer kraters en hier en daar een stuk gegolfd plaatijzer.

Zaitsev pauzeerde even om na te gaan of hij moe begon te worden. Hij had nu al twee uur achtereen door de periscoop zitten turen, sinds Koelikov met Danilov was weggegaan. De zon stond al op het hoogste punt. Hij controleerde zijn handen, ogen, opgevouwen benen, zijn concentratievermogen. Houd je niet bezig met dit soort gissingen en conclusies als je niet vlijmscherp bent, kapittelde hij zichzelf. Heb je rust nodig? Dan moet je stoppen. Maak geen fout. Je moet volledig alert zijn, je oren opgestoken, je neus in de wind. Alles nog in orde? Je kunt dus verder? Goed. Vertel me dan eens: zit hij in die tank, die bunker, een krater, achter een steenhoop, in een ruïne of achter die muur? Ben je zeker van jezelf, Wasilji? Zeg me of je zeker van jezelf bent. Is het je instinct, of weet je het met absolute zekerheid? Zeg het me nu.

Nee. Hij zit ergens anders. Ergens waar ik hem zal vinden. Daar ben ik zeker van, want dat zegt mijn instinct me.

Hij is de Bovenmeester.

Ik ben echter een jager. Ik jaag op hém.

24

Hij merkte de beweging als eerste op. Een grijs ding deinde boven de muur als een jonge vogel die op het punt staat uit te vliegen. De ding draaide naar links en rechts, en ging toen op en neer als een in woede dreigende vuist. Toen hij het enkele seconden had geobserveerd, herkende hij het als een veldperiscoop, een populair hulpmiddel van de Russische sluipschutter in dekking.

'Nikki!'

Hij concentreerde zich op de periscoop om zijn kruisdraden de mist van stof en kruitdamp boven het park te laten doorsnijden. Een Russische fortificatie was eerder die ochtend onder vuur komen te liggen; de mislukte stormaanval was een uur geleden gestaakt, maar de rook en het stof zweefden nog boven het open terrein en verstrooide het daglicht als een Berlijnse motregen, wat voor Thorvald slecht zicht betekende.

Hij trok zich terug van de telescoopzoeker. Zijn linkeroog, dat het grootste deel van de ochtend gesloten was gebleven, wilde bijna niet open. Op het netvlies van zijn rechteroog – zijn richtzijde – was een doorschijnend, vergroot beeld van de muur aan de overzijde van het park achtergebleven. In zijn donkere hol zweefde het hem voor ogen als een langzaam vervagend spookbeeld.

Hij riep Nikki opnieuw; het zonlicht dat om zijn hol danste, maar er nauwelijks in doordrong maakte dat het spookbeeld in zijn rechteroog verschrompelde en verdween als brandend papier. Hij kneep een paar maal zijn oog dicht.

De korporaal reageerde. 'Ja, overste?'

'Pak de helm en de pioniersschop.'

Thorvald tuurde weer door de telescoop. Wie is deze uit zijn bed gevallen idioot die met zijn periscoop zit te zwaaien als een zeeziek kind? Dat kan geen sluipschutter zijn. Veel te gretig; hij probeert het hele strijdtoneel in zich op te nemen in plaats van zijn periscoop systematisch en onmerkbaar te hanteren om ontdekking te voorkomen. Nee, deze periscoop wordt niet vastgehouden door een sluipschutter, althans, geen ervaren veteraan. Het zal een buitenstaander zijn – misschien een onervaren officier of waarnemer.

Nikki heeft bekend dat hij de Russen heeft verraden dat ik hier ben om hun Konijn te doden. Deze idioot zal misschien iemand zijn die kennis wil nemen van ons oorlogje. Een inlichtingenofficier of wellicht een correspondent van die stompzinnige frontnieuwsbrief van de Roden. Weet ik veel. Het is echter in geen geval een sluipschutter.

Ik kan een kogel door die periscoop jagen. Dan zal die kloothommel daar in zijn broek schijten van angst en een regen van glassplinters over zich heen krijgen, net als Zaitsev natuurlijk, want die moet in de buurt zijn, daar ben ik zeker van. Waarom zegt Zaitsev hem niet dat hij in dekking moet gaan of opdonderen, zodat de sluipschutters hun werk kunnen doen? Die kerel daar hoort hier niet. Dat kan ik hem met een kleine vingerbeweging aan zijn verstand peuteren. Ik vraag me af wat die vent met de zwaaiende periscoop gaat doen als ik Nikki zeg de helm te tonen.

Ach nee, dat doe ik niet. Dit is té gemakkelijk. Zaitsev probeert me een worst voor te houden. Ja, natuurlijk, dat is het. Hij zint erop dat ik zal schieten en heeft dit doelwit voor me opgestoken als een uithangbord. Ik heb het nu wel door – dat enkele oog van die periscoop is een val. Nee, ik kom niet uit mijn schuilplaats, Konijn. Je zal iets beters moeten verzinnen.

Een periscoop. Belachelijk. Ik kan die kruisdraden ervoor brengen, precies voor de lens en de spiegel. Zaitsev zal mijn mondingsvlam niet kunnen zien. Ik zit diep genoeg in het duister van dit hol. Hij zou me precies in de ogen moeten kijken om er iets van te zien. Daar. Exact in het midden van de periscoop, als die kloothommel hem een seconde stil zou houden.

Het zou me een prettig gevoel geven Zaitsev uit de eerste hand te laten zien met wie hij te maken heeft.

Wacht. Heb voeling met je geweer, laat het één worden met je handen. Het hout in beide handpalmen, huidcontact met het wapen, zodat mijn bloed het hout verwarmt. Mijn wang tegen de kolf, zodat hij ertegenaan ligt, roerloos. Het metaal tegen mijn oogkas en de trekker onder mijn vinger, glad, ook huid, maar dan harder; hij wil iets van mij. De zoeker absorbeert mijn oog en zal het projecteren naar die periscoop. De trekker verlangt iets van mij.

Plotseling, verrassend, maakte de periscoop een sprong tot hoog boven de muur, boven een helm en de bovenste helft van een mannenborst. De man hief zijn hand op en wees naar Thorvald.

Thorvald vuurde.

Wat is daar gebeurd?

De man viel achterover.

Verdammt noch mal! dacht Thorvald. *Verdammt! Was ist geschehen? Ich habe geschossen!*

Hij liet het geweer vallen. Zijn oren suisden; de knal was gestuit en meervoudig weerkaatst door het gegolfde plaatijzer en de bakstenen, als een oorverdovende stortbui van geluid. Hij dook bij de opening tussen de bakstenen vandaan alsof een verscheurende hond naar hem hapte. Hij drukte zijn gezicht tegen de grond, in de verwachting dat Zaitsevs kogel geen tel op zich zou laten wachten. Hij trok zijn knieën op tegen zijn borst, samengebald in zijn hol, wachtend op het schroeien van de kogel.

Er verstreken seconden. Thorvalds spieren protesteerden tegen de krampachtige houding waartoe hij zijn lichaam dwong. Zijn hartslag werd opgestuwd naar zijn slapen. Zijn adem reutelde in zijn open mond. Hij had zijn ogen stijf dichtgeknepen; erachter schoten zijn ogen van links naar rechts. Overal op zijn lichaam werd zijn huid klam van angst.

Langzamerhand maakte Thorvald de greep op zichzelf wat losser. Geen kogel had de zijne beantwoord. Nog niet. Hij bewoog zich voorzichtig, strekte zich langzaam uit op de grond; hij kon niet weten welke beweging hem zou kunnen verraden. Hij voelde zich als verstikt door angst. Hij haatte het gevoel te worden geobserveerd; de gedachte dat het Konijn hem door een telescoop zou kunnen zien; het misselijkmakende idee dat het Konijn hem in zijn kruisdraden had, al was het maar een fractie van een seconde.

Hij heeft me gezien. Dat moet wel. Dat verdomde Konijn heeft me erin geluisd, ik heb in zijn aas gehapt. Hij móét me hebben gezien.

Thorvald schudde zijn schouders en benen alsof hij zich van een laagje ijs wilde bevrijden. Vanbuiten was hij ijskoud; vanbinnen gloeiend heet. De kou op zijn voorhoofd was intens. Toen hij zijn hand over zijn voorhoofd haalde, werden zijn vingers nat.

Hij bleef verscheidene minuten op zijn rug liggen om zijn zenuwen tot bedaren te brengen en weer rustig te gaan ademen. Hij keek op naar de onderkant van het metalen afdak. Het deksel van een doodkist, dacht hij. Veel scheelt het niet.

Waarom ben ik zo stom geweest? Waarom haalde ik die trekker over?

Langzamerhand verflauwde de onrust in zijn ingewanden. Nu kon hij weer wat helderder denken, zonder paniek. Die Zaitsev verdient de hel nu hij me dit gevoel heeft bezorgd. Naar de hel met hem! O, wat haat ik die angst, ik weet me geen raad als het me overvalt.

Dat betaal ik hem terug. Reken maar. Gisteren was hij nog gewoon maar een opdracht, een onderbreking van mijn werk in Gnössen. Ik had geen behoefte aan deze klus. Maar nu gaat hij eraan, absoluut. Nu is dit een persoonlijke zaak geworden. Dat Konijn zal spoedig sterven.

Je hoogste prioriteit, Heinz, is echter dat je blijft denken als een Duitse officier, systematisch en gedisciplineerd, ondanks de angst. Zo zal het zijn, ja? Zo, en nu overleggen, koel en accuraat.

Eerst moet ik me afvragen waaróm ik heb geschoten. Hoewel dat eigenlijk niet zó belangrijk is. Ik begrijp het al: ik haalde de trekker over omdat ik mezelf al daartoe had opgeschroefd – ik was eraan toe. Die kerel daar vroeg er gewoon om. Zo werkt het nu eenmaal als het goed functioneert, zonder erbij na te denken.

Juist. Maar hoe kwam die vent met die periscoop erbij om op te springen? Hij haalde zich het moment voor de geest waarop hij de trekker had overgehaald. De kruisdraden lagen op dat moment over de lens van de periscoop, en opeens, zonder reden of waarschuwing, was die gek opgesprongen en had zijn kop en zijn romp blootgegeven. Thorvald had de kolf tegen zijn schouder voelen slaan. Hij herinnerde zich niet of hij zijn vizier iets omhoog had gebracht om het hoofd te volgen. Waarschijnlijk was het uitgedraaid op een schot in de borst.

Nou ja, maakt niet uit. Ik heb hem geraakt, geen twijfel aan.

Die kerel sprong op. En wees.

Deze kant uit. Naar *mij*.

Hij moet me hebben gezien. Hij wees deze kant uit.

Naar mij. Ik schoot. Hij ging neer.

Naar wie anders had hij kunnen wijzen? Naar wie anders?

Wie anders dan Nikki?

Nikki.

Thorvald draaide zich in zijn hol om naar de muur. Hij hoorde de dringende klank in zijn eigen stem. 'Nikki!'

De korporaal antwoordde niet.

Hij schreeuwde opnieuw. Hij kan me niet horen in dit verdomde rothol, dacht hij. Hij wachtte.

De korporaal riep hem van achter de muur.

'Hebt u geschoten, overste? Ik dacht iets te horen. Hebt u hem te pakken gekregen?'

'Waar zat je?'

'Vijftig meter naar rechts, met de helm op de schop.'

Thorvald verstijfde. 'Je had de helm omhoog?'

'Ja, overste. In uw opdracht.'

Heinz Thorvald had de jongen kunnen slaan als hij tegenover hem had gestaan.

'Korporaal, ik heb je alleen opdracht gegeven je gereed te houden. Niet om die helm omhoog te houden. Het kostte me bijna het leven!' Bij die woorden liep er een koude rilling langs zijn ruggengraat. Hij dacht eraan hoe hij zich klein had gemaakt, als iets vochtigs dat onder een steen werd aangetroffen. Het was een vernederend gevoel, het ondermijnde zijn besef dat hij hier in Stalingrad aan de touwtjes trok. 'Korporaal, blijf zitten waar je zit! Jij doet niets, helemaal niets, voordat ík het je zeg, begrepen?'

Nikki's stem klonk onzeker, benepen. 'Jawel, overste, ik dacht –'

'Zwijg!' Thorvald liet het naar buiten treden, deze bezoedelende schaamte die de vervluchtigende angst had achtergelaten. Het was een prettig gevoel, het te ontladen. Hij liet zijn hoofd wat zakken alsof hij er nog meer van uit zijn mond wilde laten stromen, richting Nikki.

'Jij hébt niet te denken! *Ik* ben degene die denkt. Jij wacht af totdat ik je iets zeg. En verder niets! Zo, en nu zitten!' Hij wist dat hij tegen de korporaal sprak alsof de jongen een ongehoorzame schoothond was. En uit sadisme voegde hij eraantoe: 'Liggen!'

Hij wurmde zich naar de voorzijde van zijn hol, zijn gezicht rood van ergernis. Hij loerde door de opening in de bakstenen naar buiten. De man met de periscoop had Nikki's helm gezien. Dat was wat er was gebeurd; dat was de reden waarom de idioot was opgesprongen.

Wie zou die kerel zijn? Geen sluipschutter; geen enkele sluipschutter zou zich ooit boven die muur hebben vertoond. Wat voerde hij uit in mijn oorlog tegen Zaitsev?

In hoeverre heeft Zaitsev de hand gehad in wat er is gebeurd? Zou het Konijn de situatie meester zijn? Was die opspringende kerel een bewust gepositioneerd lokaas, of was het domweg gebeurd? Heeft Zaitsev, in het besef dat ik de laatste paar dagen gebruik heb gemaakt van die helm op een staak, de een of andere stommeling meegenomen op zijn jacht naar mij? Zou hij tegen hem hebben gezegd: 'Als je een helm boven die muur daarginds ontdekt, sta je op en wijst hem mij aan?' Was de levende legende van de Iwans daartoe in staat? Is hij harteloos genoeg om mij levend aas voor te houden? Is het Zaitsev wel die ik daar tegenover mij heb? Misschien maakte die opspringende gek deel uit van een ander team, een stel minder ervaren sluipschutters, nog zo'n stel jonge Hazen dat eropuit was gestuurd om naar mij te zoeken. Of wellicht was het nog iemand anders, de een of andere onfortuinlijke soldaat die geen idee had van het oog achter een telescoop dat het park observeerde, iemand die per ongeluk in onze arena verzeild is geraakt, een sympathiserende journalist uit Londen of New York die langs het front zwierf, op zoek naar nieuws.

Hoe zit het precies?

Thorvald moest erkennen dat hij het niet wist.

Dit verontrustte hem. Hij had erop gerekend dat hij het Konijn kon aftroeven. Tot nu toe hadden de gebeurtenissen zich ontvouwd zoals hij het had gepland; zelfs Nikki's verraad was nauwelijks meer gebleken dan een paar verspilde dagen. Dit incident van zo-even had zich echter voorgedaan zonder dat hij daar invloed op had gehad: Nikki had die helm opgestoken zonder dat hij het wist, zodat die man aan de overkant van het park was opgesprongen en hij instinctief had geschoten. Thorvald was niet vertrouwd met instincten. Hij zag zichzelf als een man die zich door zijn verstand liet leiden. Instinct was voor een deel een reflex en deels een kwestie van intuïtief weten; verstand kwam echter niet uit de onderbuik, maar kwam voort uit het bewustzijn. De resultaten van instinct waren te danken aan fortuin; het intellect dwong resultaten af. En het Duitse intellect was daar beter in dan elk ander volk op aarde.

De ochtendzon klom hoger en de schaduwen werden korter. Hoewel het nog lang geen twaalf uur was en de zon recht voor hem stond, bleef zijn hol gevuld met schaduw, als brak water in een kom. Hij keek op zijn horloge en bracht het dichter bij het vage licht uit de opening: kwart voor elf. Nogmaals stelde hij zichzelf de vraag: heeft Zaitsev mijn mondingsvlam gezien? In dat geval zou hij mijn vuur hebben beantwoord, nietwaar? Eén kogel de man. Hij zou er een eind aan hebben gemaakt, als hij ertoe in staat was geweest. Mag ik daaruit de conclusie trekken dat hij me níét heeft gezien? Had ik dan toch gelijk? Is deze schietpositie onder dat stuk golfplaat en aan alle kanten omgeven door massa's bakstenen, de perfecte sluipschuttersschuilplaats? Bén ik hier veilig? Best mogelijk. Misschien ben ik hier werkelijk veilig.

Voorlopig zit ik hier vast. Ik kan er niet uit kruipen voor het donker is. Wat zal Zaitsev nu doen? Zal hij het initiatief nemen? Zal hij me opnieuw op de proef stellen met een ander lokaas? Of zal hij ongeduldig en zorgeloos worden? Krijg ik vandaag de kans voor een schot op de oren van het Konijn?

Thorvald raapte de Moisin-Nagant op. Hij woog hem opnieuw op zijn handen. Hij sloeg de draagriem om zijn linkerpols en legde de houten kolf zacht tegen zijn rechterschouder voordat hij zijn oog omlaag bracht naar het koele metaal van de telescoopzoeker. Hij haalde even zijn schouders op om het geweer wat prettiger in zijn handen te leggen, tegen zijn wang en in zijn armen. Zijn vinger kroop naar de trekker.

Zo, Konijn, dacht hij, voor de rest van deze dag heb je publiek. Wat zou je me willen laten zien? Ik zal er een kogel in jagen, speciaal voor jou. Ik zie jou, maar ik denk niet dat je mij kunt zien.

De volgende drie uur lag Thorvald roerloos te turen naar de muur waarachter de opgesprongen man was verdwenen. Na de schrik en woede van die ochtend leek zijn uithoudingsvermogen zich te hebben verdrievoudigd. Hij kon nu een uur achtereen door de telescoop turen en had maar enkele minuten rust nodig voordat hij zijn hoofd weer liet zakken om de taak te hervatten. Ik kan alles, dacht hij. En dat weet dat Konijn.

Terwijl hij door de telescoop tuurde, langs de dunne zwarte kruisdraden, veroorloofde Thorvald zich de luxe van gevoel. Hij had het gevoel dat de angst van het Konijn over het park heen naar hem toe golfde. Het was een penetrante, walgelijke geur, als van urine.

De zon scheen nu recht boven zijn hoofd. Dit was het moment van de dag waarop noch Zaitsev, noch Thorvald voor een reflectie hoefde te vrezen. De gebouwen rondom het park en de puinhopen en wrakken in het park zelf stonden op hun eigen schaduwen. Op deze tijd van de dag was Thorvalds hol donkerder dan ooit. Hij voelde zich onzichtbaar en stoutmoedig.

Thorvald stelde zich voor hoe hij Zaitsev zou doden. In gedachten zag hij het Konijn voor zijn kruisdraden, de trekkervinger tegen het drukpunt. Hij zag de kogel inslaan in Zaitsevs voorhoofd, maar hij viel niet achterover. Zaitsev bleef staan op de plaats waar hij was getroffen. Er kwamen andere Russen, die beton over hem heen goten en hem in een standbeeld veranderden, op de plek zelf. De tekst op de plaquette onder het standbeeld luidde: IN VOLLE ACTIE GEDOOD DOOR HEINZ VON KRUPP THORVALD, OBERSTURMBANNFÜHRER DER SS, 17 NOVEMBER 1942. Thorvald zag zichzelf in het Staatsopernhaus in Berlijn, omringd door modieus geklede dames en heren, bezig om het verhaal van zijn slopende duel diep in Rusland te vertellen, in de hel van een totaal verwoeste stad, als onderdeel van de speerpunt van de Duitse invasie. Ik zal hen vertellen van het spel tussen kat en muis tussen twee grootmeesters in de sluipschutterskunst, met het accent op de uitzonderlijke kwaliteiten van mijn opponent. Later zal de Inlichtingendienst van het Duitse leger een exemplaar vinden van de Rode nieuwsbrief waarin verslag wordt gedaan van de dood van de beroemde Haas. Dat artikel roept alle Russische soldaten op om de moord op hun grote held door Heinz von Krupp Thorvald, *Obersturmbannführer der ss*, te wreken. Iemand daar zal voor mij een bijnaam bedenken die blijft hangen, een vleiende spotnaam van twee of drie lettergrepen. Zo'n bijnaam krijgt iedere echte held, zoals de Haas. En ik zal de Leraar heten, de Grootmeester, of iets dergelijks.

En dan Nikki. Ja, Nikki. Wat moeten we met de jonge korporaal? Zal Nikki mijn status in Berlijn ten goede komen? Ook hij kent het ware verhaal van mijn duel met de Russische super-sluipschutter. Zal zijn lezing accuraat zijn en duidelijk laten uitkomen hoe bekwaam ik dat Konijn in de val lokte en zijn kop van zijn romp schoot? Stel dat hij de waarheid geweld aan doet en zijn kameraden in de kazerne wijsmaakt dat het aan zíjn oorlogservaring en kennis van de stad te danken was dat Zaitsev te pakken werd genomen? 'Ik heb Thorvald die Rus aangewezen,' zou hij kunnen zeggen. 'Het enige wat hij hoefde te doen, was die trekker overhalen.' Ach, waar maak ik me druk om. Als ik de enige ben die thuis in Berlijn het verhaal vertelt, heb ik het voor het zeggen. Ja, ik heb Nikki beloofd hem mee terug te nemen. Maar hoeveel is een belofte waard aan een verrader, een leugenaar, een eigenzinnige kwast die mij vanmorgen bijna het leven kostte? We zullen wel zien. Ik zal nog eens met Nikki praten, straks, als Zaitsev dood is.

Terwijl Thorvald zich verlustigde in voorstellingen van zijn eigen roem, bleven zijn onvermoeibare lichaam en ogen bedacht op de minste of geringste beweging achter de muur aan de overkant. Toen die beweging kwam, werd hij er niet door verrast, zelfs niet na de uren van wachten. Daar hebben we het, dacht hij. Zaitsevs initiatief. Of Zaitsevs blunder. Het maakt niet uit.

Er was een witte vorm boven de muur verschenen. Te klein om Thorvald in staat te stellen exact te zien wat het was. Te oordelen naar de manier waarop het bewoog moest het een lichaamsdeel van een man zijn, misschien een hand in een witte want, de bovenkant van een schouder of zelfs de ronding van een witte capuchon. Het doel tekende zich duidelijk af tegen de smoezelige achtergrond. Thorvald hoefde zijn kruisdraden maar een millimeter naar links te bewegen. Een stem in zijn innerlijk waarschuwde: wacht – wacht tot je zeker weet waarop je gaat vuren.

Zijn antwoord: naar de hel met al dat wachten en naar de hel met Zaitsev. Hij kan mij niet zien. Ik kan doen waar ik zin in heb. Ik ben onzichtbaar. Trouwens – ik ben woest. Ik heb zin om nú te vuren. Daar ben ik het beste in. We zullen dat Konijn nog wat meer laten zien van waartoe ik in staat ben.

Zaitsev is de sluipschutter die afwacht. Ik ben degene die vuurt.

Het witte doel was niet meer dan drie seconden zichtbaar geweest toen hij het volmaakt voor zijn kruisdraden had. Ze stonden er roerloos voor.

25

'Danilov zal niet sterven.' Zaitsev draaide zich met een ruk om, zich opnieuw verbazend over Koelikovs vermogen om onopgemerkt te naderen. Hij had niets van de terugkeer van de kleine sluipschutter gemerkt. Koelikovs handen waren nog besmeurd met het geronnen bloed van de commissaris.

Danilov was bij bewustzijn geweest toen ze een veldhospitaal hadden bereikt, bij de kalksteenkliffen langs de Wolga. Koelikov was net lang genoeg gebleven om het resultaat af te wachten toen een verpleegster de verwonding van de commissaris onderzocht. Ze had ertegen gedrukt met een doek en een metalen tang, tot woede van Danilov. Hij scheen nog fut genoeg te hebben om kwaad te worden. Koelikov had hem beterschap gewenst en had zich terug gehaast naar Zaitsev in het park. Hij was nog geen drie uur weggeweest.

Terwijl hij zijn plaats weer innam naast Zaitsev, stelde hij een vraag waarover hij zich, terwijl hij op de terugweg was langs de rivier en door de ruïnes, het hoofd had lopen breken. 'Als jou doden Thorvalds enige opdracht is, waarom verspilt hij dan een kogel aan een doel waarvan iedere ervaren sluipschutter zou hebben geweten dat het geen sluipschutter kon zijn? Waarom riskeerde hij het zijn positie te verraden, alleen voor een schot op een dikzak met een periscoop die niet genoeg benul had om zijn kop omlaag te houden?'

Koelikov had in gedachten al een antwoord gevonden, maar hij wilde zien wat Zaitsev ervan vond voordat hij het zou zeggen. Zaitsevs antwoord kwam prompt. 'Omdat de Bovenmeester denkt dat wij hem niet kunnen vinden.'

'En dus,' grijnsde Koelikov, 'zal hij vermoedelijk blijven waar hij is totdat wij hem er aan zijn voeten uit sleuren.'

Zaitsev legde een vinger tegen zijn hoofd. 'Ik heb tijdens jouw afwezigheid ook zitten nadenken, Nikolai. Bekijk dit eens.'

Hij hield Koelikov een plank voor, van ongeveer een meter lang. Hij trok zijn witte want uit en schoof hem over de plank. 'We steken hem boven de muur uit om te zien of hij erop schiet. Als hij de want raakt, hebben we een gat in het hout dat we veel beter kunnen lezen dan die wond in Danilovs schouder.'

Koelikov knikte. 'Hij pronkt graag met zijn kunsten.'

'Zo is het. Misschien kunnen we hem op die manier zo ver krijgen dat hij verraadt waar hij zit.' Zaitsev taxeerde het daglicht. De zon stond hoog; er was geen gevaar voor reflecties, ook niet van Thorvalds kant. Hij zou wel eens kunnen happen.

'Klaar?' Zaitsev zette de plank op zijn dijbeen. 'Laten we de Bovenmeester even gedag wuiven.' Hij tilde de plank op. De want kwam boven de muur uit.

Zaitsev bewoog hem een keer naar rechts. 'Goeiemiddag, *Herr Obersturmbannführer*.' Hij telde zacht af. 'Een... twee...'

Het boveneind van de plank schokte alsof er met een honkbalknuppel tegenaan was geslagen. Een kogel sloeg door de witte want, precies in het midden van de handpalm. De schok bezorgde Zaitsev pijn in de handen. Hij legde de plank vliegensvlug neer en plaatste zijn wijsvinger tegen de muur om aan te geven waar de onderkant van de plank zich had bevonden. Met een stuk zeep trok hij een streep over de muur. In het gat waren plukjes katoen van de wantvulling vermengd met houtsplinters – de kogel was er recht doorheen geslagen en had een gekartelde, ronde opening in het hout achtergelaten waarin precies een vingertop paste.

Zaitsev pelde voorzichtig de want van de plank en deed hem weer over zijn hand. De twee gaten – in de handpalm- en rugzijde van de want – lieten de kou toe tot zijn huid, wat aanvoelde alsof hij harde plekjes in zijn hand had. Hij balde zijn vuist en schudde hem voor Nikolai Koelikov, die naast hem op zijn hurken zat. 'Ja,' zei Zaitsev. 'Ja, Nikolai.' Toen gebaarde hij naar de zon. 'Laten we een uurtje wachten om hem te laten afkoelen. En daarna blijven we waarnemen tot het donker is.'

Koelikov trok zijn witte capuchon naar achteren. Hij nam zijn helm af en wreef met zijn hand over zijn kortgeknipte haar. 'Wasja,' vroeg hij, 'heb jij een knal gehoord nadat de kogel de plank had geraakt? Of nadat Danilov was geraakt?'

Zaitsev fronste zijn voorhoofd. 'Nee.'

Hij haalde zich het moment van zo-even voor de geest, toen de kogel door de want was gegaan, en vervolgens het ogenblik waarop Danilov 's morgens was geraakt. Hij probeerde de opwinding te verbergen die altijd aanwezig is als er kogels rondvliegen; die emotie verdoezelde zijn herinnering zoals de bewolkte hemel het aardoppervlak. Hij kon zich niet herinneren zelfs maar de echo van een geweerschot te hebben vernomen, beide keren niet. Grijnzend keek hij Koelikov aan. 'Alweer een vreemd stukje voor de legpuzzel, Nikoloesjka.'

Koelikov haalde een fles wodka uit zijn zak, bijna leeg. Hij reikte hem Zaitsev aan. 'De Haas,' zei hij.

'Nikolai,' antwoordde Zaitsev.

Hij stak de hand met de doorboorde want uit naar de fles. Hij bekeek het gat op de rug van zijn hand. Een intuïtie liet hem verstarren; hij kon de kogel door zijn want en hand voelen gaan, borend en brandend in zijn hand. In gedachten stuurde hij de hand, geponst als een treinkaartje, weg van zijn arm de muur over om de baan van de kogel terug te volgen; het was alsof de hand zichzelf als aan een touwtje wegtrok, terug naar de loop van het geweer dat erop had geschoten.

Daar zit je dus, overste Thorvald. Gegroet.

Zaitsev schoot terug in zijn lichaam, zijn rechterhand nog zwevend in de lucht. Koelikov staarde naar zijn gezicht, wachtend totdat hij de fles zou pakken. Zaitsev herstelde zijn gezichtsscherpte en nam de wodka aan. Toen hief hij de fles naar de overzijde van het park en toastte opnieuw. 'De Bovenmeester.'

Het avondduister was twee uur oud. Ver in het noorden flikkerde de hemel als gevolg van artillerie-explosies. Rondom het park was alles stil en zwart. Zaitsev luisterde naar het gerommel van het artillerievuur. Hij dacht aan de stad als een slapende reus; zelf bevond hij zich aan de voeten, maar het andere eind snurkte luid.

Ongetwijfeld is Thorvald nu weggekropen. De Bovenmeester heeft er nooit blijk van gegeven een nachtjager te zijn. Zaitsev greep naar de plank. Hij knikte naar Koelikov. 'Ik denk dat we het nu wel kunnen doen.'

Koelikov streek een lucifer af en hield het vlammetje bij de streep op de muur. Zaitsev bracht de plank langzaam omhoog om de stand te reconstrueren die de plank 's middags had ingenomen.

'Mooi zo, Nikolai.'

Koelikov gleed bij Zaitsev vandaan. Hij pakte een seinpistool en vuurde een lichtkogel af. De terugstoot van het seinpistool was hevig. Driehonderd meter boven hen werd de lichtkogel ontstoken terwijl zijn kleine parachute openging. Het hele park werd overgoten met een goudkleurige gloed.

Koelikov legde het rokende pistool neer en kroop snel terug naar Zaitsev. Hij bracht zijn hoofd omhoog naar de plank, nog vastgehouden door Zaitsev. Hij tuurde door het gat alsof het een telescoopzoeker was. Hij hield het verscheidene seconden vol. Toen, terwijl het licht van de lichtkogel in okerkleurige stralen neerdaalde, hurkte hij naast Zaitsev neer. Hij drukte het bovendeel van de plank met zijn handen tegen de muur, ervoor zorgend dat de onderkant ter hoogte van de streep bleef.

'Jouw beurt, Wasja.'

Zaitsev liet de plank over aan Koelikov. Hij richtte zich op, sloot zijn linkeroog en tuurde door het gat in de plank. De opening omlijstte een deel van het midden van zijn schootsveld aan de overzijde, een vlak terrein van een meter of vijftig breed langs de muur daarginds. Ergens in dat segment moet Thorvald zitten, wist hij.

De schaduwen die de dalende lichtkogel veroorzaakte waren scherp, onrustig en inktzwart; het park zelf had de kleur van stro. Zaitsev kende elk detail binnen de omlijsting van het kogelgat. Puinhopen en twee kraters, meer niet. De uitgebrande tank, de Duitse fortificatie en de grotere verwoestingen van de strijd vielen erbuiten. Dit was precies wat Zaitsev had verwacht. Hij gaf zichzelf opdracht Thorvalds nest te vinden. Het is verborgen in dit vlakke terrein voor de muur. Het is allemaal zo vlak – waarachter kon Thorvald zich verschuilen? Kijk goed. Prent het je in het hoofd. Voel het. Waar zou jij hebben gezeten, Wasilji? Wat zou jij als dekking gebruiken? Vlieg naar die kant van het park en neem er een kijkje. Denk als Thorvald. Waar zit je achter?

Stop.

Ze hadden nooit de knal van Thorvalds geweer vernomen! De echo's van zijn schoten verplaatsten zich niet over het park. Ze werden niet door de gebouwen om ons heen weerkaatst. Koelikov heeft niets gehoord; ik heb niets gehoord. Ergens achter? Nee.

Thorvald verschuilt zich niet *achter* iets. Hij moet ergens *in* zitten!

Of ergens *onder*!

Dat stuk golfplaat. Waar ligt het? Daar. Het ligt over een puinhoop heen, bijna vlak boven de grond. Onschuldig, eenvoudig, niets bijzonders in een landschap vol puinhopen. Zaitsev had het zo vaak gezien dat hij eraan gewend was geraakt het te negeren. Maar daar was het, in dit ronde segment van mogelijkheden, waargenomen door het gat in de plank. Het lichtschijnsel boven het park begon af te nemen nu de lichtkogel bijna was opgebrand. Ja, de schietpositie van de Bovenmeester zou zich wel eens onder dat stuk gegolfd plaatijzer kunnen bevinden, achter die hoop bakstenen. Graaf er een sleuf naartoe. Tijger erheen voordat het licht wordt. Blijf lekker uit de wind. Praat met je helper, slechts tien meter achter je. Die blijft verborgen achter de muur om met die verdomde helm heen en weer te tijgeren. Jij zit zelf heerlijk de hele dag in de schaduw onder een metalen afdak; het enige wat je hoeft te doen, is in het donker liggen en erop los knallen, zonder je zorgen te hoeven maken over reflecties van je telescoop. Aangezien je aan alle kanten omgeven bent door materiaal, zal geen knal luid genoeg uit dat hol ontsnappen om de overkant van het park te kunnen bereiken, tweehonderdvijftig meter ver. Om je mondingsvlam te kunnen zien, zou je vijand recht in jouw loop moeten turen als jij de trekker overhaalt, precies de verkeerde plek om je te vertonen.

Ideaal. Zo volmaakt, dat de Bovenmeester bereid is het eerste overlevingsgebod van de sluipschutter aan zijn laars te lappen: los je schot en maak dat je wegkomt. Trekker overhalen, wegwezen. Hij bleef in zijn hol. Eerst om op medisch personeel te schieten; toen op Sjaikin en Morozov; en vandaag op Danilov. Al die kogels vanuit dezelfde plaats. Hij barst van het zelfvertrouwen. Mooi. Tot wij hem er aan zijn voeten uit sleuren.

Zaitsev schoof bij de plank vandaan. Hij stond rechtop en tuurde over de muur totdat hij de lichtkogel neer zag komen in het park. De vlam sputterde even, was een paar seconden een miniatuurvulkaan, en doofde toen. Het park was weer inktzwart.

Koelikov kwam naast hem staan.

'Hij zit onder dat stuk golfplaat,' zei hij. 'Hij heeft er een gat onder gegraven.'

Koelikov zei niets. Zijn manier om te laten blijken dat hij het ermee eens was.

'Hij zal morgenochtend terugkomen.' Zaitsev voelde zich prettig, zo staande bij de muur. Hij had het gevoel dat hij zijn tegenstander tartte.

Koelikov zei: 'Ik zal eens naar de andere kant sluipen om een kijkje te nemen.

Even controleren of hij zich werkelijk onder dat stuk ijzer heeft genesteld. Wat denk je?'

'Nee, Nikolai. Dat is het risico niet waard. Ik denk dat hij naar huis is om daar te slapen, maar wie weet? Hij kan schildwachten hebben achtergelaten, voor het geval wij het mochten proberen. We laten het rusten tot morgen. Hij zal er zijn, ga daar maar van uit.'

Hoewel hij Koelikov had verboden onder dat stuk metaal te kruipen, tijgerde Zaitsevs voorstellingsvermogen het vlakke park over en glipte de holle ruimte in onder dat stuk golfplaat. Inderdaad, daar lag Thorvald, turend door een opening tussen de bakstenen. Dag, Schoolmeester, neem me niet kwalijk. Nu tuurde Zaitsev zelf door de zoeker van de Bovenmeester, recht naar zijn kant van het park. Daar was het hoofd van de Haas, met het zwarte kruis van de telescoop eroverheen. Daar ben ik. Recht in de roos, Schoolmeester. Schiet maar. Mijn gelukwensen.

Niet meer dan tweehonderdvijftig meter. Een kogel overbrugt die afstand in een hartenklop, meteen ook de laatste.

'Die verkast niet,' zei Zaitsev, toen hij zijn blik afwendde van het park. 'Dus zullen wij dat moeten doen.'

Zaitsev en Koelikov verzamelden hun rugzakken, geweren en periscopen. Toen hij rechtop stond, schatte Zaitsev de zwaarte van zijn uitrusting en betastte de draagriemen. Hij werd overvallen door een gevoel van bevrijding, als de kleine jongen die hij was geweest, gepakt en gezakt, klaar om te gaan jagen. Hij keek naar de aarde aan de voet van de muur. In het donker kon hij de donkere vlek van Morozovs bloed niet zien, maar hij wenste hem goede reis. Hij bedankte de geesten van deze plaats voor hun hulp, hun ingevingen. Thorvald had hem hier drie dagen lang aan de ketting gehouden. Nu verbrak hij zijn boeien.

Hij begon te lopen, gevolgd door Koelikov. De nacht was stil nu, afgezien van het knarsen van het gruis onder hun laarzen. Hij hoorde zijn eigen voetstappen en toen ook de lichtere van Koelikovs, uit de pas met de zijne. Hij deed een poging om een plan te bedenken voor de confrontatie van de volgende dag met de Bovenmeester, maar Koelikovs aanwezigheid, zo vlak achter hem, verstoorde zijn concentratie, als een uit de bosjes opgejaagde troep kwartels. Hij bleef staan. 'Nikolai, alsjeblieft, wacht hier een minuutje. Ik zou graag in mijn eentje verder willen gaan zodat ik wat kan nadenken.'

Koelikov ging op zijn rugzak zitten.

Zaitsev draaide zich om, dankbaar voor de loyaliteit van zijn kameraad. Hij liep langzaam langs de muur, luisterend naar het ritme van zijn eenzame tred in de bevroren modder. Toen hij over de muur uitkeek over het open park, zag hij alleen bleke vormen; de nachthemel bloedde maar weinig straaltjes licht. In de taiga had het sterrenlicht altijd zijn voorkeur gehad. Ooit had hij geloofd dat de sterren kleine gaatjes in de hemel waren waardoor het verblindende licht van het universum achter zon en maan gedempt tot de aarde doordrong. Zijn grootmoeder had hem gezegd dat de sterren de tien miljoen wakende ogen van God waren. God? Welke rol, vroeg hij zich af, heeft God gespeeld in Stalingrad?

Het zachte bonzen van de artillerie was afkomstig uit de richting van de fabriekscomplexen; aan de verre lichtflitsen had hij hier in het park nagenoeg niets. Dertig meter van de plek waar Koelikov zat besloot hij even te rusten. Hij liet zich zakken, kruiste zijn benen en trok zijn wanten uit. Hij schoof zijn witte capuchon achterover om zijn helm af te doen en maakte toen de twee bovenste knopen van zijn parka los. De wind was licht, een gordijn van kilte. Hij liet de kou langs zich heen strijken. De rust verleende de nacht een soort gelouterde klaarheid, iets wat de wereld mist als er meer wind staat. Laat de nacht maar toe, dacht hij. Hij ademde diep in om zijn longen met de koude te vullen en de nacht te laten spreken. De sterren, de aarde, de koude, zelfs deze stad – laat het allemaal maar toe. Word er één mee.

Hij sloot zijn ogen en ademde uit. '*Bai ya nai*,' zuchtte hij. God van de taiga. Het was het Jakoet-offer dat de jager geluk moest brengen.

Hij volgde zijn gedachten naar buiten. Thorvald. Ik weet waar hij zit. Ik heb zijn sporen gelezen. Zaitsev stond zijn gedachten toe snelheid te winnen. Deze Thorvald... Hij kent mij. Hoe pak ik dit aan? Het moet iets anders zijn, niet iets van mij. Niet van de Haas. Niet wat hij verwacht.

De kou schuurde langs zijn wangen en keel, wekte de delen van zijn lichaam die de dragers waren van de instincten en zintuigen waarin hij het meeste vertrouwen had, sinds lang geleden al – zijn onderbuik, zijn schouders, zijn nek en zijn polsen.

Thorvald verwacht de Haas. Daarom moet ik iets doen wat hij nooit verwacht. Hij weet dat ik de nacht kan zijn, de aarde, de ruïnes.

Ik ben een Rus. Deze stad is Russisch. Dit alles weet hij.

De grond kreunde onder het geweld van de artillerie in het noorden. Zijn ogen gingen open.

Deze stad is ook Duits.

Duits!

Ik zal op z'n Duits te werk gaan.

Hij kent al mijn tactieken, alles wat ik mijn Hazen heb geleerd en wat Danilov tot in alle bijzonderheden heeft afgedrukt in *Voor het vaderland*.

Nu zal ik een tactiek toepassen die de moffen zelf mij hebben geleerd.

Zaitsev zette zijn helm op en trok de capuchon eroverheen. Met zijn van kou verstijfde vingers knoopte hij zijn parka dicht en trok zijn wanten weer aan. Hij keek omhoog naar het donkere baldakijn waarin sterren twinkelden, en waarin artillerie-explosies flikkerden.

'Dank u,' zei hij tegen de geesten van de nacht en de oorlog.

Vlug liep hij naar Koelikov terug. 'Nikolai, ik heb een missie voor je. Iets dat jouw bijzondere talent voor geruisloze verplaatsing vereist.'

307

Koelikov reageerde met een gretige blik, als een jachthond die popelt om ervandoor te gaan.

'Ga,' zei Zaitsev, opgewonden om na al het wachten eindelijk in actie te kunnen komen, 'naar de oostelijke helling van de Mamajev Koergan. En kom terug met de huls een artilleriegranaat.'

26

Thorvald trommelde met zijn vingers op de grond. Zes dagen achtereen in het holst van de nacht naar dit pesthol, dacht hij. En wat hebben die tientallen uren van staren naar de overkant van dit verdomde park me opgeleverd? Niets. Dat Konijn komt zijn burcht maar niet uit.

Kom, Konijntje. Ga de confrontatie met mij aan. We maken er een wedstrijd van. Schietschijven, kleiduiven, noem maar op. Wie het best schiet, heeft gewonnen. De verliezer schiet zichzelf door het hoofd en daarmee is de kous af. Maar laten we het doen, Konijn. Genoeg van die pestkou die de hele dag omlaag kruipt in je nek en langs je ribbenkast. Die boterhammen met kaas komen me de strot uit. Het wordt tijd voor een lekker glas donker bier en een biefstuk, geserveerd op fraai porselein en gesteven linnen, in plaats van muf brood uit een papieren zak op een smerig stuk aarde.

Maar wat heb je nou toch gedaan, Konijn? Je bent ten opzichte van de plek waar je de afgelopen drie dagen hebt gezeten dertig meter naar links verkast. En ook heb je een sleufje uitgehakt in de bovenkant van die muur. Je moet gisteravond hebben overgewerkt. Gelukkig heb ik een uur na zonsopgang je foefje opgemerkt. Leuk geprobeerd, Konijntje. Je had me bijna bij de neus. Even begon ik te geloven dat dit jouw spelletje van vandaag zou zijn, om mij te testen. Jij wilde dus weten of ik aantekeningen maak van de details van mijn schootsveld? Of ik het allemaal wel goed in mijn hoofd had geprent? Of ik een minuscule verandering in de contouren van jouw kant van het park zou opmerken? Ja, natuurlijk heb ik dat, Konijn! Een van de elementaire beginselen – een van de eerste lessen die ik in Gnössen geef. Je vergeet dat ik jouw soort opleid. Toen herinnerde ik me echter dat ik nog nooit iemand van jouw soort heb gezien. Jij gaat verder waar de lessen ophouden, daar ben je vermaard om. Dat is de reden waarom ze mij uit Berlijn hebben gehaald, om jou te doden. Dus ben ik wat verder gaan kijken dan dat sleufje van je. Kon het een truc zijn? Iets om mijn aandacht af te leiden van een andere list? Ik had de hele ochtend de tijd, dus waarom zou ik de tijd niet benutten om wat te gissen? En te zoeken. Ik gebruikte de energie in mijn ogen alsof het om goedkope batterijen ging en speurde jouw kant van de muur af, centimeter voor centimeter. Al na vijf minuten ontdekte ik het: niet echt blinkend, maar een glimp van geel licht, iets lichter dan de muur zelf. Een gelige glans, als van koper of goud, zoals een trouwring. Twintig meter rechts van je schrandere sleufje had je een slim geel tunneltje in het onderste deel van die muur gefabriceerd. Is dat de huls van een geelkoperen artilleriegranaat die je door een uitgehakt gat hebt gestoken? Heel sluw, Konijntje. Jij dacht natuurlijk dat ik dat niet zou opmerken, hè? Twee posities: een die in het oog liep, om mijn aandacht vast te houden, en een slim verborgen tweede om mij te doden. Voortreffelijk. Je zou voor mijn opleiding in Gnössen zijn geslaagd, Konijn. Maar niet cum laude. Als ik jouw instructeur was geweest, zou ik je hebben gezegd om die buis eerst een tijdje te schudden met wat scherpe stenen erin, de glans weg te schuren. Tja, ieder van ons maakt fouten, Konijn, zit er niet over in. Het was niet meer dan een kleinigheid en ik had niet mogen verwachten dat een onderofficier uit Siberië dat niet zou overkomen. Je kunt nu eenmaal niet aan alles denken, hè?

Hoe laat zal het zijn? Verdomme, ik lig hier al vijf uur te turen. De ochtend is al bijna om. De zon staat hoog boven je schouder; jij bent nog in het voordeel, Konijn, en je hebt je zet nog altijd niet gedaan. Je wacht op een fout van mij. Dan kun je lang wachten, Konijn. Ik heb je betrapt. Doe maar iets, dan kan ik mijn val laten dichtklappen. Ga je nog iets ondernemen, of wilde je me doden door pure verveling? Hoe is dat mogelijk? Jij staat te boek als een superman. Ben jij wel écht een meestersluipschutter, of gewoon maar een uit de Oeralklei getrokken lefgozertje? Misschien ben je te bang om iets te doen. Of je bent, wat erger zou zijn, niet meer dan een fabel. Zodat je niet eens bestáát. O nee, dat bestaat niet! Zaitsev een mythe? Een verzinsel van de Russische propaganda, een truc om het moreel van het proletariaat op te vijzelen? Ach nee, onmogelijk. Feitelijk maar ál te mogelijk. Denk goed na, Heinz, wat voor bewijzen heb jij gezien van een Zaitsev? Niet één! De Roden hebben van mij meer dan genoeg bewijzen gezien. Ik heb treffers geboekt waarover ze de eerstvolgende maanden niet uitgepraat zullen raken. Maar de eerste mondingsvlam van dat Konijn moet ik nog te zien krijgen. Eén kogel de man? Zou het een leugen kunnen zijn, niet meer dan een list om het feit te verdoezelen dat hij nóóit schiet, aangezien hij niet echt bestaat? *O Scheisse, und noch mal Scheisse. Ist es alles nur ein Scherz?*

Nou is het afgelopen. Na de eerstvolgende Rus die ik te pakken neem zeg ik Nikki en de generaals dat ik dat Konijn heb geraakt en kan ik op dat vliegtuig naar Berlijn. Het zal dagen duren voordat die Russische propagandabladen uitkomen en van de daken gaan schreeuwen dat ik hem heb gemist. Tegen die tijd ben ik allang weg en zullen de generaals me niet terughalen.

Nikki. Die neem ik mee. Een heer houdt zich aan zijn woord. In Berlijn kan hij ze vertellen hoe vaak ik in dit donkere stinkhol ben gekropen. Ik zal zorgen dat Nikki steeds in mijn buurt is, zodat ik macht over hem kan uitoefenen; dan zal hij geen leugens over mij verkopen. Als ik zeg dat ik dat Konijn tussen de ogen heb geraakt, zal hij het net zo graag willen geloven als ikzelf. Ik zal hem voor bevordering tot *Wachtmeister* voordragen; zo'n uniform ziet er beter uit en ik wil geen *Gefreiter* om mij heen in de opera. Weet je wat, ik benoem hem tot mijn chauffeur; ja, dat is beter dan sluipschutter. En trouwens, hij schijnt niet van geweren te houden. Op die manier houd ik hem uit de buurt van mijn rekruten in Gnössen. Nergens voor nodig dat ze meer dan één versie van mijn tijd in Stalingrad te horen krijgen. Per slot van rekening ben ik hun instructeur. Ze moeten tegen mij op kunnen zien.

Stel dat Nikki gelijk heeft – en dat de Russen inderdaad volop bezig zijn zich elders voor te bereiden op een massaal tegenoffensief? Stel dat ik – terwijl ik maar in dit rattennest lig, aan de rand van deze gigantische wondkorst dat ooit een park is geweest – niet eens Zaitsev tegenover mij heb, maar het volgende stel aankomende sluipschutters? Misschien is de echte Zaitsev tien kilometer hiervandaan bezig om zich voor te bereiden op een grotere missie, eentje van wezenlijk belang. Waarom zouden ze hem in feite buiten gevecht stellen door hem op te dragen mij te vinden? Hoe zou ik ooit zo belangrijk kunnen zijn dat het Grootkonijn zich uitsluitend op míj moet concentreren? Het was niet moeilijk mij hierheen te sturen; ik deed niet echt iets van belang, ik was niet absoluut onmisbaar in Gnössen – 's morgens mijn jongens leren hoe ze andere jongens kunnen afmaken, en op mijn vrije middagen kleiduiven aan diggelen schieten. Pull! Richten! Vuur! Jawel, Heinz, er is een maar al te reële kans dat Zaitsev niet meer is dan een *canard* of een foef, net als dat sleufje ginds in die muur. Hoewel het er niet echt toe doet of Zaitsev zelf daar achter die muur zit, of een andere Iwan. Want de eerste de beste rooie schoft die ik zie, gaat er hoe dan ook aan. Misschien kan ik er vanmorgen nog twee neerleggen; een achter die sleuf daar, en eentje achter die koperen granaathuls. Ja.

En wat hebben we daar, in die sleuf? Presto! Net toen mijn geduld op begon te raken. Een helm. Zit er een kop onder, of is het alleen een helm op een staak? Nee, hij beweegt zoals een man zich beweegt, gelijkmatig. Ik denk dat er een hoofd onder die helm zit, een levend hoofd. Nog wel, althans. Want ik ga een kogel door die kop jagen. Daarmee verander ik die kop in een sleutel voor het openen van deze kooi waarin ik opgesloten zit. Dit is een gebedsverhoring.

Maar wat te denken van die slimme schietbuis rechts beneden? Zit daar nog een hoofd achter, wachtend op mijn kogel? Omlaag met die kruisdraden, laat ze over de stenen kruipen. Daar is hij. Die granaathuls. Glanzend koper nog. Eens goed kijken. Nee, niemand thuis. Toch weet ik dat daar iemand moet zitten, uit het zicht. Mooi, Heinz, terug naar die helm achter dat sleufje. Hoe lang zit hij daar al? Wat maakt het uit? Hij zit er nu en ik ben hier. En tegelijkertijd ben ik daarginds, want mijn ogen raken zijn helm aan alsof het zijn huid is. Blijf daar nog een paar tellen, slimme Rus. Ik bereid me voor om toe te slaan. Ik schiet eerst die vent achter de sleuf neer, het hoge doel. Paf! En dan grendel ik door en laat het vizier naar rechts zwaaien, omlaag, op zoek naar die granaathuls. In het vizier! Ik hou het bij twee schoten, klaar. Of het Konijn nu achter die sleuf zit of achter die granaathuls, het maakt niet uit. Als er een kop achter zit zal hij in beide gevallen openbarsten als een gevallen meloen. Eerst even naar die kop achter de sleuf kijken. Brutaal, dat mannetje, met de zon achter zijn rug, om zijn helm in en uit mijn blikveld te bewegen, voor mijn kruisdra-

311

den en er weer buiten. Hij kan míj niet zien. Er ontsnapt geen reflectie uit mijn hol; ik draag deze duisternis zoals ik dat nieuwe zwarte uniform draag in Berlijn. Waar kijkt hij eigenlijk naar? Het lijkt wel alsof hij... Kijk eens aan, de loop van een geweer in die sleuf. Gericht op een punt links van mij. Denkt zeker dat ik daar zit. Een schot! Die heeft zojuist op die fortificatie geknald! De zak. Alsof ik zo stom zou zijn om daar rond te hangen. Denken ze soms dat er geen Thorvald bestaat? Net zoals er geen Konijn is? Luister naar de knal van dat schot op die verlaten bunker, pure verspilling. Net als de hele rest hier. Nou ja, die Iwan, daar achter de sleuf. Kom er nog eens voor en blijf er even, zodat ik deze dunne haarlijntjes op je helm kan planten, als een kruis boven je graf. Of nee, eerst iets anders, Heinz, vlug! Eerst even een oefening, de zwaaibeweging van de sleuf naar de granaathuls. Precies als bij het kleiduivenschieten. Altijd hoog beginnen. Pull! Vuur! Nu doorgrendelen! Terug, naar voren, snelheid en balans. En nu die zwaai naar rechtsonder. Perfect. Richt! Vuur!

Wacht. Wat zie ik daar? Ja, ja, ja. Er is nu toch iemand thuis, daar achter die buis. Een glazen rondje boven een zwarte stip. Dat is een telescoopgeweer dat hierheen is gericht, naar mijn duisternis. Wel, wel, wel. Eindelijk hebben ze uitgedokterd waar ik uithang. En nu bereiden ze zich voor. Dat schot richting bunker was natuurlijk bedoeld om mij in verwarring te brengen. Wel, goede vriend achter die buis, blijf vooral zo zitten. Laat je zoeker niet in de steek. Ik zal de komende ogenblikken een eind maken aan alle verwarring.

Die telescoop in de granaathuls houdt mij in het oog, wachtend totdat ik als eerste schiet. Dat moet het Konijn zelf zijn, turend door die buis, daar ben ik zeker van. Aangenaam om eindelijk kennis met je te maken, Russische supersluipschutter. Net op tijd om afscheid te nemen. Poëtisch, eigenlijk, op een bepaalde manier heroïsch. Het hangt er maar vanaf hoe het verhaal later zal worden verteld.

Misschien hoop je mijn mondingsvlam te zien als ik die kop achter de sleuf wegschiet, Konijn. Mogelijk. Vermoedelijk is dat je plannetje. Alleen... kún je mij wel zien in deze duisternis? Nee! Je zult blind moeten schieten, een perfect schot, met niet meer om op af te gaan dan een blauwe flits die niet langer duurt dan een fractie van een seconde. Ik denk niet dat je van die klasse bent. Jij bent eerder de jager die het van besluipen moet hebben, de instinctief opererende, gelovige natuurmens, dan de door en door getrainde en ervaren scherpschutter.

Tja, dit is dan de finale van ons duet, Konijn. Weet je wat, ik maak er een echte wedstrijd van. Het gaat om snelheid en ik neem zelfs een handicap. De regels zijn als volgt: als jij door het een of andere wonder toevallig precies deze kant uit mocht kijken terwijl ik die maat van je met mijn eerste schot neerleg, zul je mijn mondingsvuur kunnen zien. Dan heb je pakweg drie seconden om mijn hoofd in het donker te vinden terwijl ik doorgrendel en de zwaai naar rechtsonder maak om jouw kop in het licht te vinden. De snelste hand, de scherpste blik, de beste schutter – die wint. De hele pot.

Klaar, Zaitsev? Ik, Heinz von Krupp Thorvald, de Duitse meestersluipschutter, zal je nu laten zien wat het motto 'Eén kogel de man' betekent. Twee keer achtereen zelfs. De sleuf bovenaan. Paf! Doorgrendelen en omlaag. Paf! De buis.

Dit is een wedstrijd die jij niet kunt winnen, Konijn.

En nu een paar helmpjes in mijn vizier, graag. Hoog tijd dat Nikki en ik op het vliegtuig naar huis stappen. Vliegen, en dan een bak koffie.

Eerst het hogere doel. De helm achter de sleuf.

Nu je polsslag tot bedaren brengen. Adem in.

De kruisdraden. Roerloos, zwart, scherp gestoken.

Eigenlijk mooi, toch?

Dat doel wacht. Het wenkt de kogel, exact in het midden.

Sterf nu, eerste helm. Het hogere doel.

Trekker!

Wat een knal. Ik heb de trekker overgehaald.

Die kogel was raak.

Hij springt overeind. Daar heb je hem.

Een man, met gespreide armen. Hij is achterovergevallen.

Waarom sprong hij zo raar op? Vreemd. Hij had meteen in elkaar moeten zakken, als een zoutzak. Ik weet zeker dat ik hem heb geraakt.

Heinz, vergeet hem! Tweede doelwit! De granaathuls.

Zoek hem! Snel!

Terug die grendel, soepel. Ram hem naar voren.

En nu zwaaien – naar rechts en zakken.

Zoek de Haas, zoek zijn glimmende huls.

Waar is hij? Vind hem! Snel!

Te ver doorgezwaaid. *Verdammt.*

Waar is hij?

Hoeveel tijd is er al verstreken? Te veel!

Seconden. Slechts enkele seconden, Heinz.

Rustig blijven. Hij kan jou niet zien. Zoek hem.

Stop! Daar is die granaathuls.

En daar is zijn telescoop, met dat kwetsbare oog erachter.

Het lage doelwit. Polsslag doen verminderen. Adem in.

De kruisdraden. O wat mooi.

Richt.

Het is gedaan.

27

Zaitsev lag plat op de grond, zijn voeten achter hem gespreid voor een beter evenwicht. Hij schoof alleen de eerste centimeter van de Moisin-Nagant-loop in de granaathuls die hij de afgelopen nacht in het door hem uitgehakte gat had gestoken. Dit was de truc van vandaag, een Duitse truc, opgedaan op de helling van de Mamajev Koergan. Zaitsev hoopte dat Thorvald na het duel van de laatste vier dagen niet alert genoeg zou zijn om deze kleine opening in de muur te ontdekken. Hij had uren moeten hakken in de stenen om het gat te maken waarin de bodemloze granaathuls zou passen. Koelikov had hem geïnspireerd en de hele nacht zwijgend in de vrieskou zij aan zij met hem gewerkt. Zijn taak bestond uit het uithakken van een v-vormige 'sleuf' boven in de muur, twintig meter links van Zaitsev. Ze hadden geen woord met elkaar gewisseld totdat beide karweitjes waren geklaard.

Het idee was eenvoudig genoeg. Trek het vuur van de Bovenmeester met een valse schietpositie. De sleuf in de muur liep zodanig in het oog dat hij door de Bovenmeester zou worden opgemerkt zodra het ochtendlicht boven het park sterk genoeg was. Dit zou Thorvalds aandacht vasthouden, om te voorkomen dat hij per ongeluk zijn telescoop op de granaathuls onder in de muur zou richten, voor hem rechts van de sleuf. In die kleine 'tunnel', vrijwel in rechte lijn gericht op zijn hol, bevond zich de eigenlijke angel van de tactiek van vandaag, het telescoopgeweer van de Haas.

Zaitsev hoopte dat hij, als hij recht in de duisternis tuurde, daarginds onder dat stuk gegolfd plaatijzer, misschien de mondingsvlam zou kunnen zien als de Bovenmeester op Koelikov vuurde. Als dat lukte, zou hij in den blinde op de plaats van de mondingsvlam vuren. En als hij miste, zou Thorvald uit zijn positie worden verjaagd en zou het duel ongetwijfeld in een ander deel van de stad opnieuw beginnen. Hoe onaangenaam een dergelijke afloop ook zou zijn, er viel niets aan te doen. Eén kogel de man? Het klonk goed. Thorvald was echter niet zomaar een man. Hij was een moorddadig spook. Het was het beste om de eerste en vermoedelijk ook enige kans te grijpen die zich voordeed, ook al kon hij er niet zeker van zijn dat zijn schot doel trof. De jacht op de Bovenmeester had al verschillende dagen geduurd en verscheidene levens gekost; misschien zouden er ook meerdere kogels voor nodig zijn.

De zon stond inmiddels hoog en bracht Zaitsev in het voordeel, maar hooguit nog een uur. Tijd om in actie te komen, dacht hij. De Bovenmeester verwacht natuurlijk iets van ons zolang het licht nog uit het oosten komt. Zaitsev legde zijn wang tegen de koele houten kolf. Voorzichtig bracht hij zijn oog omhoog naar de telescoopzoeker, met zo weinig mogelijk beweging. Hij zwenkte zijn kruisdraden behoedzaam naar het stuk golfplaat dat op een hoop bakstenen lag. Daarna bracht hij zijn wang een millimeter omhoog, waardoor het middelpunt van de kruisdraden afdaalde naar de zwarte duisternis tussen de stenen, in het donkere hol van de Bovenmeester.

'Nu!' riep hij zacht naar Koelikov.

Zaitsev wist exact wat zijn strijdmakker deed. Een minuut eerder had Koelikov een halve baksteen op zijn hoofd gelegd en zijn helm eroverheen gezet, waarna hij de kinriem had vastgemaakt. De steen had het formaat van een kloostermop, en bracht de helm zo'n acht centimeter boven zijn schedeldak. Beide mannen hoopten dat deze marge voldoende was om Koelikovs scalp te beveiligen. Ze waren het erover eens dat een wiebelende helm op een staak de Bovenmeester nooit tot een schot zou verleiden. De helm moest op natuurlijke manier bewegen; hij moest op het hoofd van een man zitten. Koelikov had zonder tegensputteren ingestemd met het plan. Een dappere strijdmakker, dacht Zaitsev, en bovendien een man met voldoende vertrouwen in zijn vermogen om zich met de nodige precisie te bewegen.

Volgens het plan moest Koelikov zijn verhoogde helm een paar keer voor de sleuf brengen, zodat de bewegingen de aandacht van de Bovenmeester zouden trekken. En dan...

Koelikov vuurde het schot af, de volgende stap in het plan. De kogel was gericht op de onbemande bunker rechts van het stuk golfplaat, vanaf hun muur gezien; een schot dat bedoeld was om niet alleen de aandacht van de Bovenmeester te trekken, maar hem bovendien het idee te geven dat de beide sluipschutters niet wisten waar hij zich schuilhield. De knal van het geweer vloog langs Zaitsev heen; hij verbond zijn gedachten met het geluid alsof ze een briefje waren aan de poot van een postduif die naar de overkant van het park zou vliegen, regelrecht in Thorvalds hol. Daar zou de Bovenmeester lezen: WE WETEN NIET WAAR JE ZIT, OVERSTE. JE BENT VEILIG. KOM MAAR.

De kruisdraden voelden in Zaitsevs handen aan als twee gekruiste zwaarden en hij was klaar om het duel aan te gaan. Hij kroop wat dichter tegen de zoeker aan. Zijn vinger spande om de trekker. Kom maar, Schoolmeester, slang die je bent. Doe iets.

Er verstreken seconden. De kruisdaden dansten één keer. Zaitsev volde zijn polsslag in zijn handen bonzen. Rustig nou maar, dacht hij. Niet zelf naar hem toe gaan, laat hem naar jou toe komen.

Verdomme, het lukt niet. De Bovenmeester is vanmorgen niet thuis. Hij ís er al vandoor. Zou hij vertrokken zijn zonder dit duel af te maken? Nee, nooit, hij heeft zijn Haas nog niet geschoten. Of wél? Danilov. Heeft hij soms gedacht dat hij míj te pakken had toen hij Danilov trof?

Nee, niets voor de Bovenmeester. Hij weet dat ik hier ben. Niet ongeduldig worden. Hij is er wel. Hij ligt daar onder dat gegolfde plaatijzer, diep in de duisternis waarvoor ik een kruis heb geplant. We zijn aan elkaar vastgeketend, hij en ik. Hij kan niet weg. Onze ogen en handen zijn op dit moment boven het park met elkaar verstrengeld en kunnen door niets anders dan de dood van elkaar worden gescheiden. Hij zit daar in zijn hol. Ik kan hem voelen.

Zaitsev herinnerde zich Baoegderis' rode, verwoeste gezicht en het zwarte geronnen bloed op Morozovs hoofd. De Bovenmeester had beide sluipschutters getroffen via hun telescoopvizier. Dwars door de zoeker, besefte hij opeens, met een zweem van verontrusting; zou hij soms op dit moment naar mij turen? Heeft hij zijn kruisdraden regelrecht op deze schietbuis gericht, exact op mijn telescoop? Zou hij me toch nog hebben ontdekt; heeft de zon me verraden, ondanks al mijn zorgvuldige voorbereidingen? Deze seconden van nietsdoen – zou hij ze gebruiken om te wachten totdat zijn eigen hartslag tot bedaren is gekomen voordat hij zijn trekker overhaalt terwijl mijn kwetsbare oog zich voor zijn kruisdraden bevindt? Thorvald is ertoe in staat. Ik heb de resultaten gezien. Baoegderis. Morozov. Ik weet dat hij even snel schiet als twee man. Danilov, Koelikov, Sjaikin. De dummy, Pjotr. Heb ik een fout gemaakt? Kent Thorvald deze truc met de granaathuls? Heeft de Bovenmeester deze foef misschien zelf aan zijn leerling-doders geleerd?

Starend door zijn kruisdraden maakte Zaitsev een grimas. Niets, dacht hij, niets dan roerloze duisternis. Hij klemde zijn kaken op elkaar.

Nou, vooruit, Thorvald. Kom op, verdomme! Maak voort! Laten we er een punt achter zetten. Als je mij ziet, laat me dat dan merken! Vooruit!

Een zwak, blauw vlammetje knipoogde, bijna sneller dan Zaitsevs oog het kon opvangen. Maar daar was het dan, diep in het hol van de Bovenmeester.

Rechts van Zaitsev schraapten Koelikovs voeten over het gruis. Het geweer van de kleine sluipschutter viel kletterend op de grond.

Koelikov schreeuwde het uit: 'Aaaggghhh!' Hij had zich opgericht, met wijd gespreide armen, voordat hij achteroverviel, weg van de muur. Zijn rug landde met een bons op de grond; zijn adem werd door de klap hard uit zijn longen gedreven.

Nikolai! De Bovenmeester had hem geraakt! Hij heeft de kloostermop gemist en Nikolai getroffen! Zaitsevs handen probeerden het geweer los te laten. Zijn oog trok zich een millimeter weg van de zoeker. Nikolai! Ik moet naar hem omzien. Hij is neergegaan! Dat nazi-zwijn heeft hem neergeschoten!

Nee! beval een stem hem. Nee! Blijf waar je bent!

Hij verstarde rond zijn geweer. Nikolais geest kan nu niet worden geholpen. Eerst de Bovenmeester. Focussen, Wasilji!

Die lichtflits. Dat was hij.

Er verstreek een seconde. De angst bekroop zijn ruggengraat als een wolf, laag en oersterk. Is er misschien al een andere kogel onderweg, deze keer voor mij, verstuurd door de Bovenmeester? Een andere seconde tikte weg in zijn hoofd. Ik moet schieten. Alleen kan ik het niet. Ik kan hem niet zien; ik zie alleen die mondingsvlam die op mijn netvlies is gebrand. Als ik mis? De Bovenmeester zal het antwoord niet schuldig blijven.

Een derde seconde. Hij hield zijn adem in; zijn hart en longen leken buiten zijn lichaam te zijn, zo groot als voorraadschuren, berstensvol bevroren lucht en stromend bloed. Zijn oog knipperde even.

De angst besprong zijn schouders, klauwde en grauwde rond zijn hoofd en ogen. Nu beet de angst hem in de keel en verstreek er opnieuw een seconde.

Hier, Wasja, neem de speer, schreeuwde een taiga-stem uit zijn herinnering. De angst geeft kracht. Dood je angst en gebruik haar kracht! Neem de speer! Nu! Jij bent er een van ons, Wasja, een jager!

Ja, een jager.

Op dat moment stak hij toe, zo hard als hij kon. Voor zijn kruisdraden bevond zich niets dan duisternis. Een blind schot in de boosaardige zonsverduistering van Thorvalds hol. De vierde seconde. De laatste.

Zaitsev gaf zijn kogel een vervloeking mee. De Bovenmeester denkt dat zijn tijd in de duisternis erop zit. Mooi niet. Zijn duisternis begint nog maar net.

Nu!

Het geweer schokte tegen zijn schouder, de knal teisterde zijn trommelvliezen. Het hol voor zijn kruisdraden bleef roerloos en stil.

'Heb je hem?' De stem van Koelikov!

Zaitsev liet zijn geweer vallen en rolde bij de granaathuls vandaan. Koelikov lag op zijn rug, steunend op zijn ellebogen. In de voorkant van zijn helm zat een gaatje. Zijn gezicht en de bovenkant van zijn oren waren overdekt met baksteengruis.

Koelikov grijnsde. Zaitsev was als verdoofd. De angst trok zich terug in de schaduwen van de bossen in zijn binnenste. Koelikov kwam uit die schaduwen te voorschijn. Alles gebeurde tegelijk.

Hij ademde uit. Hij had weer lucht in zijn longen. Hij griste een steentje van de grond en mikte het hard tegen de borst van zijn vriend. 'Schoft die je bent! Jij bént helemaal niet dood!'

Koelikov deed alsof hij zichzelf de pols voelde. Toen schudde hij nee. Zaitsev gooide opnieuw een steentje om zijn vriend te dwingen zijn armen voor zijn gezicht te slaan. 'Waarom heb je me niet gezegd dat je van plan was zo op te springen, gek?' vroeg Zaitsev. 'Ik scheet zowat in mijn broek!'

Nikolai tilde zijn hoofd op. Nog meer steengruis stroomde omlaag, tot over zijn schouders. Hij nam zijn helm af en schudde hem uit boven zijn schoot; een massa brokjes en splinters baksteen.

'Ik kwam op de gedachte,' zei Koelikov, 'dat je wellicht een of twee seconden extra zou hebben als ik er een beetje show van maakte. Misschien dat onze Bovenmeester even de tijd zou nemen om zijn handwerk te bewonderen. Ik weet het zelf niet, het kwam op dat moment bij me op en het leek me wel wat.'

'Op dat moment,' gromde Zaitsev, die boosheid voorwendde. Toch zou Nikolai wel eens gelijk kunnen hebben. De Bovenmeester had zijn tweede schot niet gelost. Niet na drie seconden, en zelfs niet na vier.

'Nou,' zei Koelikov, 'heb je hem te pakken?'

'Ik weet het niet,' zei Zaitsev schouderophalend.

Koelikov klopte het steengruis van zijn schouders.

De Haas schoot in de lach. Zijn blijdschap kwam plotseling aan de oppervlakte nu hij Nikolai ongedeerd voor zich zag.

'Hier.' Koelikov wierp Zaitsev een platgeslagen stukje lood toe dat hij uit de massa brokjes en splinters in zijn schoot had opgevist. 'Deze was eigenlijk aan jouw adres gericht. Ik heb zo'n idee dat hij uit mijn geweer afkomstig is.'

Zaitsev betastte het brokje lood. Hij voelde de handen van de Bovenmeester in het lood, net zoals hij zijn aanwezigheid in het hol onder het gegolfde plaatijzer had bespeurd. Kijkend naar de hemel probeerde hij te doorgronden wat er was gebeurd; met wie hij zojuist oog in oog had gelegen. De Bovenmeester. Een ontzagwekkende man met een geweer, een fenomeen. Thorvald heeft een sterke geest. Die heb ik echter ook. En dat was waarop we jacht hebben gemaakt, hij en ik, dat was de manier waarop hij mij riep en ik hem hoorde in dit immense knekelhuis dat Stalingrad heet. De geest van Thorvald is als teer; als je ermee in aanraking komt, raken je handen ermee besmeurd. De kogel in Zaitsevs handpalm, de kogel die in zíjn hoofd had kunnen eindigen, voelde aan alsof hij pikzwart was, bijna kleverig van de dood die hem had kunnen overmeesteren. Hij slingerde hem van zich af.

Zaitsev bekeek het gaatje in Koelikovs helm, een ebbenhoutzwarte stip, exact op de plaats waarachter zich het voorhoofd zou hebben bevonden. Thorvalds schot was volmaakt geweest. Hij stak zijn hand in zijn rugzak en haalde er een homp zwart brood uit. 'We wachten tot het donker is, Nikolai,' zei hij, terwijl hij een brok brood naar zijn mond bracht. 'Misschien krijgen we nog de kans de Bovenmeester er aan zijn voeten uit te sleuren.'

'En als hij er niet is?' vroeg Nikolai, zijn hand ophoudend voor het brood.

'Dan,' zei de Haas, achteroverleunend, 'dan weet ik het niet meer.'

28

Een opstopper van geweervuur sloeg Nikki's slaperigheid weg. Nee! Er wordt op me geschoten! Klaarwakker nu spande hij zijn spieren, klaar om zich op zijn buik te rollen, op te springen en ervandoor te gaan. Het bloed klopte in zijn slapen. Opeens begreep hij dat hij slechts een echo had gehoord, weerkaatst door de hoge muren van ruïnes.

Het schot was niet afkomstig uit het hol van de overste, slechts tien meter van hem vandaan. En de knal was niet gedempt; in plaats daarvan had het scherp geklonken, als het klapperen van een grote vlag. Het schot moest afkomstig zijn geweest van de overkant van het park.

Zaitsev! Hij moet hebben geschoten.

Nikki drukte zijn borst tegen de muur. Als Zaitsev eindelijk zijn trekker heeft overgehaald, kan dat alleen maar betekenen dat de overste hem met de een of andere truc uit zijn tent heeft gelokt. Thorvald zal hem zo van repliek dienen. Daar zullen we het hebben. En dan wegwezen, naar huis.

Er verstreken seconden. Tien, misschien. De stilte trof Nikki als een trap tegen zijn maag. Schiet dan, overste! Dood hem! Waar wacht je nog op? Het liefst zou Nikki hem door de bres in de parkmuur hebben toegeroepen: 'Toe dan, schiet hem dood!'

Nikki legde zijn handpalmen tegen de bakstenen. Hij begroef zijn nagels in het cement alsof hij vanaf zijn knieën de muur wilde beklimmen. 'Schiet dan toch, overste, alsjeblieft.'

Het antwoordschot kefte uit Thorvalds hol. Het geluid verbrak Nikki's greep op de muur. Hij liet de stenen los en liet zich terugzakken. Zijn handen gingen naar zijn gezicht en hij boog het hoofd, bijna als in gebed. 'Ja...' fluisterde hij.

Vier seconden later weerkaatsten de ruïnes aan de overzijde van het park opnieuw een krakend schot. Afkomstig van de sluipschutters.

Met een ruk kwam Nikki's hoofd omhoog uit zijn handen.

Hoe was dit mogelijk? Twéé schoten van de overzijde? De Haas is toch dood? De overste heeft hem uit zijn tent gelokt en hem gedwongen als eerste te vuren, en toen heeft hij hem bestraft met de dood. Wie schiet er dan nu? Zou Thorvald hebben gemist? Nee. Thorvald raakt iemand als hij vuurt, dat is zeker. De man mist nooit. Dan moet het de helper van de Haas zijn geweest die schoot, ja, die moet het zijn. Die schiet natuurlijk in het wilde weg terug, vol wraakgevoelens, nu de Haas dood naast hem ligt en hij klodders van zijn hersenen op zijn wang voelt.

Nikki wilde Thorvald in zijn hol toe brullen: 'Je hébt hem, overste! Gaan we nu morgen naar huis? Hoeveel boterhammen zijn er nog over? Laten we ze nu maar allemaal opeten!'

Nikki keerde de muur zijn rug toe. Hij sloeg zijn armen om zijn knieën om warm te blijven en staarde omhoog naar de zwijgende, verminkte gebouwen aan de overkant van de boulevard. De zon scheen helder op hun lege gezichten. Triest, dacht hij, deze immense casco's, resten van een leven dat niet dood kan neervallen, zodat ze nog steeds overeind staan. Ik wilde dat ik wist wat zij weten; het geheim van hoe je dood kunt zijn en toch overeind blijft staan. Dat zou het gemakkelijker maken de dood te accepteren. Leven jullie nog genoeg, gebouwen, om mij te zeggen wat je gehoord en gezien hebt? Heeft Thorvald de Haas te pakken gekregen? Ik ben maar klein en zit achter deze muur, dus ik kan niet zeggen wat er is gebeurd.

De zwarte vensters van de gebouwen hielden alles in het oog, als gieren op een rij; ze knipoogden niet eens naar Nikki om door te laten schemeren wie het duel had overleefd, de Haas of de Bovenmeester.

Nikki liet zich terugzakken in de poel van slaap. Ik kan niets uitrichten, wist hij. Ik kan de overste niet roepen; hij heeft er een hekel aan om te worden gestoord. Hij spreekt de hele dag niet tegen mij, zo is hij nu eenmaal. Hij zal daar wel liggen te pitten; de strijd zit erop voor vandaag, en misschien wel voor langer.

De novemberzon drukte op de kille lucht. Zit stil, dacht hij. Maak je klein achter deze muur en blokkeer de wind. De muur wordt in de loop van de dag wel warmer. Nikki deed zijn wanten uit en vouwde het papier om een boterham open. Tijd, dacht hij. Tijd heeft een gewicht dat je pas kunt voelen als er niets anders op zit dan wachten. Dan drukt de tijd op je schouders als een juk.

De raderen van Nikki's geest draaiden al een uur lang op volle toeren. De zon zakte weg achter de horizon. De stilte om hem heen werd door niets verstoord.

Thorvalds hol is wel de stilste, zwartste plek op aarde, dacht Nikki. Wat voert hij uit, daarbinnen? Slapen? Zal ik hem wekken? Nee. Misschien heeft hij weer een nieuwe truc bedacht om de Haas te strikken, iets voor de nacht. Ja, iets om Zaitsev mee te overrompelen. Thorvald heeft misschien iets ontcijferd van de een of andere Russische tactiek die vannacht zal worden uitgeprobeerd, en nu ligt hij in hinderlaag. Daarom zijn we hier nog. Aan de andere kant heeft de overste nog nooit na zonsondergang gewerkt; we gaan hier altijd weg zodra het donker is. Dan wordt het stervenskoud, en ik weet hoe hij de pest heeft aan kou. Hij moppert erover als een oud wijf. Wat voert hij daar toch uit?

Nikki liet zijn hakken op de grond bonken om het bloed in zijn hielen aan het stromen te brengen. Toen rolde hij zich om, ging op zijn knieën liggen en kromde zijn rug. Zijn heupen deden pijn vanwege de opgetrokken kou.

Het was een zonnige middag geweest, bijna aangenaam voor Nikki op zijn post in het zonnetje. Nu trok de warmte weg uit de stenen muur en de aarde onder hem, geabsorbeerd door de nacht. De volgende ochtend zou het mistig worden. Thuis, op de boerderij, had hij vaak gezien dat er op een koele, heldere nacht met veel sterren mist volgde. Zal ik naar huis gaan, dacht hij. Hoe ver ben ik eigenlijk van huis? Tweeduizend kilometer. Kom mij morgen weghalen uit Rusland, mist; omhels me en help me weg te wandelen van Stalingrad. Ik zal de hele weg naar huis lopen, totdat de dag aanbreekt. De mist zal me bedekken, geen mens zal me zien. Ik weet waar de beek stroomt langs onze weilanden, zelfs in de dichtste mist. Als je hem volgt, wordt hij geleidelijk breder en stort zich uit in de Ahr, die door lage, zacht golvende heuvels stroomt en zelf weer uitmondt in de Rijn. Deze keer zal ik een aanloop nemen en over de beek springen. Ik ben nu ouder. Een dag voordat ik het leger in ging heb ik het geprobeerd, maar ik haalde de overkant niet en stond tot aan mijn knieën in het water. De hond zal het ook proberen, maar die haalt het nooit. Hij springt erin, zwemt de beek over en schudt zich uit. Hij zal voor me uit rennen en de koeien laten schrikken, alleen om mijn thuiskomst aan te kondigen. En dan doem ik plotseling op uit de mist. Het geblaf van de hond zal mijn voetstappen overstemmen, zodat mijn vader me niet zal kunnen horen voor ik op de stoep sta. Hij zal iemand sturen om mijn zus in het ziekenhuis te waarschuwen, en dan wachten we op haar terwijl we samen ontbijten. We zullen samen praten, niet over deze rotoorlog, maar over de koeien en de hond.

Een dof gerommel als van ver verwijderd onweer pleegde een aanslag op Nikki's zintuigen. Geen onweer. Metaal. Een ijzeren golfplaat waaraan werd getrokken en geschoven. Thorvald duwt zijn afdak weg. Wat is er gaande?

Nikki kroop naar de rand van de bres in de muur en stak zijn hoofd net ver genoeg uit om het hol van de overste te kunnen zien. Twee witte schimmen in het licht van de maan, kerels in witte camouflagepakken. Ze tilden het afdak boven Thorvalds hol op en lieten het wegglijden. Een van de mannen droeg een telescoopgeweer. De loop wees regelrecht het hol in.

Nikki hield zijn adem in. Nu het afdak weg was, toonde het maanlicht hem alleen de deels versleten laarzolen van de overste. Ze lagen boven op elkaar; hij moest op zijn zij liggen. De soldaat met het geweer klom over de bakstenen en liet zich in het hol zakken. Nikki zag hem een schoppende beweging maken. Thorvalds laarzen rolden om; nu wezen de zwarte neuzen naar de nachtelijke hemel. De tweede soldaat bukte zich en rommelde wat, totdat zijn hand boven de stenen kwam met een handvol paperassen. Hij bracht ze dicht bij zijn gezicht, onder de witte capuchon en de vlekkerige maan. Hij liet een paar van de paperassen vallen en behield de rest, na een hoofdknik naar zijn maat. Die bukte zich en hield Thorvalds geweer in zijn hand toen hij zich oprichtte, de Russische Moisin-Nagant. Met de paperassen en het geweer draafden de beide schimmen in gebogen houding terug het park in, waarna de duisternis hun witte pakken opslokte.

Nikki wachtte tot de beide soldaten niet meer te zien waren. Zelfs als hij zijn geweer bij zich had gehad, zou hij geen schot hebben gewaagd. Hij had er op z'n minst een kunnen doden; misschien wel de Haas. Het maakte niet uit. Het was voorbij.

Hij sloop door de bres en wierp een blik in het hol. Thorvald lag op zijn rug in de Russische aarde, zijn rechterarm omhoog alsof hij iets wilde aanreiken of een taxi wilde aanhouden, of misschien om naar iemand te wuiven die vertrok. De kuil in de grond, nu niet langer afgedekt, de gebroken brokken graniet en metselwerk eromheen, de papieren zak met de boterhammen en de thermosfles, bestrooid met witte papieren – dat alles wekte de indruk alsof iemand een historisch graf had opgegraven, met daarin het goed geconserveerde lijk van de overste te midden van zijn persoonlijke bezittingen. De witte parka van de overste was opengeritst, en de gevechtsjas eronder was losgeknoopt. Zijn linkerarm lag langs zijn zij. De bovenste helft van zijn rechterarm, waarop zijn verbrijzelde hoofd tot rust was gekomen na het inslaan van de kogel, was donker verkleurd. Naast zijn elleboog was een grote, verkleurde plek op de bodem van de kuil te zien. De bleke maan die op Nikki neer blikte, had een vulgaire alchemistische reactie tot gevolg: alle kleur werd aan het geronnen bloed onttrokken en rood werd getransmuteerd tot zwart.

Nikki richtte zich op. Nu stond hij hoog boven Thorvald, de eerste keer dat hij deze gewaarwording had. Hoewel hij rechtop stond, bespeurde hij geen gevaar in het park. De Haas was weg; de overste ook. Alle gissingen, alle bekwaamheden op het gebied van de jacht, al het geconcentreerde waarnemen, alle kronkels en bochten van een sluipschuttersduel – eindelijk was het allemaal voorbij. Het park was weer gewoon wat het was – een verwoest park midden in Stalingrad. Niet langer was het een surrealistisch oord, beheerst door langzaam rondspiedende, dodelijke kruisdraden, maar iets vertrouwds dat er troosteloos en afgemat bij lag.

Hij keek op naar de maan, bleek en ver, dezelfde maan die ver weg zijn ouderlijk huis bescheen. Nikki wilde opspringen, weg van dit lijk in zijn geopende crypte. Dan zou hij zich vastgrijpen aan de rand van de maan, om zich op te trekken en door die parelmoeren tunnel aan de hemel boven Rusland, Polen en Duitsland naar huis te kruipen, tot boven de weilanden van Westfalen. Daar zou hij omlaag springen en de sneeuwvlokken berijden die als elfjes uit sprookjes door de lucht dansten.

Thorvald was Nikki's enige hoop geweest om ooit nog thuis te komen. Sinds hij Thorvald een week geleden had afgehaald van de landingsbaan bij Goemrak had Nikki gedroomd van zijn vader, zijn zus en de boerderij. 's Nachts was zijn vader naar hem toe gekomen om hem te koesteren met de warme omhelzing van een wens. Nu keek hij om zich heen naar de werkelijkheid, deze stad van ruïnes, donkere, boosaardige muren, opengereten straten, in alle details een burcht van de dood. En nu besefte hij dat dít het thuis was dat Thorvald aan hem had vermaakt.

Nikki's hart viel in Thorvalds kuil. Zijn dromen over thuis waren nu niets meer dan de maan, een klein, bleek symbool boven de zwarte zee die heel Stalingrad bedekte. Hij draaide zich om, weerstand biedend aan de verleiding om af te dalen in de kuil en de zak met boterhammen van de overste mee te nemen.

Hij wandelde weg in de nacht, langs de route die hij en de overste de afgelopen drie avonden hadden gevolgd naar het bureau van luitenant Ostarhild. Zijn voetstappen klonken eenzaam, zo zonder Thorvald naast zich. Hij speurde naar zijn deel van de treurnis om de dood van de overste, de officier die hem wat vriendelijkheid en vertrouwen had geschonken. Hij vond niets. Teleurstelling, ja, meer niet. Eens te meer herkende Nikki het toenemende gemak waarmee hij zich neerlegde bij de dood; die had zijn pad al zo dikwijls gekruist dat er in zijn binnenste een groef was uitgesleten. Maar de overste was iets bijzonders geweest, al had het maar een week geduurd. Hij was voor Nikki als een verrekijker geweest die hem in staat had gesteld ver buiten Stalingrad te kijken – met zijn verhalen over het leven van de elite in Berlijn, zijn boterhammen met nog altijd verse kaas de observator van de bezoekers van het Staatsopernhaus in hun smokings, galajurken en militaire uniformen vol onderscheidingen, zijn belevenissen te midden van de kleiduivenschutters en hun geoliede buksen. Nikki wilde weten of hij nog in staat was iets te voelen over het heengaan van een man die alvorens te sterven heel even zijn leven had beroerd. O, kon hij maar de dood in zijn innerlijk bereiken en hem vastgrijpen om hem te bevechten met emotie, te verdrijven met tranen, zijn ban met beide vuisten weg te rammen uit zijn borst. De dood van overste Thorvald kon hem echter niet uit zijn ziel opheffen, net zomin als het in het wit geklede lichaam in het park ooit nog zou opstaan uit zijn hol.

Het enige wat Nikki kon bespeuren, was de nabijheid van de dood. Hij ervoer hem als een buurman die je dag en nacht in het oog houdt, zonder hem ooit gedag te zeggen. Hij was niet in staat de afstand te overbruggen, die smalle straat naar de dood. Nee, hij kon niet bij hem zitten en hem omhelzen. Op hem rustte de vloek die hem veroordeelde tot het wacht houden bij de ingang van het knekelhuis. Hij zag het begin van het einde van dit alles. De oorlog, de soldaten, de volken – ze zullen allemaal sterven, dacht hij. Alles zal sterven, behalve de tijd. Die gedachte gaf hem een besef van leegte, uitputting. De tijd en ik, wij zullen niet sterven. De tijd en ik zullen doorgaan, altijd; wij zullen toezien hoe Magere Hein zijn zeis hanteert over uitgestrekte velden, oogst na oogst.

Nu weet ik dat ik ben toegevoegd aan het regiment van de tijd. Maar goed ook. Ik heb toch geen andere diensttaken te verrichten. Hij wandelde naar zijn kelder in de bakkerij, zonder telkens dekking te zoeken of te blijven staan luisteren naar het gekef van handvuurwapens, zoals hij en de overste steeds hadden gedaan als ze terugkwamen van het park. De hele weg – totdat hij eindelijk zijn hoofd op zijn rugzak neer kon leggen – werd Nikki beheerst door het gevoel dat hij op een paard zat dat de weg naar huis zelf kende. Hij had het idee dat hij met gesloten ogen van Thorvalds lijk terug naar zijn brits had kunnen lopen.

Toen Nikki wakker werd en op zijn horloge keek, was het al elf uur geweest. Al bijna middag. Hij stak de straat over naar het bureau van luitenant Ostarhild. Niemand. Het bureau was één chaos, overdekt met stafkaarten en transcripties van verhoren van krijgsgevangenen. Nikki ging in de stoel van de luitenant zitten. Vanuit deze invalshoek kon hij in de huid van de vriendelijke jonge officier kruipen: hij was een geplaagd man, een obsessieve tobber. De wereld zoals hij die achter dit bureau waarnam dreigde hem in te sluiten.

Nikki keek de stapels paperassen door. Onder de eerste laag ontdekte hij een agenda, opengeslagen bij de dag van vandaag, 19 november 1942. Ostarhild – of iemand anders – had vanochtend achter dit bureau gezeten en was in allerijl weggegaan, gevlucht voor alle paperassen.

De honger trok aan Nikki als een spijker waaraan zijn kleren bleven haken. Hij overwoog of hij een bureaulade zou opentrekken, op zoek naar iets eetbaars, maar hij bedacht zich toen hij op de gang voetstappen hoorde naderen. Vlug stond hij op. Nog voordat hij de deur kon bereiken, stapte een kapitein naar binnen. Nikki nam de houding aan, maar zonder te salueren.

'Kapitein,' zei hij.

De Wehrmacht-officier, een oudere man met een kaal hoofd en een bril, maakte een gebaar dat het midden hield tussen een militaire groet en wegwuiven. Hij haastte zich naar Ostarhilds bureaustoel en dook in de paperassen. Zonder op te kijken, zei hij: 'Ja, korporaal?'

'Kapitein, weet u misschien waar luitenant Ostarhild is?'

De kapitein vond het rapport waarnaar hij had gezocht. 'Je bent een van zijn waarnemers?'

'Ja, kapitein. Korporaal Mond.'

De kapitein legde het rapport neer en keek op. Zijn gezicht was even gekreukt en wit als een verfrommeld vel papier. Dit werd hem aangedaan door de stoel en het bureau – die zorgden ervoor dat hij zich voortdurend zorgen maakte, net als Ostarhild.

'Je commandant zit nu ergens op de steppe, korporaal. Je kunt doorgaan met je taken.'

Nikki bleef staan; hij had geen taken meer, nu de overste dood was. Hij wilde diens verscheiden aan iemand rapporteren, zodat hij er een punt achter kon zetten.

'Kapitein, ik heb momenteel geen taken. Ik kom net terug van –'

'Korporaal,' viel de kapitein hem in de rede, 'ik heb momenteel geen tijd om met je te praten. Aangezien jij een van de jongens van Ostarhild bent, zal ik je het volgende vertellen, zodat je het niet uit de tweede hand hoort en een onjuist beeld krijgt. Misschien kun je ertoe bijdragen de paniek te dempen.'

Nikki verplaatste zijn gewicht. De Russen. Nu zijn de poppen aan het dansen. Het einde, het eind voor alles.

'Om zeven uur dertig vanmorgen hebben omvangrijke Rode strijdkrachten een vanuit Serafimovitsj, ten noordwesten van hier, tegenoffensief ingezet. Duizenden kanonnen hebben het vuur geopend op het Roemeense Derde Leger. Om acht uur vijftig ondernamen golven Rode tanks en pantserinfanterie een stormaanval vanuit de mist. De Roemenen hebben hun stellingen verlaten en zijn op de vlucht geslagen. Ostarhild is erheen om te proberen de schade in te schatten.'

Hiermee scheen de informatie van de kapitein uitgeput te zijn. Nikki wachtte.

'Het ziet ernaar uit,' zei de kapitein berustend, 'dat de Roden proberen ons te omsingelen.'

'Ja, kapitein.'

'Nu weet je evenveel als ik, korporaal. Ingerukt.'

Nikki staarde enkele seconden lang naar de kapitein. De officier beantwoordde zijn blik, een erkenning van hulpeloosheid.

'Ingerukt?' zei Nikki schouderophalend. 'Waarheen, kapitein?'

'Dat weet jij zelf het beste, korporaal, daar ben ik zeker van.' De kapitein dook weer in zijn paperassen.

Nikki stak zijn hand uit naar de deurknop. Achter hem sprak de kapitein met een stem die even droog klonk als in de zon gedroogd zout.

'Probeer in leven te blijven, jongen,' zei hij. 'Dat is het beste advies dat ik je kan geven.'

29

Tanja zat in Zaitsevs hoek te wachten tot het feest zou beginnen. In de bunker zaten of stonden een stuk of twaalf sluipschutters. Atai Tsjebiboelin kwam een krat vol rinkelende wodkaflessen en een doos vol chocoladerepen afleveren, waarna hij weer bescheiden in de nacht verdween, maar niet voordat hij Tanja had gevraagd namens hem de Haas geluk te wensen met zijn overwinning.

Viktor zei opnieuw: 'Hij kan nu elk ogenblik terugkomen van zijn ontmoeting met Zjoekov. Tot die tijd blijft iedereen met zijn fikken van de wodka af.'

Tanja nam haar sluipschuttersdagboek uit haar rugzak. De verfomfaaide zwarte kaft bewees hoe intensief het was gebruikt. Ze had er achtenveertig treffers in opgetekend.

Bij een bladzij met Zaitsevs handtekening stopte ze. Ze streek met haar duim zacht over de inkt met zijn naam en voelde zijn handen boven het papier. Nergens anders in zijn lichaam, dacht ze, komt Wasja's kracht zo duidelijk tot uitdrukking als in zijn handen. Soms ook wel in zijn ogen, ja, maar die knijpt hij dicht als we het doen. Altijd in zijn handen. Hij zegt dat hij zo sterk is als een berenjong dat al een mannenarm kan breken voordat het een jaar oud is. Als minnaar is hij niet verfijnd, Wasja. Waarschijnlijk geldt dat voor ons allebei, verstrengeld op de grond onder die vracht kleren. Maar hij is wel een sterke, oprechte minnaar en ik geef hem alles wat ik heb. Hij houdt van mij, ook al zegt hij het nooit. Ik vertrouw hem mijn leven toe. Of ik ook voor hem zou sterven? Dat weet ik niet. Zou ik naast hem sterven? Dat zeker.

Zaitsevs overwinning. Als Danilov er nog bij was, zou het in grootsere termen worden beschreven. Communisme overwint het fascisme, het goede triomfeert over het kwade. Is het echt zo groots, zo gewichtig, dat Wasja de Bovenmeester heeft gedood? Die ene geknakte staak, dat ene geweer dat in Stalingrad tot zwijgen is gebracht? Rechtvaardigt dat toejuichingen en heildronken? Beslist. Thorvald was de beste die de nazi's hadden, de hoop die hun generaals zelf hadden geselecteerd, en nu is hij verpletterd. Ja, we kunnen drinken op de dood van de hoop voor alle nazi's.

Tanja hoorde voetstappen buiten de bunker. Ze stopte haar dagboek weg en ging staan. Wasja kwam binnen. Hij verdroeg de toejuichingen en meppen op zijn schouderbladen terwijl Tanja en hij elkaar strak aankeken.

Ze ging weer met gekruiste benen in zijn hoek zitten om hem duidelijk te maken dat hij de loftuitingen moest accepteren: neem de centrale plaats in, Wasja, jij en ik zullen later onze momenten beleven, ongestoord.

Iemand duwde hem een fles in handen. Hij hield hem omhoog, ermee pronkend alsof het Thorvalds hoofd was, en zette hem toen aan zijn mond voor een lange teug. De sluipschutters klapten luid voor hem. Hij liet de fles zakken en sprong op naar Viktor om hem te omhelzen. Hij begroef zijn neus in de haardos van de Beer en zoog scherp lucht in zijn longen, waarna hij een lange, luide zucht slaakte om het brandende effect van de wodka te doen verminderen. Eeehhh.

De anderen gristen ieder een fles uit de kist van Tsjebiboelin en hieven ze hoog op. Lachend klapte Tanja in haar handen, bij wijze van bijval met de toast.

Toen het laatste eerbewijs was gebracht, liep Nikolai Koelikov naar het midden van de bunker.

'Dit,' zei hij, terwijl hij langzaam om zijn as draaide, zijn handpalmen bezwerend opgeheven, 'dit is het verhaal van de Haas tegen de Bovenmeester. Wasja, als ik ook maar één leugen ophang, schiet je me maar dood.'

'Hoe kom ik ooit aan de weet dat ik je heb getroffen?' lachte Zaitsev. 'Je zou toch maar doen alsóf.'

Deze insiders-grap tussen het duo verklapte eigenlijk al het slot van Koelikovs verhaal. Hij keek Zaitsev dreigend aan.

Toen deed Koelikov het verhaal uit de doeken: hoe de Bovenmeester door het Duitse opperbevel naar Stalingrad was gestuurd met de opdracht de Haas te doden. Hoe verscheidene kameraden – de dappere Morozov, de doldrieste Baoegderis, de knappe Sjaikin – met hun bloed een kaart hadden getekend van de plaats waar de Bovenmeester op de loer lag, aan de overzijde van het Plein van de Negende Januari. Op dat moment was er een onwaarschijnlijke held opgestaan, de mopshond Danilov, die zo dom was geweest zich te laten raken, waarbij hij Wasja op het idee had gebracht van de houten plank en de witte want. Daarna die nachtelijke lichtkogel om de uitgebrande tank, de verlaten bunker en de bomkraters af te speuren, totdat ze uiteindelijk uitkwamen bij dat stuk golfplaat aan de overzijde van het park waaronder de adder zijn nest moest hebben, zoals ze konden aannemen. En toen die krijgslist, de volgende ochtend, met de afgezaagde artilleriegranaat, Koelikovs opzettelijk verspilde kogel richting bunker en de repliek van de Bovenmeester, wiens kogel de baksteen onder Koelikovs helm had verbrijzeld. En hoe hij plotseling de ingeving had gekregen om op te springen en zijn armen zijwaarts te laten zwiepen, als een aangeschoten wilde eend.

'Zó ongeveer.' Koelikov maaide met zijn armen door de lucht, terwijl de andere sluipschutters in vervoering toekeken. 'Aaaggghhh! Hij heeft me geraakt!'

Met zijn handen nog omhoog, zodat hij dit moment van zijn relaas in de tijd bevroor, fluisterde Koelikov: 'De Bovenmeester was in verwarring gebracht. Hij aarzelde.' Nikolai wees naar Zaitsev, achter hem. Zaitsev moest lachen. De zwijgzame Koelikov was een geboren verteller.

'Wasja focuste zich op die blauwe lichtflits uit de loop van de Bovenmeester, diep in zijn donkere hol.' Hij liet zijn stem stijgen. 'Resoluut, zo kalm als alleen

een echte jager dat kan, liet de Haas een paar seconden verstrijken om de nazi de kans te geven zijn hoofd weer achter de zoeker te brengen. In zijn hol bereidde de Bovenmeester zich voor op zijn tweede schot. Hij had mij geraakt, en nu grendelde hij door voor de kogel die Wasja moest opzoeken. Maar Wasja bleef moedig wachten tot het laatste moment, voordat hij de Bovenmeester afstrafte voor zijn enige en laatste fout – de fout die hij maakte toen de kruisdraden van de Haas hem hadden gevonden. Wasja vuurde zijn eenzame kogel in dit duel op die duisternis af en blies de onzichtbare kop van de Bovenmeester naar zijn sluipschuttersdagboek. Dat ik als ooggetuige heb getekend, uiteraard.'

De sluipschutters applaudisseerden. Nikolai was nog niet uitverteld. Het slot van het verhaal was de ontdekking van het in het wit gehulde lijk van de nazi en het geblakerde, weggeschoten gezicht in het hol onder het stuk golfplaat.

'We scheurden die ijzeren plaat weg alsof we een blik kaviaar openden. En toen nam ik mijn geweer terug –' hij klopte zich met zijn vuist op de borst '– om de kroon te zetten op míjn triomf.'

De sluipschutters wachtten. Koelikov bracht zijn fles omhoog. 'Op Wasja. De beste van ons allemaal.'

De anderen, zelfs Viktor, herhaalden de heildronk en zetten ook de wodkafles aan de mond.

Zaitsev stond op. Hij bedankte Nikolai en de sluipschutters voor hun hulp en hun eigen overwinningen op de vijand. Toen bracht hij als hun leider rapport uit.

'Laat me jullie zeggen wat maarschalk Zjoekov mij vanavond heeft gezegd. Op dit moment zijn zevenhonderdvijftigduizend Duitsers omsingeld op de steppe. Gisteren en vanmorgen hebben een miljoen Russische soldaten, uitgerust met dertienduizend stukken geschut en negenhonderd tanks, een tegenoffensief ingezet om de aanvoerlijnen van de Duitse legermacht af te snijden. De vijand zit gevangen in een gebied van vijftig kilometer lang en vijfendertig kilometer breed. De moffen noemen het *der Kessel* – de "ketel".

Stalingrad is de oostelijke begrenzing van deze ketel. En hoewel de moffen vijfennegentig procent van het stadscentrum in handen hebben, is het onze taak hen hier vast te houden totdat er definitief met hen is afgerekend of totdat kameraad Stalin een capitulatie kan afdwingen.'

Viktor stond op. 'Dat klinkt alsof we nog werk te doen hebben, jongens.' De Beer keek glimlachend opzij naar Tanja en verbeterde zichzelf niet door eraan toe te voegen: 'én meisjes'. Tanja stak haar tong uit. Viktor begon omstandig de fles wodka in zijn zak te stoppen om het feest met zich mee te nemen, de nacht in, en om de anderen te laten merken dat zij hetzelfde moesten doen.

De sluipschutters kwamen overeind en verlieten een voor een de bunker, op Tanja na. Ze deed geen poging het feit te verdoezelen dat zij achterbleef, terwijl de anderen de Haas nog een keer de hand drukten.

Zaitsev kwam naast haar zitten.

'Terwijl Nikolai vertelde,' zei hij, 'heb ik me zitten afvragen hoe goed Thorvald eigenlijk wel was. De man moet fenomenaal zijn geweest.'

Tanja snoof; ze had geen geduld voor dit soort bescheidenheid, boos dat Wasja sowieso een bewonderende gedachte aan een Duitser wijdde. Wasja kon er zeker niet over uit dat hij de Bovenmeester had verslagen. En waarom ook niet. Hij had gelijk: Thorvald had nooit gemist. Tijdens zijn éne week in Stalingrad was de slagersnota van de Bovenmeester onrustbarend hoog opgelopen. Wasilji Zaitsev was echter de gevaarlijkste man van het hele Russische leger; wellicht was hij zelfs de dodelijkste geweerschutter van de hele wereld. Was Thorvald beter? Dat zullen we nooit weten, dacht Tanja. De Bovenmeester was dood en dat zei genoeg over zijn bekwaamheden van vandaag.

Zaitsev nam haar hand. Zijn hand was warm van alle gelukwensen. Tanja had liever dat zijn handen in het begin koel waren, fris voor haar aanraking, zodat zij ze zelf kon verwarmen.

'Bedankt voor het feest,' zei hij. 'Het was een grote verrassing.'

'Ik heb er nog meer.'

Hij kneep in haar handen. 'Vast en zeker. Maar nu heb ik eerst een verrassing voor jou. Zjoekov denkt dat de moffen gauw een uitbraakpoging zullen doen. Vannacht gaan vier Hazen eropuit om Paulus te doden.'

Tanja trok haar wenkbrauwen op. 'Sla het Zesde Leger de kop af en het hele lichaam valt stil.'

'Precies. Zjoekov heeft mij verzocht die missie te leiden.'

Geen missie, dacht Tanja. Een moordaanslag. 'En welke drie Hazen gaan met je mee, Wasja? Ik hoop dat dít mijn verrassing is.'

'Jij gaat mee als plaatsvervangend commandant.'

Zaitsev zei haar dat hij verder twee nieuwe Hazen uit de jongste lichting had geselecteerd. Tanja kende hen allebei. De een, een jood uit Litouwen, Jakobsin, was lang en slank en zijn olijfkleurige huid leek te knisperen van elektriciteit als hij zijn mond opendeed. Hij praat graag, dacht Tanja, maar ze had ook gezien dat hij stil en hard kon zijn. Hij is sterk en kan goed schieten. Zijn ogen, klein en zwart, zijn als die van een valk. De tweede was een vrouw, Jelena Mogileva; ze had op slechts honderd kilometer ten oosten van Stalingrad gewoond, in de eenzame steppe van Kazakstan. Tanja wist weinig van Mogileva. Ze had in de opleiding tot sluipschutter weinig gezegd. Ze was broodmager, maar ze had handen als van een man, met duidelijk zichtbare pezen en blauwe aderen. Haar korte haar, ooit gitzwart, begon te grijzen. Tanja kon de leeftijd van de Kazakstaanse alleen maar raden; verder kon ze weinig uit haar opmaken, behalve dan dat ze zonder enige twijfel uitstekend overweg had gekund met een geweer voordat ze haar er een in Stalingrad hadden uitgereikt. Ze kon niet alleen goed schieten, maar kon bovendien uren achtereen roerloos door haar zoeker turen. Mogileva had haar eigen redenen om bij de sluipschutters te gaan. Wat die redenen ook mochten zijn, Tanja hoopte dat ze steekhoudend genoeg waren. Waarom moet zij mee? Waarom hebben we bij deze missie opeens twee vrouwen nodig? Ik veronderstel dat Wasja haar aanschouwelijk onderwijs wil geven, net zoals hij met ons heeft gedaan. Ik ben er trots op dat hij mij heeft gekozen. Hij vleit me als hij zegt dat hij mij in de strijd niet als een vrouw ziet. Wasja wil mij naast zich als hij zich in gevaar moet begeven; hij vertrouwt op me als het tijd wordt om te doden.

Inlichtingen had de commandopost van het Duitse Zesde Leger in het centrum weten op te sporen. Volgens de rapporten moest Paulus zich hebben verschanst in het Gorki-theater aan de zuidzijde van het Rode Plein.

Zaitsev raadpleegde zijn horloge. 'Na middernacht nemen we ieder twee rugzakken met een springlading mee. We trekken langs de rivieroever en glippen dan langs het Specialistenhuis naar de rand van het Rode Plein. Zjoekov zei dat de burelen van Paulus en zijn slaapkamer zich aan de westkant van het gebouw bevinden. We plaatsen de springladingen aan de voet van de westgevel.'

Tanja kende de rest. Ze had het allemaal al eerder gedaan. Ze zouden de acht springladingen laten detoneren en voor die tijd razendsnel dekking zoeken langs de ijzige oever van de Wolga.

'Met zoveel dynamiet,' zei Tanja lachend, zodat Zaitsev ook moest grijnzen, 'zal Paulus denken dat er in het Gorki-theater daverend voor hem wordt geklapt.'

Ze zag zijn handen bezig in de stugge rugzakken. Hij controleerde of alle ontstekingen aanwezig waren, telde de dynamietstaven en inspecteerde de ontstekingsdraden en verbindingen. Hij ging minutieus te werk; zijn respect voor de werktuigen van de dood was onmiskenbaar.

De manier waarop het lichaam van de Haas haar fascineerde greep haar sterk aan, zoals haar al vaak was overkomen. In gedachten zag ze hem naakt onder dat witte camouflagepak. In het zwakke licht van de petroleumlamp waren zijn borst en armen onbehaard, slank en blank als linnen. Voor zo'n kleine man had hij lange spieren; ze kon de gladde koorden onder zijn huid zien rollen toen hij de rugzakken bij de deuropening van de bunker klaarzette.

'Alles klaar.' Hij keek weer op zijn horloge. 'Bijna twaalf uur. Waar blijven ze?'

Ze leunde tegen de koele aarden wand. Jakobsin en Mogileva zouden over een paar minuten onder de deken door stappen. De paar ogenblikken tot aan hun komst behoorden haar en Wasja toe. Hij liep naar de wand tegenover haar. Hij drukte zijn rug ertegenaan, net als zij. Ze keken elkaar aan, aan weerszijden van de bunker, bijna als elkaars spiegelbeeld. 'Denk jij,' vroeg ze zijn ogen, 'dat dit zo door blijft gaan?' Ze strekte haar hand en bewoog hem weer naar zich toe. 'Jij en ik?'

Zaitsevs kaak bewoog even. Hij zei niets.

'We zijn soldaten. We zijn ook minnaars. Dat past niet erg bij elkaar.'

'Probeer je te zeggen dat het voorbij is?'

'Dat kan ik niet zeggen. Ik weet wel dat ik pas echt volop leef als ik bij je ben. Ik weet dat ik wanhopig sterk verlang. Naar liefde, naar wraak, naar het eind van dit alles, naar voortzetting van dit tussen ons. Ik word verscheurd, Wasja, ik word voortdurend verscheurd, maar ik kan de stukken niet meer aan elkaar lijmen.'

Tanja liet haar gezicht zakken. Het lamplicht verliet haar wangen, waarbij haar ogen schuilgingen achter de sluier van haar blonde haar.

'Wat ik je probeer te zeggen, Wasjinka, is dat ik bang ben. Ik ben de weg kwijt, van seconde tot seconde. Eerst was het gemakkelijker voor me, toen ik in mijn binnenste alleen maar haat kon voelen. Nu woedt de strijd ook in mijn innerlijk – een strijd tussen liefde en haat. Dit verscheurt me, net als deze stad. Ik weet zelf niet wie van de twee ik wil zien winnen; ik verzet me tegen allebei. Het is nog niet voorbij. Ik... Ik móést je dit vertellen; ik moest je zeggen dat ik niet weet waar we eigenlijk aan begonnen zijn.'

Zaitsev liep naar haar toe, maar bleef op armlengte staan. Ze wilde hem graag aanraken, wilde dat hij voor haar zou beslissen, partij zou kiezen in haar strijd en die dan ook winnen.

'Het zou machtig zijn, Tanoesjka, voor eeuwig van jou te blijven houden. Met je trouwen en naast je leven en werken. Onze kinderen te leren schieten zoals hun moeder, de partizane.'

Ze hoorde hem grinniken bij het uitspreken van haar oude bijnaam. In haar schaduw glimlachte ze.

'Ik weet het evenmin, Tanja. We nemen iedere nacht een bad in elkaars leven, en als we er de volgende ochtend op uit gaan, zwemmen we tot aan onze kin in de dood. Het is vreemd, pervers en voortdurend in beweging, zodat ik er geen goed beeld van kan krijgen. Het enige wat ik kan doen, is de tijd en het lot de kans geven het uit te zoeken, want zij zijn de enigen die weten wat er met de wereld gaande is, en met jou en mij.'

Tanja's hoofd ging omhoog. Het zou machtig zijn, had hij gezegd.

'En wat,' vroeg ze, 'wil jij?'

Zaitsev scheen de vraag eerst in gedachten te willen beantwoorden. Nadat hij de woorden met een knik had goedgekeurd, begon hij te spreken. 'Voor altijd van jou houden. Je nooit meer laten gaan.'

De adem stokte Tanja in de keel.

Zaitsev tastte naar haar hand. Hij trok haar naar voren, weg van de muur. Daar is zijn kracht, dacht ze, in zijn hand.

Zo. Dus hij houdt van me. Dan behoort hij te weten wie ik ben. Ik zal me voor hem openstellen, voor deze ene man.

Ze lachte, dicht bij zijn mond, toen ze vroeg: 'Weet je nog, Wasja, dat ik heb gezegd dat ik nog meer verrassingen voor je had?'

Zijn mond krulde wellustig. 'Tanja, daar is geen tijd voor. Niet nu.'

'Voor dit wel. Ik had het je eerder moeten zeggen. Ik was bang dat je me weg zou sturen, of dat Danilov me weg zou plukken uit de Hazen. Nu moet ik het je echter vertellen. Vanwege dat wat je zojuist hebt gezegd.'

Zaitsev rimpelde zijn voorhoofd. 'Goed dan. Zeg het me.'

'Ik ben Amerikaanse.'

Ze voelde niet de minste beweging van zijn armen om haar middel, noch zag ze zijn ogen bewegen. Hij bleef roerloos, stokstijf. De jager, dacht ze, altijd de jager die wacht en wacht.

'Nee,' zei hij. 'Dat ben je niet.'

Ze antwoordde: *'Yes, I am, you cute little Siberian. You have no idea what I am saying, do you?'*

'Tanja! Je spreekt Engels!'

Ze ging over op Russisch. 'Dat doen we in Amerika.'

'Je bent geen Amerikaanse.'

'Toch wel. Mijn ouders komen uit Rusland. Ze wonen nu in New York.'

Zaitsev begon zich nu op te richten; Tanja voelde hoe hij in beweging kwam, de jager die uit zijn dekking kwam om toe te slaan.

'Wat moet je hier?'

'Vechten.'

'Ben je een spionne?'

Tanja sloeg met haar vlakke hand tegen zijn borst. De messen, het pistool, de patroonbanden, alles rammelde.

'Nee!'

'Hoe ben je dan ooit –'

Tanja legde haar opgeheven wijsvinger tegen zijn mond. 'Als we er tijd voor hebben, Wasja. Je begrijpt wel waarom ik dit niet eerder heb kunnen zeggen en waarom jij dit ons geheim moet laten blijven. Als de *politroeks* het ontdekken, maken ze een heldin van me, net als jij, maar alleen in hun propagandabladen. Dan laten ze me niet meer meevechten. Zeg alsjeblieft dat het goed is, toe.'

Zaitsev schudde zijn hoofd. Aanvankelijk dacht Tanja dat hij op het punt stond haar af te wijzen, of niets moest hebben van het idee dat ze een buitenlandse kon zijn, geen Russische. Hij schudde zijn hoofd op een bijna komische manier, met een lachje, een overdreven geste, alsof hij zijn hersenen door elkaar wilde rammelen.

'Ja, Amerikanoesjka,' zei hij, terwijl hij deed alsof het hem duizelde, en opzettelijk scheel keek. 'Ja, het is goed.'

Hij keek haar weer aan en trok haar dichter naar zich toe. 'Als de oorlog voorbij is, kunnen we dan in Florida gaan wonen?'

Tanja moest er hartelijk om lachen.

Het geluid van gelaarsde voetstappen naderde achter de deken. Zaitsev liet haar los en deed een stap achteruit. Hij haalde zijn schouders op. Zie je nou, leek hij te willen zeggen, zo snel moet ik je alweer laten gaan.

Niks daarvan, dacht Tanja. Ze ging op haar tenen staan en bracht haar gezicht vlug bij het zijne. En voordat hij het kon voorkomen, juist toen de deken omhoogging, kuste ze hem met een smakkend geluid op de mond. Daar, dacht ze. Het moment vroeg om een afronding. Het moest worden bezegeld met een kus, al was het maar een kleintje.

Ze stond stil, haar handen op de rug alsof ze de rusthouding had aangenomen, terwijl hij zich tot de beide nieuwkomers wendde. De lange donkere man en de magere vrouw waren niet verder gekomen dan een stap voorbij de deuropening. Hun gezichten bewezen dat ze onder de indruk waren van het feit dat zij door de Haas persoonlijk waren uitgekozen voor deze actie.

Zaitsev keek niet meer naar haar om voordat alle vier de sluipschutters de rugzakken vol dynamiet hadden omgedaan en hun wapens aan de schouder hadden. Terwijl de twee nieuwe Hazen naar buiten liepen, mimede hij achter hun rug de vraag 'New York?' naar haar. Ze maakte een grimas en mimede terug: 'Laat dat.' Met ernstige gezichten haalden Zaitsev en Tanja, Jakobsin en Mogileva in en begonnen aan de nachtelijke tocht door Stalingrad om generaal Paulus te doden.

De vier bepakte sluipschutters daalden langs de kliffen bij de Wolga af naar het ijs. Ze verplaatsten zich vlot langs de hoge kalksteenformaties. Het nachtelijk duister werd ijler gemaakt door een snipper maan die af en toe door de wolken gluurde, als een ondeugend kind. Tanja stelde zich de herkenningspunten in het landschap beneden voor, en vergeleek ze met de stadsplattegrond die ze zich in het hoofd had geprent. De bierbrouwerij. De staatsbank. Het Specialistenhuis, aan het zuideinde van het bruggenhoofd van het Tweeënzestigste Leger over de Wolga. Een kilometer verder lag de hoofdsteiger van de veerboten, die nu in Duitse handen was. Tanja herinnerde zich hoe ze er langs was gedreven, samen met Fedja en Joeri in de brandende rivier, zich vastklampend aan een stuk wrakhout. Vannacht keerde ze terug, maar nu als een sluipschutter op een geheime missie met de beroemde Haas, die van haar hield en haar nooit meer wilde laten gaan. En die samen met haar in het warme, zonnige Florida wilde wonen, in het verre Amerika.

Links van haar glinsterde zilverkleurig licht op de ijzige Wolga. De rivier zelf was zwart en koud. Maar boven haar, rechts, straalde de stad een warmte uit die ze ervoer alsof iemand een lucifer naast haar wang hield. De staken zijn er nog steeds, dacht ze. Het was alsof de stad in brand stond en de vlammen uit haar ingewanden opschoten, zoals ze die eerste nacht had gezien, vanaf de andere oever.

De strijd gaat hier voort, net als overal elders in Rusland, dacht ze. Zolang de staken op onze bodem leven, is er meer dan genoeg werk voor een doder.

Vergeet Amerika, vergeet Florida.

De haat had haar opnieuw vanuit een hinderlaag besprongen. Hoe sterk is dit in mij, hoe massief, dacht ze, zelf verrast door de snelheid waarmee de emotie aan de oppervlakte was gekomen. Het deel van mij dat niet haat, is zo dun – dunner nog dan mijn huid. Ik kan bijna een stap terug doen om deze haat te bekijken. Ik kan haar beschrijven en aanraken, als een standbeeld in mijn innerlijk. Het is een standbeeld dat groeit; het vult me helemaal op. De haat heeft mij in bezit genomen, ís mij. O Wasja, ik wil... ik wil. Maar de haat is mij geworden. Bij iedere stap die we over dit ijs zetten, bij iedere knerp onder mijn laarzen, hoor ik die geweren knallen en zie ik de lichamen schokken en ineenzakken, laag over laag. Zal dit dan nooit ophouden?

De Kazakstaanse voor haar struikelde. Het lawaai zweepte Tanja's woede op. 'Sta op,' mompelde ze. Alle uitbundigheid en tederheid die ze nog maar een uur geleden met Zaitsev in de bunker had gedeeld waren vervlogen.

Haar eigen stemgeluid verbrak de ban van de haat alsof een hypnotiseur met zijn vingers had geknipt. De vlaag van woede tegen Mogileva gaf Tanja terug aan de nachtelijke vrieskou, het gewicht van de rugzak vol dynamiet en het geweer aan haar schouders, de missie en de korte rij sluipschutters vóór haar.

De abrupte ontlading maakte haar maag draaierig. Gewoon doorlopen, dacht Tanja. Niet nadenken. Gewoon degene die voor je loopt volgen. Wasja loopt voorop; hij zal alles regelen. Hij zal je de Duitsers wijzen en het aan jou overlaten hen te doden. Vannacht, morgen en zo verder – alleen maar Wasja volgen. Dicht bij hem blijven. Alles van het leven dat geen oorlog is, geen haat, zal wachten. Alleen maar dicht bij Wasja blijven.

Het besef van nabijheid greep Tanja aan. Dicht bij hem blijven, dacht ze weer. Bij Wasja blijven.

Diep in haar innerlijk, in de kern van dat harde dat haar pijn was, vibreerde iets in haar borst, energiek als een kolibrie. Je lééft, Tanja, zei dat gevoel. Je loopt, je leeft, je hebt lief. Je hoeft alleen maar in leven te blijven.

In die opgeschorte seconde kende Tanja de kloppende warmte van een hart dat nog niet verhard is, een hart dat niet als dat het standbeeld was, maar van haarzelf – zacht, springlevend, van háár.

Tien meter voor haar struikelde Mogileva en viel voorover. Uit de laarzen van de vrouw explodeerde een stoot oranje licht als uit een raket. Zand en ijs werden uit de grond gerukt, meegevoerd door de explosie. Tanja verstarde, zich toch nog afvragend – nog terwijl een scherf van de mijn aan haar maag klauwde – of ze de liefde misschien te laat had gevonden.

Ze viel achterover, de armen wijd als bij een verwelkoming. Ze kon zich niet bewegen; een gewicht drukte op haar borstkas en buik en dreigde haar te verpletteren. Haar mond werd geteisterd door dorst, maar ze kon niet slikken. Een blauwe vlek, fel als de vlam uit een lasbrander, zweefde haar voor ogen. Ze voelde niets. Toen kwam het krachtige kloppen van haar hart en was het alsof er iets wegggleed uit haar maag, een toenemende hitte, alsof iemand daar in de ijzige nacht een deur open had laten staan.

Langzaam werd het gewicht opgetild en naast haar gelegd. Ze draaide haar hoofd om en keek naar Jakobsin. De voorkant van zijn witte camouflagepak was geblakerd en gescheurd. Rook steeg op van zijn opengereten gezicht en borst.

Handen groeven zich onder Tanja's schouders. Haar hoofd werd in een schoot getild, een kluwen armen en benen omwikkelde haar. Ze worstelde om het rollen van haar ogen tegen te houden. Het omhoogkomen van haar maag nodigde haar uit om daarheen af te dalen en via de open deur te vertrekken. Nee, dacht ze. Straks maar. Laat me nog wat hier blijven.

Ze hoorde de stem van Wasilji Zaitsev. Ze kon niet genoeg uit zichzelf breken om te horen wat hij zei. Haar hoofd rustte in zijn handen, maar om de een of andere reden waren de handen niet sterk genoeg om haar ogen stil te houden. Waar is hij, vroeg ze zich af. Hij is helemaal om mij heen.

Een gloeiende staaf schoot op uit haar maag en schroeide haar keel. Ze opende haar mond om hem uit te hoesten. Warme inkt gorgelde op haar adem en stroomde langs haar wangen.

Tanja kon zich niet bewegen, hoewel haar zintuigen wervelden in een storm van verwarring. Ze sloot haar ogen om zich ervoor af te sluiten. Dit is te veel, dacht ze. Er is te veel gaande. Zijn dit Wasja's handen? Waar is hij?

De grond onder haar viel weg. Ze werd op haar zij gerold; haar hoofd en haar rechterarm bungelden, wijzend naar de aarde. Laat me weer op mijn rug liggen, dacht ze. Daar was het warm en stil en voelde ik maar één keer pijn.

Tanja werd zich bewust van een drukkend gevoel tegen haar maag. Iets drukte daar stevig tegen haar aan; er was een eind gekomen aan het ontsnappen van de warmte uit haar lichaam. Nu was er alleen nog pijn, het steken van duizend messen diep in haar, langs haar ruggengraat en naar buiten, de nacht in, als de lichtgloed van een vlam. Ze brandde. De foltering schopte haar in een ritme, bonkend als het dreunen van laarzen.

De pijn verhelderde haar zintuigen. Ze leefde nog, ja. O, wat een pijn! Wat is er gebeurd? Paniek sloop om haar zintuigen heen als een troep jakhalzen. Ik ben gewond, mijn maag, een explosie. Pijn en bloed. Jakobsin dood. Mogileva. Een landmijn. Die explosie. Wat gebeurt er nu? Waar is Wasja? Ik voel armen onder me, Wasja's armen en rennende benen. O, die voetstappen zijn een marteling! Loop wat langzamer. Nee, ren verder! Ren verder met me, geef het niet op!

De zilte smaak van bloed vulde Tanja's mond. De pijn in haar middenrif dreigde haar op te slokken. Rennen, Wasja! Hij is mijn drukverband; zijn leven houdt het mijne binnen zolang we rennen.

Blijf dicht bij hem, Tanja. Blijf in leven.

O, rennen, Wasja, rennen!

Tanja bewoog haar tong om haar mond vrij te maken. Vocht sijpelde over haar lippen.

Ze mompelde in het Engels: '*Run!*'

Zaitsev hield zijn draf even in. Hij zei iets. Zijn ademhaling was zwaar en moeizaam, maar de woorden waren duidelijk.

'Blijf bij me, Tanoesjka. We redden het tot aan het veldhospitaal.'

Tanja kon geen antwoord vormen. Ze had al haar kracht verbruikt. Er was zo veel te zeggen, maar het enige wat ze had kunnen uitbrengen was 'Rennen!' – in de verkeerde taal.

Ze begon weg te glijden, steeds dieper in haar lichaam, tot ze in de folterende pijn plonsde en kopje-onder ging, bewusteloos.

30

Ze kreunde een keer, hartverscheurend, doordat hij struikelde en op zijn knieën belandde. Snel richtte hij zich weer op, zonder ook maar even de druk tegen haar maag te verminderen; zijn bebloede borst bleef tegen Tanja's opengereten maagstreek drukken.

Nu rende hij verder. Het zand siste onder zijn rennende laarzen, een geluid dat zich vermengde met zijn stotende adem. Zijn bewustzijn pendelde heen en weer tussen paniek en alertheid: het slappe gewicht van Tanja in zijn armen joeg hem doodsangst aan en het bloed sopte al in zijn laarzen.

Hij probeerde zichzelf leeg te maken, voortgedreven als een machine, zonder gedachten en zonder vermoeidheid. Zijn geest werd bestormd door beelden, louter beelden van Tanja – slapend, naakt, lachend, bezig haar geweer te richten of naast hem rennend te midden van de steekvlammen van explosies. Hij sloeg zich erdoorheen en stak de herinneringenbellen lek totdat de nacht van alles was ontdaan, behalve het lichaam in zijn armen en het rennen.

Hij bereikte een controlepost in een prikkeldraadversperring nadat hij om een verbrijzelde paard en wagen op de donkere rivieroever heen had gerend. De schildwachten trokken een gammel hek opzij en lieten hem zwijgend door. Hij rende verder en een stem riep hem na: 'Hou vol!'

Het veldhospitaal was vijftig meter verder, in een grot aan de voet van de klif. Hier had Sjaikin gelegen, met zijn hand tastend naar zijn keel. In diezelfde grot was Sjaikin gestorven. Zaitsev duwde de deken in de deuropening opzij en bleef hijgend in de korte gang staan; de muren en het plafond waren van houten delen, versterkt met stalen balken. Aan een draad hing een kale gloeilamp. De soldaten lagen op brancards naast elkaar op de vloer. Een verpleegster in een groen uniform boog zich over de verste soldaat.

Nu hij het veldhospitaal had bereikt, was Tanja als lood in zijn armen. Zijn paniek laaide op bij de gedachte haar los te laten. Ze moest worden overgedragen aan deze verpleegster, die zich niet eens had omgedraaid en niet wist dat hij daar stond, met haar in zijn armen. Hij slikte en zei: 'We hebben hulp nodig.'

De verpleegster tilde haar hoofd op. Als een paard dat buiten adem is brieste Zaitsev hard door zijn neus. Hij wist dat zijn gezicht zijn angst weerspiegelde. De verpleegster kwam naar hem toe, haar handen uitstekend om Tanja's hoofd te ondersteunen. 'Leg haar hier neer,' zei ze.

Ze trok zacht aan Tanja's hoofd om Zaitsev naar een open plek op de vloer te leiden. Hij trok Tanja dichter tegen zich aan.

De verpleegster herkende de waanzin. 'Sergeant-majoor...'

Hij verroerde zich niet.

Ze sprak hem streng toe. 'Sergeant-majoor, leg haar neer. Ik moet haar wond bekijken.'

'Waar is de dokter?'

Ze tilde Tanja's oogleden op terwijl ze praatte. 'In de operatiekamer. Ik ben de selectiezuster. Hij komt hierheen zodra hij kan. Leg haar neer.'

Selectiezuster? Deze vrouw hier bepaalt wie verder mag naar de dokter. Als ik Tanja neerleg, sterft ze ter plekke. Ze zal zeker sterven, omdat zij in de rij moet wachten, achter deze drie brancards.

De verpleegster deed een stap achteruit. Ze scheen Tanja's kansen te taxeren aan de hand van wat ze kon zien terwijl Zaitsev haar vasthield; ze had alleen oog voor de hoeveelheid bloed die uit Tanja's lichaam over zijn kleding was gestroomd. Ze wees naar de grond. 'Leg haar neer, anders sterft ze nog in uw armen.'

De woorden staken hem. Hij was vertrouwd met de dood en wist dat deze verpleegster het mis had. 'Nee.'

Achter Zaitsev klonk een kletsend geluid, en nog een, als van rubber. Dan een stem.

'Wat is hier aan de hand?'

De verpleegster hield een hand onder Tanja's hoofd en gebaarde met de andere. 'Hij weigert haar neer te leggen. Ik moet haar kunnen bekijken. Ze is er slecht aan toe.'

De arts gooide twee bloederige operatiehandschoenen in een emmer. De man was oud, de oudste die Zaitsev in Stalingrad had gezien. Hij was groot en een beetje corpulent, en zijn hoofd was kaalgeschoren. Zijn blauwe ogen waren omwald van uitputting. Zijn witte jasschort was vrijwel schoon, bijna zonder bloedvlekken. De kromming in zijn schouders en nek verdween toen hij zijn armen naar Zaitsev uitstrekte. 'Geef haar maar aan mij. We zullen zien wat we kunnen doen.'

Zaitsev aarzelde nog, hoewel hij intuïtief vertrouwen had in deze oude man. Zijn armen waren pijnlijk verkrampt rond Tanja's lichaam.

De arts schudde het hoofd, plechtig als een machtige eik. 'Ze zal ook in mijn armen niet sterven, zoon. Geef haar maar aan mij.'

De arts raakte Tanja aan. Zaitsev liet zijn armen zakken om haar lichaam weg te laten rollen van zijn borst. De verpleegster bleef Tanja's hoofd ondersteunen; Tanja's armen zwaaiden om toen de dokter haar overnam.

Zaitsev staarde naar de druipende scheur in Tanja's parka. Groot genoeg om zijn vuist erin te kunnen steken. 'Dokter...' Hij had de een of andere smeekbede willen uitspreken, maar de oude man en de verpleegster hadden Tanja's volle gewicht al overgenomen en keerden hem de rug toe. Ze vlijden haar neer op de grond.

De handen van de arts fladderden als twee witte kuikens boven Tanja's lichaam. De verpleegster keerde terug naar de rij brancards. Nadat ze naast alle drie was neergehurkt, een voor een, riep ze de arts toe: 'Stabiel.' Ze boog zich over de man op de laatste brancard heen en mompelde iets tegen hem.

De arts had Tanja's parka en gevechtskleding losgeknoopt. Met een schaar knipte hij haar ondergoed door en trok daarna de bloedrode flappen weg alsof het om een stel velours gordijnen ging. Zijn handen werden rood en op zijn schort ontstonden rode banen.

De wond besprong Zaitsev. Een gat met de vorm en grootte van een open mond in de linkerhelft van haar buik, net onder de ribbenkast. Uit het gat drong een roze, dooraderde homp naar buiten; de druk in haar lichaam had een deel van haar dunne darm deels naar buiten geperst. Pulserend bloed ontsnapte langs de randen en dropen langs haar zij af naar de bloedplas op de grond.

De verpleegster voegde zich weer bij de arts. Zaitsev ging achter haar staan. Tanja's gezicht was wasbleek; haar oogkassen en wangen vertoonden diepe schaduwen, alsof ze met houtskool waren bestreken. Zaitsev staarde verbijsterd naar haar gezicht; het leek zo hol als een doodshoofd.

De verpleegster deponeerde met een klap een verbandkussen in de opgehouden hand van de arts. Hij legde een deel ervan over de open wond en drukte de dunne darm voorzichtig naar binnen. Op dringende toon zei hij: 'Til haar weer op.'

Zaitsev stapte tussen de arts en de verpleegster in en groef zijn handen onder Tanja door. Hij probeerde voorzichtig te zijn. De arts snauwde hem toe: 'Nou, vooruit, jongeman!'

Ze droegen Tanja een grotere ruimte binnen, opzij van de gang. In het midden stonden twee tafels, beide omgeven door felle schijnwerpers op statieven. Het doffe geronk van een benzineaggregaat was afkomstig van ergens achter de wanden. Een van de tafels was leeg en bedekt met een schoon wit laken. Op de andere tafel lag een bewusteloze soldaat; naast hem was een tweede verpleegster doende om de stomp onder zijn rechterknie te omzwachtelen. Zijn geamputeerde, in een doek gewikkelde been lag op de grond, nog in de laars gestoken.

Zaitsev legde Tanja op de tafel. De dokter nam zijn handen van het verband boven haar wond om schone operatiehandschoenen aan te trekken; in zijn plaats drukte de verpleegster op de wond. Met haar vrije hand betastte ze Tanja's keel, op zoek naar de hartslag. Zaitsev trok zich langzaam terug van de operatietafel, maar hij botste tegen een tafeltje met een blad vol chirurgische instrumenten. Ze rammelden, maar er viel niets op de grond. De verpleegster en de arts negeerden hem; ze hadden het te druk met voorbereidingen en praatten in hoog tempo met elkaar. De arts vuurde vragen op haar af; de verpleegster antwoordde met salvo's van twee of drie woorden.

De arts liep naar het midden van de tafel om Tanja's naakte torso schoon te deppen. De zuster nam het verbandkussen van de wond en gooide het in een emmer onder de tafel. Met een wattenstaafje begon ze het gebied rondom de wondopening, waar de dunne darm als een deel van een ballon naar buiten drong, oranje te verven.

'Ether?' vroeg ze.

De arts schudde het hoofd. Nee.

Zonder op een bevel daartoe te wachten deed de tweede verpleegster de lichten bij haar tafel uit. Ze liet de soldaat wiens onderbeen was afgezet liggen en posteerde zich naast Tanja, tegenover de arts en de selectiezuster. De chirurg bekeek de glimmende instrumenten bij zijn elleboog, terwijl beide verpleegsters operatiehandschoenen aantrokken.

Zaitsev sloop naar een hoek achter de oude man. Hij verwachtte dat ze hem zouden vragen de operatiekamer te verlaten, maar hij had zich voorgenomen te weigeren. De arts en de verpleegsters stonden over Tanja gebogen en keken elkaar niet eens aan terwijl ze werkten.

De chirurg hield zijn hand op. Een van de verpleegsters had al een scalpel van het instrumentenblad uitgezocht en legde die in zijn hand. Hij haalde het mes over Tanja's buik omlaag, exact over het midden van de wond. Met een tweede haal sneed hij de hoeken van de wond open om hem te vergroten.

De zusters aan weerszijden van de operatietafel staken hun vingers onder de lappen vlees die de chirurg had opengelegd en trokken ze voorzichtig opzij. Zaitsev worstelde met de drang om het drietal weg te duwen en Tanja weer in zijn armen te nemen. Zijn angst trok hem een stap naar voren.

De vochtige, kronkelende dunne darm van Tanja vulde het gapende gat. De chirurg boog zijn hoofd en liet hem door zijn vingers glijden. 'Een paar scheurtjes,' zei hij zacht tegen de verpleegsters. 'Die kunnen we later wel doen.' De vrouwen verroerden zich niet.

De oude man tilde de kronkelende massa opzij en betastte hetgeen zich eronder bevond. Hij hield opnieuw zijn hand op. Een nieuw scalpel. Intussen depte de verpleegster naast de chirurg bloed op uit de levende krater.

Zaitsev zag hoe snel en trefzeker de chirurg en de beide vrouwen in Tanja's inwendige te werk gingen. Zaitsev was zelf niet onbekend met de ingewanden van zoogdieren. Hij had in de taiga wel duizend dieren gevild, zijn handen in hun ingewanden gestoken en ze eruit gerukt om ze zijn honden toe te werpen. Zolang hij de operatie kon blijven observeren, de handen van de chirurg, de blootliggende organen, kon hij zijn angst temmen. Maar toen hij zijn blik op Tanja's blonde haar richtte, gedrapeerd over de operatietafel, haar handen stil als dood hout naast haar, sidderden zijn eigen ingewanden.

Maanden eerder, vanaf het moment waarop hij met zijn sluipschutterswerk in Stalingrad was begonnen, had Zaitsev zich verzoend met de gedachte aan de dood. Dat was de koehandel van de oorlog: je riskeerde je leven om anderen van het hunne te beroven. Hij had zich er echter nooit op voorbereid dat je ook beetje voor beetje dood kon gaan. Tanja leek het grootste deel van hem; als zij stierf, daar op die tafel, stierf dat deel ook. Dan zou hij in leven blijven zonder haar, verminkt, geïsoleerd in een ijslandschap waarin hij op de een of andere manier zonder haar passie en hitte moest zien te overleven.

En dan vlak voor deze afschuwelijk gebeurtenis dat grote nieuws. Een Amerikaanse. Wat was dit voor een vrouw om zo ver te reizen, zo fel te vechten en zoveel te geven voor Rusland, helemaal vanuit Amerika? Wat voor een vrouw? Zaitsev schudde zwijgend zijn hoofd.

De arts begroef zijn scalpel diep in Tanja. De selectiezuster legde met een klap een aderklem in zijn geopende handpalm, die nu glansde als een robijn. Even later maakten de polsen van de arts snelle bewegingen, alsof hij een veter strikte. Een van de verpleegsters tilde in de holte van haar elleboog een emmer van de grond. De arts trok zijn hand terug en hield Tanja's rode milt in beide handen, als een homp leem. Hij liet het orgaan in de emmer vallen.

Zaitsev schokte. Zijn handen balden zich tot vuisten en strekten zich weer, en nog eens, en nog eens. Zijn vingers waren nog plakkerig van Tanja's bloed.

De verpleegster tegenover de arts boog zich voorover om in Tanja's lichaam te kijken. Ze knikte de chirurg toe. Hij hield opnieuw zijn hand op voor een aderklem, en daarna voor het scalpel. Met een snelle beweging ontnam hij Tanja haar linkernier. Ook die liet hij in de emmer vallen.

Een pulserende fontein van bloed schoot op uit de wond. De chirurg stapte verrast achteruit, maar stak meteen beide handen in de wond. Verscheidene seconden sproeide het bloed ongecontroleerd rond, totdat de chirurg er een eind aan maakte. In de stilte na de schok keken de chirurg en de verpleegsters elkaar aan door rode, druipende maskers.

'Afklemmen!' beval de chirurg.

De selectiezuster stak haar handen ook in de wond, naast die van de chirurg. Ze waren er in een ommezien mee klaar. De chirurg wendde zich af van de tafel om zijn gezicht met een linnen doek af te vegen. Zaitsev zag dat iets van Tanja's bloed in de rimpels om zijn mond en ogen achterbleef.

De chirurg, die zo-even nog energiek en zelfverzekerd was geweest, was opeens weer oud. Toen hij Zaitsev aansprak, leek hij doodop en verdrietig.

'Een stuk schroot heeft haar milt en nier vernield. Ze kan ook zonder milt en nier leven. Het was het beste om ze weg te nemen.' Hij wreef met de doek zijn ogen uit.

'Ja,' zei Zaitsev.

De chirurg keek om naar Tanja. Zaitsev keek met hem mee, zag opnieuw de pulserende rode zuil die uit haar lichaam was opgespoten. 'Dat stuk schroot zat diep in haar linkernier. Een punt ervan stak aan de onderkant door de nier heen, recht in de grote lichaamsslagader. Ik had het niet gezien. Toen ik de nier eruit nam, spoot het bloed uit de aorta.'

'Ja,' zei Zaitsev alleen.

'Sergeant-majoor, ik heb gedaan wat ik kon.'

Achter de rug van de chirurg lieten de beide verpleegsters de huidflappen van Tanja's buik los. Ze deden tegelijkertijd een stap achteruit en bleven naast het bewusteloze lichaam wachten – een definitief, zwijgend tableau.

Zaitsev legde zich er niet bij neer.

'U laat haar niet sterven.'

De chirurg loosde een zucht. 'Dat is niet aan mij.' De oude man wendde zich af, maar verstarde toen hij het doorladen van Zaitsevs pistool hoorde. De loop wees naar het hart van de chirurg. Achter hem deden de verpleegsters opnieuw tegelijkertijd een stap terug.

'U zei me dat ze niet zou sterven, dokter. U kunt haar redden.'

De arts kneep zijn lippen samen, broedend op een antwoord, in zijn ogen geen spoor van angst voor het gevaar tegenover hem. Hij keek op en sprak Zaitsev toe alsof hij een student tegenover zich had. 'Sergeant-majoor, de patiënt die je mij hebt gebracht, heeft een milt en een nier verloren. En een massa bloed. Ik heb hier geen bloed voorradig om het bloed dat ze heeft verloren te vervangen. Het enige wat wij kunnen doen, zo dicht bij de frontlinie, is onze gewonden stabiliseren totdat ze naar de overkant van de rivier kunnen worden vervoerd. De scheur in haar aorta kan ik repareren. Dat kost me twintig minuten. Maar vanwege het bloed dat ze al heeft verloren, is de nier die ze overheeft naar alle waarschijnlijkheid al onherstelbaar beschadigd. En als dat niet al het geval is, zal dat gebeuren voordat ik de doorbloeding kan herstellen. Ze zal nieruitval krijgen en sterven.'

Zaitsev liet zijn pistool niet zakken. Tania leefde nog, daar op die tafel, en deze chirurg moest verder aan haar werken.

'Ze zal sterven, sergeant-majoor. En in de twintig minuten die ik nodig heb om haar dicht te naaien, is er een fikse kans dat een van de gewonden die op de gang wachten eveneens zal sterven. Kun je dat aanvaarden?'

Zaitsev keek naar Tanja op de tafel. Haar hart bleef kloppen; het zat in een loopgraaf, zwaar onder vuur, vechtend voor haar leven. De soldaten op de gang bevonden zich in hun eigen loopgraven. Hij was hier niet voor hén. 'Ik heb geen keus,' zei hij, terwijl hij het pistool op het voorhoofd van de arts richtte. Hij had het tegen Tanja, om haar te zeggen dat hij in aantocht was. 'Ik hou te veel van haar om een keus te hebben.'

De arts keek om naar de verpleegsters. Ze stonden roerloos, wit als beelden van engelen. De oude man trok een operatiehandschoen uit en haalde zijn hand over zijn kale hoofd, alsof hij een ei wilde verwarmen om uit te broeden wat hem te doen stond. Hij keek eens naar Zaitsevs pistool. 'Als je daarmee blijft zwaaien in de buurt van mijn patiënte, sergeant-majoor, ga het dan eerst steriliseren.'

Hij trok de andere handschoen uit en wierp ze allebei in een hoek. Toen hij weer opkeek naar Zaitsev, zat het pistool weer in zijn holster. Met een ruk draaide de chirurg zich om naar de operatietafel. Opeens was hij weer vervuld van energie; hij greep een stel schone operatiehandschoenen en stroopte ze over zijn handen. Met opgeheven handen zei hij tegen de verpleegsters, die direct na hem ook in actie waren gekomen: 'Hij houdt van haar, dames.'

De verpleegsters trokken de lappen huid en onderhuids weefsel weer uiteen om Tanja's ingewanden weer bloot te leggen, zonder woorden. De vloer onder de operatietafel raakte algauw bezaaid met van bloed doordrenkte sponzen en verbandkussens. De verpleegsters depten met schoon verband het zweet van het gezicht van de chirurg. Zaitsev had pijn in zijn rug; hij durfde zich niet te bewegen, bang dat hij iets in de fragiele dynamiek in de operatiekamer zou verstoren. Eén keer kreunde Tanja. Zaitsev knarsetandde; hij verlangde ernaar om weg te kruipen in haar bewusteloosheid, zodat hij naast haar kon staan en ze zich er samen doorheen konden slaan of sterven, schouder aan schouder.

Eindelijk had de chirurg een vreemd gevormde naald in zijn vingers, met een hechtdraad van kattendarm erin. De hand met de naald verdween in het gat en kwam weer omhoog om de draad strak te trekken. Zo naaide hij een tijdlang door, alsof hij wel tien scheuren in Tanja's ingewanden moest hechten. Toen hij klaar was, trok hij de operatiehandschoenen uit. De selectiezuster legde de huidflappen tegen elkaar aan en begon de wond dicht te naaien.

De chirurg kwam naar Zaitsev toe. Hij probeerde iets in die blauwe ogen te lezen, verborgen onder borstelige witte wenkbrauwen. De oude man keek hem even aan, maar wendde toen zijn blik af. Zijn handen rezen en daalden, alsof hij iets op zijn handen woog.

Zaitsev keek naar de handen van de chirurg, met lange, gerimpelde vingers, als twijgen. Hebben deze oude handen Tanja gered? Hij wilde dat de arts hem vlug iets over Tanja's toestand zou zeggen, maar hij zag dat de oude man zijn woorden zorgvuldig wikte en woog. Waarom, vroeg Zaitsev zich af. Hoe slecht is het nieuws?

Hij drong aan. 'Dokter...'

De oude man liet zijn handen zakken – hun werk leek erop te zitten, voorlopig – en stak ze weg in zijn broekzakken. 'Ik heb alles weer in orde gebracht,' zei hij. 'Ze heeft shellshock. Hoe lang dat zal duren, kan ik niet zeggen. Een dag of twee, denk ik zo.'

'En als ze bijkomt?'

Zaitsev zag hoe hij adem schepte. 'Als de resterende nier de operatie goed heeft doorstaan, weten we het. Ze zal moeten urineren. Maar als ze dat de komende achtenveertig uur niet doet, bij bewustzijn of niet, is ze stervende. En daar valt dan niets aan te doen.'

De selectiezuster voltooide de laatste zwarte hechtingen aan Tanja's wond. Twee rechte lijnen kruisten elkaar over haar buik, alsof een stel kruisdraden hun vergrote brandmerk in haar huid hadden geschroeid. De oude man legde zijn hand op Zaitsevs kraag. Hij gaf er een klopje op, een lichte aanraking.

'Houd dit voor ogen, sergeant-majoor,' zei hij. 'Wat er ook met je vriendin mag gebeuren, ook zij heeft geen keus.'

Hij wandelde weg. De kromming van zijn schouders en nek was terug. Twee hospitaalsoldaten in witte kleding liepen de operatiezaal binnen en tilden de brancard op van de soldaat die hier een been had achtergelaten. Het hoofd van de soldaat rolde heen en weer; hij begon bij te komen. De hospikken droegen hem langs het afgezette been naar de gang.

De verpleegsters deden de lichten rondom Tanja uit. Een van hen volgde de hospikken en de arts; de selectiezuster keerde terug naar de gang. Zaitsev volgde haar. Ze hurkte neer naast de soldaat op de dichtstbijzijnde brancard. Zijn borst was omzwachteld met gaas. Ze tilde zijn oogleden op. Ze hoefde maar heel even te kijken; ze was bedreven in het herkennen van de dood. Zonder naar Zaitsev op te kijken stond ze op en liep naar de volgende brancard. Deze soldaat begroette haar door zijn hand naar haar uit te steken.

Zaitsev legde zijn handpalm op het koele voorhoofd van het lijk. Deze man was ouder geweest dan hij, een *koelak*, te oordelen naar de verweerde huid en dikke vingers. Zaitsev stak zijn handen achter zijn parka, op zoek naar de borstzak van zijn gevechtspak. Hij nam de medaille eruit die hij had gekregen van maarschalk Zjoekov, de Lenin-orde, en speldde hem op de stille borst.

In de kleine verkoeverafdeling glipten vrijwel ieder uur hospitaalsoldaten in witte kleding in en uit om gewonden in een van bedden op een brancard te leggen en hem weg te dragen voor evacuatie. Zaitsev hoorde af en toe een soldaat kreunen als hij werd opgetild. Anderen zag hij slaperig bijkomen van een operatie, waarna ze ontdekten dat ze een lichaamsdeel misten, of dat een deel van hun lichaam was omzwachteld of verbrand. Tanja lieten ze met rust. Zaitsev zat naast haar – hij had haar hand niet losgelaten sinds ze in het bed was gelegd.

De chirurg kwam een kijkje bij haar nemen, de ochtend nadat ze zijn operatietafel had verlaten. Hij sloeg de deken open. Hij stak zijn hand tussen haar naakte dijen om het onderlaken te betasten, en haar dijen en schaamlippen. Ze waren droog. Hij tilde haar oogleden op, voelde haar pols en nam haar temperatuur op.

Hij keek Zaitsev aan. 'Heeft ze zich bewogen? Of iets gezegd?'

'Nee.'

'Heb je gegeten?'

'Nee.'

De oude man gaf hem een schouderklopje. Opnieuw een lichte aanraking, bijna broos. 'Het zal haar weinig helpen als jij bezwijkt van de honger, sergeant-majoor. Ik stuur je wat brood en kaas. Eet wat, wil je?'

Zaitsev nam het brood aan van een hospik, maar hij at alleen met zijn vrije hand. Tanja lag roerloos naast hem. Haar oppervlakkige ademhaling en haar hand die af en toe trilde, waren de enige aanwijzingen dat ze zich aan het leven vastklampte.

344

Hij zon op manieren om haar een teken te geven. Hij bukte zich naar haar oor en vertelde haar zacht verhalen: van de keren dat ze samen op jacht waren gegaan, van de eerste keer dat hij haar had gezien in het Lazoer-complex en hoe mooi ze eruit had gezien; van het diepvriesmagazijn dat ze hadden opgeblazen; van de eerste keer dat ze elkaar hadden bemind. Hij zei haar dat hij had gewenst dat ze naast hem had gestaan tijdens zijn duel met Thorvald; en dat het dan vermoedelijk de partizane zou zijn geweest die de Bovenmeester te pakken had genomen, in plaats van de Haas.

Met zijn vingers tekende hij herten en wolven in haar handpalm, en ook een schietschijf en gezichten en de rijzende zon van Florida, ver weg in Amerika. Hij kneep ritmisch in haar hand. Hij bracht haar hand in aanraking met zijn wang en zijn mond. Met haar duim wiste hij zijn tranen weg.

Om de paar uur voelde Zaitsev onder de deken naar vocht, net zoals de chirurg had gedaan. Steeds als ze droog bleek te zijn, voelde hij zich zélf uitgedroogd. Het is zo eenvoudig, Tanoesjka, dacht hij. Gewoon maar een beetje plassen om je leven te redden.

De eerste keer dat hij de deken optilde, betastte hij het wondverband. Hij dacht aan de roze en rode chaos die hij eronder had gezien, de delen van haar die weg waren gesneden en in een emmer weggegooid. Huilend had hij de deken weer laten zakken.

Tanja's coma ging de tweede nacht in. Zaitsev liet zijn hoofd op het bed rusten. Een keer bewoog een hospik zijn arm om hem te wekken; hij tilde een halfvol urinaal van de grond en glimlachte hoopvol, maar Zaitsev schudde het hoofd; de urine was van hemzelf. Toen haar vingers zijn kneepjes beantwoordden, tilde hij zijn gezicht op en zag dat ze naar hem keek.

'Dag Wasjinka.'

Hij had geen woorden bij de hand.

'Tanja, ik...' Verwonderd staarde hij naar haar gezicht. Iets van de bleekheid had plaatsgemaakt voor roze. 'Hoe lang ben je al wakker?'

'Niet lang.'

Hij hield haar hand in zijn beide handen. 'Ik ben hier gebleven, Tanja, ik ben niet van je weg geweest.' Ze probeerde haar andere hand op te tillen om die op de zijne te leggen, maar iets belette het haar. De inspanning maakte dat ze haar gezicht vertrok en kreunde, maar ze zei erdoorheen: 'Ik weet het.'

Tanja opende een van zijn handen. Ze trok met haar vinger twee cirkels in zijn handpalm, gevolgd door een stip in het midden om de schietschijf te voltooien.

Zaitsev bracht zijn mond op de hare. Haar lippen waren kurkdroog.

Ze fluisterde tegen zijn wang: 'Ik barst van de pijn, Wasja. Ga ik dood?'

Zaitsev begroef zijn ogen in haar blonde haar en wreef zijn neus langs haar hoofd. Als ze stervende is, had de dokter gezegd, is er niets meer aan te doen.

'Ik weet het niet, Tanja.' Hij wist niet goed wat hij tegen haar moest zeggen.

'Je hebt veel bloed verloren. Ze hebben een van je nieren moeten wegnemen.'

Tanja keek naar het plafond. Ze knikte alsof ze al wist wat hij hierna zou gaan zeggen. Hij herinnerde zich dat haar grootvader arts was geweest.

'We wachtten op het moment dat je andere nier begon te werken.'

Twee hospikken droegen een gewonde kapitein naar binnen; hij kreeg het bed dat het verst van Tanja af stond. Zijn nek en schouder waren omzwachteld met schoon verband. Hij was bij bewustzijn.

'Voorzichtig,' zei hij tegen de hospikken toen ze de brancard lieten zakken. De officier duwde zich met zijn goede arm omhoog om hen te helpen hem over te brengen op het bed. 'Verdomme,' zei hij knarsetandend. Hij zoog sissend lucht in zijn longen.

'Wasja...' Tanja likte aan haar lippen. 'Ik heb dorst.'

Zaitsev stond op om de aandacht van een van de hospikken te trekken. Zijn hand liet de hare los. Meteen graaide ze ernaar, kreunend van pijn. 'Wasja, niet...'

Hij keek naar haar holle gezicht, omvatte met zijn hand de hare en voelde haar kracht toenemen.

Ze wist de pijn in haar ogen te camoufleren. 'Niet... loslaten.'

Zaitsev ging glimlachend zitten. De tijd en de lotsgodinnen, dacht hij. Ik wil blijven. Ik wil haar nooit laten gaan. Hoe lang zullen zij het me toestaan? Kan het hen wat schelen wat ik wil?

'Soldaat... graag wat water, hier.'

Een van de hospikken bij de gewonde kapitein haastte zich weg om water te halen. De andere hospik vouwde de brancard op.

De kapitein woelde met zijn goede schouder net zolang tot hij naar Zaitsev en Tanja kon kijken. Zijn grote hoofd was gladgeschoren en het lamplicht liet zijn schedel glanzen. De man had een enorme kaak, als van een paard.

'Verdomd onfortuinlijk,' zei hij. 'Gaat ze het halen?'

'Ja, kapitein,' zei Zaitsev.

'Ik ook. Die kogel is er dwars doorheen gegaan.' De kapitein keek om zich heen. 'Anders blij toe dat ik mijn arm nog kan houden.' Met een grimas zakte hij terug op het bed. Hij bleef praten. 'Gisteren twintigduizend man krijgsgevangen gemaakt. De moffen waren totaal overrompeld toen wij opeens achter ze opdoken.'

De hospik kwam terug met een beker water. Zaitsev tilde Tanja's hoofd op om haar te helpen drinken. Er sijpelde water over haar kin toen ze slikte. Hij depte het teder op met zijn mouw.

Hij liet haar hoofd terugzakken op het kussen. Ze had haar ogen dicht.

'We zijn aan de winnende hand,' zei de kapitein. Toen deed hij er het zwijgen toe.

DRIE

DE KETEL

31

'Om de zeven seconden sterft er een Duitse soldaat in Stalingrad. Een... twee... drie... vier... vijf... zes... zeven. Om de zeven seconden sterft er een Duitse soldaat in Stalingrad. Een... twee... drie...'

De man naast Nikki stond op. Hij liep naar de radio, die op een werkbank stond. Hij stemde af op de andere militaire zender.

Geen van de twaalf soldaten op de fabrieksvloer verroerde zich. Ze zaten stil, weggedoken in zichzelf. De zender kwam door. '... vijf... zes... zeven. Om de zeven seconden...'

De soldaat schreeuwde woedend: '*Gott im Himmel!* Wat is er met dat programma van Lale Anderson gebeurd?'

Een andere soldaat keek op. 'De Roden storen de zenders. Het signaal kom bij vlagen door en sterft weer weg. Het zal zo wel weer doorkomen. Ga nou maar zitten.'

'*Gott im Himmel,*' mompelde degene die stond nog eens. Hij liep naar de deur en verdween in de belendende werkplaats.

Nikki keek om zich heen. Pas deze ochtend, de ochtend voor kerstavond 1942, had hij zijn gehavende peloton in de ingewanden van het Barricaden-complex teruggevonden. Samen met hen had hij de dag besteed aan het maken van provisorische kerstversieringen. Ze hadden zelfs een kerstboompje gemaakt – van metalen staafjes die ze met ijzerdraad hadden samengebonden. Plukken watten uit noodverbanden fungeerden als kaarsjes. Sterren, geknipt van gekleurd papier, hingen aan de ijzeren takken, en kommen met olie en water met een lont van in elkaar gedraaide draden fungeerden als kaarsen onder de boom.

De soldaat die vol ergernis over de gestoorde radiozender naar de andere werkplaats was verdwenen, was twee uur geleden op komen duiken. Net als Nikki was hij een van de duizenden rondzwervende Duitse militairen die op zoek waren naar een goed heenkomen nadat hun eenheid uiteen was geslagen. Deze soldaat – Nikki kende zijn naam niet – was vanuit de buitenomtrek van de Ketel op de steppe naar de stad gevlucht. Van zijn hele geniepeloton was hij de enige overlevende. Hij was ten oosten van het stadscentrum beland. Toen hij de kou niet meer kon verdragen, had het vernietigende weer hem naar binnen gedreven. Hij was door het complex van de Barricaden gelopen, zonder zelf te weten wat hij zocht; hij voelde alleen nog honger, steeds heviger, en uitputting. De mannen van dit peloton hadden de geniesoldaat net als Nikki uitgenodigd voor hun kerstmaal. Die ochtend vroeg hadden ze hun beide Dobermanns, hun mascottes, gedood en geslacht. De rest van hun oorspronkelijke compagnie, die een maand geleden al, toen ze naar de Barricaden waren gestuurd, tot ruim vijftig man was gedecimeerd, leefde niet meer om tegen het feest te stemmen. De geniesoldaat had in de kring van zijn nieuwe maats een plaatsje gezocht en had een sigaret geaccepteerd. Zonder enige emotie vertelde hij welk lot zijn peloton had getroffen. Ze waren allemaal omgekomen toen hun voertuig door een tankkanon was geraakt, tijdens een van de honderden schermutselingen met de Roden aan de periferie van *der Kessel*. Zelf had hij geluk gehad; hij had op de klep van de laadbak gezeten en was er door de schokgolf van de explosie afgeblazen. Hij had zijn relaas beëindigd door zijn schouders op te halen en een woord met een somber lachje zacht te herhalen. 'Geluk...'

Na Thorvalds dood, vijf weken eerder, was ook Nikki een slagveldzwerver geworden. De veronderstelling was dat luitenant Ostarhild op de steppe was gesneuveld, maar Nikki was nog altijd toegevoegd aan de inlichtingeneenheid, althans, er was nooit een overplaatsingsbevel gekomen, zodat hij de vrijheid had genomen om zijn expedities om en in de stad voort te zetten. Al doende was hij een verzamelaar van rampverhalen geworden. De mannen in Stalingrad – zowel zij die in de ruïnes in het centrum zaten als degenen op de hellingen van de Mamajev Koergan en in de fabriekscomplexen – geloofden allemaal dat zij aan hun lot waren overgelaten. Hun hoop dat Hitler het Zesde Leger zou redden voordat zij in de pan zouden zijn gehakt was met elk verstrijkend uur verder verschrompeld en uit hen weggesijpeld.

Ondanks de dominerende positie van de Russische strijdkrachten op de steppe en de sterk verzwakte toestand van de Duitse troepen daar, hadden de Roden hun felle aanvallen in de stad zelf nooit gestaakt. Nikki had de Russische tactiek wel door: zolang zij ons hier in de stad in de verdediging blijven dringen, kunnen we niet in het offensief gaan. We kunnen niet meer uitbreken uit *der Kessel*. Dat is waar ze op uit zijn: ze willen het Zesde Leger volledig vernietigen.

Te midden van deze niet-aflatende strijd was Nikki getuige geweest van staaltjes van heldenmoed en vastbeslotenheid die hem dwongen tot het herzien van zijn hele voorstelling van de menselijke geest. Duitse soldaten – uitgeput, gedemoraliseerd en vrijwel zonder voedsel, munitie of zelfs maar hoop – waren gedisciplineerd overal in Stalingrad blijven vechten. De Roden gunden hen geen rust; ja, ze hadden zelfs hun ontspannende radio-uitzendingen gestoord.

Als Nikki zijn inlichtingenrapport vanavond zou moeten uitbrengen, zou hij echter niets over de onverzettelijkheid en zelfdiscipline van veel Duitse soldaten vertellen. Integendeel, hij zou gruweltaferelen beschrijven. Hij had gezien hoe hologige mannen, vervallen tot kannibalisme, als gieren rond de gewonden rondslopen, loerend op het moment dat zij hen konden wegslepen zolang ze nog warm waren. Op deze aasgieren werd jacht gemaakt en ze werden ter plekke doodgeschoten; er waren zelfs speciale patrouilles georganiseerd om hen uit hun schuilplaatsen op te jagen. Desondanks maakten rondzwervende bendes van menseneters, dikker en met meer kleur op hun wangen dan hun uitgehongerde kameraden, de gangen, kantoren, loodsen en werkplaatsen van de fabriekscomplexen en de huizen onveilig. Het aantal van deze desperado's nam gestaag toe, net als hun vermetelheid en wanhoop.

In zijn verslag van deze laatste dagen in Stalingrad zou Nikki ook voorbeelden geven van onvoorstelbare, verbijsterende stompzinnigheid. Hij had gezien hoe Heinkel-vliegtuigen van het type He-111 – althans, de paar die gebruik konden maken van wat gunstiger weersomstandigheden – hun voorraden niet boven de posities van het Zesde Leger afwierpen, maar boven Russische eenheden die hadden ontdekt hoe ze de Duitse droppingssignalen met lichtkogels konden imiteren. Op andere plaatsen binnen het ijzeren kordon had Nikki gezien hoe uitgehongerde Duitse soldaten naar voren renden om als eerste bij een gedropte vracht te zijn nadat de parachute zijn lading aan de grond had gezet. Ze raakten dan slaags met elkaar terwijl ze aan de slappe parachute rukten en de zijden stof openscheurden om zo snel mogelijk bij de vurenhouten kisten te komen, elkaar verdringend als grommende biggen. Als deze mannen dan eindelijk kans hadden gezien die kratten open te breken, bleken ze geen ham en melkpoeder te bevatten, of munitie en warme kleding die hen in leven konden houden, maar massa's marjolein en peper – nota bene voor soldaten die genoodzaakt waren ratten en honden te slachten en die te braden. Een andere keer stortte de Luftwaffe een gave over hen uit die uit duizend rechterlaarzen bleek te bestaan. Nikki's favoriete verhaal uit Stalingrad van deze afgelopen gruwelijke maand was de dropping boven de Ketel van een miljoen zorgvuldig verpakte Zweedse condooms.

Het leeuwendeel van Nikki's rapport zou een relaas zijn van dood en verderf. Iedere dag stierven er in het omsingelde gebied ruim duizend Duitse militairen. Velen bezweken aan de verwondingen die zij hadden opgelopen toen zij zich verdedigden tegen de oprukkende Russische troepen op de steppe. Anderen hadden hun kogel te danken aan gevechten in de stad zelf. Verreweg het merendeel van de slachtoffers die Nikki had gezien, door hun nog levende kameraden bewaakt tegen de kannibalen, was verminkt door bevriezingen of bezweken aan tyfus, dysenterie of honger. Er was in *der Kessel* geen brandstof meer om stroomaggregaten te laten draaien voor wat warmte, of om tanks aan het rollen te brengen voor de verdediging, of voor vrachtwagens om troepen buiten de ring te brengen. Bij wijze van kerstgeschenk aan het resterende kwart miljoen van zijn officieren en manschappen had generaal Paulus toestemming gegeven voor de slacht van de laatste vierhonderd paarden van het Zesde Leger. Het waren dieren die zelf al wegkwijnden als gevolg van te zwaar werk en te weinig voedsel. De mannen, het weer, de voortgaande strijd en zelfs de zeldzame keren dat er werd gelachen – alles in Stalingrad was aangetast en gedoemd te sterven. Alles binnen de Ketel was doortrokken van dood en verderf, als een vergiftigde rivier.

351

Nikki dacht terug aan de kerstviering waaraan hij nog maar een uur geleden met de anderen rondom de radio had deelgenomen. Voor het eerst sinds weken had hij een volle maag. Hij stond zichzelf niet toe stil te staan bij de inhoud. Het vlees was warm en roze geweest; zijn portie was zo groot dat de lap over de randen van zijn etensblik hing. En het was flink gekruid met marjolein en peper. Hij was stijfjes opgestaan, zoals hij thuis altijd na een overvloedig kerstdiner had gedaan. Hij was naar de belendende werkplaats gelopen.

De ruimte had een zware eikenhouten vloer, berekend op het gewicht van tonnen zware machines. Boven zijn hoofd hingen de verminkte resten van elektrische, verrijdbare katrollen en persluchtleidingen. Kettingen hingen langs de muren en de verroeste H-binten, waardoor de ruimte aan een soort martelkelder deed denken. De machines waren al maanden geleden van hun steunframes getild en meegevoerd door de zich terugtrekkende arbeiders. Het enige wat was achtergebleven was een draaibank, in een hoek. De naamplaat op de motorbeplating vermeldde de naam van de fabrikant: OSCAR OTTMUND, BÖBLINGEN BEI BADEN-WÜRTTEMBERG, DEUTSCHLAND.

De soldaat haalde liefkozend zijn hand over de koperen plaat. 'Thuis was ik machinevoerder,' zei hij peinzend.

Nikki knikte: 'Ik werkte thuis op de boerderij. Melkvee.'

'Ik ben nooit in Böblingen geweest. Is het daar mooi?'

'Geen idee. Ik ben nooit ver uit de buurt van Westfalen geweest. Koeien kennen geen vakantiedagen.'

De soldaat streelde de klauwplaat van de draaibank. 'Ik zou dit ding aan de praat kunnen krijgen, weet je, thuis. Ik kan hem laten zingen.'

Nikki klopte hem op de schouder. Hij was ongeveer van Nikki's leeftijd, maar de oorlog had ieder van hen ouder gemaakt. 'Ik niet,' lachte Nikki. 'Als het geen boe zegt of als er geen kogel uit komt, zit ik met de handen in het haar.'

De soldaat moest lachen. De oorlog had hen ook verbroederd. Nikki doorzocht zijn zakken om de soldaat iets te kunnen geven. Het was immers kerstavond. Hij vond niets. 'Hoe is het daarginds, op de steppe?' vroeg hij.

De soldaat liet zijn hand van de klauwplaat zakken. 'Russen. Ze zijn heer en meester. Tienduizend kanonnen, duizend tanks, een miljoen man – én maar heen en weer rennen. Je weet nooit waar ze straks weer zullen toeslaan. Ze duiken op uit de mist, de sneeuw of de grond, of ze komen uit de lucht vallen. Het wemelt in de steppen van de ravijnen en kloven. Wij zijn er nog niet voorbij, of zij duiken achter ons op. Door de sneeuw kun je geen afstanden schatten. En ook 's nachts blijven ze kabaal maken.' De soldaat kneep zijn neus dicht om het blikkerige geluid van propagandaluidsprekers te imiteren. 'Duitse soldaten,' neuzelde hij, 'leg toch de wapens neer! Jullie oorlog is voorbij. Kom hierheen, hier vind je warmte en eten.'

De soldaat grijnsde. Hij liet zijn neus los om in te ademen en vervolgde: 'Jullie Manstein heeft zich teruggetrokken. Hitler heeft jullie in de steek gelaten. De winter heeft jullie gevonden. Om de zeven seconden sterft er een Duitse soldaat in Stalingrad. Een... twee... drie...' Zijn hand zakte. 'Steeds opnieuw.'

Nikki begreep het. Maanden geleden, toen hij voor het eerst kennismaakte met de Russische propaganda, had hij het stompzinnig gevonden, iets dat je met gemak kon negeren. Maar binnen de Ketel was je wel genoodzaakt om ieder sprankje hoop op redding, zelfs als het afkomstig was uit een luidspreker van de Roden, in overweging te nemen. Capituleer of sterf. Iedereen bij het Zesde Leger wist dat zijn lot het een of het ander zou zijn. De gestage herhaling van de propagandaboodschappen, schallend over het strijdtoneel of via deze radio hier, had bondgenoten in de luizen, de honger, het gevaar en de pure doodsangst die het zenuwgestel van deze mannen aantastte, laag na laag.

'Wat weet je van Manstein?' vroeg Nikki.

Voor iedere Duitse soldaat in de Ketel belichaamde de naam Manstein nieuwe hoop. Veldmaarschalk Erich von Manstein was in aantocht om het rode kordon te doorbreken en hen uit *der Kessel* te bevrijden.

Iedereen wist ook dat het Zesde Leger veel te zwak was en over veel te weinig munitie beschikte om zelf een bres in de vijandelijke linies te kunnen slaan. De doorbraak zou van buitenaf moeten komen. De reddingsmissie was opgedragen aan de briljante strateeg Manstein, de held van het beleg in juli van Sevastopol. Sinds het kordon zich een maand geleden rond Stalingrad had gesloten, gonsde het van de geruchten onder de mannen. 'Hitler is ons niet vergeten,' vonden ze bijna unaniem, waarbij ze elkaar bij de schouders pakten en zich aan elkaar vastklampten alsof ze anders weg zouden zweven van de aardbodem. 'Hitler heeft Manstein gestuurd om ons hier uit te halen.'

Op 12 december, twaalf dagen geleden, was die hoop in vervulling gegaan toen Manstein aanviel. De veldmaarschalk voerde vanuit Kotelnikovo dertien divisies aan en haalde furieus uit naar de Russen in een smalle *saillant* vanuit het zuidwesten. Na tien dagen van verwoed aanvallen, waarbij Manstein met bliksemsnelle aanvallen op de Roden had ingehakt als een bijl tegen een boom, was een van zijn pantserdivisies, de Vierde Pantserinfanteriedivisie onder generaal Hermann 'Papa' Holth, doorgestoten tot veertig kilometer van het kordon rondom het Zesde Leger.

'Ik heb hen zien naderen,' zei de soldaat. 'Iedere avond tuurden we naar het zuiden. We konden de explosieflitsen feller zien worden, weet je; we konden de kanonnen zelfs horen als de wind gunstig was. Dan dansten we juichend op en neer en schreeuwden: "Geef ze er van langs, Papa! Kom ons halen!" We wisten dat ze in aantocht waren, we wisten het.'

De geniesoldaat draaide zich nu volledig naar Nikki om, alsof hij er zeker van wilde zijn dat alles van zijn verhaal overkwam, inclusief de ontgoocheling. Hij kneep zijn ogen samen en zond de beelden naar Nikki's ogen.

'Gisteravond werden de flitsen zwakker. We stonden daar maar in het donker, met uitgestrekte handen, weet je, als kinderen. En toen waren de flitsen weg. Manstein had rechtsomkeert gemaakt. We kregen ijlings bevel om ons terug te trekken. De Russen kwamen op ons af. En toen werd onze vrachtwagen getroffen.'

Hij klopte op de draaibank. 'Zo kwam ik hier. Dit is het dan wel, denk ik.'

Nikki keek naar de hand van de machinevoerder op de draaibank. Hij voelde de verbondenheid tussen hand en machine, een oude en authentieke band. Deze man had van zijn machines gehouden. Ze hadden hem met beide benen op de grond gehouden en hem begeleid naar de volwassenheid, krijsend en vonken sproeiend. Voor mij hebben de koeien van mijn vader hetzelfde gedaan. Ik ben ertussen opgegroeid, begreep hun manier van doen, hun natuurlijke gewoonten. Nu gaat er een eind komen aan dit alles.

De hand die de draaibank streelde was die van een man die zijn eigen grafsteen aanraakte. Zonder op te kijken zei de soldaat: 'Ik denk dat ik even alleen wil zijn, korporaal.'

Nikki knikte. Hij wilde de man op zijn schouder kloppen en stak zijn hand uit, maar hij raakte hem niet aan. Hij liep weg.

Nikki hoorde het geweerschot nog voordat hij de deur had bereikt. Hij wilde zich niet omdraaien om te kijken, maar hij kon het besef van zijn eigen noodlot niet verdringen, de drang om te observeren en zich in het hoofd te prenten wat zich hier allemaal voltrok, gedurende de laatste dagen van het Zesde Leger in *der Kessel*. Er zou een dag komen, wist hij, dat anderen naar het verdriet van deze mannen zouden vragen. Nikki zou het hun vertellen.

Hij zou hun vertellen van de stille machinevoerder die hier naast de draaibank uit Böblingen lag, in een verlaten werkplaats, zijn gezicht in een scharlakenrode bloem van wanhoop. En van de uitgemergelde mannen in de belendende ruimte – mannen met hun buik vol hondenvlees. Deze mannen stonden niet eens op van hun plekje op de vloer om te gaan zien wat er was gebeurd met de stille jongen met wie ze hun kerstmaal hadden gedeeld; ze vroegen er niet eens naar toen Nikki terugkwam in hun kring.

Nikki bleef die nacht in het Barricaden-complex. Hij keerde niet terug naar de werkplaats waar de dode machinevoerder lag. Laat die werkplaats zijn sanctuarium zijn, dacht hij. Laat hem daar vredig liggen, naast zijn draaibank. Ik zou geen betere plek weten om hem naartoe te brengen.

De gesprekken rondom de lamp werden op zachte toon gevoerd, moeizaam, alsof er een zwaar gewicht op hen drukte. Ze spraken over thuis, hun baan in de burgermaatschappij, hun vriendin of vrouw en kinderen. Een van de mannen sprak zo zacht dat hij bijna onverstaanbaar was toen hij zichzelf beschreef in de verleden tijd, alsof hij al dood was. Hij vroeg zich af hoe het zijn gezin zou vergaan nu hij voorgoed weg zou blijven. Zijn vrouw en drie zoons zouden bij zijn moeder intrekken, die er wel voor zou zorgen dat de jongens manieren leerden en een paar boeken lazen. Zijn vrouw was iemand met een goede inborst, maar een tikje boers, een meisje van het platteland. Zijn verhaal zette ook de anderen aan het mijmeren over het lot dat hun dierbaren zou treffen na hun dood in Stalingrad.

Op de gang wachtten de beide schildwachten op het eind van hun wacht van een uur lang. Nikki zei dat hij geen geweer bij zich had, maar dat ook hij wacht zou lopen. Een van de mannen bedankte hem en gaf hem zijn Mauser.

Nikki liep met het wapen naar de gang. Hij had al een maand lang geen geweer meer vastgehouden, althans, op het geweer na dat hij voor Thorvald had moeten dragen. Het wapen in zijn hand, zwaar en geladen met grimmigheid, ontlokte een explosie van beelden uit zijn arm en vingers. Nu hij dit wapen omklemde, had hij het gevoel weer greep te hebben op een schakel in een nooit eindigende, boosaardige keten van geweren, zwaarden, dolken, pijlen, speren en knotsen – een reeks van wapens die zich zowel naar achter als naar voren in de tijd uitstrekte. In gedachten zag hij lijken verspreid liggen, tien miljard lijken achter een eeuwige prikkeldraadversperring. Hij hield de Mauser een eindje van zich af. Moet je dit ding zien. IJzer en hout, meer niet. Toch is het ook een deur, een opening waar de duivel en de dood en alles wat verder de mensheid en het leven haat doorheen kan marcheren. Onvoorstelbaar wat dit ding kan aanrichten; onvoorstelbaar wat *wij* ermee kunnen doen als we het in handen hebben. Nikki zette het geweer naast zich tegen de muur. Hij draaide zich om en liep naar een venster dat uitzicht bood op een binnenplaats van de fabriek.

Daar bij het raam werd hij opgeslokt door de kostbare rust van kerstavond. Na een poosje overgoot een kolossale lichtfontein de betonnen muren en de vloer met een flikkerend rood schijnsel. Een plof, en een felgroen licht voegde zijn nuance toe aan de schaduwen op de binnenplaats. De twee kleuren vermengden zich als in een draaikolk en kregen gezelschap van amberkleurige en witte flitsen van bovenaf. Aan de nachtelijke hemel leken honderden gekleurde lichtkogels een wedstrijd te houden om hun vonken sproeiende staarten als eerste op het hoogste punt te brengen en dan te exploderen.

Nikki rende naar de trap. Hij klom twee verdiepingen hoger om een beter uitzicht te hebben en sprintte naar een venster van waaruit hij over de muur van de binnenplaats kon kijken.

In een immense halve cirkel, beginnend bij de rivier de Orlovka in het verre noordoosten en eindigend bij de Tsaritsa-kloof aan de Wolga, in het centrum van Stalingrad, schoten Duitse soldaten massaal lichtkogels af om kerstavond luister bij te zetten. Het was een ontzagwekkende en adembenemend mooie aanblik, alsof de rand van een reusachtige vulkaan tot uitbarsting kwam, terwijl het centrum van de krater donker bleef. De ring van gekleurd licht aan de hemel markeerde de periferie van de Duitse strijdkrachten in *der Kessel*.

Alles rondom Nikki danste; zijn handen en wangen, zijn witte camouflagepak – alles leek te sidderen in felle flitsen van gekleurd licht. Na enkele minuten vervaagden de knallen en de lichten, en langzaam, aarzelend, kwam er een eind aan.

Nu was de stilte die over de stad lag dieper, alsof zij na afloop van het feest was neergestort en een krater had achtergelaten. Door de gebroken ruit kwam het geluid van mannenstemmen, aangedragen door de wind.

'O Tannenbaum, O Tannenbaum, wie grün sind deine Blätter...'

Het kerstlied leek te groeien; het breidde zich uit door de Ketel zoals daarnet het vuurwerk had gedaan. Nikki begon ook te zingen.

Binnen dit kordon creperen we, dacht hij, zijn stem verheffend met anderen die onzichtbaar waren. Maar daarboven, daar waar we dit kerstlied heen sturen, voorbij de wolken, slechts beroerd door het klatergoud van sterrenlicht en het schijnsel van de maan, is het een stille en zuivere, mooie kerst.

Nikki schrok wakker in zijn hoek. Zijn gewrichten kreunden; in de afgelopen nacht had de ijzige vloer al zijn lenigheid uit hem getrokken. Hij kwam overeind op zijn knieën en werd verwelkomd door de kou. Het was veel kouder dan de vorige dag.

Hij strompelde naar een venster waar de mannen heen gingen om hun behoefte te doen. Terwijl hij worstelde met de knopen van zijn broek keek hij naar het oosten, richting Wolga. Sneeuw striemde over het landschap als zout dat uit een bus werd uitgeschud. In de loop van de nacht had een sneeuwstorm zich boven de stad genesteld. De temperatuur buiten moest dodelijk zijn. Zalig kerstfeest, dacht Nikki, voor het Zesde Leger.

Toen hij klaar was, liep hij door de gang langs de schildwachten die het peloton had uitgezet. Hun gemopper onderstreepte de ellende van het ontwaken voor alweer een nieuwe dag in Stalingrad. Nikki beklom de trappen opnieuw om vanuit het venster te kunnen uitkijken naar de steppe in het westen, over de muur van de binnenplaats heen.

Een sneeuwgordijn onttrok alles aan het zicht. De wind huilde toornig om het fabrieksgebouw. Boven de kreunende windvlagen uit was het onmiskenbare gerommel van ververwijderde artillerie te horen. Behalve sneeuw kwamen er op deze kerstochtend ook massa's artilleriegranaten en *Katoesja*-raketten boven de Duitse hoofden in de Ketel neer.

Nikki en de anderen hadden het druk met het losbreken van vloerdelen om een vuur te kunnen stoken. Tegen het eind van de middag nam de sneeuwstorm wat af. Ze hadden van stukken plaatijzer en ander schroot een provisorisch soort houtkachel gemaakt, er verkreukelde kranten in gelegd en daar hout overheen gestapeld. De gloed van het vuur verwarmde Nikki's handen en gezicht, maar de kou beet hem in de rug.

De schrale stem van Joseph Goebbels uit de kleine radio vulde de ruimte. Hitlers minister voor Propaganda leidde het kerstprogramma voor de soldaten in en beweerde dat het werd uitgezonden vanuit de door de Duitsers bezette landen die nu het *Dritte Reich* vormden. Goebbels verzekerde het Duitse volk dat alles dik in orde was en dat de dappere Duitse militairen vochten voor de toekomst van alle Ariërs.

De hoge stem uit de radio leek te krijsen als een gek geworden arend. Van zíjn zelfvertrouwen is ook weinig meer over, wist Nikki. Hij dikt het allemaal veel te veel aan, hamert met zijn woorden alsof het granaten zijn. Hij probeert iets te overschreeuwen. Zijn eigen angst, natuurlijk, zijn eigen twijfel. Alles hier is dik in orde, beweert hij. Alles gaat goed voor Duitsland. Wij zijn aan de winnende hand; de wereld kruipt voor ons in haar schulp. Zit maar niet in over jullie zonen. Ze zijn warmpjes ingepakt, in Duitslands verheven lotsbestemming.

De minister van Propaganda las een lijst voor van door de Wehrmacht veroverde steden en leidde zijn gehoor rond langs de frontlinies van het *Dritte Reich*. Bij iedere bijdrage uit een van de bezette gebieden zongen de dappere soldaten uit volle borst een kerstlied om hun dierbaren thuis te groeten.

'Nu over naar Narvik,' zong Goebbels. De mannen rondom de radio vielen in toen soldaten die ten noorden van de poolcirkel aan de Noorse kust zaten het lied 'Der gute König Wenzel' inzetten. Hoewel Nikki meezong, vermoedde hij dat de zangers niet echt in Noorwegen zaten, maar in een professionele studio in Berlijn. De zang was veel te goed, te getraind en te zuiver, om afkomstig te kunnen zijn van een geïmproviseerd soldatenkoor.

'En nu naar Tunesië,' jubelde Goebbels toen het lied uit was. Een ander koor van beroepszangers zong 'Stille Nacht, Heilige Nacht'. De mannen rondom de radio wiegden met hun bovenlichamen, de gezichten in het flakkerend schijnsel van het vuur. Onder het zingen legden ze de armen over elkaars schouders. Het lichtschijnsel werd weerkaatst door de blinkende randen van hun oogleden en de glinsterende traansporen op hun wangen. Ook in Nikki's ogen welde een traan op. Hij wenste dat de druppel zou groeien. Nikki zong terwijl de traan omlaag biggelde naar zijn kin, genietend van de kilte die de verdampende traan achterliet. Het was fijn om je zo vol te voelen en samen met deze mannen te huilen en te wiegen; zij waren even verloren als hij. Het vocht voor zijn ogen werkte als een prisma voor de opspringende vonken van het zacht knetterende houtvuur.

'*Stille Nacht, heilige Nacht, alles schläft, einsam wacht...*'

Nikki zong en huilde. Hij voorvoelde eindelijk de breuk die in aantocht was, als het knappen van een gerafeld koord. In zijn hart was hij geen soldaat meer van het Duitse leger.

Eindelijk werd hij van zijn boeien bevrijd en ontslagen van zijn plichten, zowel door de leugens en manipulatiepogingen die de radio uitbraakte als door al het zinloze waarvan hij getuige was geweest en waaraan hij de afgelopen vier maanden zelf deel had genomen. Goebbels doet zijn plicht, hij maakt het Duitse volk wijs dat alles rustig is, terwijl de afzichtelijke zwarte waarheid luidt dat wij hier in Stalingrad, Europa, Afrika en noem maar op creperen. En overal ter wereld sterven soldaten en burgers mét ons terwijl zij hún plicht doen.

Nikki liet zijn tranen de vrije loop. Genoeg! Ik heb mijn plicht in Stalingrad gedaan. Ik heb een spoor van lijken achtergelaten, zoals een soldaat behoort te doen. Dat hebben ze van mij verlangd. Nu is het gedaan.

Plicht? Wij Duitsers hebben ons erachter verscholen alsof het een sjaal was die ons warm kon houden. In naam van de plicht zijn we tot alles bereid. Wat zullen we het koud hebben als straks de sjaal wordt weggerukt en de leugenaars eindelijk zwijgen, zodat de plicht die wij moesten vervullen op grond van hun leugens mét hen is gestorven? Wat zullen de gelovigen dan doen? Ze zullen beweren dat ze het niet hebben geweten, dat hun leiders hun een rad voor ogen hebben gedraaid. Nee, het is veel beter de plicht te doden bij het eerste teken van een leugen uit de mond van je leiders; veel beter om die plicht dan meteen te verbrijzelen. Slinger het van je af als een slang die zich vanuit een boom op je heeft laten vallen!

Nu de plicht van je schouders is gegleden, doorzie je alle leugens glashelder, want de plicht maakt je stekeblind. Kijk er maar eens goed naar, daar met een geknakte ruggengraat op de grond, nog zwakjes naar je sissend. Opeens wordt me alles onthuld. Hitler. Stalin. Mussolini. Roosevelt. Hirohito. Ze doen precies hetzelfde als die mannen die voor de radio zingen. Een koor van leugenaars. Ze mó‰Eten wel leugenaars zijn, want deze oorlog die wij in hun opdracht moeten uitvechten kan onmógelijk de waarheid voor de mensheid zijn. Het kan maar één ding zijn: een krankzinnige leugen!

Nee, ik heb geen plichten meer tegenover Duitsland. Nu ben ik alleen mezelf nog trouw verschuldigd, mijn leven, mij geschonken door God alleen. Alleen mijn vader en mijn zus hebben recht op mijn liefde. Omdat Hitler mij in de steek heeft gelaten en voorgelogen, is mijn contract met hem verbroken. Ik ga zijn vijanden niet meer voor hem doden en zal mijn lot niet op zijn bevel tegemoet treden. Ik ben vrij.

'...schlafe im himmlischer Ruh, schlafe im himmlischer Ruh.'

Het lied was geëindigd. De mannen hielden op met wiegen. Er waren er veel die met hun mouw hun tranen wegwisten.

'En nu –' Goebbels' stem sloeg bijna over van trots '– over naar Fort Stalingrad.'

De mannen staarden elkaar aan, vol ongeloof.

'Naar Stalingrad?' zei iemand.

'Ik geloof er geen moer van.'

'Er is hier niemand van de radio. Wanneer zouden die hier aangekomen moeten zijn? Vandaag? In die sneeuwstorm?'

'Dit is Scheisse! Goebbels liegt!'

'Heb je dat gehoord? Fort Stalingrad? De vervloekeling!'

'Is dat hele programma soms een leugen geweest? Wat denk jij?'

Nikki stond op uit de kring van geschokte soldaten. Nu hebben zij het ook door, dacht hij. Goed zo. Als een man gaat sterven behoort hij de waarheid te kennen. Hij bukte zich voordat hij bij het vuur vandaan liep. Hij tikte de soldaat die het dichtst bij hem zat op de schouder.

'Bedankt,' zei hij. 'Gelukkig kerstfeest.'

De man keek met betraande ogen op. Zijn voorhoofd was gefronst als bij een smeekbede. Zijn mond hing open. Zijn hele gezicht riep Nikki toe: Jij bent opgestaan. Jij gaat ergens heen. Neem mij met je mee!

Nikki nam zijn hand van de schouder van de soldaat. 'Ik ga naar huis,' zei hij. Als de soldaat mocht opstaan om mee te gaan, zou Nikki blij zijn met zijn gezelschap.

Hij staarde op naar Nikki. Zijn gezicht, afgewend van het vuur, werd door schaduw doormidden gedeeld. Hij schudde langzaam het hoofd, zijn verdriet een zware kroon.

Nikki liep naar de deur. Achter hem brak de uitzending van het kerstlied uit 'Fort Stalingrad' als een ijspegel af.

Nikki vond zijn slaapmat in het donker. Uitgeput en verkleumd legde hij zijn hoofd op zijn rugzak. Zijn vingertoppen en tenen werden gekweld door een wit soort pijn, alsof ze omgeven waren door een ijskorst. Hij hield ze in beweging toen hij zich op de grond klein maakte. De slaap ontfermde zich snel over hem en droeg hem op te dromen van een wandeling door kolkende mist naar de ochtend.

Kort na het aanbreken van de dag raasde een motorfiets lang zijn venster naar het zwaargehavende warenhuis aan de overkant van de straat, waar Ostarhild zijn bureau had ingericht, nu overgenomen door de hologige kapitein. Nikki stond op en zag de met sneeuw overdekte ordonnans met zijn grote motorbril de bordestrap op rennen. Meer nieuws, dacht hij. Meer inlichtingen. Meer waarheden over wat zich hier en daarbuiten, op de steppe, voltrekt. Goed. Zeg het allemaal, ordonnans. Spring op je motor en verkondig het overal.

Nikki had niets te eten. Hij had op zoek kunnen gaan naar een veldkeuken voor zijn dagrantsoen van tweehonderd gram brood, honderd gram vleespastei, dertig gram boter en dertig gram koffie. Hij voelde er niets voor vandaag in de rij te moeten wachten. Als hij hongerig bleef, zou dat ertoe bijdragen dat hij alert bleef.

Hij keek naar zijn geweer, dat al een volle maand tegen de broodplanken had staan leunen. Ook nam hij de rest in zich op, zijn rugzak, slaapmat en olieloze lamp. Meer bescherming had het Duitse leger hem niet kunnen bieden. Het was onvoldoende.

Met zijn mes sneed hij de rugzak in repen en omwikkelde er zijn laarzen mee. Toen sneed hij zijn slaapmat in drie lange stroken, waarvan hij er een om zijn romp wikkelde, onder zijn jas. Een tweede strook ging om zijn schouders. De laatste, opnieuw in stroken gesneden, moest zijn nek, oren, neus en handen warm houden.

Hij beklom de trap naar de straat. De sneeuw wervelde spiraalvormig langs de huizen, voortgejaagd door de wind. Het was zwaarbewolkt. Zijn wikkels ontnamen de kou zijn vlijmende scherpte. Hij stopte zijn handen diep in zijn zakken en begon naar het westen te lopen – tien huizenblokken ver naar Spoorwegstation nr. 1. Daar koos hij een spoor uit, verwrongen en gehavend, maar nog steeds een stalen lint pal naar het zuiden. Hij begon het te volgen.

Nikki vorderde door de stad. Dik ingepakte mannen repten zich langs hem heen. Niemand bleef staan om hem te vragen waar hij heen ging. Iedere soldaat had het te druk met zichzelf. Ze trotseerden de snijdende wind, sloegen met hun armen en trokken hun hoofd in om de bijtende kou minder doelwit te bieden. Al die mannen proberen alleen in leven te blijven, dacht Nikki. Ieder op zijn eigen manier. In leven blijven is een persoonlijk karwei, hoeveel mensen je ook om je heen hebt.

Vier uur lang bleef Nikki het spoor volgen. Vaak verdwenen de rails onder de sneeuw. Hij bleef op koers door zijn laarzen te laten slepen, zodat hij de zware bielzen kon voelen. Soms kromden de rails zich omhoog uit de sneeuw, als een gebogen stalen vinger die hem verder wenkte.

Hij passeerde tal van herkenningspunten in het landschap, vermaard vanwege de verwoede strijd die er in september en oktober om had gewoed. Hij herkende de Tsaritsa-kloof, Spoorwegstation nr. 2 en die verdomde graanelevator. De graansilo's, dicht bij de Wolga, waren tien dagen lang door vijftig Russen tegen drie Duitse divisies verdedigd. Nu was de elevator geblakerd door vuur en tot zwijgen gebracht door de stapels doden, opgeofferd aan de verovering van deze naaldpunt op een Duitse stafkaart.

Ten zuiden van de graanelevator verliet Nikki het centrum van de stad en vervolgde zijn weg door de buitenwijken. De houten arbeidershuisjes en krotten hier waren allemaal door tanks en artillerie platgewalst. Er stond niets meer overeind, zelfs geen bomen. De sneeuw die het landschap overdekte vormde gelijkmatige witte heuvels, slechts hier en daar onderbroken door een stuk schutting of een pijp die uit hopen puin omhoogstak. De woonwijken bestonden niet meer; de bewoners waren gedeporteerd of vermoord. Hun plaatsen waren ingenomen door de invallers, die wat rondstrompelden of in een schuttersput beschutting zochten tegen de wind. Hier en daar gluurde iemand boven een loopgraaf uit.

Tegen de avond had Nikki de graansilo's zes kilometer achter zich gelaten. De toenemende concentraties van mannen die doelloos door de sneeuw sjokten, met hier en daar een besneeuwde tank, vertelden hem dat hij de zuidelijke frontlinie van de egelstellingen van het Zesde Leger naderde. Sommige mannen trokken rollen prikkeldraad uit tot concertina's. Anderen worstelden zich door de kou, op weg naar een tent of loopgraaf, of alleen om in beweging te blijven – Nikki wist het niet.

Verdoemenis, dacht hij. Het verdicht zich, net als de sneeuw, en wordt met het uur dreigender. Je ziet het op die gezichten groeien, alsof ze hun baard laten staan.

Hij naderde een groep mannen rond een olievat waarin ze een houtvuurtje brandend hielden. 'Veel activiteit hier?' vroeg hij.

Een van de soldaten keek hem recht in de ogen. 'Wat bedoel je daarmee? Of er wordt gevochten?'

'Ja.'

'O, dan is er hier meer dan genoeg activiteit. We vechten tegen de luizen, de schijterij, de honger en elkaar.'

Hij wendde zijn gezicht naar het zuiden, naar het open, glinsterende landschap waar de Russen zich achter dichte sluiers van door de wind voortgejaagde sneeuw massaal hadden samengetrokken.

'En ja, we vechten ook tegen hén, als ze dat willen. Waar kom jij vandaan?'

Nikki maakte een achterwaartse hoofdbeweging, naar het noorden. 'Centrum,' zei hij.

'O, klote – dan heb je het allemaal gezien. Wat voer je hier uit?'

'Wandelen.'

De grijns van de soldaat trok de blonde baardstoppels op zijn kin omhoog. 'Ja.'

Nikki trok zijn wanten uit om zijn handen dicht bij de oplaaiende vlammen in de ton te houden.

'Hebben de Roden veel krijgsgevangenen gemaakt?'

'Je bedoelt,' zei de soldaat, "Nemen de Roden krijgsgevangenen?" '

Nikki knikte.

'Ja. Soms. Soms ook niet. Het hangt er maar van af hoe gek ze op dat moment zijn. In de regel zijn ze stapelgek. Je kunt het hóren als ze het te pakken krijgen – dan schreeuwen ze tegen gevangenen en schieten op ze, mannen die hun wapens hebben laten vallen en hun handen in de lucht hebben gestoken. De Roemenen ten westen van hier worden afgeslacht. Het is afgrijselijk. Ik heb het gezien, ben terug gerend en ben hier gebleven. Ik sterf liever van de honger. Mij niet gezien. Verdomde Russen. Het deugt niet.'

'Ze hebben reden om kwaad te zijn,' vond Nikki.

De man spuwde in het vuur. Het siste even en was weg.

Nikki stak zijn hand in de binnenzak van zijn parka, tastend naar de envelop met zijn *Dienstbefehle*. Op alle paperassen stond het stempel: MILITAIRE INLICHTINGENDIENST. Nikki was officieel nog altijd ingedeeld bij de door luitenant Ostarhild geleide eenheid van inlichtingenverzamelaars en waarnemers. De papieren zeiden dat hij bevoegd was om zonder escorte naar elk deel van het strijdtoneel te gaan. Hij deed zijn wanten aan en stak de envelop in de zijzak van zijn parka, zo voor het grijpen.

Nikki keerde het houtvuurtje de rug toe en keek naar het zuiden, naar de Russische linies. De kou sloeg hem in het gezicht. Hij trok de reep canvas wat strakker om zijn mond en neus. Tegen de man naast hem zei hij door de dikke stof, die zijn adem vasthield en zijn lippen verwarmde: 'Thuis hebben we een

361

boerderij met melkvee.' Hij had moeite de snijdende wind en het knetteren van het vuur te overstemmen. 'In Westfalen.'

Nikki vervolgde zijn tocht en verdween in de wervelende sneeuw.

EPILOOG

Op de middag van 8 januari 1943 schortten de Russische strijdkrachten, die een stalen kordon rondom Stalingrad vormden, de verdere liquidatie van het Duitse Zesde Leger op, in afwachting van de uitslag van een capitulatieaanbod dat het Russische Opperbevel had voorgelegd aan de commandant van de Duitse troepen, generaal Friedrich von Paulus. De capitulatievoorwaarden waren grootmoedig, maar ze gingen gepaard met de verzekering van Stalin dat het hele Zesde Leger zou worden vernietigd als het verzet bleef bieden. De volgende dag werd het aanbod afgeslagen en de strijd voortgezet.

Het besluit om het Russische voorstel af te wijzen was niet ter plaatse genomen door generaal Paulus, maar door Adolf Hitler persoonlijk, in zijn *Wolfsschanze* in Oost-Pruisen. Niemand die met eigen ogen het lijden van het Zesde Leger had gezien, had ooit kunnen verlangen dat ze ook maar een dag langer zouden doorvechten.

Hitler had besloten dat Paulus en zijn uitgemergelde, tot op het bot verkleumde soldaten in 'Fort Stalingrad' dienden te blijven. Zij zouden een tragisch maar strategisch offer zijn, nodig om de Russische troepen vast te houden en de resten van de Legergroep Don onder Manstein en de Zesde Legergroep B bij Rostov, geleid door veldmaarschalk Fedor von Bock, in de gelegenheid te stellen zich naar het noorden terug te trekken. Hitler was terecht beducht voor de weer toenemende kracht van het Rode Leger, en hij wilde Manstein ter plaatse hebben om de te verwachten Russische opmars te stuiten.

's Morgens om vijf minuten over acht hervatten de Russen hun grootscheepse aanval op de Ketel, voorafgegaan door een gruwelijk artilleriebombardement om de Duitse posities murw te beuken. Exact om negen uur stortten duizend Russische tanks en massale golven verse infanteristen zich op de Duitsers. De stalen ring werd uur na uur strakker aangetrokken. De Roden sneden door de Duitse verdedigingslinies als een mes door de boter en herwonnen in één enkele dag honderden vierkante kilometers terrein, voor de verovering waarvan het Duitse invasieleger maanden nodig had gehad. De Duitse infanterie en gemotoriseerde divisies verdedigden zich moedig, maar uithoudingsvermogen hadden deze mannen niet meer. Hun verzet werd al spoedig gebroken.

De rest van de maand januari gaven Duitse militairen zich groepsgewijs over, met duizenden tegelijk. Ze strompelden te voorschijn uit sneeuwbuien of dichte mist en zagen er eerder uit als vogelverschrikkers dan als mannen, de handen achter het hoofd, hun wapens op de grond voor hun voeten. Hun laarzen en hoofden waren omwikkeld met repen stof. Hun holle, schichtige ogen verrieden dat ze de hongerdood nabij waren.

Ondanks de meelijwekkende conditie waarin de krijgsgevangenen verkeerden konden veel Russen hun brandende haat tegen de nazi's niet loslaten. Ze waren woedend geweest toen de nazi's hun vaderland binnen waren gevallen, en het vuur van hun woede was aangewakkerd tot een witte gloed door de berichten over de wreedheden die de nazi's in de bezette gebieden hadden begaan, de gruwelijke, voortgaande strijd in Leningrad en de afschuwwekkende retoriek die de communistische agitatoren bleven spuien. Iedere Rus droeg de pijn van de *Rodina* in dezelfde handen die zijn pistoolmitrailleur of geweer omklemden met zich mee.

Hele compagnieën Duitsers, Roemenen, Hongaren en Italianen werden meedogenloos neergemaaid, hoewel ze onder een witte vlag de Russen naderden. De erop los moordende Russische eenheden konden ongestraft hun gang gaan met hun vernietigingscampagne, met de zwijgende en wraaklustige instemming van hun generaals en Stalin zelf. Tegen de derde week van januari was het Duitse Zesde Leger, dat twee maanden eerder nog driehonderdduizend man had geteld, gedecimeerd – verhongerd, bevroren of afgeslacht – tot slechts negentigduizend man.

Op 30 januari telegrafeerde Hitler generaal Paulus dat hij was bevorderd tot de rang van veldmaarschalk; Hitler wist dat geen enkele Duitse veldmaarschalk ooit in de strijd had gecapituleerd. Hij hoopte heimelijk dat de zwaarbeproefde commandant de wenk zou begrijpen en zelfmoord zou plegen, in Hitlers ogen de kroon op de heldhaftige strijd van het Zesde Leger. Paulus schoot zichzelf niet door het hoofd; in plaats daarvan gaf hij zich nog voor het aanbreken van de dag over aan een jonge Russische luitenant, Fjodor Jeltsjenko, die in een tank voor het Duitse hoofdkwartier in het geteisterde Univermag-warenhuis zat, zijn tankkanon op Paulus' venster gericht.

Aan alle georganiseerd verzet van de Duitsers in Stalingrad kwam een eind op 2 februari 1943. Lange colonnes voortsjokkende krijgsgevangenen verlieten de stad aan de noordzijde. Ze strompelden door een verblindende sneeuwjacht de Wolga over en bogen toen af naar het oosten, om daar hun kamp op te slaan. Iedereen die het tempo niet kon bijhouden kreeg van een van de bewakers van de NKVD een kogel door het hoofd en werd langs de weg achtergelaten.

De colonnes krijgsgevangenen trokken door dorpen die onaangetast waren door de oorlog. Hoewel het Rode leger de Wehrmacht bij Stalingrad tot staan had gebracht, uitten de Russische burgers ten oosten van de Wolga hun haat tegen de Duitsers alsof zij zelf aan de meedogenloze strijd hadden deelgenomen. Oude vrouwen en mannen drongen door in de gelederen van de strompelende Duitsers om hen te slaan, te krabben of hen dingen van waarde te ontnemen: aanstekers, vulpennen, zorgvuldig bewaarde etenswaren en zelfs schrijfpapier. Verscheidene keren kwam het voor dat de Russische soldaten die de dorpen en gehuchten moesten bewaken lucht gaven aan hun wraakzucht door in het wilde weg het vuur te openen op de colonnes.

Onderweg werden er schamele bivakken opgezet voor de gevangenen, zelden meer dan inderhaast opgezette tenten, tochtige schuren of fabriekshallen zonder vensters. Over de vloeren werd wat stro uitgestort, bij wijze van bed. Iedere ochtend stonden er minder gevangenen op om de mars naar het oosten voort te zetten. Veel mannen waren 's nachts alsnog bezweken aan de honger en de kou. Anderen werden overvallen door tyfus, veroorzaakt door de luizen op hun lichaam.

Uiteindelijk werden de overlevenden in de laadbak van vrachtwagens gedreven en overgebracht naar werkkampen die over heel Siberië verspreid lagen.

Al direct na het begin van de Duitse invasie had Stalin veel productiebedrijven naar gebieden ten oosten van het Oeralgebergte laten overbrengen. Deze fabrieken hadden spoorwegen nodig om ze met de westelijke helft van het land te verbinden. De krijgsgevangenen uit de As-mogendheden moesten onmenselijk zwaar werk verrichten. Ze werden twaalf uur per etmaal in de bitterkoude Siberische winter met pikhouwelen, spaden en mokers aan het werk gehouden. Ze werden tunnels in gestuurd om dynamietladingen te plaatsen. Ze spleten rotsblokken en laadden brokken steen in de laadbakken van vrachtwagens, of bouwden stutmuren tegen uitgehakte berghellingen. Vaak werden ze 's avonds door communisten gehersenspoeld met lange uiteenzettingen over de wandaden van het fascisme en hun leiders. Veel gevangenen leken zich tegen hun eigen land te keren en het wereldsocialisme te omhelzen. Hoe luider hun juichkreten voor het communisme waren, des te minder wreed werden ze behandeld. Er kwamen artsen, verpleegsters, voedsel en kleding, en ze mochten zelfs wat post en wat nieuws ontvangen. Dit alles maakte duidelijk dat de Russen een aantal gevangen in leven wilden houden; die konden ze goed gebruiken als fiches aan de politieke goktafels van na de oorlog.

Pas in 1948 liet de Sovjet-Unie de eerste krijgsgevangenen uit Stalingrad gaan. De politieke pressie van de Koude Oorlog reduceerde de repatriëringen tot een sijpelend stroompje. Desondanks waren er in 1954 nog maar tweeduizend Duitse gevangenen in de Siberische werkkampen over. Zij werden door premier Nikita Chroesjtsjov geen 'krijgsgevangenen' genoemd, maar 'oorlogsmisdadigers', mannen die door Sovjet-tribunalen waren berecht en veroordeeld wegens wreedheden, begaan tegen burgers van de Sovjet-Unie.

Van de een miljoen tweehonderdvijftigduizend Duitse soldaten die in 1942 deel hadden genomen aan de invasie van de Sovjet-Unie, over de Russische steppen naar de poorten van Stalingrad, keerden er uiteindelijk nog geen dertigduizend naar hun geliefde *Heimat* terug.

DANKWOORD

Graag betuig ik mijn dank aan de heer John F. Young uit Ithaca, New York, voor zijn gezelschap en onschatbare medewerking tijdens de research voor dit boek in Rusland; aan dr. Jim Redington uit Bath County in Virginia, al vele jaren mijn beste vriend, voor zijn gewaardeerde adviezen met betrekking tot alle medische kwesties in dit boek, voor de decennia van onze gezamenlijke avonturen en zijn bedachtzame raadgevingen, en voor het feit dat hij mij al die jaren in de gelegenheid heeft gesteld met zijn liefdevolle gezin op te trekken; aan mijn literair agent, Marcy Posner, van het William Morris Agency, zonder wie uw auteur en dit boek nooit verder zouden zijn gekomen dan *wishful thinking*; en aan mevrouw Katie Hall van Bantam Books, die als redacteur als een verhoord gebed is.

David L. Robbins

BIBLIOGRAFIE

Voor dit boek heb ik de volgende, zeer aanbevolen, literatuurbronnen over Rusland en de Slag om Stalingrad geraadpleegd:

Beevor, Antony: *Stalingrad: The Fateful Siege, 1942-1943*, Viking, 1998; Nederlandse vertaling: *Stalingrad*, Uitgeverij Balans, 1999.
Chuikov, Vasili I.: *The Battle for Stalingrad*, Engelse vertaling H. Silver, Holt, Rinehart and Winston, 1964.
Clark, Alan: *Barbarossa: The Russian-German Conflict, 1941-1945*, William Morrow, 1965.
Craig, William: *Enemy at the Gates: The Battle for Stalingrad*, Reader's Digest Press, 1973.
Glantz, David M., en House, Jonathan M.: *When Titans Clashed: How the Red Army Stopped Hitler*, University Press of Kansas, 1995.
Jukes, Geoffrey: *Stalingrad: The Turning Point*, Ballantine Books, 1968.
Keegan, John: *The Second World War*, Penguin Books, 1989.
Schroter, Heinz: *Stalingrad*, Engelse vertaling C. Fitzgibbon, E.P. Dutton, 1958.
Seth, R.: *Stalingrad: Point of Return*, Coward-McCann, 1959.
Shipler, David K.: *Russia: Broken Idols, Solemn Dreams*, Times Books, 1983.
Tantum, William: *Sniper Rifles of Two Wars*, Historical Arms Series no. 8, Museum Restoration Service, 1967.
Two Hundred Days of Fire: Accounts by Participants and Wittnesses of the Battle of Stalingrad, Progress Publishers, 1970.
Werth, Alexander: *Russia at War*, E.P. Dutton, 1964.
Werth, Alexander: *The Year of Stalingrad*, H. Hamilton, 1946.
Zaitsev, Vasily: *Za Volgoi zemli dlia nas ne bylo* (Voor ons was er geen land achter de Wolga), Moskou, 1971.

Fedja's gedicht, 'WASSEN BIJ DE RIVIER', is het werk van mevrouw Karen Johnston uit Seattle. Het werd met haar toestemming geciteerd.

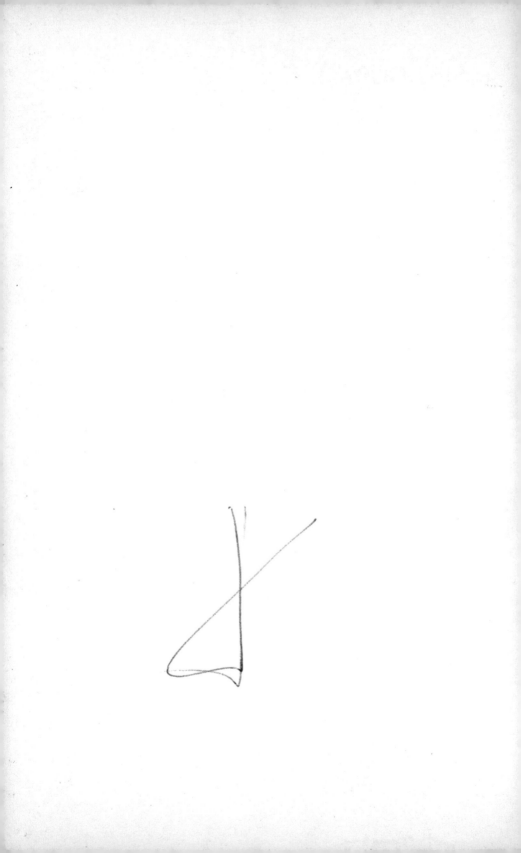